JN254476

COPD
（慢性閉塞性肺疾患）
診断と治療のための ガイドライン
［第6版］

2022

編集 ｜ 日本呼吸器学会COPDガイドライン第6版作成委員会

The JRS Guideline for the Management of
Chronic Obstructive Pulmonary Disease 2022

一般社団法人 日本呼吸器学会
The Japanese Respiratory Society

メディカルレビュー社

序

　COPD（慢性閉塞性肺疾患）は長期間の喫煙に起因する生活習慣病で、本邦には 500 万人を超える患者がいると見積もられております。故に本疾患は呼吸器内科のみならず、多くの非専門医がかかりつけ医として診療することになる疾患です。2013 年には「健康日本 21（第 2 次）」において、本疾患が対策を講じるべき生活習慣病として取り上げられ、まずはその認知度の向上を目的とされました。日本呼吸器学会としても本疾患の啓発に力を入れて取り組んでいるところですが、認知度は依然として低く、何らかの対策が求められるところです。今後、人口の高齢化が進むにあたり、多くの高齢者が罹患している本疾患が大きなインパクトをもたらすことが危惧されております。喫煙によって壊された肺は現在の医学では元に戻すことはできません。故に COPD 患者に禁煙を早期に達成させて少しでも将来リスクを低減して、さらに最善の治療を施すことで現時点の症状を改善することが、呼吸器内科専門医のみならずかかりつけ医の重要な課題であると言えるのではないでしょうか。

　この度、『COPD（慢性閉塞性肺疾患）診断と治療のためのガイドライン 第 6 版』が、多くの編集委員、システマティックレビュー委員、査読委員や協力者のもとに作成され、上梓されることになりました。本ガイドラインは、これまでのガイドラインの流れを引き継ぎ、疾患概念、病態、診断、治療について参考となる事項や手順を、新しい知見を加え最新版としたものです。特に本版では、COPD の治療に関するクリニカルクエスチョンを設定し、最新のエビデンスを基に科学的なレビューを行い、クエスチョンに対する現時点でのベストアンサーを模索しております。本疾患の治療・管理に関する記載のみならず、新たに追加・修正された項目もあり、本書を一読することで疾患理解を深めることができると思います。

　COPD 患者の生命予後を改善できる治療薬が開発されるなど、近年の治療の開発は目覚ましいものがあり、今後も益々発展するものと思います。また、予防の重要性から、早期発見と早期介入が益々推進されていくことを期待したいと思います。特に禁煙の啓発や施策が進めば、COPD 患者数は減少してくることが期待できます。しかし、今のところ患者が多い状態が当面は続くことが想定されます。本書が呼吸器専門医のみならず、かかりつけ医の皆様にも COPD の日常臨床のお役に立てると願っております。

　最後に、本書の作成に多大なるご尽力をいただいた関係者の皆様ならびにコメントをいただきました学会員の先生方、そして査読にご協力いただきました患者団体代表様に深く感謝いたします。

2022 年 5 月

日本呼吸器学会 COPD ガイドライン第 6 版作成委員会

委員長　柴田 陽光

ガイドラインの名称

日本語名：COPD（慢性閉塞性肺疾患）診断と治療のためのガイドライン 2022
英語名：The JRS Guideline for the Management of Chronic Obstructive Pulmonary Disease 2022

ガイドライン発行の母体

日本呼吸器学会『閉塞性肺疾患学術部会』

監修、編集、出版

監修
日本呼吸器学会
編集
日本呼吸器学会 COPD ガイドライン第 6 版作成委員会
出版
株式会社メディカルレビュー社

作成委員会

委員長

柴田　陽光	福島県立医科大学医学部呼吸器内科学講座

編集委員

〈副委員長〉（五十音順）

川山　智隆	久留米大学医学部内科学講座呼吸器・神経・膠原病内科部門
室　　繁郎	奈良県立医科大学呼吸器内科学講座

〈主任編集委員〉

杉浦　久敏	東北大学大学院医学系研究科呼吸器内科学分野

〈責任編集委員〉（五十音順）

井上　博雅	鹿児島大学大学院医歯学総合研究科呼吸器内科学
金子　　猛	横浜市立大学大学院医学研究科呼吸器病学教室
黒澤　　一	東北大学環境・安全推進センター / 大学院医学系研究科産業医学分野
中野　恭幸	滋賀医科大学内科学講座呼吸器内科
松永　和人	山口大学大学院医学系研究科呼吸器・感染症内科学講座

〈委　員〉（五十音順）

青柴　和徹	東京医科大学茨城医療センター呼吸器内科
浅井　一久	大阪公立大学大学院医学研究科呼吸器内科学

浅野 浩一郎	東海大学医学部内科学系呼吸器内科学
石原 英樹	医療法人八尾徳洲会総合病院呼吸器内科
礒部 威	島根大学医学部内科学講座呼吸器・臨床腫瘍学
井上 純人	山形大学医学部内科学第一講座
岩本 博志	広島大学大学院医系科学研究科分子内科学
植木 純	順天堂大学大学院医療看護学研究科臨床病態学分野呼吸器系
小賀 徹	川崎医科大学呼吸器内科学教室
岡田 克典	東北大学加齢医学研究所呼吸器外科学分野
小川 浩正	東北大学大学院医学系研究科産業医学分野
桂 秀樹	東京女子医科大学内科学講座呼吸器内科学分野
小荒井 晃	東北大学大学院医学系研究科呼吸器内科学分野
古藤 洋	公立学校共済組合九州中央病院呼吸器内科
小林 哲	三重大学大学院医学系研究科臨床医学系講座呼吸器内科学分野
今野 哲	北海道大学大学院医学研究院呼吸器内科学教室
權 寧博	日本大学医学部内科学系呼吸器内科学分野
斎藤 純平	福島県立医科大学医学部呼吸器内科学講座
白井 敏博	静岡県立総合病院呼吸器内科
鈴木 雅	北海道大学大学院医学研究院呼吸器内科学教室
瀬山 邦明	順天堂大学大学院医学研究科呼吸器内科学
髙橋 浩一郎	佐賀大学医学部附属病院呼吸器内科
津田 徹	霧ヶ丘つだ病院
寺本 信嗣	東京医科大学八王子医療センター呼吸器内科
中山 勝敏	秋田大学大学院医学系研究科呼吸器内科学講座
花岡 正幸	信州大学医学部内科学第一教室
檜澤 伸之	筑波大学医学医療系呼吸器内科
平井 豊博	京都大学大学院医学研究科呼吸器内科学
福永 興壱	慶應義塾大学医学部呼吸器内科
藤本 圭作	市立大町総合病院
放生 雅章	国立国際医療研究センター病院呼吸器内科
堀江 健夫	前橋赤十字病院呼吸器内科
松瀬 厚人	東邦大学医療センター大橋病院呼吸器内科
松元 幸一郎	福岡歯科大学総合医学講座呼吸器内科学
南方 良章	国立病院機構和歌山病院
茂木 孝	臨床呼吸器疾患研究所 呼吸ケアクリニック東京

矢寺　和博	産業医科大学医学部呼吸器内科学
山内　基雄	奈良県立医科大学呼吸器内科学講座
吉川　雅則	奈良県立医科大学附属病院栄養管理部

〈査読委員〉（五十音順）

一ノ瀬正和	大崎市民病院アカデミックセンター
大田　　健	公益財団法人結核予防会複十字病院 / 国立病院機構東京病院
桑平　一郎	東海大学医学部付属東京病院呼吸器内科
永井　厚志	新百合ヶ丘総合病院呼吸器疾患研究所
長瀬　隆英	東京大学大学院医学系研究科呼吸器内科学
西村　正治	豊水総合メディカルクリニック / 北海道呼吸器疾患研究所
橋本　　修	日本大学 / 日比谷国際クリニック
福地義之助	順天堂大学
三嶋　理晃	大阪府済生会野江医療福祉センター
横山　彰仁	高知大学医学部呼吸器・アレルギー内科学教室

システマティックレビュー（SR）統括委員

| 堀田　信之 | 横浜市立大学附属病院化学療法センター |

システマティックレビュー（SR）委員（五十音順）

阿部　結希	北海道大学大学院医学研究院呼吸器内科学教室
安藤　守秀	大垣市民病院呼吸器内科
市川　朋宏	東北大学大学院医学系研究科呼吸器内科学分野
栄徳　勝光	高知大学医学部環境医学教室
海老原明典	東海大学医学部付属東京病院呼吸器内科
大西　広志	高知大学医学部呼吸器・アレルギー内科学教室
神尾　敬子	九州大学大学院医学研究院胸部疾患研究施設
木村　孔一	北海道大学大学院医学研究院呼吸器内科学教室
窪田　哲也	高知大学医学部呼吸器・アレルギー内科学教室
小林　信明	横浜市立大学大学院医学研究科呼吸器病学教室
佐伯　　翔	近畿大学医学部呼吸器・アレルギー内科
佐藤　建人	山形大学医学部内科学第一講座
佐藤　　俊	スリープ呼吸器内科クリニック
佐藤　　晋	京都大学大学院医学研究科呼吸管理睡眠制御学講座
佐野安希子	近畿大学医学部呼吸器・アレルギー内科学教室
宍倉　　裕	国立病院機構仙台医療センター呼吸器内科

清 水 薫 子	北海道大学大学院医学研究院呼吸器内科学教室
鈴 木 康 仁	福島県立医科大学医学部呼吸器内科学講座
髙 木 弘 一	鹿児島大学大学院医歯学総合研究科呼吸器内科学
立 川 良	神戸市立医療センター中央市民病院呼吸器内科
谷 村 和 哉	奈良県立医科大学呼吸器内科学講座／京都大学大学院医学研究科呼吸器内科学
陳 昊	横浜市立大学大学院医学研究科呼吸器病学教室
南 宮 湖	慶應義塾大学医学部感染症学教室
西 川 裕 作	近畿大学医学部呼吸器・アレルギー内科学教室
西 村 直 樹	聖路加国際病院呼吸器センター呼吸器内科
野 口 真 吾	戸畑総合病院呼吸器内科
羽 白 高	天理よろづ相談所病院呼吸器内科
原 悠	横浜市立大学大学院医学研究科呼吸器病学教室
東 本 有 司	近畿大学医学部リハビリテーション医学
福 山 聡	九州大学大学院医学研究院胸部疾患研究施設
藤 倉 雄 二	防衛医科大学校病院 医療安全・感染対策部
藤 田 幸 男	奈良県立医科大学呼吸器内科学講座
藤 野 直 也	東北大学大学院医学系研究科呼吸器内科学分野
町 田 健太朗	鹿児島大学大学院医歯学総合研究科呼吸器内科学
村 瀬 公 彦	京都大学大学院医学研究科呼吸管理睡眠制御学講座
茂 呂 寛	新潟大学医歯学総合病院感染管理部
山 田 充 啓	東北大学大学院医学系研究科呼吸器内科学分野
山 本 佳 史	奈良県立医科大学呼吸器内科学講座
横 山 俊 樹	公立陶生病院呼吸器・アレルギー疾患内科

クリニカルクエスチョン（CQ）協力者

| 大 森 久 光 | 熊本大学大学院生命科学研究部生体情報解析学講座 |

外部評価委員 （五十音順）

大久保 修 一	大久保内科呼吸器科クリニック
大 林 浩 幸	東濃中央クリニック
髙 橋 識 至	東北医科薬科大学若林病院
西 川 正 憲	藤沢市民病院呼吸器内科
畑 地 治	松阪市民病院呼吸器センター
福 家 聡	KKR 札幌医療センター呼吸器センター
牧 田 比呂仁	牧田病院

協力者

遠 山 　 和 子　　　　NPO 法人日本呼吸器障害者情報センター

背景、目的と使用上の注意

1.COPD 診断と治療のためのガイドライン第6版作成の背景と経緯

　慢性閉塞性肺疾患（Chronic obstructive pulmonary disease：COPD）に対して数多くの薬剤臨床試験が実施され、有効性・安全性の評価がなされてきた。特に、近年の薬物療法の発展は目覚ましく、生命予後の改善が期待できる治療法も報告されている。2018 年には前版（第5版）が発刊されたが、その後の治療・管理に関するエビデンスが蓄積され、学会内にて早急なガイドライン改訂が望まれていた。また、医学的に公平な判断のもとで、エビデンスの総体から適切な治療・管理を推奨するために、本版（第6版）においては Minds に準拠したガイドライン作成を目指すことにした。

2. 本ガイドラインの目的

　本ガイドラインは、呼吸器専門医のみでなく、非専門医などにも COPD の標準的かつ適切な診断、治療、管理を広く普及させるためにまとめられたものである。本ガイドラインの活用によって、記載されている COPD 患者の管理目標が達成されることを目的とする。

3. 本ガイドラインの限界と臨床現場で利用する上での注意点

　本ガイドラインは、クリニカルクエスチョンについてシステマティックレビューを行い、投票を行った上で、Minds、GRADE システムのガイドライン作成システムに準じて、推奨、提案を作成した。

　本ガイドラインは臨床現場で患者の利益不利益を考慮した、担当医師の裁量権を阻害するものではないこと、また、医事紛争や医療告訴における判断材料に資するためのものではないことを明記したい。標準的な治療法/処置に沿わない対処を行う場合には、患者への十分な説明とカルテへの記載をすることが望ましい。診療結果に対する責任は直接の診療担当者に帰属するものであり、日本呼吸器学会および本ガイドラインの作成にかかわる各種委員は一切の責任を負わない。

4. ガイドラインの利用者

　本ガイドラインの利用対象者は、上記疾患に関係する、呼吸器科医、その他の非専門医、看護師、薬剤師、理学療法士、作業療法士、臨床工学技士、政策担当者（難病担当者）、保健師、医学部学生。内容は専門的であるが、患者、その家族、介護者も対象である。

本ガイドラインの作成方法と読み方

1. 診療ガイドラインとは

　診療ガイドライン（clinical practice guidelines）は、「診療上の重要度の高い医療行為について、エビデンスのシステマティックレビューとその総体評価、益と害のバランスなどを考慮して、患者と医療者の意思決定を支援するために最適と考えられる推奨を提示する文書」（Minds 診療ガイドライン作成マニュアル 2017）である。さらに最近は「健康に関する課題について、医療利用者と提供者の意志決定を支援するために、システマティックレビューによりエビデンス総体を評価し、益と害のバランスを勘案して、最適と考えられる推奨を提示する文書」（Minds 診療ガイドライン作成マニュアル 2020）と定義されている。診療ガイドラインは疾患に対する治療行為を扱うものとみなされていたが、今日では治療に限らず、予防、健診、リハビリテーション、看護介入、保険指導、社会的支援など幅広い内容が扱われるようになってきた。患者の意向を取り入れるために、本ガイドラインは患者会代表にもご協力いただいている。また、診療ガイドラインは、医療者の経験を否定するものではなく、またガイドラインに示されるのは一般的な診療方法であるため、必ずしも個々の患者の状況に当てはまるとは限らない。臨床現場において最終的な判断は、主治医が患者と協議して行うことが最も重要である。

2. 推奨に関する評価

　Minds、GRADE システムに準じて、各クリニカルクエスチョン（CQ）について推奨度の決定は、システマティックレビューの結果を踏まえ、①エビデンス総体のエビデンスの確実性（表 1*）、②推奨の強さに影響する要因なども考慮しながら、GRADE に基づいた推奨度を、会議参加者の投票にて決定した（図 1）。

　*：p. XI に記載の参考文献エビデンスレベル分類とは異なる。

表 1　エビデンス総体のエビデンスの確実性

A（強）：	効果の推定値が推奨を支持する適切さに強く確信がある
B（中）：	効果の推定値が推奨を支持する適切さに中程度の確信がある
C（弱）：	効果の推定値が推奨を支持する適切さに対する確信は限定的である
D（とても弱い）：	効果の推定値が推奨を支持する適切さにほとんど確信できない

（Minds 診療ガイドライン作成マニュアル作成委員会. Minds 診療ガイドライン作成マニュアル2020 ver.3.0. 東京：日本医療評価機構；2020, p.284より引用改変）

図1　GRADEに基づいた推奨度

推奨の方向性			
行う（1）	（2）	（2）	行わない（1）

推奨の強さ	強い	弱い	弱い	強い
記載	…を行うよう 推奨する	…を行うよう 提案する	…を行わないよう 提案する	…を行わないよう 推奨する

（日本肺癌学会編：肺癌診療ガイドライン2021年版. 図1. GRADEに基づいた推奨度
https://www.haigan.gr.jp/guideline/2021/jo/21002021ho00.html）

●参考文献のエビデンスレベルに関する記載

　各文献末尾のローマ数字がエビデンスレベルを示す。エビデンスレベルの分類は、日本医療機能評価機構が運営する医療情報サービスMindsに準じて行った。

エビデンスのレベル分類（質の高いもの順）

Ⅰ	システマティックレビュー / RCTのメタアナリシス
Ⅱ	1つ以上のランダム化比較試験による
Ⅲ	非ランダム化比較試験による
Ⅳa	分析疫学的研究（コホート研究）
Ⅳb	分析疫学的研究（症例対照研究、横断研究）
Ⅴ	記述研究（症例報告やケース・シリーズ）
Ⅵ	患者データに基づかない、専門委員会や専門家個人の意見

（日本医療評価機構. Minds診療ガイドライン作成の手引き2007. 東京：医学書院；2007, p.15、エビデンスのレベル分類より引用）

COPD（慢性閉塞性肺疾患）診断と治療のためのガイドライン第6版 出版にあたって

1. ガイドライン作成組織、重要課題の選択、アウトカム抽出

　日本呼吸器学会閉塞性肺疾患学術部会の協力のもと、「COPD ガイドライン第6版作成委員会」が組織された。その人選においては、日本呼吸器学会ガイドライン施行管理委員会の定める規定の範囲内で、閉塞性肺疾患学術部会内から、特に専門性が高く、各領域の執筆にふさわしい人材が任命された。委員は編集委員、システマティックレビュー（SR）委員で構成された。

　日本呼吸器学会閉塞性肺疾患学術部会役員によって重要臨床課題が決定され、それぞれに対するクリニカルクエスチョン（CQ）が設定され、その構成要素であるアウトカムが選ばれた。

2. ガイドライン作成の手順

1）ガイドライン作成作業の経過

　2018 年 11 月から CQ の設定および CQ に関するアウトカムの決定作業を開始した。設定した CQ の数は 15 である。2019 年 4 月日本呼吸器学会理事会とガイドライン施行管理委員会からのガイドライン改訂の承認を受け、2020 年 10 月に委員が任命され、11 月からは SR 委員から構成される系統的レビューチームによる各 CQ に関する文献検討・選択・推奨文案の作成が開始された。2021 年 3 月までにすべて CQ に対する系統的レビューチームからの推奨文案が提案され、SR 統括委員により確認・修正された。4 月に推奨の強さ決定会議を開催し、推奨文案が決定された。本会議は web システムを利用して実施され、72 名の委員が参加した（別途委任状による参加 12 名）。議長は会議前に、COI が日本呼吸器学会の規定に抵触しない委員の中から推薦にて選出された（議長：杉浦久敏委員）。COI が抵触する委員ならびに議長は投票には参加せずにオブザーバーでの参加に留めた。SR 委員は自身が解析した CQ への投票権はないが、担当した CQ 以外に関しては投票権が与えられた。その結果を基に、ガイドライン編集委員が分担し GRADE システムに基づく推奨文および補足する説明文の執筆作業を開始した。2021 年 6 月 10 日までに一次原稿の執筆作業を終了し、5 ～ 8 月に責任編集委員による会議を行い、2022 年 1 月まで編集委員長、副委員長、主任編集委員により全体の原稿確認および修正が行われた。2022 年 2 月に患者団体代表者から原稿内容についてご確認いただき、ガイドラインにおける治療の推奨が患者の嗜好に合うものであることを確認した。同時に日本呼吸器学会ホームページ（会員限定サイト）を利用したパブリックコメントを募集し、必要に応じて原稿修正を行った。2022 年 3 月に査読委員と外部査読委員の校閲を受け、2022 年 6 月に印刷・製本・刊行した。

2）クリニカルクエスチョン

　本ガイドラインでは、PICO 形式［どのような patient に、何をしたら（intervention）、ほかの何と比べて（comparison）、どのようなアウトカムがどのようになるか？（outcome）］に基づいて、CQ を作成した。最終的に 15 の CQ を作成し、それぞれについてシステマティックレビューを実施した。

3）システマティックレビュー・推奨決定までの経緯などについて

　クリニカルクエスチョン（CQ）のシステマティックレビューで検索に利用したデータベースは、PubMed、Cochrane Library、Medical Online である。文献検索の対象期間は 2021 年 3 月までとした。各 CQ の文献検索・選択の作業は、各 CQ 担当者が行った。各 CQ について、重要なアウトカムに関するエビデンス総体の質（強さ）、益と害のバランス、患者の価値観や意向・希望、コストや利用可能な資源の視点などから会議で議論を尽くし、最終的に投票で 2/3 以上の

賛同が得られた結果を採用した。

4)外部評価

　本ガイドラインは、日本呼吸器学会ホームページでパブリックコメントを募集し、その採否を編集委員長、副委員長、主任編集委員がその採否を決定し、内容に反映させた。その後に外部評価委員からの評価を受けた。評価者からのコメントについては、可能な限り本ガイドラインに反映させた。最終的に日本呼吸器学会理事会が発刊の承認を行った。

3. ガイドライン作成資金

　本診療ガイドライン作成に関する費用は、日本呼吸器学会から提供された。

4. 改訂予定

　本診療ガイドラインは、新しい臨床試験などの結果を受けて、3〜5年ごとに改訂する予定である。ただし、重要な知見が得られた場合には、必要に応じて改訂時期の前倒しや部分改訂を検討する。

● COI（利益相反）について

　一般社団法人日本呼吸器学会は、COI（利益相反）委員会を設置し、内科系学会とともに策定したCOI（利益相反）に関する当学会の指針ならびに細則に基づき、COI状態を適正に管理している（COI（利益相反）については、学会ホームページに指針・書式等を掲載している）。

〈利益相反開示項目〉該当する場合は具体的な企業名（団体名）を記載する。

1. 企業や営利を目的とした団体の役員、顧問職の有無と報酬額（1つの企業・団体からの報酬額が年間100万円以上）
2. 株の保有と、その株式から得られる利益（1つの企業の年間の利益が100万円以上、あるいは当該株式の5％以上を有する場合）
3. 企業や営利を目的とした団体から支払われた特許権使用料（1つの特許権使用料が年間100万円以上）
4. 企業や営利を目的とした団体から会議の出席（発表）に対し、研究者を拘束した時間・労力に対して支払われた日当（講演料など）（1つの企業・団体からの年間の講演料が合計50万円以上）
5. 企業や営利を目的とした団体がパンフレットなどの執筆に対して支払った原稿料（1つの企業・団体からの年間の原稿料が合計50万円以上）
6. 企業や営利を目的とした団体が提供する研究費（1つの企業・団体から、医学系研究（共同研究、受託研究、治験など）に対して、申告者が実質的に使途を定めて取得した研究契約金の総額が年間100万円以上）
7. 企業や営利を目的とした団体が提供する奨学（奨励）寄付金（1つの企業・団体から、申告者個人または申告者が所属する講座・分野または研究室に対して、申告者が実質的に使途を決定し得る寄付金の総額が年間100万円以上）
8. 企業などが提供する寄付講座に申告者が所属している場合（申告者が実質的に使途を決定し得る寄付金の総額が年間100万円以上）
9. 研究とは直接無関係な旅行、贈答品などの提供（1つの企業・団体から受けた総額が年間5万円以上）

〈利益相反事項の開示〉

氏名		利益相反事項		氏名		利益相反事項	
		開示項目	企業名			開示項目	企業名
委員長	柴田　陽光	4	アストラゼネカ㈱ グラクソ・スミスクライン㈱ 日本ベーリンガーインゲルハイム㈱ ノバルティス ファーマ㈱	編集委員	小川　浩正	8	チェスト㈱ フクダライフテック㈱
編集委員	浅井　一久	4	アストラゼネカ㈱ 日本ベーリンガーインゲルハイム㈱		金子　猛	4	アストラゼネカ㈱ 杏林製薬㈱ グラクソ・スミスクライン㈱ ノバルティス ファーマ㈱ ベーリンガーインゲルハイム
		6	日本ベーリンガーインゲルハイム㈱				
		7	中外製薬㈱ 日本ベーリンガーインゲルハイム㈱		川山　智隆	4	アストラゼネカ㈱ 杏林製薬㈱ グラクソ・スミスクライン㈱ 帝人ヘルスケア㈱ ノバルティス ファーマ㈱ ベーリンガーインゲルハイム
	礒部　威	4	ベーリンガーインゲルハイム				
	井上　純人	4	アストラゼネカ㈱ ノバルティス ファーマ㈱		黒澤　一	4	ベーリンガーインゲルハイム
						7	チェスト㈱
	井上　博雅	4	アストラゼネカ㈱ 杏林製薬㈱ グラクソ・スミスクライン㈱ 日本ベーリンガーインゲルハイム㈱		小林　哲	4	アストラゼネカ㈱ 日本ベーリンガーインゲルハイム㈱
		6	日本ベーリンガーインゲルハイム㈱ ノバルティス ファーマ㈱			7	小野薬品工業㈱ 大鵬薬品工業㈱ 中外製薬㈱ 日本イーライリリー㈱ 日本ベーリンガーインゲルハイム㈱
		7	グラクソ・スミスクライン㈱ 日本ベーリンガーインゲルハイム㈱ ノバルティス ファーマ㈱				
	岩本　博志	4	アストラゼネカ㈱		今野　哲	4	アストラゼネカ㈱ グラクソ・スミスクライン㈱ 日本ベーリンガーインゲルハイム㈱
	植木　純	6	バンドー化学㈱				
	小賀　徹	4	アストラゼネカ㈱ グラクソ・スミスクライン㈱ 帝人ヘルスケア㈱ 日本ベーリンガーインゲルハイム㈱ ノバルティス ファーマ㈱			7	アステラス製薬㈱ 杏林製薬㈱ 日本ベーリンガーインゲルハイム㈱ ノバルティス ファーマ㈱
		8	帝人ファーマ㈱ ㈱フィリップス・ジャパン フクダ電子㈱ フクダライフテック京滋㈱		権　寧博	4	アストラゼネカ㈱ グラクソ・スミスクライン㈱ ノバルティス ファーマ㈱
					白井　敏博	4	ベーリンガーインゲルハイム

氏名	利益相反事項 開示項目	企業名
編集委員 杉浦 久敏	4	アストラゼネカ㈱ グラクソ・スミスクライン㈱ ノバルティス ファーマ㈱
	7	ノバルティス ファーマ㈱
鈴木 雅	4	アストラゼネカ㈱ 日本ベーリンガーインゲルハイム㈱
髙橋 浩一郎	4	アストラゼネカ㈱ 日本ベーリンガーインゲルハイム㈱
	6	日本ベーリンガーインゲルハイム㈱
津田 徹	4	アストラゼネカ㈱ 杏林製薬㈱ 帝人ヘルスケア㈱ 日本ベーリンガーインゲルハイム㈱
寺本 信嗣	4	アストラゼネカ㈱ 日本ベーリンガーインゲルハイム㈱ ノバルティス ファーマ㈱
中野 恭幸	4	アストラゼネカ㈱ オリンパス㈱ グラクソ・スミスクライン㈱ 日本ベーリンガーインゲルハイム㈱
	6	オリンパス㈱ 日本ベーリンガーインゲルハイム㈱
	7	日本ベーリンガーインゲルハイム㈱ ノバルティス ファーマ㈱
中山 勝敏	4	アストラゼネカ㈱ グラクソ・スミスクライン㈱ 日本ベーリンガーインゲルハイム㈱
花岡 正幸	4	アストラゼネカ㈱ 日本ベーリンガーインゲルハイム㈱
	6	日本ベーリンガーインゲルハイム㈱
檜澤 伸之	4	アストラゼネカ㈱ グラクソ・スミスクライン㈱ ノバルティス ファーマ㈱ ベーリンガーインゲルハイム
	7	グラクソ・スミスクライン㈱ ノバルティス ファーマ㈱
平井 豊博	4	アストラゼネカ㈱ 日本ベーリンガーインゲルハイム㈱
	7	アステラス製薬㈱ 日本ベーリンガーインゲルハイム㈱
福永 興壱	4	アストラゼネカ㈱ グラクソ・スミスクライン㈱ サノフィ㈱ ノバルティス ファーマ㈱ ベーリンガーインゲルハイム
	6	小野薬品工業㈱ 帝人ファーマ㈱
藤本 圭作	4	帝人ヘルスケア㈱
	6	㈱コガネイ ㈱デンソー ㈱村田製作所
放生 雅章	4	アストラゼネカ㈱ 日本ベーリンガーインゲルハイム㈱
堀江 健夫	4	アストラゼネカ㈱
松瀬 厚人	4	アストラゼネカ㈱ グラクソ・スミスクライン㈱ ファイザー㈱ ベーリンガーインゲルハイム
松永 和人	4	アストラゼネカ㈱ グラクソ・スミスクライン㈱ 日本ベーリンガーインゲルハイム㈱ ノバルティス ファーマ㈱ Meiji Seika ファルマ㈱
	7	ノバルティス ファーマ㈱ ベーリンガーインゲルハイム
松元 幸一郎	4	アストラゼネカ㈱ グラクソ・スミスクライン㈱
南方 良章	4	日本ベーリンガーインゲルハイム㈱

氏名	利益相反事項 開示項目	企業名
編集委員 室 繁郎	4	アストラゼネカ㈱ グラクソ・スミスクライン㈱ 帝人ヘルスケア㈱ 日本ベーリンガーインゲルハイム㈱ ノバルティス ファーマ㈱
	6	ロート製薬㈱
茂木 孝	4	アストラゼネカ㈱ ベーリンガーインゲルハイム
矢寺 和博	4	アステラス製薬㈱ アストラゼネカ㈱ 杏林製薬㈱ グラクソ・スミスクライン㈱ 日本ベーリンガーインゲルハイム㈱ ノバルティス ファーマ㈱
	6	MSD㈱ 杏林製薬㈱ フクダライフテック㈱
	7	MSD㈱ グラクソ・スミスクライン㈱ (地独)くらて病院 塩野義製薬㈱ 大鵬薬品工業㈱ (公財)大和証券ヘルス財団 帝人ヘルスケア㈱ 日本ベーリンガーインゲルハイム㈱ ノバルティス ファーマ㈱
山内 基雄	6	㈱小池メディカル
査読委員 一ノ瀬 正和	4	アステラス製薬㈱ アストラゼネカ㈱ MSD㈱ 日本ベーリンガーインゲルハイム㈱ ノバルティス ファーマ㈱
	7	グラクソ・スミスクライン㈱ 日本ベーリンガーインゲルハイム㈱
	8	チェスト㈱ フクダライフテック㈱
桑平 一郎	4	アストラゼネカ㈱ グラクソ・スミスクライン㈱ ノバルティス ファーマ㈱ ベーリンガーインゲルハイム Meiji Seika ファルマ㈱
長瀬 隆英	4	アストラゼネカ㈱ 日本ベーリンガーインゲルハイム㈱
	7	日本ベーリンガーインゲルハイム㈱
西村 正治	4	アストラゼネカ㈱ 日本ベーリンガーインゲルハイム㈱ ノバルティス ファーマ㈱
	6	ノバルティス ファーマ㈱
	7	日本ベーリンガーインゲルハイム㈱
橋本 修	4	アストラゼネカ㈱ 日本ベーリンガーインゲルハイム㈱
	8	㈱フィリップス・ジャパン
三嶋 理晃	4	日本ベーリンガーインゲルハイム㈱
横山 彰仁	4	アストラゼネカ㈱ グラクソ・スミスクライン㈱ サノフィ㈱ 日本ベーリンガーインゲルハイム㈱ ノバルティス ファーマ㈱
	7	アステラス製薬㈱ 小野薬品工業㈱
SR委員 神尾 敬子	7	(公財)MSD生命科学財団 (一社)日本アレルギー学会
佐藤 建人	7	グラクソ・スミスクライン㈱
佐藤 晋	4	アストラゼネカ㈱ 日本ベーリンガーインゲルハイム㈱
	6	日本ベーリンガーインゲルハイム㈱
宍倉 裕	8	チェスト㈱ フクダライフテック㈱
西村 直樹	4	アストラゼネカ㈱
羽白 高	4	日本ベーリンガーインゲルハイム㈱

氏名		利益相反事項		氏名	利益相反事項	
		開示項目	企業名		開示項目	企業名
	村瀬 公彦	8	帝人ファーマ㈱ ㈱フィリップス・ジャパン フクダ電子㈱ フクダライフテック京滋㈱ レスメド㈱	畑地 治	6	アストラゼネカ㈱ オリンパス㈱ 日本ベーリンガーインゲルハイム㈱
外部評価委員	大林 浩幸	6	杏林製薬㈱	福家 聡	4	アストラゼネカ㈱ 日本ベーリンガーインゲルハイム㈱ ノバルティス ファーマ㈱ ファイザー㈱
	畑地 治	4	アストラゼネカ㈱ グラクソ・スミスクライン㈱ 日本ベーリンガーインゲルハイム㈱ ノバルティス ファーマ㈱			

〈開示すべき COI がない委員〉

（編集委員）青柴 和徹、浅野 浩一郎、石原 英樹、岡田 克典、桂 秀樹、小荒井 晃、古藤 洋、斎藤 純平、瀬山 邦明、吉川 雅則、（査読委員）大田 健、永井 厚志、福地 義之助、（SR 統括委員）堀田 信之、（SR 委員）阿部 結希、安藤 守秀、市川 朋宏、栄徳 勝光、海老原 明典、大西 広志、木村 孔一、窪田 哲也、小林 信明、佐伯 翔、佐藤 俊、佐野 安希子、清水 薫子、鈴木 康仁、髙木 弘一、立川 良、谷村 和哉、陳 昊、南宮 湖、西川 裕作、野口 真吾、原 悠、東本 有司、福山 聡、藤倉 雄二、藤田 幸男、藤野 直也、町田 健太朗、茂呂 寛、山田 充啓、山本 佳史、横山 俊樹、（CQ 協力者）大森 久光、（外部評価委員）大久保 修一、髙橋 識至、西川 正憲、牧田 比呂仁、（協力者）遠山 和子

目　次

「COPD（慢性閉塞性肺疾患）診断と治療のためのガイドライン 第 6 版」

序 ……………………………………………………………………………………… Ⅲ

作成委員会 ………………………………………………………………………… Ⅳ

背景、目的と使用上の注意 ……………………………………………………… Ⅸ

本ガイドラインの作成方法と読み方 …………………………………………… Ⅹ

COPD（慢性閉塞性肺疾患）診断と治療のためのガイドライン第6版出版にあたって … Ⅻ

COI（利益相反）について ……………………………………………………… ⅩⅣ

第6版　改訂のポイント ………………………………………………………… ⅩⅩⅥ

略語一覧 …………………………………………………………………………… ⅩⅩⅦ

巻頭 **ガイドラインサマリー** ………………………………………………… 1

第Ⅰ章 **疾患概念と基礎知識** ………………………………………………… 7

A. 疾患概念 ……………………………………………………………………… 8

　　1. 疾患概念の歴史的変遷 ………………………………………………… 8

　　2. COPD の定義 …………………………………………………………… 9

　　3. COPD の自然歴 ……………………………………………………… 10

B. 疫学と経済的・社会的負荷 …………………………………………… 13

　　1. 世界における COPD の動向と疫学 ……………………………… 13

　　2. 本邦における COPD の動向と疫学 ……………………………… 13

　　3. COPD の経済的負荷と社会的負荷 ……………………………… 17

C. 危険因子 …………………………………………………………………… 19

　　1. 外因性危険因子 …………………………………………………… 19

　　　　a．タバコ煙 ……………………………………………………… 19

　　　　b．大気汚染 ……………………………………………………… 20

　　　　c．呼吸器感染症 ………………………………………………… 20

　　　　d．職業性因子 …………………………………………………… 20

　　2. 内因性危険因子 …………………………………………………… 20

　　　　a．COPD の発症機序と危険因子 ……………………………… 20

XVII

b．COPD の遺伝素因に関する研究：日本人と欧米人との相違を含めて ⋯⋯⋯⋯⋯⋯⋯⋯⋯⋯ 21

D. 病　理 ⋯⋯⋯⋯⋯⋯⋯⋯⋯⋯⋯⋯⋯⋯⋯⋯⋯⋯⋯⋯⋯⋯⋯⋯⋯⋯⋯⋯⋯⋯⋯⋯⋯⋯⋯⋯⋯⋯ 25

1. 中枢気道 ⋯⋯⋯⋯⋯⋯⋯⋯⋯⋯⋯⋯⋯⋯⋯⋯⋯⋯⋯⋯⋯⋯⋯⋯⋯⋯⋯⋯⋯⋯⋯⋯⋯⋯⋯⋯ 25
2. 末梢気道 ⋯⋯⋯⋯⋯⋯⋯⋯⋯⋯⋯⋯⋯⋯⋯⋯⋯⋯⋯⋯⋯⋯⋯⋯⋯⋯⋯⋯⋯⋯⋯⋯⋯⋯⋯⋯ 26
3. 肺胞領域 ⋯⋯⋯⋯⋯⋯⋯⋯⋯⋯⋯⋯⋯⋯⋯⋯⋯⋯⋯⋯⋯⋯⋯⋯⋯⋯⋯⋯⋯⋯⋯⋯⋯⋯⋯⋯ 26
4. 肺血管 ⋯⋯⋯⋯⋯⋯⋯⋯⋯⋯⋯⋯⋯⋯⋯⋯⋯⋯⋯⋯⋯⋯⋯⋯⋯⋯⋯⋯⋯⋯⋯⋯⋯⋯⋯⋯⋯ 26

E. 病　因 ⋯⋯⋯⋯⋯⋯⋯⋯⋯⋯⋯⋯⋯⋯⋯⋯⋯⋯⋯⋯⋯⋯⋯⋯⋯⋯⋯⋯⋯⋯⋯⋯⋯⋯⋯⋯⋯⋯ 28

1. 炎症細胞と炎症メディエーター ⋯⋯⋯⋯⋯⋯⋯⋯⋯⋯⋯⋯⋯⋯⋯⋯⋯⋯⋯⋯⋯⋯⋯⋯⋯⋯⋯ 28
2. プロテアーゼ・アンチプロテアーゼ不均衡説 ⋯⋯⋯⋯⋯⋯⋯⋯⋯⋯⋯⋯⋯⋯⋯⋯⋯⋯⋯⋯⋯ 28
3. オキシダント・アンチオキシダント仮説 ⋯⋯⋯⋯⋯⋯⋯⋯⋯⋯⋯⋯⋯⋯⋯⋯⋯⋯⋯⋯⋯⋯⋯ 28
4. アポトーシスの関与 ⋯⋯⋯⋯⋯⋯⋯⋯⋯⋯⋯⋯⋯⋯⋯⋯⋯⋯⋯⋯⋯⋯⋯⋯⋯⋯⋯⋯⋯⋯⋯ 29
5. 肺の発育障害 ⋯⋯⋯⋯⋯⋯⋯⋯⋯⋯⋯⋯⋯⋯⋯⋯⋯⋯⋯⋯⋯⋯⋯⋯⋯⋯⋯⋯⋯⋯⋯⋯⋯ 29

F. 病態生理 ⋯⋯⋯⋯⋯⋯⋯⋯⋯⋯⋯⋯⋯⋯⋯⋯⋯⋯⋯⋯⋯⋯⋯⋯⋯⋯⋯⋯⋯⋯⋯⋯⋯⋯⋯⋯⋯ 31

1. 気流閉塞と動的肺過膨張 ⋯⋯⋯⋯⋯⋯⋯⋯⋯⋯⋯⋯⋯⋯⋯⋯⋯⋯⋯⋯⋯⋯⋯⋯⋯⋯⋯⋯⋯ 31
2. ガス交換障害 ⋯⋯⋯⋯⋯⋯⋯⋯⋯⋯⋯⋯⋯⋯⋯⋯⋯⋯⋯⋯⋯⋯⋯⋯⋯⋯⋯⋯⋯⋯⋯⋯⋯ 31
3. 気道の過分泌 ⋯⋯⋯⋯⋯⋯⋯⋯⋯⋯⋯⋯⋯⋯⋯⋯⋯⋯⋯⋯⋯⋯⋯⋯⋯⋯⋯⋯⋯⋯⋯⋯⋯ 33
4. 肺高血圧・肺性心 ⋯⋯⋯⋯⋯⋯⋯⋯⋯⋯⋯⋯⋯⋯⋯⋯⋯⋯⋯⋯⋯⋯⋯⋯⋯⋯⋯⋯⋯⋯⋯ 34

G. 全身の併存症 ⋯⋯⋯⋯⋯⋯⋯⋯⋯⋯⋯⋯⋯⋯⋯⋯⋯⋯⋯⋯⋯⋯⋯⋯⋯⋯⋯⋯⋯⋯⋯⋯⋯⋯⋯ 35

1. 全身性炎症 ⋯⋯⋯⋯⋯⋯⋯⋯⋯⋯⋯⋯⋯⋯⋯⋯⋯⋯⋯⋯⋯⋯⋯⋯⋯⋯⋯⋯⋯⋯⋯⋯⋯⋯ 35
2. 骨粗鬆症 ⋯⋯⋯⋯⋯⋯⋯⋯⋯⋯⋯⋯⋯⋯⋯⋯⋯⋯⋯⋯⋯⋯⋯⋯⋯⋯⋯⋯⋯⋯⋯⋯⋯⋯⋯⋯ 35
3. 骨格筋機能障害、サルコペニア、フレイル ⋯⋯⋯⋯⋯⋯⋯⋯⋯⋯⋯⋯⋯⋯⋯⋯⋯⋯⋯⋯⋯ 36
4. 心血管疾患 ⋯⋯⋯⋯⋯⋯⋯⋯⋯⋯⋯⋯⋯⋯⋯⋯⋯⋯⋯⋯⋯⋯⋯⋯⋯⋯⋯⋯⋯⋯⋯⋯⋯⋯ 36
5. 消化器疾患、GERD、嚥下障害 ⋯⋯⋯⋯⋯⋯⋯⋯⋯⋯⋯⋯⋯⋯⋯⋯⋯⋯⋯⋯⋯⋯⋯⋯⋯ 37
6. 不安、抑うつ、認知症 ⋯⋯⋯⋯⋯⋯⋯⋯⋯⋯⋯⋯⋯⋯⋯⋯⋯⋯⋯⋯⋯⋯⋯⋯⋯⋯⋯⋯⋯ 37
7. 代謝性疾患 ⋯⋯⋯⋯⋯⋯⋯⋯⋯⋯⋯⋯⋯⋯⋯⋯⋯⋯⋯⋯⋯⋯⋯⋯⋯⋯⋯⋯⋯⋯⋯⋯⋯⋯ 37
8. 閉塞性睡眠時無呼吸 ⋯⋯⋯⋯⋯⋯⋯⋯⋯⋯⋯⋯⋯⋯⋯⋯⋯⋯⋯⋯⋯⋯⋯⋯⋯⋯⋯⋯⋯⋯ 38
9. 貧　血 ⋯⋯⋯⋯⋯⋯⋯⋯⋯⋯⋯⋯⋯⋯⋯⋯⋯⋯⋯⋯⋯⋯⋯⋯⋯⋯⋯⋯⋯⋯⋯⋯⋯⋯⋯⋯ 38

H. 肺の合併症 ⋯⋯⋯⋯⋯⋯⋯⋯⋯⋯⋯⋯⋯⋯⋯⋯⋯⋯⋯⋯⋯⋯⋯⋯⋯⋯⋯⋯⋯⋯⋯⋯⋯⋯⋯⋯ 43

1. 喘　息 ⋯⋯⋯⋯⋯⋯⋯⋯⋯⋯⋯⋯⋯⋯⋯⋯⋯⋯⋯⋯⋯⋯⋯⋯⋯⋯⋯⋯⋯⋯⋯⋯⋯⋯⋯⋯ 43
2. 肺がん ⋯⋯⋯⋯⋯⋯⋯⋯⋯⋯⋯⋯⋯⋯⋯⋯⋯⋯⋯⋯⋯⋯⋯⋯⋯⋯⋯⋯⋯⋯⋯⋯⋯⋯⋯⋯⋯ 44

3. 気腫合併肺線維症 44

第Ⅱ章　診　断 49

A. 診断（診断基準） 50

1. 診断の契機 50
　　a．安定期における COPD 診断 50
　　b．気道感染や増悪時などにおける COPD 診断 50
2. 診断の必要条件 50
3. 鑑別診断 51
4. 日常診療で疑うべき症例・状況、診断の実際 51
5. 初期評価すべき併存症・合併症 51
6. 課　題 52

B. 病期分類 53

1. 気流閉塞に基づく病期分類 53
2. 正常値に関する留意点 53

C. 病型分類 54

1. 病型の定義 54
2. 古典的病型分類 54
3. 気腫型と非気腫型 54
4. その他の病型 54

D. 臨床所見 56

1. 問診（医療面接）、質問票 56
　　a．COPD の症状と問診のポイント 56
　　b．質問票 57
2. 身体所見 58
　　a．視　診 58
　　b．触診および打診 59
　　c．聴　診 60

XIX

E. 検 査 ··62

1. 画像診断 ··62
- a．画像検査の役割 ···62
- b．胸部単純 X 線写真 ···62
- c．胸部 CT ··62
- d．その他の画像診断 ···65

2. 呼吸機能検査 ···65
- a．スパイロメトリー ···65
- b．肺気量分画 ··66
- c．肺拡散能力 ··67

3. 強制オシレーション法 ···67
- a．概　念 ··67
- b．測定と解釈 ··67

4. 動脈血ガス分析・パルスオキシメータ ··69
- a．動脈血ガス分析 ··69
- b．パルスオキシメータ ··70

5. 運動負荷試験・呼吸筋の評価・睡眠検査 ··70
- a．運動負荷試験 ···70
- b．呼吸筋の評価 ···71
- c．睡眠検査 ···71

6. 肺循環・右心機能 ···72
- a．肺循環・右心機能の診断・評価 ··72
- b．肺高血圧症 ··73

7. QOL・ADL の評価 ··74
- a．COPD と PRO 評価 ··74
- b．COPD における QOL 評価 ···74
- c．包括的尺度と疾患特異的尺度 ···74
- d．包括的質問票 ···75
- e．疾患特異的質問票 ···75
- f．COPD 患者における HRQOL 評価の現状 ··75
- g．ADL 評価 ··76

8. 喀痰・呼気ガス・呼気凝集液・血液検査 ··76
- a．喀　痰 ··76
- b．呼気ガスと呼気凝集液 ···77
- c．血液検査 ···78

9. 身体活動性 ···79
- a．身体活動性（physical activity）とは ···79
- b．身体活動性の評価方法 ···79
- c．身体活動性の指標 ···79

d．COPD における身体活動性 ································· 79

e．身体活動性改善のための方策 ··························· 80

f．セデンタリー行動 ······································· 80

10．栄養評価 ··· 81

第Ⅲ章 治療と管理 ·· 91

A．管理目標 ··· 92

1．管理目標 ··· 92

2．管理計画 ··· 92

a．原因物質（危険因子）の特定とその回避 ················· 92

b．重症度の評価および治療計画 ··························· 92

c．長期管理 ··· 93

3．気流閉塞の基準を満たさない場合 ····························· 93

B．禁　煙 ··· 94

1．喫煙と COPD ··· 94

2．依存性 ··· 94

3．喫煙への介入 ··· 94

a．禁煙外来 ··· 94

b．一般の外来 ··· 94

c．新型タバコ ··· 95

C．安定期の管理 ··· 96

a．原因物質曝露からの回避 ································· 96

b．薬物療法 ··· 96

c．非薬物療法 ··· 98

1．ワクチン ··· 99

a．インフルエンザワクチン ································· 99

b．肺炎球菌ワクチン ······································· 99

c．インフルエンザワクチンと肺炎球菌ワクチンの併用 ······· 100

2．薬物療法 ··· 100

a．気管支拡張薬（SAMA および SABA、LAMA、LABA、LAMA/LABA 配合薬、テオフィリン）···100

b．グルココルチコイド（配合薬を含む）····················· 103

XXI

c．喀痰調整薬 105

d．マクロライド系抗菌薬 105

e．吸入指導 105

3. 非薬物療法 106

a．呼吸リハビリテーション 106

b．身体活動性の向上と維持 109

c．セルフマネジメント教育 110

d．栄養管理 111

e．酸素療法 113

f．換気補助療法 117

g．外科・内視鏡療法 118

4. 喘息合併 COPD の管理 121

a．喘息を疑う場合と成人喘息の治療 121

b．喘息を合併する場合の COPD の治療 121

5. 全身併存症および肺合併症への対応 123

a．併存症の管理 123

b．肺合併症の管理 124

6. 在宅管理 125

a．在宅医療の目的 125

b．在宅医療の対象者と提供者 125

c．在宅療養をサポートする社会的資源 126

d．在宅管理の効果 127

7. 終末期 COPD への対応 128

a．終末期・最終末期の考え方 128

b．終末期のトータルペインと多職種連携チーム医療 ... 128

c．Advance Care Planning 129

d．緩和ケアと呼吸リハビリテーションの導入 129

e．終末期 COPD の呼吸困難への対処 129

8. 災害時の対応 131

a．災害時の特徴 131

b．平常時からの対策 131

c．地域システムの整備 132

d．医療機器業者との連携 132

e．災害の遷延化 132

D. 増悪期の管理 149

1. 増悪の定義・診断・原因 149

a．定　義 149

b．病　態 149

c．診　　断 ……………………………………………………………………………………… 149

d．原　　因 ……………………………………………………………………………………… 149

2．増悪の重症度判定・入院の適応 ……………………………………………………………… 150

　　a．増悪の重症度判定 ………………………………………………………………………… 150

　　b．増悪時に必要な検査 ……………………………………………………………………… 150

　　c．入院の適応 ………………………………………………………………………………… 151

3．増悪期の薬物療法（気道分泌への対応を含む） …………………………………………… 152

　　a．気管支拡張薬 ……………………………………………………………………………… 152

　　b．グルココルチコイド ……………………………………………………………………… 152

　　c．抗菌薬 ……………………………………………………………………………………… 153

　　d．その他の薬剤 ……………………………………………………………………………… 153

　　e．気道分泌への対処 ………………………………………………………………………… 153

4．酸素療法 ………………………………………………………………………………………… 153

　　a．酸素療法の適応 …………………………………………………………………………… 154

　　b．酸素療法の目標 …………………………………………………………………………… 154

　　c．酸素療法のモニタリング ………………………………………………………………… 154

　　d．酸素療法の実際 …………………………………………………………………………… 154

　　e．酸素投与システム ………………………………………………………………………… 155

5．換気補助療法 …………………………………………………………………………………… 155

　　a．換気補助療法の選択と適応 ……………………………………………………………… 155

　　b．NPPV ……………………………………………………………………………………… 156

　　c．IPPV ………………………………………………………………………………………… 156

6．増悪の予防 ……………………………………………………………………………………… 157

　　a．非薬物療法 ………………………………………………………………………………… 157

　　b．薬物療法 …………………………………………………………………………………… 158

E. 予　後 ……………………………………………………………………………………… 163

1．COPD の生命予後因子 ……………………………………………………………………… 163

2．COPD 患者の生命予後に対する治療の影響 ……………………………………………… 164

F. COPD の病診連携 …………………………………………………………………… 168

1．COPD における医療連携システムの必要性 ……………………………………………… 168

2．プライマリケア医と呼吸器専門医との連携 ………………………………………………… 168

3．プライマリケア医の役割 ……………………………………………………………………… 169

　　a．早期発見および診断率向上 ……………………………………………………………… 169

　　b．呼吸器専門医へのコンサルトのタイミング …………………………………………… 169

　　c．治療・管理 ………………………………………………………………………………… 171

4．呼吸器専門医の役割 …………………………………………………………………………… 172

a．連携推進とシステム構築 ……………………………………………………………… 172
b．診療の標準化 …………………………………………………………………………… 172
c．呼吸ケアを担う医療者の育成 ………………………………………………………… 172
d．自己管理教育の推進 …………………………………………………………………… 172
5．医療連携の今後のあり方 ……………………………………………………………………… 173

第Ⅳ章 Clinical Question ……………………………………………………………………… 175

CQ01　安定期 COPD に対する LABA 使用下の SAMA の併用を推奨するか？ …………… 176

CQ02　安定期 COPD に対して、LAMA による治療を推奨するか？ ………………………… 181

CQ03　安定期 COPD に対して、LAMA と LABA のいずれを推奨するか？ ……………… 188

CQ04　呼吸困難や運動耐容能低下を呈する安定期 COPD に対して、LAMA+LABA と LABA あるいは LAMA のいずれを推奨するか？ ……………………………………………… 194

CQ05　安定期 COPD に対して、LABA+ICS と LAMA+LABA のいずれを推奨するか？ …………………………………………………………………………………………… 200

CQ06　LAMA+LABA でコントロール不良の COPD に対して、LAMA+LABA に ICS の追加を推奨するか？ …………………………………………………………………………… 206

CQ07　LABDs 加療中の安定期 COPD に対して、テオフィリンの追加治療を推奨するか？ …………………………………………………………………………………………… 212

CQ08　安定期 COPD に対して、喀痰調整薬を推奨するか？ ………………………………… 216

CQ09　好酸球の増加している安定期 COPD に対して、生物学的製剤を推奨するか？ ……… 222

CQ10　安定期 COPD に対して、禁煙を推奨するか？ ………………………………………… 227

CQ11　安定期 COPD に対して、肺炎球菌ワクチンを推奨するか？ ………………………… 231

CQ12　安定期 COPD に対して、運動療法を含む呼吸リハビリテーションプログラムを推奨するか？ ……………………………………………………………………………………… 236

CQ13　安定期 COPD に対して、栄養補給療法を推奨するか？ ……………………………… 242

CQ14　低酸素血症を伴う安定期 COPD に対して、酸素療法を推奨するか？ ……………… 248

CQ15　高二酸化炭素血症を伴う安定期 COPD 患者に対する NPPV は有効か？ ………… 253

付　録

各国の COPD ガイドラインの特徴と比較 ·· 258

身障者援助、法律的側面 ·· 259

健康日本 21 と COPD（認知度向上は進んでいるか）······································ 261

新興感染症流行と COPD ·· 264

α_1- アンチトリプシン欠乏症と α_1- アンチトリプシン補充療法 ······················ 267

索引 ··· 270

第6版　改訂のポイント

以下、本ガイドライン改訂のポイントについて記します。

1. 全身併存症の追加
「貧血」を全身併存症に追加しました。

2. 診断の契機の記載の具体化
症状受診、検診での指摘、風邪症状での受診等をより具体的にしました。

3. 併存症・合併症の初期診断時評価
COPDの自然歴に関連するような併存症・合併症、あるいはCOPDの経過が影響を与えうるような併存症・合併症は、初期診断の際に同時に評価する重要性に言及しました。

4. 身体活動性の項目の追加
「身体活動性改善のための方策」「セデンタリー行動」という新たな項目を設けました。

5. 検査項目の追加
新たな検査項目として、強制オシレーション法、栄養評価を追加しました。

6. 管理目標の更新
薬物治療が呼吸機能の低下を抑制し、死亡率を低下させるエビデンス等を反映し、「疾患進行の抑制および健康寿命の延長」を管理目標に追加しました。

7. 安定期管理アルゴリズムの更新
患者全体を喘息病態非合併例と合併例に分け、LAMA/LABA/ICS配合薬、マクロライド系抗菌薬をわかりやすく、実臨床に役立つよう位置づけました。

8. 吸入指導の項目の追加
薬物療法に新たに「吸入指導」の項目を追加し、吸入デバイスの特性、吸入指導の重要性や、2020年に吸入薬指導加算の算定ができることになったことを記載しました。

9. プライマリケア医、呼吸器専門医の役割の明確化
病診連携の項では、プライマリケア医の役割および呼吸器専門医の役割を詳説し、COPDの早期発見と診断率が向上し、連携が円滑になるよう配慮しました。

10. Clinical Question の章の追加
治療に関して、9つの薬物療法と6つの非薬物療法についてのClinical Question（CQ）を作成しまし

た。各 CQ に対してシステマティックレビューと推奨決定会議を行い、エビデンスと推奨の程度を明確に理解できるようにしました。

11. 健康日本 21 と COPD

COPD 認知度の推移状況を記載しました。

12. 新興感染症流行と COPD

COVID-19 の流行下でどのように COPD 診療を行っていくべきかを示しました。日本呼吸器学会の「COVID-19 流行期日常診療における慢性閉塞性肺疾患（COPD）の作業診断と管理手順」も掲載しました。

13. α_1-アンチトリプシン欠乏症について

巻末に、本邦ではまれな α_1-アンチトリプシン欠乏症の病態と、2021 年から可能になった α_1-アンチトリプシン補充療法について解説しました。

略語一覧

略　語	英　語	日本語
%FEV$_1$	percent predicted forced expiratory volume in one second	対標準1秒量
6MWD	6-minute walk distance	6分間歩行距離
6MWT	6-minute walk test	6分間歩行試験
AAA	aromatic amino acid	芳香族アミノ酸
AaDO$_2$	alveolar-arterial oxygen difference	肺胞気・動脈血酸素分圧較差
AATD	α_1 antitrypsin deficiency	α_1-アンチトリプシン欠乏症
ACCP	American College of Chest Physicians	アメリカ胸部医学会
ACh	acetylcholine	アセチルコリン
ACO	asthma and COPD overlap	喘息とCOPDのオーバーラップ
ACP	advance care planning	
AcT	acceleration time	血流加速時間
ADL	activities of daily living	日常生活動作
ALX	low frequency reactance area	低周波数リアクタンス面積
AT	anaerobic threshold	無酸素性代謝閾値
ATS	American Thoracic Society	米国胸部学会
BCAA	branched chain amino acid	分岐鎖アミノ酸
BI	Barthel index	
BIA	bioelectrical impedance analysis	生体電気インピーダンス法
BLVR	bronchoscopic lung volume reduction	気管支鏡下肺容量減量術
BMC	bone mineral content	骨塩量
BMI	body mass index	肥満度指数
BNP	brain natriuretic peptide	脳性ナトリウム利尿ペプチド
CAL	chronic airway limitation	慢性気流閉塞
cAMP	cyclic adenosine monophosphate	環状アデノシン一リン酸
CAT	COPD assessment test	COPDアセスメントテスト
CCQ	clinical COPD questionnaire	
CLCA	calcium-activated chloride channel regulator	
CNLD	chronic nonspecific lung disease	慢性非特異的肺疾患
COI	conflict of interest	利益相反
COLD	chronic obstructive lung disease	
COPD	chronic obstructive pulmonary disease	慢性閉塞性肺疾患
COPD-PS	COPD Population Screener	COPD集団スクリーニング質問票
COPD-Q	COPD Screening Questionnaire	COPDスクリーニングのための質問票
COVID-19	Coronavirus disease 2019	新型コロナウイルス感染症
CPAP	continuous positive airway pressure	持続陽圧呼吸療法
CPET	cardiopulmonary exercise testing	心肺運動負荷試験
CPFE	combined pulmonary fibrosis and enphysema	気腫合併肺線維症
CPI	composite physiologic index	生理学的複合指標
CRP	C-reactive protein	C反応性蛋白
CRQ	Chronic Respiratory Disease Questionnaire	
CTR	cardiothoracic ratio	心胸郭比
CYP	cytochrome P-450	チトクロームP-450
DALY	disability-adjusted life year	障害調整生存年数
DEP	diesel exhaust particles	ディーゼル排気粒子
D$_{LCO}$	diffusing capacity of the lung for carbon monoxide	肺拡散能力

略語一覧

略　語	英　語	日本語
DPI	dry powder inhaler	ドライパウダー定量吸入器
DXA	dual energy X-ray absorptiometry	二重エネルギーX線吸収法
EBC	exhaled breath condensate	呼気凝集液
EBV	bronchoscopic endobronchial-valve treatment	一方弁挿入治療
EELV	end expiratory lung volume	呼気終末肺気量
EFL	expiratory flow limitation	呼気気流制限
EGF	epidermal growth factor	上皮成長因子
EGFR	epidermal growth factor receptor	上皮成長因子受容体
EILV	end inspiratory lung volume	終末吸気肺気量
EPAP	expiratory positive airway pressure	呼気陽圧
EPHX	epoxide hydrolase	エポキシド加水分解酵素
EQ-5D	EuroQoL 5 dimention	
ERS	European Respiratory Society	欧州呼吸器学会
ET	ejection time	駆出時間
FDA	Food and Drug Administration	米国食品医薬品局
FEF_{25-75}	forced expiratory flow between 25% and 75% of FVC	
FeNO	fractional exhaled nitric oxide	呼気一酸化窒素濃度
FEV_1	forced expiratory volume in one second	1秒量
FEV_1/FVC		1秒率
FIM	functional independence measure	機能的自立度評価法
FiO_2	fraction of inspiratory oxygen	吸入気酸素濃度
FM	fat mass	脂肪量
f-NSIP	fibrotic non-specific interstitial pneumonia	線維性非特異性間質性肺炎
FOT	forced oscillation technique	強制オシレーション法
fR	frequency of respiration	呼吸数
FRC	functional residual capacity	機能的残気量
Fres	resonant frequency	共振周波数
FVC	forced vital capacity	努力肺活量
GERD	gastro esophageal reflux disease	胃食道逆流症
GINA	Global Initiative for Asthma	
GOLD	Global Initiative for Chronic Obstructive Lung Disease	
GST	glutathione S-transferase	グルタチオンS-トランスフェラーゼ
GWAS	genome-wide association study	ゲノムワイド関連研究
HFNC	high flow nasal cannula	高流量鼻カニュラ
HFpEF	heart failure with preserved ejection fraction	収縮機能の保たれた心不全
HIV	human immunodefiency virus	ヒト免疫不全ウイルス
HMV	home mechanical ventilation	在宅人工呼吸療法
HO-1	heme oxygenase-1	ヘムオキシゲナーゼ-1
HOT	home oxygen therapy	在宅酸素療法
HRCT	high-resolution computed tomography	高分解能CT
HRQOL	health-related quality of life	健康関連QOL
IBW	ideal body weight	標準体重
IC	inspiratory capacity	最大吸気量
ICER	incremental cost-effectiveness ratio	増分費用対効果比
ICS	inhaled corticosteroid	吸入ステロイド薬

COPD ガイドライン第6版

略　語	英　語	日本語
ICT	information and communication technology	情報通信技術
ICU	intensive care unit	集中治療室
IDM	integrated disease management	
IL	interleukin	インターロイキン
iNOS	inducible type of nitric oxide synthase	誘導型一酸化窒素合成酵素
IPAG	International Primary Care Airways Group	
IPAQ	International Physical Activity Questionnare	
IPD	invasive pneumococcal disease	侵襲性肺炎球菌感染症
IPF	idiopathic pulmonary fibrosis	特発性肺線維症
IPPV	invasive positive pressure ventilation	侵襲的陽圧換気療法
IRV	inspiratory reserve volume	吸気予備量
ISWT	incremental shuttle walk test	漸増負荷シャトル歩行試験
JRS	The Japanese Respiratory Society	日本呼吸器学会
LAA	low attenuation area	低吸収領域
LABA	long-acting β_2 agonist	長時間作用性β_2刺激薬
LABDs	long-acting bronchodilators	長時間作用性気管支拡張薬
LAMA	long-acting muscarinic antagonist	長時間作用性抗コリン薬
LBM	lean body mass	除脂肪体重
LCADL	London Chest ADL scale	
LES	late evening snack	
LLN	lower limit of normal	正常下限値
LSM	least square mean	最小二乗平均
LTOT	long-term oxygen therapy	長期酸素療法
LTRA	leukotriene receptor antagonist	ロイコトリエン受容体拮抗薬
LVRS	lung volume reduction surgery	肺容量減量手術
MCID	minumum clinically important difference	臨床的に重要な変化の最小値
MD	mean difference	平均差
MDI	metered dose inhaler	定量噴霧吸入器
MEP	maximal expiratory pressure	最大呼気圧
METs	metabolic equivalents	代謝当量
MIP	maximal inspiratory pressure	最大吸気圧
MMP	matrix metalloproteinase	マトリックスメタロプロテイナーゼ
mMRC	modified British Medical Research Council	
NF-κB	nuclear factor kappa B	
NHP	Nottingham health profile	
NIV	non-invasive ventilation	非侵襲的換気療法
NMES	neuro-muscular electrical stimulation	神経筋電気刺激
NOD	nocturnal oxygen desaturation	夜間酸素飽和度低下
NPPV	noninvasive intermittent positive pressure ventilation	非侵襲的陽圧換気療法
NRS	numerical rating scale	数値評価尺度
NRT	nicotine replacement therapy	ニコチン置換療法
NT-proBNP	N-terminal pro-brain natriuretic peptide	N末端脳性ナトリウム利尿ペプチド
OIS	optimal information size	最適情報量
OR	odds ratio	オッズ比
OSA	obstructive sleep apnea	閉塞性睡眠時無呼吸
PaCO$_2$	partial pressure of arterial carbon dioxide	動脈血二酸化炭素分圧

略語一覧

略　語	英　語	日本語
PAH	pulmonary arterial hypertension	肺動脈性肺高血圧症
PAL	physical activity level	身体活動レベル
PaO2	partial pressure of arterial oxygen	動脈血酸素分圧
PCV13	pneumococcal conjugate vaccine 13	13価蛋白結合型肺炎球菌ワクチン
PDE	phosphodiesterase	ホスホジエステラーゼ
PEEP	positive end expiratory pressure	呼気終末期陽圧
PEmax	maximum expiratory pressure	最大呼気筋力
PImax	maximum inspiratory pressure	最大吸気筋力
PM	particulate matter	微小粒子状物質
pMDI	pressurized metered dose inhaler	加圧噴霧式定量吸入器
PPI	proton pump inhibitor	プロトンポンプ阻害薬
PPSV23	pneumococcal polysaccharide vaccine 23	23価莢膜多糖体型肺炎球菌ワクチン
PRISm	preserved ratio impaired spirometry	1秒率保持型スパイロ異常
PRO	patient reported outcome	患者報告アウトカム
PROMS-D	patient-reported outcome measure for dyspnea	
PvO2	mixed venous oxygen pressure	混合静脈血酸素分圧
QOL	quality of life	生活の質
QWB	quality of well-being scale	
RCT	randomized controlled trial	ランダム化比較試験
RD	risk difference	リスク差
REE	resting energy expenditure	安静時エネルギー消費量
RR	risk ratio	リスク比
Rrs	respiratory system resistance	呼吸抵抗
RSV	respiratory syncytial virus	RSウイルス
RTP	rapid turnover protein	
RV	residual volume	残気量
SABA	short-acting β_2 agonist	短時間作用性β_2刺激薬
SABDs	short-acting bronchodilators	短時間作用性気管支拡張薬
SAMA	short-acting muscarinic antagonist	短時間作用性抗コリン薬
SARS-CoV-2	severe acute respiratory syndrome coronavirus 2	重症急性呼吸器症候群コロナウイルス2
SAS	sleep apnea syndrome	睡眠時無呼吸症候群
SBRT	stereotactic body radiotherapy	体幹部定位放射線治療
SD	standard deviation	標準偏差
SF-36	Medical Outcomes Study Short-Form 36-Item	
SGRQ	St. George's Respiratory Questionnaire	
SGRQ-C	St. George's Respiratory Questionnaire - COPD-Specific Version	
SIP	sickness impact profile	
SLPI	secretory leukoprotease inhibitor	分泌性白血球プロテアーゼ阻害剤
SMD	standardized mean difference	標準化平均差
SMI	soft mist inhaler	ソフトミスト定量吸入器
SOD	superoxide dismutase	スーパーオキシドジスムターゼ
SP-D	surfactant protein-D	サーファクタントプロテインD
SPM	suspended particulate matter	浮遊粒子状物質
SpO2	percutaneous oxygen saturation	経皮的動脈血酸素飽和度
SR	systematic review	システマティックレビュー

略　語	英　語	日本語
SWT	shuttle walking test	シャトルウォーキング試験
TAPSE	tricuspid annular plane systolic excurtion	三尖弁輪面収縮期振幅
TDI	transition dyspnea index	
TGF	transforming growth factor	トランスフォーミング増殖因子
TIMPs	tissue inhibitor of metalloproteinases	
TLC	total lung capacity	全肺気量
TLR	toll-like receptor	Toll様受容体
TNF	tumor necrosis factor	腫瘍壊死因子
TPPV	tracheostomy positive pressure ventilation	気管切開下陽圧換気療法
UIP	usual interstitial pneumonia	通常型間質性肺炎
$\dot{V}_A/\dot{Q}$	ventilation-perfusion ratio	換気血流比
VAP	ventilator-associated pneumonia	人工呼吸器関連肺炎
VATS	video assisted thoracic surgery	胸腔鏡補助下手術
VC	vital capacity	肺活量
$\dot{V}_{CO_2}$	carbon dioxide emission	二酸化炭素排泄量
$\dot{V}_E$	minute ventilation	分時換気量
$\dot{V}_{O_2}$	oxygen consumption	酸素摂取量
$\dot{V}_{O_2}max$	maximum oxygen consumption	最大酸素摂取量
$\dot{V}_{O_2}peak$	peak oxygen consumption	最高酸素摂取量
VT	tidal volume	1回換気量
WA	wall area	気道壁面積
WHO	World Health Organization	世界保健機関
WL	window level	ウインドウレベル
WW	window width	ウインドウ幅
Xrs	respiratory system reactance	呼吸リアクタンス

本ガイドラインにおいては、LAMA、LABA、ICS の併用治療は、成分として表記する場合には「LAMA + LABA + ICS」のように「＋」を使用し、製剤（配合薬）として表記する場合には「LAMA/LABA/ICS」のように「/」を使用している。

巻 頭

ガイドラインサマリー

COPDの代表的特徴

1. 喫煙者が罹患する代表的な慢性呼吸器疾患。従来、慢性気管支炎や肺気腫などの病名で呼ばれていた。喫煙者の20%前後が罹患するとされている。緩徐進行性で高齢者ほど罹患者が多い。

2. 肺病変は末梢気道病変と気腫性病変がさまざまな割合で複合的に関与して形成される。病変の広がりと重症化とともに閉塞性換気障害が進行する。

3. 本邦の推定罹患者は500万人を超えるが、実際に治療されている患者は数十万人で、国民からの疾患認知度が低い。病気であることを自覚しにくいため、未診断・未治療であることが多く、喫煙を続けて重症化するケースが多い。

4. 初期は無症状か咳、痰などがみられるのみ。気道感染（増悪）を契機にして症状が顕在化することも多い。徐々に労作時の息切れが顕在化する。進行すると呼吸不全となり、軽労作や安静時でも息切れが生じるようになる。

5. 診断は呼吸機能検査（$FEV_1/FVC < 70\%$、気管支拡張薬吸入後）。他の呼吸器疾患を鑑別除外できれば確定する。

6. 治療は薬物療法と非薬物療法を行う。薬物療法の中心は吸入LABDs（LAMA、LABA）である。喘息の合併例や頻回の増悪かつ末梢血好酸球増多例には、ICSを含んだ吸入配合薬を使用する。非薬物療法は禁煙、感染予防、呼吸リハビリテーション、セルフマネジメント教育、栄養管理、酸素療法、換気補助療法などがある。

7. 肺がんや心血管疾患リスクが高い。その他、全身性炎症や種々の合併症・併存症がみられる。他疾患で通院している一般外来患者のなかに少なからずCOPD患者が潜在している。

8. 安定期の管理は、治療と同時に全身併存症・肺合併症を管理し、身体活動性の向上と維持を図ることが重要である。身体活動性は予後と密接に関係する。

9. 呼吸器症状が悪化する増悪が起こることがある。感染対策や有害物質（タバコ煙）吸入回避などによる予防とともに、アクションプランなどで早期治療を図り重症化を予防することが重要である。

10. 禁煙はCOPDの疾患進行を遅らせる。禁煙を達成するための指導が重要である。

COPDの定義

タバコ煙を主とする有害物質を長期に吸入曝露することなどにより生ずる肺疾患であり、呼吸機能検査で気流閉塞を示す。気流閉塞は末梢気道病変と気腫性病変がさまざまな割合で複合的に関与し起こる。臨床的には徐々に進行する労作時の呼吸困難や慢性の咳・痰を示すが、これらの症状に乏しいこともある。

1. COPDを疑う特徴…疑うことが大切

a. 喫煙歴あり（特に40歳以上）
b. 咳（特に湿性）、痰、喘鳴
c. 労作時（階段や坂道の登りなど）の息切れ
d. 風邪（上気道）症状時のb．またはc．（風邪で顕在化することあり）
e. 風邪（上気道）症状を繰り返す、または回復に時間がかかる
f. 下記疾患（COPDに多い併存症）患者
　心血管疾患、高血圧症、糖尿病、脂質異常症、骨粗鬆症など

2. COPDの診断

a. 長期の喫煙歴などの曝露因子があること
b. 気管支拡張薬吸入後のスパイロメトリーで$FEV_1/FVC < 70\%$であること
c. 他の気流閉塞を来しうる疾患を除外すること[注1]

注1）「閉塞性換気障害を来す疾患と鑑別に有用な検査」、「呼吸困難を来す疾患」、「慢性の咳・痰を来す疾患」など、鑑別については第Ⅱ章-51ページを参照。新型コロナウイルス流行期でスパイロメトリーが実施困難な場合には「COVID-19流行期日常診療における慢性閉塞性肺疾患（COPD）の作業診断と管理手順」に従って作業診断を行って対応する（第Ⅲ章-170ページならびに付録-264ページ参照）。

3. COPDの病型[注2]（図1）

a. 気腫型COPD：気腫性病変が優位
b. 非気腫型COPD：気腫性病変が比較的目立たない

注2）COPDの病型は、この他にも慢性気管支炎症状、増悪の頻度、気流閉塞の可逆性、息切れ、体重減少、呼吸不全、肺高血圧などの有無や重症度によってさまざまに分けられる。

4. COPDの病期分類（表1）

表1 COPDの病期分類

病期	定義
Ⅰ期	軽度の気流閉塞	$\%FEV_1 \geqq 80\%$
Ⅱ期	中等度の気流閉塞	$50\% \leqq \%FEV_1 < 80\%$
Ⅲ期	高度の気流閉塞	$30\% \leqq \%FEV_1 < 50\%$
Ⅳ期	きわめて高度の気流閉塞	$\%FEV_1 < 30\%$

気管支拡張薬投与後の$FEV_1/FVC 70\%$未満が必須条件。

図1 COPDの病型

5. COPDにみられる所見

a. 臨床所見

呼吸困難（息切れ）、慢性の咳・痰、喘鳴、体重減少、食欲不振

よくみられるもの、すべてみられるわけではない。これらが全くないこともある。

b. 身体所見

呼気延長、口すぼめ呼吸、樽状胸郭、胸鎖乳突筋の肥大、チアノーゼ、ばち指、聴診上の呼吸音の減弱

これらは病期がある程度進行してからみられることが多い。

c. 臨床検査・画像診断におけるCOPDの所見

1) 胸部X線：肺野の透過性亢進、横隔膜の平低化（図2）

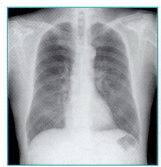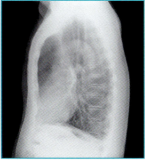

図2 COPDの胸部単純X線写真

2) 胸部CT：気腫性変化、気道壁の肥厚（図3）

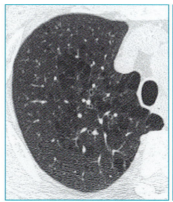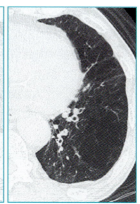

図3 COPDの胸部CT画像

3) 呼吸機能検査
   ①スパイログラム：閉塞性換気障害（FEV_1/FVCの低下）、フロー・ボリューム曲線の下降脚が下に凸（図4）。
   ②気道可逆性（気管支拡張薬吸入後のFEV_1増加）：みられることもある。喘息の合併の評価で参考になる所見であるが、気道可逆性のみで喘息とは判断しない。
   ③動脈血ガス分析・パルスオキシメータ：低酸素血症。軽度の場合には労作時のみ。進行とともに安静時にも低酸素血症がみられるようになる。低酸素血症でなくても呼吸困難を訴えることがある。
   ④その他：肺拡散能力の低下、肺気量の増大（過膨張）、静肺コンプライアンス高値など。

4) 運動耐容能の低下、身体活動性の低下
   ①運動の能力は呼吸困難によって制限されるため、その指標である運動耐容能は低下する。
   ②身体活動性は1日平均歩数などを指標とする。一般的に、健常者より低下している。

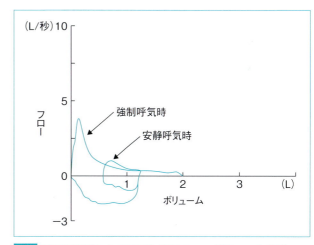

図4 高度に進行したCOPDのフロー・ボリューム曲線
強制呼気時の流量が安静呼気時の流量を下回っている。

6. COPDの治療管理

a. 管理目標（表2）

表2 COPDの管理目標

> Ⅰ．現状の改善*
>   ①症状およびQOLの改善
>   ②運動耐容能と身体活動性の向上および維持
>
> Ⅱ．将来リスクの低減*
>   ①増悪の予防
>   ②疾患進行の抑制および健康寿命の延長

＊：現状および将来リスクに影響を及ぼす全身併存症および肺合併症の診断・評価・治療と発症の抑制も並行する。

b. 管理計画

1) 重症度および病態の評価と経過観察
   重症度は、COPD病期、息切れの強度、増悪歴の有無などから総合的に判断する。
   全身併存症や肺合併症の診断・管理を行う。
2) 危険因子の回避
   タバコ煙などの有害物質からの回避、感染予防を行う（手洗い、口腔ケア、ワクチン、マスクなど）。
3) 長期管理
   薬物療法と非薬物療法を行う。

c. 安定期COPDの重症度に応じた管理とアルゴリズム（図5, 6）

治療は、薬物療法と非薬物療法を行う。薬物療法ではLABDs（LAMA、LABA、LAMA/LABA配合薬）を中心に吸入治療を行い、喘息病態合併例や頻回の増悪かつ好酸球増多例ではICSを含めた吸入配合薬にて治療する。

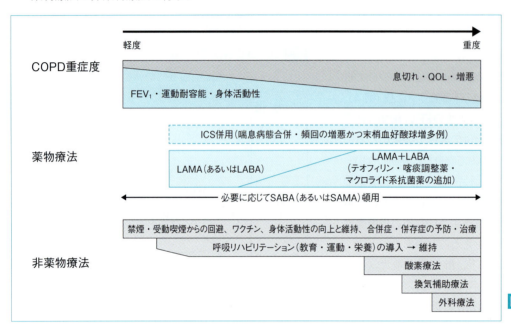

図5 安定期COPDの重症度に応じた管理

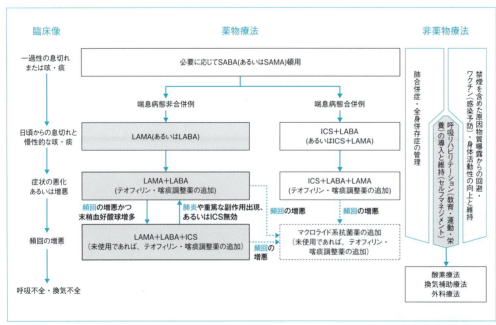

図6 安定期COPD管理のアルゴリズム

7. COPD の増悪

a. 特　徴

1）息切れの増加、咳や痰の増加、胸部不快感・違和感の出現などがみられる
2）増悪を繰り返すことは、患者の QOL 低下、呼吸機能低下、生命予後悪化と関連する
3）原因は呼吸器感染症と大気汚染が多い（約 30 ％は原因不明）

b. 臨　床

1）重症度判定：次の 3 段階に分ける
　≪軽　度≫　SABDs のみで対応可能
　≪中等度≫　SABDs に加え、抗菌薬あるいは全身性ステロイド薬投与が必要
　≪重　度≫　救急外来受診あるいは入院を必要とする
2）薬物療法：ABC アプローチを基本とする
①抗菌薬　（Antibiotics）
　痰の膿性化や炎症反応亢進（CRP 陽性）があれば抗菌薬の投与が推奨される
②気管支拡張薬　（Bronchodilators）
　SABA の反復投与、十分でなければ SAMA の併用
③ステロイド薬　（Corticosteroids）

短期間の全身性ステロイド薬投与（プレドニゾロン換算 30 ～ 40mg/日程度を 5 ～ 7 日間）
3）呼吸管理
①酸素療法
　$PaO_2 <$ 60Torr あるいは $SpO_2 <$ 90 ％が適応
　II 型呼吸不全では CO_2 ナルコーシスに注意が必要
②換気補助療法
　十分な薬物療法・酸素療法を行っても改善しない場合に適応、第一選択は NPPV

c. 予　防

1）非薬物療法
　患者教育、禁煙、ワクチン、併存症管理、身体活動性の維持と呼吸リハビリテーション
2）薬物療法
　吸入薬物療法により増悪率は減少する

8. 病診連携

a. 地域連携システムの必要性

プライマリケア医と呼吸器専門医の機能分化、在宅医療の強化、地域の情報共有

b. プライマリケア医の役割

早期診断（作業診断、可能なら確定診断）、薬物療法の導入、禁煙、日常生活指導、ワクチン接種、併存症管理、増悪に対する初期対応

c. 呼吸器専門医の役割

確定診断、治療の最適化、呼吸リハビリテーションの導入、増悪管理、LTOT/HOT・換気補助療法の導入

第 I 章

疾患概念と基礎知識

第Ⅰ章　疾患概念と基礎知識

A. 疾患概念

1. 疾患概念の歴史的変遷

　COPD の疾患概念の成立の萌芽は 17 世紀からみられるが、実質的な発端は、第二次世界大戦後の 1950 年代以降まで下る。呼吸生理学的検査法の発展とともに注目された呼気性の閉塞性換気障害を示す慢性肺疾患は、英国では慢性気管支炎、米国では肺気腫と臨床診断していた。1959 年に Ciba Guest Symposium が開催され、名称として両者を包括して CNLD という統一的疾患名称が提案されたが、それが広く用いられることはなかった。

　英国学派の慢性気管支炎（British bronchitis）は症候学に基づき、少なくとも 2 年以上、年間 3 ヵ月以上慢性の咳が続く状態を指し、米国学派の肺気腫（American emphysema）は解剖学、病理学的に肺胞壁が失われて、末梢の気腔が拡大した状態を指していた。その後、両者の異同について、英国 Fletcher と米国 Burrows らが中心となり概念の整理が行われ、慢性の気流閉塞を惹起する疾患群を総称して COLD の呼称の下に総括されることになった[1]。COLD は慢性かつ非可逆性の気流閉塞で特徴づけられ、この気流閉塞を生じる病態には気道の慢性炎症による内腔の狭小化や分泌物の貯留による閉塞と肺胞破壊に伴う肺弾性収縮力の低下があり、前者は慢性気管支炎、後者は肺気腫として捉えられていた。そのフェノタイプとして、Burrows らは、これらを A タイプ（肺気腫型）、B タイプ（気管支炎型）、その中間で分類不能の X タイプに分類し[2]、Filley らは、PP タイプ（pink puffer）、BB タイプ（blue bloater）に分類した[3]。

　これまで、COLD の症候学、病理学的な側面に注目が集まっていたが、生理学的側面が注目されるようになり、1960 年代には Petty らが病理解剖やドナー提供された肺を用いて病理学的変化と生理機能検査（呼吸機能検査）との関連を明らかにしていった[4]。FEV1 の低下が気腫化と相関し、分泌腺の増生との相関に乏しいことなどが明らかにされた。1968 年に、Hogg、Macklem、Thurlbeck の 3 人の共著により『The New England Journal of Medicine』誌に「Site and nature of airway obstruction in chronic obstructive lung disease」と題する論文が発表された[5]。この論文を含む一連の研究を通じて、いわ

ゆる内径 2mm 以下と定義される末梢気道の抵抗は、健常肺では全体の気道抵抗に対しておおよそ 20 ％くらいの関与しかないにもかかわらず、COLD 肺ではその関与が飛躍的に大きくなることが明らかとなった。また、動的な気道虚脱が FEV1 の低下に関与しており、同じくモントリオールグループの Cosio らにより elastic recoil の減少が FEV1 で評価する気流閉塞の主因であることが明らかにされた[6]。

　これらの病理と呼吸生理との相関の結果は、末梢気道の機能的異常発見が COLD 早期発見のために重要であるという仮説を生み、その後の呼吸生理学的研究に道を開いた。そのような検査法に位置づけられるものが、フロー・ボリューム曲線における下降脚（$\dot{V}_{50}$、$\dot{V}_{25}$ などの指標）の評価、He ガスを用いたフロー・ボリューム曲線の評価、単一呼気 N2 曲線による第Ⅲ相の傾きとクロージングボリューム測定、肺コンプライアンスの周波数依存性などである。これらの検査は、いずれも検査値のばらつきが大きく健常者とのオーバーラップが大きかったことや、これらの検査で発見された末梢気道障害（small airway dysfunction）が COLD の確実な前駆症状とはいえなかったため、末梢気道障害に着目することによって COLD を早期発見するという当初の目的を果たすことはできなかったが、COLD における病態生理学的理解を著しく進歩させた。

　末梢気道病変に関する病理学的知見とそれに由来する機能異常に関する知見はその後も集積され、1987 年に ATS は COLD から COPD と呼称を変更したうえでその概念を再整理し、COPD は肺気腫、慢性気管支炎、末梢気道病変によって起こる非可逆的な気流閉塞を特徴とする疾患とした[7]。COPD の新しい疾患概念に最も多大な影響を与えた分岐点ともいうべきは、2001 年に発表され、改訂を重ねている国際ガイドライン『GOLD』の刊行である[8]。『GOLD 2001』レポートでは、慢性気管支炎と肺気腫という 2 つの病名を用いて定義していた従来の考え方を改め、「COPD は、完全に可逆的ではない気流閉塞を特徴とする疾患である。この気流閉塞は通常進行性で、有害な粒子またはガスに対する異常な炎症性反応と関連している」と定義した。さらに、「COPD の本態

8

である気流閉塞は、肺気腫病変と末梢気道病変の両者がさまざまな割合で組み合わさって起こるものである」と説明した。慢性気管支炎という診断名を疾患概念から除いた最大の理由は、それ自体がCOPDの本態である気流閉塞には重大な影響を与えていないという歴史的研究成果を踏まえたものである[9]。また、「この気流閉塞はスパイロメトリーによって評価される」と明言し、スパイロメトリーによるFEV1/FVC・FEV1の測定がCOPD診断のための基本とした。COPDの気流閉塞を完全には可逆的ではないと定義したことは、COPDにおける気流閉塞の可逆性は喘息が合併していなくてもさまざまな程度で認められるためである[10,11]。

『GOLD 2006』レポートでは、さらに2つの新しい視点が疾患概念に組み込まれた[8]。1つ目は、「COPDは予防と治療が可能な疾患である」との見解が入ったこと、2つ目は、COPDが肺の疾患にとどまらず全身に影響を及ぼす「全身疾患である」という見解が強調されたことである。『GOLD 2011』レポート以降では患者の病態評価に統合的評価（combined assessment）の考え方が導入された[8]。さらにその後、気流閉塞による重症度分類はあくまでもスパイロメトリー上の分類と定義し、病態の評価のためには自覚症状とリスク（危険因子）評価の2つのディメンションで行い、それぞれの評価を2群に分類し、結果として病態を4群に分けるとした[12]。患者の病態、重症度を評価する際に気流閉塞の程度による評価だけではなく、自覚症状や増悪の既往を含めた統合的評価をすべきであるとする考え方は世界的な潮流といえる。

2. COPD の定義

本邦におけるCOPD診断、定義の歴史を振り返る。前述した1959年のCiba Guest Symposiumやその前年に開催された第1回Aspen Conferenceで "Research in Emphysema" が取り上げられたことを受けて、本邦の研究者による共同研究の場を提供する目的で1960年に第1回肺気腫研究会（現在の閉塞性肺疾患研究会）が開催・企画された。この研究会から、その後、長く本邦の臨床診断に影響を与えた「慢性肺気腫の臨床診断のための申し合わせ」が発表された[1]。

本邦において「慢性閉塞性肺疾患・気管支喘息の診断と治療指針」が日本胸部疾患学会（現在のJRS）肺生理

専門委員会から発行されたのは1995年である[2]。さらに、COPDという診断名を用いて、日本呼吸器学会COPDガイドライン作成委員会より『COPD（慢性閉塞性肺疾患）診断と治療のためのガイドライン』第1版が発表されたのは1999年である[3]。この時点ではCOPDを、慢性気管支炎による気道病変と肺気腫による肺胞病変がさまざまに組み合わさって生じると記載しており、その捉え方は当時の各国・地域のガイドラインに共通している。診断基準においてはスパイロメトリーでFEV1/FVCが55％以下を高度疑い症例、70％以下を疑い症例とした。最終診断は病歴、身体所見、胸部画像所見などを参考にして総合的に判断するものとしている。

前述したように『GOLD 2001』レポートで新しいCOPDの概念が示されたために、本邦においても国際的ガイドラインとの整合性をとる必要に迫られた。そこで、約2年間の検討を経て2004年にJRSガイドライン第2版が上梓された[4]。そこではCOPDを、「有害な粒子やガスの吸入によって生じた肺の炎症反応に基づく進行性の気流閉塞を呈する疾患」として炎症性疾患であることを強調したほか、「気流閉塞に関与する主要要因は末梢気道病変にあり、肺胞系の破壊が進行した気腫優位型と、中枢気道病変が進行し気道病変優位型になるものの2つのサブタイプに分かれ、肺胞、末梢気道、中枢気道に及ぶすべての病変を包括する」ものとして概念を整理した。気流閉塞の可逆性についても、第1版の"可逆性はわずかしか認められない"という表現から"さまざまな程度の可逆性を認める"という表現に改められた。第2版の大きな特徴の1つは、HRCTによる肺気腫診断、とりわけ早期診断の有用性を高く評価していることである。これは本邦でHRCTが肺気腫の診断に早くから使われてきた臨床と研究の実績を反映したものである[5]。

2009年には第3版が発行された[6]。この第3版は、本邦におけるCOPDの診断・治療の実情に即した独自性を志向したものであった。定義では、「タバコ煙を主とする有害物質を長期に吸入曝露することで生じた肺の炎症性疾患である」と記載して、喫煙との因果関係をより明確にしている。また、「気流閉塞は末梢気道病変と気腫性病変がさまざまな割合で複合的に作用する」と表現して、末梢気道病変と気腫性病変を同列に扱い、さらに一歩進めて、気腫型COPDと非気腫型COPDの病型の存在を提唱している（図1）。この非気腫型COPDという名称は、末梢気道病変に関する客観的・直接的な病変の

第Ⅰ章　疾患概念と基礎知識

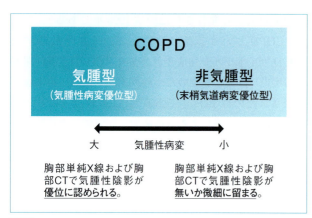

図1 COPDの病型
COPDの気流閉塞は気腫性病変と末梢気道病変がさまざまな割合で複合的に作用して起こるため、その病型として気腫性病変が優位である気腫型COPDと末梢気道病変が優位である非気腫型COPDがある。この両者の分布は二峰性の分布を示すものではなく、その関与の割合は個体間で連続性に分布している[7]。COPDの病型は、このほかにも慢性気管支炎症状、増悪の頻度、気流閉塞の可逆性、息切れ、体重減少、呼吸不全、肺高血圧などの有無や重症度によってさまざまに分けられる。

捕捉が、現在の呼吸機能検査や画像検査では困難であることから用いられたものである。また第3版では、『GOLD』と同様に、COPDを"全身疾患"として捉える視点が導入されている。%FEV₁で規定されるいわゆる"病期"と疾患の重症度を分けて記載したことは、『GOLD 2011』レポートに先駆けて先進的な考えを示したといえる。つまり、疾患の重症度は気流閉塞の重症度に加えて、労作時呼吸困難の程度、運動耐容能、栄養状態、全身併存症などを加味して判断されるべきものとした。それによって治療も、病期による段階的なステップアップではなく、より連続的・柔軟な治療戦略を可能とした。

2013年には第4版が発行された[7]。高齢化が進み、COPDの患者数が増加するとともに治療・管理にかかわる医療費の増大が懸念されているなか、COPDに対する認知度はきわめて低いことが指摘されており、同年より発足した『第2次健康日本21』では、主要4疾患のうちの1つにCOPDが加えられ、ガイドラインの改訂はこの一環でもあった。第4版では、国際的な基準に沿うと同時に日本の事情も十分に尊重し、第3版の定義・診断・病期・病型分類を踏襲しつつ、喘息とのオーバーラップ症候群やCPFEについての記載を充実させた。さらに、日進月歩の薬物療法や、非薬物療法に関する考え方、増悪に関しての考え方などの新しい治療管理に関する概念が取り入れられている。

2018年には第5版が発行された[8]。これまでの記述をおおむね踏襲したものとなったが、定義を見直し、COPDの成立には炎症だけでなく非炎症性機転もあるとする概念を重視し、定義では肺の炎症に特定しないことにした。治療管理目標を4つに整理し、第4版で導入された身体活動性の記述をさらに充実させている。

今日のCOPDの定義は第5版と同じく、以下のとおりである。

> タバコ煙を主とする有害物質を長期に吸入曝露することなどにより生ずる肺疾患であり、呼吸機能検査で気流閉塞を示す。気流閉塞は末梢気道病変と気腫性病変がさまざまな割合で複合的に関与し起こる。臨床的には徐々に進行する労作時の呼吸困難や慢性の咳・痰を示すが、これらの症状に乏しいこともある。

慢性気管支炎は咳・痰などの症候により定義された疾患であり、肺気腫は病理形態学的な定義をもとにした疾患である。前述したように、COPDは慢性気管支炎や肺気腫と同義ではなく、COPDとは診断できない慢性気管支炎、肺気腫がありうる。臨床の場では慢性気管支炎や肺気腫などの疾患名が汎用され、COPDと混同されている現状から、以下にその定義も示す。

①慢性気管支炎

> 喀痰症状が年に3ヵ月以上あり、それが2年以上連続して認められることが基本条件となる。この病状が他の肺疾患や心疾患に起因する場合には、本症として取り扱わない。

②肺気腫

> 終末細気管支より末梢の気腔が肺胞壁の破壊を伴いながら異常に拡大しており、明らかな線維化は認められない病変を指す。病理学的な肺気腫病変は、画像上は気腫性変化としてHRCT検査により容易に検出ができる。

3. COPDの自然歴

COPDでは、タバコ煙で惹起される炎症に引き続いて末梢気道および肺胞レベルの破壊、構造改変などによっ

て疾患が始まるものと考えられており、その開始から進行の過程は自然歴として概念づけられている。肺実質をほぼ満たし気道ともつながる肺胞壁にある弾性線維は、3次元的な網目構造を構成しており、その部分的な破壊箇所が増えれば増えるほど、弾性収縮力（elastic recoil）の消失につながっていく[1]。Elastic recoil の消失は、結果として肺の過膨張、残気量増加[2]、閉塞性換気障害を起こす。したがって、スパイロメトリーの FEV_1 でみた場合、その早期低下としてCOPDの自然歴を検知できるようになる[3]。当初、患者は無症状であるが、FEV_1 低下の進行に伴って徐々に画像診断でも明らかに異常がみられるようになり、呼吸困難などの臨床症状が重症化する[4]。つまり、細胞レベルから、呼吸機能検査、画像、臨床症状のレベルへとCOPDが顕在化していく。患者の多くは、20～30年程度の期間を経て FEV_1 が労作時呼吸困難を来しうるレベルまでその低下が進行してから医療機関初診となる。重症化する前に早めに対処するには、早期発見が不可欠であるが、症状や画像だけでは困難であることが多い。スパイロメトリーによるスクリーニングで FEV_1 低下を見極めることは、早期発見のカギとなる。

　非喫煙健常者の呼吸機能は23～25歳をピークに経年的に低下を示す。非喫煙健常者の FEV_1 の経年変化量は、男性で平均19.6mL/年、女性で平均17.6mL/年であるが、喫煙者の FEV_1 の経年変化量は、男性で平均38.2mL/年、女性で平均23.9mL/年と、急速な低下を示し[5]、COPDの気流閉塞は通常は進行性であると表現される。しかし、その進行は一様ではなく、Burrows らは進行した状態で加速度的に呼吸機能の低下がみられるとの観察を報告したが[3]、今日では適切な治療をされているCOPD患者の FEV_1 の経年変化をみると、個体差がきわめて大きく、3～5年間にわたり呼吸機能が維持される症例から急速に低下する症例までさまざまであることが近年相次いで報告された[6,7]。

　喫煙がCOPDの最大の原因であるが、興味深いことに非喫煙者もCOPDを発症することがある。すべての喫煙者がCOPDを発症しないことも含めて、COPD発症に遺伝子的要因の関与が想定される。また、COPD発症の危険因子として、低出生体重、小児時の肺炎などの肺へのダメージが挙げられる。これらは、肺の発育障害につながり、成長・発育によって到達できるピークの呼吸機能が低くなるため、通常の FEV_1 の経年変化率であっても

COPDの症状を起こす可能性がある。近年のコホート研究では、COPDの約半数は成長発達以降のタバコなどによる加速度的呼吸機能低下のためにCOPDを発症し、残りの半数は成長時点での低呼吸機能のために通常の呼吸機能低下速度であってもCOPDを発症するとの報告がある[8]。

References

I-A-1. 疾患概念の歴史的変遷

1) Tsukamura M. Chronic obstructive lung disease. A statement of the committee on therapy. Am Rev Respir Dis. 1965；92：513-8.［VI］

2) Burrows B, Fletcher CM, Heard BE, et al. The emphysematous and bronchial types of chronic airways obstruction. A clinicopathological study of patients in London and Chicago. Lancet. 1966；1：830-5.［IVb］

3) Filley GF, Beckwitt HJ, Reeves JT, et al. Chronic obstructive bronchopulmonary disease. II. Oxygen transport in two clinical types. Am J Med. 1968；44：26-38.［IVb］

4) Petty TL, Miercort R, Ryan S, et al. The functional and bronchographic evaluation of postmortem human lungs. Am Rev Respir Dis. 1965；92：450-8.［IVb］

5) Hogg JC, Macklem PT, Thurlbeck WM. Site and nature of airway obstruction in chronic obstructive lung disease. N Engl J Med. 1968；278：1355-60.［IVb］

6) Cosio M, Ghezzo H, Hogg JC, et al. The relations between structural changes in small airways and pulmonary-function tests. N Engl J Med. 1978；298：1277-81.［IVb］

7) Standards for the diagnosis and care of patients with chronic obstructive pulmonary disease (COPD) and asthma. This official statement of the American Thoracic Society was adopted by the ATS Board of Directors, November 1986. Am Rev Respir Dis. 1987；136：225-44.［VI］

8) Global Initiative for Chronic Obstructive Lung Disease (GOLD). Global Strategy for Prevention, Diagnosis and Management of Chronic Obstructive Pulmonary Disease 2021 Report. 2020. https://goldcopd.org/wp-content/uploads/2020/11/GOLD-REPORT-2021-v1.1-25Nov20_WMV.pdf（accessed 2022-04-22）［VI］

9) Fletcher CM, Pride NB. Definitions of emphysema, chronic bronchitis, asthma, and airflow obstruction：25 years on from the Ciba symposium. Thorax. 1984；39：81-5.［VI］

10) Makita H, Nasuhara Y, Nagai K, et al. Characterisation of phenotypes based on severity of emphysema in chronic obstructive pulmonary disease. Thorax. 2007；62：932-7.［IVb］

11) Tashkin DP, Celli B, Decramer M, et al. Bronchodilator responsiveness in patients with COPD. Eur Respir J. 2008；31：742-50.［II］

12) Global Initiative for Chronic Obstructive Lung Disease

（GOLD). GOLD 2017 Global Strategy for the Diagnosis, Management and Prevention of COPD. 2017. http://goldcopd. org/gold-2017-global-strategy-diagnosis-management-prevention-copd/（accessed 2021-12-06）[Ⅵ]

Ⅰ-A-2. COPD の定義

1) 笹本 浩. 肺気腫の診断基準 肺気腫研究会10年の歩みを中心として. 呼吸と循環. 1970；18：567-74. [Ⅵ]

2) 日本胸部疾患学会肺生理専門委員会（編）. 慢性閉塞性肺疾患・気管支喘息の診断と治療指針. 東京：メディカルレビュー社；1995. [Ⅵ]

3) 日本呼吸器学会 COPD ガイドライン第1版作成委員会（編）. COPD（慢性閉塞性肺疾患）診断と治療のためのガイドライン第1版. 東京：メディカルレビュー社；1999. [Ⅵ]

4) 日本呼吸器学会 COPD ガイドライン第2版作成委員会（編）. COPD（慢性閉塞性肺疾患）診断と治療のためのガイドライン第2版. 東京：メディカルレビュー社；2004. [Ⅵ]

5) Mishima M, Hirai T, Itoh H, et al. Complexity of terminal airspace geometry assessed by lung computed tomography in normal subjects and patients with chronic obstructive pulmonary disease. Proc Natl Acad Sci U S A. 1999；96：8829-34. [Ⅳa]

6) 日本呼吸器学会 COPD ガイドライン第3版作成委員会（編）. COPD（慢性閉塞性肺疾患）診断と治療のためのガイドライン第3版. 東京：メディカルレビュー社；2009. [Ⅵ]

7) 日本呼吸器学会 COPD ガイドライン第4版作成委員会（編）. COPD（慢性閉塞性肺疾患）診断と治療のためのガイドライン第4版. 東京：メディカルレビュー社；2013. [Ⅵ]

8) 日本呼吸器学会 COPD ガイドライン第5版作成委員会（編）. COPD（慢性閉塞性肺疾患）診断と治療のためのガイドライン第5版. 東京：メディカルレビュー社；2013. [Ⅵ]

Ⅰ-A-3. COPD の自然歴

1) Saetta M, Ghezzo H, Kim WD, et al. Loss of alveolar attachments in smokers. A morphometric correlate of lung function impairment. Am Rev Respir Dis. 1985；132：894-900. [Ⅳb]

2) Petty TL, Silvers GW, Stanford RE. Mild emphysema is associated with reduced elastic recoil and increased lung size but not with air-flow limitation. Am Rev Respir Dis. 1987；136：867-71. [Ⅳb]

3) Burrows B, Knudson RJ, Camilli AE, et al. The "horse-racing effect" and predicting decline in forced expiratory volume in one second from screening spirometry. Am Rev Respir Dis. 1987；135：788-93. [Ⅳb]

4) Mannino DM, Gagnon RC, Petty TL, et al. Obstructive lung disease and low lung function in adults in the United States: data from the National Health and Nutrition Examination Survey, 1988-1994. Arch Intern Med. 2000；160：1683-9. [Ⅳa]

5) Kohansal R, Martinez-Camblor P, Agustí A, et al. The natural history of chronic airflow obstruction revisited：an analysis of the Framingham offspring cohort. Am J Respir Crit Care Med. 2009；180：3-10. [Ⅳa]

6) Vestbo J, Edwards LD, Scanlon PD, et al. Changes in forced expiratory volume in 1 second over time in COPD. N Engl J Med. 2011；365：1184-92. [Ⅳa]

7) Nishimura M, Makita H, Nagai K, et al. Annual change in pulmonary function and clinical phenotype in chronic obstructive pulmonary disease. Am J Respir Crit Care Med. 2012；185：44-52. [Ⅳa]

8) Lange P, Celli B, Agustí A, et al. Lung-Function Trajectories Leading to Chronic Obstructive Pulmonary Disease. N Engl J Med. 2015；373：111-22. [Ⅳa]

B. 疫学と経済的・社会的負荷

POINTS

- 2019年のWHO調査では、COPDは死因の第3位である。
- NICE studyの結果では、日本人のCOPD有病率は8.6％、40歳以上の約530万人、70歳以上では約210万人がCOPDに罹患していると考えられた。
- 本邦ではCOPDは男性死因の第8位であり、高齢者の割合が高い。

1. 世界におけるCOPDの動向と疫学

COPDの有病率や死亡率は世界的に高いレベルにあり、今後も人口の高齢化や高喫煙率の国々のために世界の患者数が増加すると予測されている。2019年のWHOの調査[1]では、COPDは死因の第3位に位置づけられ、DALY[脚注1]の損失原因の第7位であった[2]。

横断的疫学研究においては、世界各国の40歳以上におけるCOPDの有病率は、10％前後であることが報告されている[3,4]。罹患率に関しては研究の調査方法によるばらつきが大きいが、2.8〜15.7（1,000 person-years）と報告されている[5][脚注2]。

2. 本邦におけるCOPDの動向と疫学

本邦においてCOPDの主因は喫煙である。疫学的にも、喫煙量増加と加齢により呼吸機能は悪化し、呼吸機能気流閉塞有病率が増加する[1]。喫煙率は、平成元（1989）年に男性が55.3％、女性が9.4％あったのに対して、令和元（2019）年には男性が27.1％、女性が7.6％と男性では減少し、女性でも減少傾向を認める[2]。うち加熱式タバコの使用率は男性27.2％、女性25.2％でほぼ4分の1を占めている[2]。

厚生労働省の患者調査[3]によれば、COPD患者数はおおむね20万人前後である（表1）。推計される日本人のCOPD有病率は0.2％となる（2017年）。男女比は平成29（2017）年には男性が女性の2.3倍となっている。男

表1 COPD患者数　　　　　　　　　　　　　　　　　　　　　　　　　　　　　　　　　（単位：千人）

年度	総数	男	女	65歳以上			75歳以上		
				総数	男	女	総数	男	女
平成11（1999）	212	139	73	160	109	51	87	57	29
平成14（2002）	213	135	78	170	113	56	103	66	37
平成17（2005）	223	146	78	180	120	60	119	77	42
平成20（2008）	173	114	60	140	98	42	91	62	29
平成23（2011）	220	147	74	179	121	59	125	83	42
平成26（2014）	261	183	79	228	163	64	151	107	45
平成29（2017）	220	154	66	189	137	52	132	92	40

（文献3より作成）

脚注1　DALYは、疾病と傷害による各々の健康問題への負荷を表す複合的指標として考案され、短命により喪失した年数と障害をもって生きた年数（障害の重症度に応じて調整）の和により表される。

脚注2　文献より、呼吸機能検査のデータをもとに求められた疫学調査の罹患率のみを抜粋した。元論文では1,000 person-yearsで表記されていないものもあり、その際は観察期間などから補正して算出した。

第Ⅰ章　疾患概念と基礎知識

女ともに、COPD患者では高齢者の割合が高い。

　一般住民調査による大規模なCOPD疫学調査、NICE study（Nippon COPD Epidemiology Study）の結果では、スパイロメトリーで40歳以上の10.9％（男性16.4％、女性5.0％）に気流閉塞が認められた[4) 脚注3]。喘息による気流閉塞の影響を除いた場合でも日本人のCOPD有病率は8.6％と推測され、世界の国々と同程度の高い有病率であることが明らかにされた。一方、気流閉塞が認められた被験者のなかで、すでにCOPDと診断されていたのは9.4％に過ぎず、多くのCOPD患者が見過ごされている現状が浮き彫りにされた。着目すべきはNICE studyの成績から、日本人の40歳以上の約530万人、70歳以上では約210万人がCOPDに罹患していると見積もられることである。前述の厚生労働省による患者調査を大幅に上回る有病率の高さは、COPDが適切に診断されておらず、未診断COPD患者が多く潜在していることが示唆される。

　さらに日本人地域住民検診対象者における気流閉塞陽性者の有病率が報告されている（高畠研究、長浜研究、久山町研究、藤原京研究）。対象年齢や男女比に差があり、表2に示すように、気流閉塞陽性者の割合はさまざまである[1.5-7)]。年代が高くなるに従い気流閉塞有病率は高くなり、特に男性では70歳以上の4分の1に気流閉塞が認められる（図1）[1)]。人間ドック受診者を対象とした呼吸機能検査での気流閉塞の有病率は4.3％（平均年齢54.7歳、男性5.6％、女性2.1％）と報告されている[8)]。

　本邦においてCOPD罹患率を検討した疫学研究は少ないが、男性では8.1、女性では3.1（1,000 person-years）という報告がある[9)]。高畠研究においては、1次調査時に気流閉塞を認めなかった763名を6年間追跡した結果、非喫煙者の5.4％が気流閉塞陽性となるのに対して、喫煙者群では20.5％が気流閉塞陽性に転じたと報告されている[10)]。

　厚生労働省の人口動態調査によれば、COPDは平成17（2005）年度以降、死因の第9位か10位に位置していたが、平成28（2016）年度からはランク圏外となった（表3）[11)]。しかし、男性においては令和元（2019）年度においても死因の第8位となっている。COPD死亡数の傾向としては、2010年ごろまでは増加傾向にあったが、その後2016年までは頭打ちとなっていた（図2）[11)]。しかし、2017年以降死亡統計の手法が変更されたことにより、死亡数は数字上増加している。年齢調整死亡率（10万対）も前述の死亡統計の手法変更による影響は認めるが、基本的には低下傾向にある[12)]。COPD死亡者の年代別割合の推移を見てみると、COPD死亡者の半分以上は80歳台以上となっている（図3）[11)]。逆に60歳台以下でのCOPD死亡は減少している。日本人COPD患者は高齢であり、併存症で亡くならない限り、長寿も可能であることがうかがえる。

表2　本邦でのコホート研究における気流閉塞有症率

	調査期間(年)	対象者数（人）	BD使用の有無	平均年齢（歳）	男/女比	気流閉塞有症率（％）
高畠研究	2004〜2006	2,917	なし	全体62.8、男性63.3、女性62.5	1,325：1,592	全体10.6、男性16.4、女性5.8
長浜研究	2008〜2010	9,040	なし	54	2,953：6,087	3.80
久山町研究	2009	2,232	あり	全体集団としての記載なし*	951：1,281	pre BD：男性14.6、女性13.7 post BD：男性8.7、女性8.7
藤原京研究	2012〜2013	2,862	なし	77.7	1,504：1,358	全体16.9、男性30.1、女性2.3、喫煙者37.4

＊：非喫煙者：男性63.9歳、女性64.3歳；過去喫煙者：男性67.4歳、女性57.2歳；現喫煙者：男性58.5歳、女性55.9歳
BD：気管支拡張薬

（文献1、5、6、7より改変引用）

脚注3　NICE studyは、日本の人口構成比に準拠するように無作為に抽出された一般住民から参加を募り、全国18都道府県の35施設で実施され、40歳以上の2,343人（男性1,218人、女性1,125人、平均年齢58歳）の健康調査票とスパイロメトリーに基づいた疫学調査結果である。気流閉塞の程度は、56％はstageⅠ、38％はstageⅡ、5％はstageⅢ、1％はstageⅣに相当した。年齢別の有病率では、50〜59歳の成人が5.8％、60〜69歳の成人が15.7％、70歳以上の高齢者が24.4％であり、高齢になるほど有病率は高かった。

B. 疫学と経済的・社会的負荷

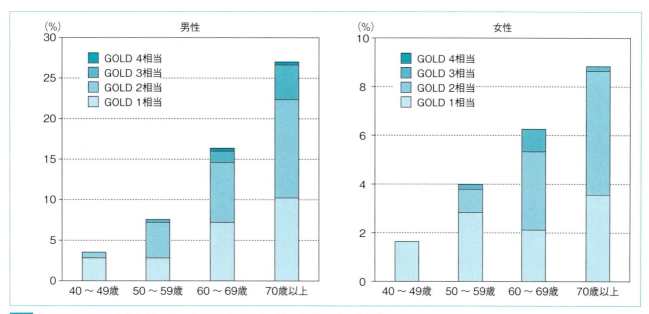

図1 高畠研究における各年代ごとの気流閉塞陽性率（左：男性，右：女性）

（文献1より作成）

表3 COPDの死因順位、死亡率、年齢調整死亡率の推移

年度	総死亡数（人）	死亡順位（位） 全体	死亡順位（位） 男性	死亡順位（位） 女性	COPD死亡数（人） 全体	COPD死亡数（人） 男性	COPD死亡数（人） 女性	死亡率（％）* 全体	死亡率（％）* 男性	死亡率（％）* 女性	年齢調整死亡率（％）* 男性	年齢調整死亡率（％）* 女性
2005	1,084,012	10	7	15	14,415	11,018	3,397	11.4	17.9	5.3	7.7	1.2
2007	1,108,280	10	7	15	14,890	11,435	3,455	11.8	18.6	5.4	6.7	1.0
2008	1,142,467	10	7	16	15,505	11,931	3,574	12.3	19.4	5.5	6.3	0.9
2009	1,141,865	10	7	16	15,359	11,928	3,411	12.2	19.4	5.3	5.8	0.9
2010	1,197,012	9	7	16	16,293	12,669	3,606	12.9	20.6	5.6	5.6	0.8
2011	1,253,066	9	7	16	16,639	12,998	3,641	13.2	21.1	5.6	5.1	0.8
2012	1,256,359	9	8	19	16,402	12,866	3,536	13.0	21.0	5.5	4.7	0.7
2013	1,268,436	9	8	20	16,443	13,057	3,386	13.1	21.3	5.2	4.3	0.6
2014	1,273,004	10	8	20	16,184	13,002	3,182	12.9	21.3	4.9	3.9	0.6
2015	1,290,444	10	8	20	15,756	12,642	3,114	12.6	20.7	4.8	3.5	0.6
2016	1,307,748	ND	8	ND	15,686	12,649	3,037	12.5	20.8	4.7	3.2	0.5
2017	1,340,397	ND	8	ND	18,523	15,266	3,257	14.9	25.2	5.1	4	0.5
2018	1,362,470	ND	8	ND	18,577	15,324	3,253	15.0	25.3	5.1	3.6	0.5
2019	1,381,093	ND	8	ND	17,836	14,822	3,014	14.4	24.6	4.7	3.4	0.4

ND：資料にデータ未記載

（*人口10万対）

（文献11より作成）

第Ⅰ章　疾患概念と基礎知識

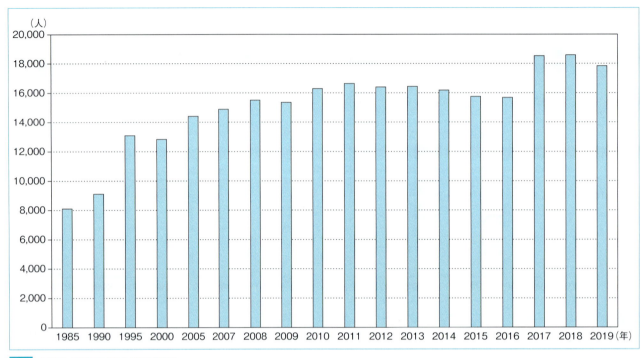

図2 本邦のCOPD死亡数の推移

（文献11より作成）

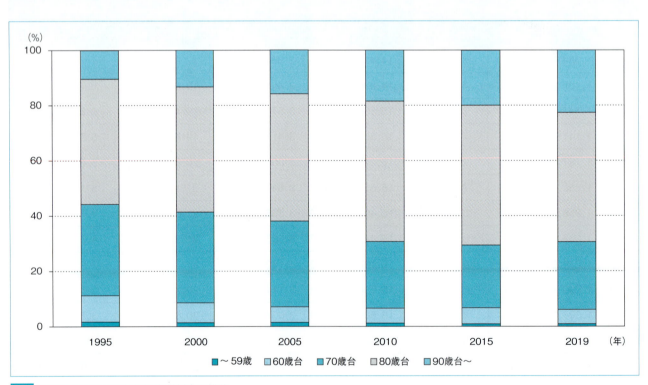

図3 本邦のCOPD死亡者年代別割合の推移

（文献11より作成）

B．疫学と経済的・社会的負荷

表4 COPD の医療費の推移

(単位：億円)

年度	一般診療医療費	呼吸器疾患医療費[a]	COPD 医療費		
			総額[b]	入院	入院外
平成23（2011）	278,129	21,707 （7.8%）	1,441 （6.6%）	725	715
平成24（2012）	283,198	21,507 （7.6%）	1,410 （6.5%）	695	715
平成25（2013）	287,447	21,211 （7.4%）	1,514 （7.1%）	723	791
平成26（2014）	292,506	21,772 （7.4%）	1,460 （6.7%）	717	743
平成27（2015）	300,461	22,230 （7.4%）	1,473 （6.6%）	722	751
平成28（2016）	301,853	22,591 （7.5%）	1,467 （6.5%）	714	753
平成29（2017）	308,335	22,892 （7.4%）	1,446 （6.3%）	690	756
平成30（2018）	313,251	23,032 （7.4%）	1,514 （6.6%）	750	764

a：（　）内は一般診療医療費に占める呼吸器疾患医療費の割合
b：（　）内は呼吸器疾患医療費に占める気管支炎および COPD 医療費総額の割合

（文献1より作成）

3．COPD の経済的負荷と社会的負荷

　呼吸器疾患の医療費は一般医療費の増加に伴い増加傾向を認め、一般診療医療費の約7％を占めている（表4）[1]。呼吸器疾患医療費に占める COPD の医療費の割合は約6％台である。2011 年以降、入院、入院外医療費ともに大きな変化は認めていない。

References

I-B-1. 世界における COPD の動向と疫学

1) World Health Organization：The top 10 causes of death. https://www.who.int/news-room/fact-sheets/detail/the-top-10-causes-of-death（accessed 2021-03-15）[Ⅵ]

2) World Health Organization：The global burden of disease: 2004 update. Washington, 2008 https://www.who.int/health-info/global_burden_disease/2004_report_update/en/（accessed 2021-03-15）[Ⅵ]

3) Menezes AM, Perez-Padilla R, Jardim JR, et al. Chronic obstructive pulmonary disease in five Latin American cities（the PLATINO study）: a prevalence study. Lancet. 2005；366：1875-81. [Ⅳa]

4) Buist AS, McBurnie MA, Vollmer WM, et al. International variation in the prevalence of COPD（the BOLD Study）: a population-based prevalence study. Lancet 2007；370：741-

50. [Ⅳa]

5) Rycroft CE, Heyes A, Lanza L, et al. Epidemiology of chronic obstructive pulmonary disease: a literature review. Int J Chron Obstruct Pulmon Dis. 2012；7：457-94. [Ⅰ]

I-B-2. 本邦における COPD の動向と疫学

1) Osaka D, Shibata Y, Abe S, et al. Relationship between habit of cigarette smoking and airflow limitation in healthy Japanese individuals: the Takahata study. Intern Med. 2010；49：1489-99. [Ⅳa]

2) 厚生労働省. 厚生労働省の TABACCO or Health. 成人喫煙率（厚生労働省国民健康栄養調査）. http://www.health-net.or.jp/（accessed 2021-12-06）[Ⅵ]

3) e-Stat. 患者調査－患者調査 上巻（全国）. 総患者数，性・年齢階級×傷病小分類別. 各年次. http://www.e-stat.go.jp/SG1/estat/GL08020101.do?_toGL08020101_&tstatCode=000001031167&requestSender=dsearch（accessed 2021-12-06）[Ⅵ]

4) Fukuchi Y, Nishimura M, Ichinose M, et al. COPD in Japan: the Nippon COPD Epidemiology study. Respirology. 2004；9：458-65. [Ⅳa]

5) Muro S, Tabara Y, Matsumoto H, et al. Relationship Among Chlamydia and Mycoplasma Pneumoniae Seropositivity, IKZF1 Genotype and Chronic Obstructive Pulmonary Disease in A General Japanese Population: The Nagahama Study. Medicine（Baltimore）. 2016；95：e3371. [Ⅳa]

6) Fukuyama S, Matsumoto K, Kaneko Y, et al. Prevalence of Airflow Limitation Defined by Pre- and Post-Bronchodilator

Spirometry in a Community-Based Health Checkup: The Hisayama Study. Tohoku J Exp Med. 2016；238：179-84.［IVa］

7）Yoshikawa M, Yamamoto Y, Tomoda K, et al. Prevalence of choronic obstructive pulmonary disease in independent community-dwelling older adults: the Fujiwara-kyo Study. Geriatr Gerontol Int. 2017；17：2421-6.［IVa］

8）Omori H, Kaise T, Suzuki T, et al. Prevalence of airflow limitation in subjects undergoing comprehensive health examination in Japan: Survey of Chronic Obstructive Pulmonary disease patients Epidemiology in Japan. Int J Chron Obstruct Pulmon Dis. 2016；11：873-80.［IVa］

9）Kojima S, Sakakibara H, Motani S, et al. Incidence of chronic obstructive pulmonary disease, and the relationship between age and smoking in a Japanese population. J Epidemiol. 2007；17：54-60.［IVa］

10）Sato K, Shibata Y, Inoue S, et al. Impact of cigarette smoking on decline in forced expiratory volume in 1s relative to severity of airflow obstruction in a Japanese general popula-

tion: The Yamagata-Takahata study. Respir Investig. 2018；56：120-7.［IVa］

11）e-Stat. 人口動態調査 - 人口動態統計 確定数 死亡. 下巻 2. 死亡数, 性・年齢（5歳階級）・死因（死因簡単分類）別. 各年次. http://www.e-stat.go.jp/SG1/estat/GL08020102.do?_toGL08020102_&tclassID=000001041646&cycleCode=7&requestSender=dsearch（accessed 2021-12-06）［VI］

12）e-Stat. 人口動態調査 - 人口動態統計 確定数 死亡. 上巻 死因年次推移分類別にみた性別年齢調整死亡率（人口10万対）. 各年次. http://www.e-stat.go.jp/SG1/estat/GL08020102.do?_toGL08020102_&tclassID=000001041646&cycleCode=7&requestSender=dsearch（accessed 2021-12-06）［VI］

I -B-3. COPD の経済的負荷と社会的負荷

1）厚生労働省, 令和元（2019）年度国民医療費の概況. 2021-11-9. http://www.mhlw.go.jp/toukei/list/37-21c.html（accessed 2021-12-06）［VI］

C. 危険因子

C. 危険因子

POINTS

● COPD の危険因子には喫煙、大気汚染などの外因性因子と、遺伝素因などの内因性因子とがある。
● タバコ煙は最大の危険因子であるが、COPD を発症するのは喫煙者の一部であることから、喫煙感受性を規定する遺伝素因の存在が考えられている。
● COPD の遺伝素因としては、AATD が有名であるが、本邦ではきわめてまれである。その他の遺伝素因としては、炎症関連遺伝子、アンチオキシダント、プロテアーゼおよびアンチプロテアーゼ、マトリックスメタロプロテイナーゼなどの遺伝子変異が指摘されている。また、ニコチン依存、肺の分化・発育、呼吸機能などと関連する遺伝子も報告されている。

1. 外因性危険因子

COPD の外因性危険因子には、タバコ煙[1-3]、大気汚染物質の吸入、有機燃料（バイオマス）を燃焼させた煙の室内における吸入、職業性の粉塵や化学物質（刺激性の蒸気や煙）への曝露、受動喫煙、呼吸器感染症、社会経済的要因などがある（表1）[1-4]。これらの要因の他、COPD の家族歴、妊娠時の母体の喫煙、肺結核の既往などの関与が報告されている[1-3]。また、若年者を対象とした調査では、喫煙に加えて、小児期の呼吸器感染などの関連が指摘されている（表1）[3]。

a. タバコ煙

タバコ煙は COPD の最大の危険因子である[1-3]。COPD 患者の約 90 ％には喫煙歴があり、COPD による死亡率は、喫煙者では非喫煙者に比べて約 10 倍高い[5]。COPD の発症率は年齢や喫煙の曝露量とともに増加し、高齢の喫煙者では約 50 ％に、60 pack-years 以上の重喫煙者では約 70 ％に COPD が認められている[6]。また、剖検肺組織の検討では、50 pack-years の喫煙者のうち 35 ％に気管支の炎症性変化や気腫性病変が観察されている。禁煙は COPD の進行を抑制し、過去喫煙者では現喫煙者よりも FEV_1 の経年低下速度は減じて、30 年以上の禁煙では非喫煙者との差はわずかとなる[7]。

COPD の発症率は喫煙者の 15 ～ 20 ％程度である。20 pack-years の喫煙者では COPD の発症率は 19 ％と報告されており[8]、60 pack-years 以上の喫煙者でも約 30 ％は呼吸機能が正常である[9]。したがって、COPD になりやすい喫煙者（susceptible smokers）と、なりにくい喫煙者が存在すると考えられるが[6]、その理由として喫煙感受性を決定する遺伝子の存在が想定されている。例えば、AATD では喫煙による FEV_1 の経年的低下速度が非

表1 COPD の危険因子

	最重要因子	重要因子	可能性の指摘されている因子
外因性因子	タバコ煙	大気汚染 受動喫煙 職業性の粉塵や化学物質への曝露 バイオマス燃焼煙	呼吸器感染 小児期の呼吸器感染 妊娠時の母体喫煙 肺結核の既往 社会経済的要因
内因性因子	AATD	小児喘息	遺伝子変異 気道過敏性 COPD や喘息の家族歴 自己免疫 老化

第Ⅰ章　疾患概念と基礎知識

常に大きく、死亡率も高いことが知られている。後述するように、AATD 以外にも FEV1 の低下率を規定する多くの遺伝子が報告されている[2]。

　能動的な喫煙習慣だけではなく、環境大気中のタバコ煙の吸入（受動喫煙）も COPD の危険因子である[10,11]。他方で、妊娠中の母体喫煙と COPD 発症との関連が指摘されている[1,2]。

b.　大気汚染

　大気中の汚染物質としては、DEP や SPM、PM10、PM2.5、黄砂などの粒子状物質と、窒素酸化物（NOx）、硫黄酸化物（SOx）、一酸化炭素（CO）、オゾンなどのガス状物質がある[2,4]。これらの大気汚染物質は、咳、痰などの呼吸器症状や FEV1 の低下、循環器・呼吸器疾患死亡率の増加原因となることが知られている[2,4]。環境中の NO2 や PM2.5 の抑制は、肺の発育障害のリスクを軽減すると報告されている[12]。これらの呼吸器に対する急性および慢性曝露の影響、低および高濃度曝露の影響に関しては今後の検討課題である。

　一方、室内の大気汚染物質としては、タバコ煙（受動喫煙）、PM、NO2、CO、バイオマス燃料からの煙などがある[4]。換気が不十分な住居内で調理や暖房のために薪や藁、乾燥糞などのバイオマスを燃焼させた煙の吸入は、COPD の危険因子と考えられている[4]。特に調理に従事する女性は室内大気汚染物質の曝露量が多く、アジアや中南米、アフリカ地域における女性を含めた非喫煙者の COPD の原因として注目されている[4]。発展途上国では COPD 死の約 50 ％がバイオマスに関連するといわれている[4]。

c.　呼吸器感染症

　呼吸器感染症に罹患した小児では、青年期以降の FEV1 の経年的低下速度が大きいことが知られており、小児期の呼吸器感染症と COPD の発症の関連性が指摘されている[1,3,4]。また、COPD 患者の気道組織にはアデノウイルス *E1A* 遺伝子が高頻度に検出され、COPD とアデノウイルスの潜伏感染との関連性が指摘されている。さらに HIV や RSV 感染との関係も報告されている[13]。

d.　職業性因子

　COPD 患者の約 15 ％が職場での曝露が原因であると報告されている[4,14]。農業、畜産、炭坑、トンネル工事、コンクリート工事、ゴム加工工場などあらゆる職種で発生するほこり（有機、無機）、ヒューム、化学物質（煙、蒸気、ガス、刺激性物質）などが COPD の発症と関連があると報告されている[15]。

　2001 年 9 月 11 日のテロ事件により崩壊したニューヨークの世界貿易センターで救助にあたった消防士を対象としたコホート研究の結果、崩壊したビルより生じたほこりが空気とらえこみ現象（air trapping）を伴う閉塞性肺疾患を生じたと報告されている[16,17]。

2.　内因性危険因子

　COPD との関連性が疑われる候補遺伝子が検索されてきたが、α_1-アンチトリプシン欠乏を除いては COPD の責任遺伝子として確定したものはない。COPD の関連遺伝子についての研究では成績が一定しないことが多いが、その理由として標本の大きさや不均一性、人種差の問題、COPD の病型の違いなどが指摘されている[1]。

a.　COPD の発症機序と危険因子

　気腫性病変の形成には、炎症細胞から放出されたエラスターゼなどのプロテアーゼとオキシダントが重要な役割を果たしている[2,3]。AATD では、好中球エラスターゼに対する拮抗作用が低下するために肺気腫が発症しやすくなる[4]。一方、アンチオキシダント（抗酸化分子）の低下は、オキシダントによる炎症作用、組織傷害作用とアンチプロテアーゼの不活化を増強させて、気腫性病変や気道病変を悪化させる。

　気道過敏性や喘息も COPD 発症の危険因子とされている[5-7]。気道過敏性のある喫煙者では FEV1 の経年的低下速度が大きいが、気道過敏性の亢進が喫煙前から存在したのか、喫煙により生じた結果であるのかについては不明である。また、小児喘息患者を追跡した研究では、11 ％が青年期に呼吸機能上で COPD の基準を満たしたと報告されている[7]。本邦においても、小児喘息の既往により、呼吸機能の低下が促進するということが、広島の人間ドックコホートで示された[8]。

　欧米の調査では、社会経済的要因により栄養状態が低下すると COPD の発症率が増加することも報告されているが、本邦での調査成績はない。飲酒と COPD との関連性を指摘した成績もみられるが、否定的な見解も多

C. 危険因子

表2 本邦で報告されている主な COPD 発症感受性遺伝子

発症あるいは発症抑制に関与する作用	COPD 発症感受性遺伝子
アンチプロテアーゼ	SERPINE（serpine peptidase inhibitor, clade E [nexin, plasminogen activator inhibitor type 1]；プロテアーゼ抑制物質の一種）
抗酸化・解毒作用	グルタチオン S-トランスフェラーゼ（glutathione S-transferase；GST） ヘムオキシゲナーゼ-1（heme oxygenase-1；HO-1） エポキシド加水分解酵素（epoxide hydrolase；EPHX）
マトリックスメタロプロテイナーゼ	マトリックスメタロプロテイナーゼ-9（matrix metalloproteinase-9；MMP-9）
炎症作用	腫瘍壊死因子-α（tumor necrosis factor alpha；TNF-α） インターロイキン-4（interleukin-4；IL-4） インターロイキン-13（interleukin-13；IL-13） Toll 様受容体4（toll-like receptor4；TLR4）
免疫制御	サーファクタントプロテイン D（surfactant protein-D；SP-D）
喀痰・水分泌	カルシウム活性化クロライドチャネル1（calcium-activated chloride channel regulator 1；CLCA1）

い。

COPD 患者で禁煙後にも気道や肺の炎症が持続する機序として、エラスチンに対する自己免疫反応の獲得が注目され[9]、COPD における抗核抗体の上昇も指摘されている。また、加齢が COPD の発症を促進させる機序として、肺や細胞の老化の可能性も示唆されている[10]。

b. COPD の遺伝素因に関する研究：日本人と欧米人との相違を含めて

COPD の遺伝素因としては、AATD 以外にも、炎症関連遺伝子、アンチオキシダント、アンチプロテアーゼ、マトリックスメタロプロテイナーゼなどの候補遺伝子の変異などが調査されている（表2、3）。

1）AATD

α_1-アンチトリプシンの遺伝子には正常の M 型以外に、機能障害型の S 型や Z 型などがある。欧米人に多い ZZ 型ホモ接合体や SZ 型ヘテロ接合体の患者では、血中 α_1-アンチトリプシン濃度が高度に低下し、肺気腫を発症する[11]。日本人では AATD は非常にまれである[12]。

2）その他の候補遺伝子

以下にその他の候補遺伝子を列挙する。それぞれの候補遺伝子の詳細は、文献を参照のこと。

①エポキシド加水分解酵素（EPHX）[1,13,14]
②グルタチオン S-トランスフェラーゼ（GST）[13-16]
③ヘムオキシゲナーゼ-1（HO-1）[1,13,17,18]

④マトリックスメタロプロテイナーゼ（MMP）[3,13]
⑤炎症関連遺伝子[1,19-22]

3）本邦から報告された候補遺伝子・病態関連分子

表2 に本邦から報告された主な候補遺伝子（病態関連分子）を示す。他に、saccharomyces cerevisiae cell division cycle 6（CDC6）homolog 蛋白[22]、Serpin Family E Member 2（SERPINE2）[18]、fucosyltransferase 8（FUT8）[23]、nucleotide-binding and oligomerization domain（NOD）[24]、growth differentiation factor 11（GDF11）[25] などが報告されている。

4）大規模研究およびゲノムワイド関連研究

大規模コホートを用いた遺伝子研究や発症リスクの解析が進められている[1,13,14,16,26,27]。表3 に示すように、GWAS（あるいは genome-wide linkage analysis）による COPD 発症に関連する染色体および遺伝子の同定が行われている。GWAS では、第2、第4、第8、第12、第19、第22 番染色体と COPD の関連性や、10 種類を超える遺伝子多型が COPD において報告されている[28,29]。大規模研究のデータをまとめて行われた GWAS では、これまで報告されているものと一致して第15 番染色体上にある cholinergic nicotine receptor alpha 3/5（CHRNA3/CHRNA5）、iron regulatory binding protein 2（IREB2）、第4 番染色体上の family with sequence similarity 13, member A（FAM13A）、および hedgehog-interacting protein（HHIP）などニコチン依存、肺の分

21

第Ⅰ章　疾患概念と基礎知識

表3 欧米で報告されている主な COPD 発症感受性遺伝子

発症あるいは発症抑制に関与する作用	COPD 発症感受性遺伝子
アンチプロテアーゼ	α_1-アンチトリプシン欠乏症（AATD） SERPINE（serpine peptidase inhibitor, clade E [nexin, plasminogen activator inhibitor type 1]；プロテアーゼ抑制物質の一種）
抗酸化・解毒作用	エポキシド加水分解酵素（epoxide hydrolase；EPHX） チトクローム P-450（cytochrome P-450；CYP） グルタチオン S-トランスフェラーゼ（GST） ヘムオキシゲナーゼ-1（HO-1） スーパーオキシドジスムターゼ（SOD）
マトリックスメタロプロテイナーゼ	マトリックスメタロプロテイナーゼ-9（MMP-9）
炎症作用	腫瘍壊死因子-α（TNF-α） インターロイキン-1（IL-1） インターロイキン-4（IL-4） インターロイキン-6（IL-6） インターロイキン-13（IL-13） Toll 様受容体4（TLR4）
免疫制御	サーファクタントプロテイン D（SP-D）
喀痰・水分泌	カルシウム活性化クロライドチャネル1（CLCA1）
ニコチン依存	CHRNA3/CHRNA5（cholinergic nicotine receptor alpha 3/5）
肺の分化・発育	ヘッジホッグ相互作用蛋白（hedgehog-interacting protein；HHIP）
呼吸機能	FAM13A（family with sequence similarity 13, member A）

化・発育、肺および呼吸機能などと関連する遺伝子が COPD の遺伝的素因として再確認され、また新たに Ras and Rab Interactor 3（RIN3）、MMP-3/12、TGF-β_2 との関連が報告された[30]。これまでの研究成果に対するメタ解析も行われ、GSTM1、TGF-β_1、TNF、SOD-3、IL1RN の遺伝子多型性と COPD の発症との関連が報告されている[21]。

5）全ゲノムシーケンス解析

近年報告された大規模な全ゲノムシーケンス解析では、10 の既知の GWAS 遺伝子座の他に 22 の未報告の遺伝子座がゲノムワイド基準で有意となり、別のコホートでも再現された候補遺伝子として protein inhibitor of activated STAT-1（PIAS1）、regucalcin（RGN）、fat mass and obesity-associated protein（FTO）が同定された[31]。

References

Ⅰ-C-1．外因性危険因子

1) Svanes C, Sunyer J, Plana E, et al. Early life origins of chronic obstructive pulmonary disease. Thorax. 2010；65：14-20. [Ⅳa]

2) Postma DS, Kerkhof M, Boezen HM, et al. Asthma and chronic obstructive pulmonary disease：common genes, common environments? Am J Respir Crit Care Med. 2011；183：1588-94. [Ⅴ]

3) de Marco R, Accordini S, Marcon A, et al. Risk factors for chronic obstructive pulmonary disease in a European cohort of young adults. Am J Respir Crit Care Med. 2011；183：891-7. [Ⅳa]

4) Salvi SS, Barnes PJ. Chronic obstructive pulmonary disease in non-smokers. Lancet. 2009；374：733-43. [Ⅵ]

5) Snider GL. Chronic obstructive pulmonary disease：risk factors, pathophysiology and pathogenesis. Annu Rev Med. 1989；40：411-29. [Ⅵ]

6) Lundbäck B, Lindberg A, Lindström M, et al. Not 15 but 50% of smokers develop COPD? —— Report from the Obstructive Lung Disease in Northern Sweden Studies. Respir Med. 2003；97：115-22. [Ⅳa]

7) Oelsner EC, Balte PP, Bhatt SP, et al. Lung function decline in former smokers and low-intensity current smokers：a secondary data analysis of the NHLBI Pooled Cohorts Study. Lancet Respir Med. 2020；8：34-44. [Ⅳa]

8) Cigarette smoking and health. American Thoracic Society. Am J Respir Crit Care Med. 1996；153：861-5. [Ⅵ]

9) Fletcher C, Peto R. The natural history of chronic airflow

obstruction. Br Med J. 1977；1：1645-8.［IVa］

10) Garcia-Aymerich J, Farrero E, Félez MA, et al. Risk factors of readmission to hospital for a COPD exacerbation：a pro-spectivestudy.Thorax. 2003；58：100-5.［IVa］

11) Yin P, Jiang CQ, Cheng KK, et al. Passive smoking exposure and risk of COPD among adults in China：the Guangzhou Biobank Cohort Study. Lancet. 2007；370：751-7.［IVa］

12) Gauderman WJ, Urman R, Avol E, et al. Association of improved air quality with lung development in children. N Engl J Med. 2015；372：905-13.［IVa］

13) Wilkinson TM, Donaldson GC, Johnston SL, et al. Respiratory syncytial virus, airway inflammation, and FEV₁ decline in patients with chronic obstructive pulmonary disease. Am J Respir Crit Care Med. 2006；173：871-6.［IVa］

14) Balmes J, Becklake M, Blanc P, et al. American Thoracic Society Statement：Occupational contribution to the burden of airway disease. Am J Respir Crit Care Med. 2003；167：787-97.［VI］

15) Mehta AJ, Miedinger D, Keidel D, et al. Occupational exposure to dusts, gases, and fumes and incidence of chronic obstructive pulmonary disease in the Swiss Cohort Study on Air Pollution and Lung and Heart Diseases in Adults. Am J Respir Crit Care Med. 2012；185：1292-300.［IVa］

16) Weiden MD, Ferrier N, Nolan A, et al. Obstructive airways disease with air trapping among firefighters exposed to World Trade Center dust. Chest. 2010；137：566-74.［IVa］

17) Rom WN, Reibman J, Rogers L, et al. Emerging exposures and respiratory health：World Trade Center dust. Proc Am Thorac Soc. 2010；7：142-5.［VI］

I -C-2. 内因性危険因子

1) Hersh CP, Demeo DL, Lange C, et al. Attempted replication of reported chronic obstructive pulmonary disease candidate gene associations. Am J Respir Cell Mol Biol. 2005；33：71-8. ［IVb］

2) Betsuyaku T, Nishimura M, Takeyabu K, et al. Neutrophil granule proteins in bronchoalveolar lavage fluid from subjects with subclinical emphysema. Am J Respir Crit Care Med. 1999；159：1985-91.［IVb］

3) Fischer BM, Pavlisko E, Voynow JA. Pathogenic triad in COPD：oxidative stress, protease-antiprotease imbalance, and inflammation. Int J Chron Obstruct Pulmon Dis. 2011；6：413-21.［VI］

4) Laurell CB, Eriksson S. The electrophoretic α₁-globulin pattern of serum in α₁-antitrypsin deficiency. Scand J Clin Lab Invest. 1963；15：132-40.［VI］

5) Salvi SS, Barnes PJ. Chronic obstructive pulmonary disease in non-smokers. Lancet. 2009；374：733-43.［VI］

6) Sluiter HJ, Koëter GH, de Monchy JG, et al. The Dutch hypothesis (chronic non-specific lung disease) revisited. Eur Respir J. 1991；4：479-89.［VI］

7) McGeachie MJ, Yates KP, Zhou X, et al. Patterns of growth and decline in lung function in persistent childhood asthma. N Engl J Med. 2016；374：1842-52.［IVa］

8) Miura S, Iwamoto H, Omori K, et al. Accelerated decline in lung function in adults with a history of remitted childhood asthma. Eur Respir J. 2022；59：2100305.［IVa］

9) Curtis JL, Freeman CM, Hogg JC. The immunopathogenesis of chronic obstructive pulmonary disease：insights from recent research. Proc Am Thorac Soc. 2007；4：512-21.［VI］

10) Tsuji T, Aoshiba K, Nagai A. Alveolar cell senescence in patients with pulmonary emphysema. Am J Respir Crit Care Med. 2006；174：886-93.［IVb］

11) Eriksson S. Pulmonary emphysema and alpha1-antitrypsin deficiency. Acta Med Scand. 1964；175：197-205.［V］

12) 日本呼吸器学会, 厚生労働省難治性疾患政策研究事業呼吸不全に関する調査研究班. α₁-アンチトリプシン欠乏症 診療の手引き2016. 広島；レタープレス：2016. https://www.jrs.or.jp/publication/jrs_guidelines/20161001123252.html（accessed 2022-04-01）［VI］

13) DeMeo DL, Hersh CP, Hoffman EA, et al. Genetic determinants of emphysema distribution in the national emphysema treatment trial. Am J Respir Crit Care Med. 2007；176：42-8.［II］

14) Kim WJ, Hoffman E, Reilly J, et al. Association of COPD candidate genes with computed tomography emphysema and airway phenotypes in severe COPD. Eur Respir J. 2011；37：39-43.［IVb］

15) Postma DS, Kerkhof M, Boezen HM, et al. Asthma and chronic obstructive pulmonary disease：common genes, common environments? Am J Respir Crit Care Med. 2011；183：1588-94.［V］

16) de Marco R, Accordini S, Marcon A, et al. Risk factors for chronic obstructive pulmonary disease in a European cohort of young adults. Am J Respir Crit Care Med. 2011；183：891-7.［IVa］

17) Yamada N, Yamaya M, Okinaga S, et al. Microsatellite polymorphism in the heme oxygenase-1 gene promoter is associated with susceptibility to emphysema. Am J Hum Genet. 2000；66：187-95.［IVb］

18) Fujimoto K, Ikeda S, Arai T, et al. Polymorphism of SERPINE2 gene is associated with pulmonary emphysema in consecutive autopsy cases. BMC Med Genet. 2010；11：159.［IVb］

19) Sakao S, Tatsumi K, Igari H, et al. Association of tumor necrosis factor alpha gene promoter polymorphism with the presence of chronic obstructive pulmonary disease. Am J Respir Crit Care Med. 2001；163：420-2.［IVb］

20) Castaldi PJ, Cho MH, Cohn M, et al. The COPD genetic association compendium：a comprehensive online database of COPD genetic associations. Hum Mol Genet. 2010；19：526-34.［I］

21) Smolonska J, Wijmenga C, Postma DS, et al. Meta-analyses on suspected chronic obstructive pulmonary disease genes : a summary of 20 years' research. Am J Respir Crit Care Med. 2009 ; 180 : 618-31. [I]

22) Takabatake N, Toriyama S, Igarashi A, et al. A novel polymorphism in CDC6 is associated with the decline in lung function of ex-smokers in COPD. Biochem Biophys Res Commun. 2009 ; 381 : 554-9. [IVa]

23) Yamada M, Ishii T, Ikeda S, et al. Association of fucosyltransferase 8 (FUT8) polymorphism Thr267Lys with pulmonary emphysema. J Hum Genet. 2011 ; 56 : 857-60. [IVb]

24) Kinose D, Ogawa E, Hirota T, et al. A NOD2 gene polymorphism is associated with the prevalence and severity of chronic obstructive pulmonary disease in a Japanese population. Respirology. 2012 ; 17 : 164-71. [IVb]

25) Onodera K, Sugiura H, Yamada M, et al. Decrease in an anti-ageing factor, growth differentiation factor 11, in chronic obstructive pulmonary disease. Thorax. 2017 ; 72 : 893-904. [IVb]

26) Demeo DL, Mariani TJ, Lange C, et al. The SERPINE2 gene is associated with chronic obstructive pulmonary disease. Am J Hum Genet. 2006 ; 78 : 253-64. [IVb]

27) Zhu G, Warren L, Aponte J, et al. The SERPINE2 gene is associated with chronic obstructive pulmonary disease in two large populations. Am J Respir Crit Care Med. 2007 ; 176 : 167-73. [IVb]

28) Pillai SG, Ge D, Zhu G, et al. A genome-wide association study in chronic obstructive pulmonary disease (COPD) : identification of two major susceptibility loci. PLoS Genet. 2009 ; 5 : e1000421. [IVb]

29) Hersh CP, Pillai SG, Zhu G, et al. Multistudy fine mapping of chromosome 2q identifies XRCC5 as a chronic obstructive pulmonary disease susceptibility gene. Am J Respir Crit Care Med. 2010 ; 182 : 605-13. [IVb]

30) Cho MH, McDonald ML, Zhou X, et al. Risk loci for chronic obstructive pulmonary disease : a genome-wide association study and meta-analysis. Lancet Respir Med. 2014 ; 2 : 214-25. [IVb]

31) Zhao X, Qiao D, Yang C, et al. Whole genome sequence analysis of pulmonary function and COPD in 19,996 multi-ethnic participants. Nat Commun. 2020 ; 11 : 5182. [IVb]

D. 病理

POINTS

- COPDでは、中枢気道、末梢気道、肺胞領域、肺血管に病変がみられる。
- これらの病変はタバコ煙などの有害物質吸入による炎症が主な原因である。
- 炎症は禁煙後も長期間持続する。
- 末梢気道病変と気腫性病変の複合的な作用により気流閉塞が生じる。

COPDでは中枢気道、末梢気道、肺胞領域、肺血管に病変がみられる（図1）[1]。中枢気道病変は喀痰症状、末梢気道病変と気腫性病変は気流閉塞、肺血管病変は肺高血圧症を引き起こす。気流閉塞は、末梢気道病変と気腫性病変［肺弾性収縮力（lung elastic recoil）の低下］が複合的に作用して生じる。

COPDの肺病変はタバコ煙などの有害物質吸入による慢性炎症が原因と考えられている[2,3]。COPD患者ではCOPDのない喫煙者に比べて肺の炎症が高度で禁煙後も長期間持続する[4]。COPD患者の気道腔と肺胞腔にはマクロファージと好中球が浸潤している。気道壁、肺胞壁、血管壁にはマクロファージとTリンパ球の浸潤がみられる。なかでもTc1型CD4$^+$細胞の増加が特徴的であるが[2,5]、Th1型CD4$^+$細胞やTh17型CD4$^+$細胞および自然リンパ球の浸潤もみられる[6]。一部の患者では、好酸球やTh2型CD4$^+$細胞およびグループ2自然リンパ球の浸潤も認められる[6]。また、重症患者の気道壁では、Bリンパ球が集簇したリンパ濾胞がみられる[2]。COPDでは、長期間持続したこのような炎症が気道壁のリモデリングや気腫性病変、肺血管病変の原因になると考えられている。

1. 中枢気道

中枢気道の気管支粘膜では杯細胞の増生と扁平上皮化生がみられる[1]。気道壁では気管支粘膜下腺の増大、平

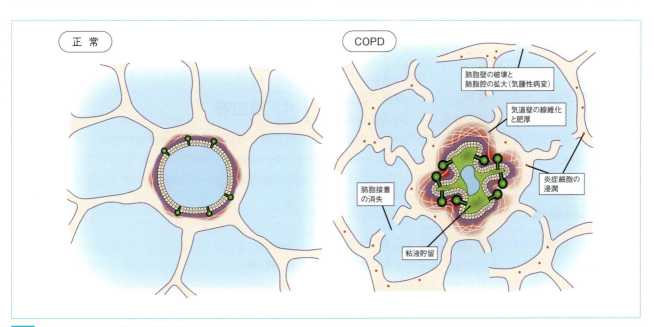

図1 COPDの末梢気道と肺胞領域の病変

［文献1（Barnes PJ. Chronic obstructive pulmonary disease. N Engl J Med. 2000；343：269-80.）より引用］

第Ⅰ章 疾患概念と基礎知識

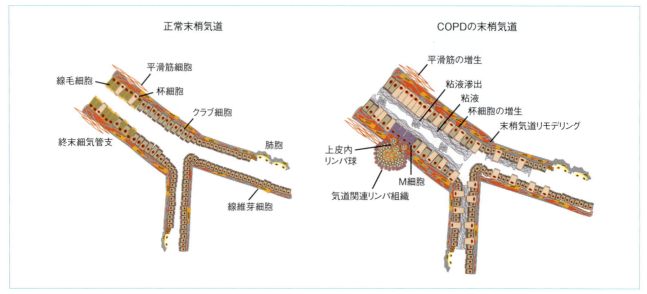

図2 健常者とCOPDの末梢気道の病理学的変化
M細胞：microfold cells
（文献4より引用）

Figure 10, The Contribution of Small Airway Obstruction to the Pathogenesis of Chronic Obstructive Pulmonary Disease
James C. Hogg, Peter D. Paré, and Tillie-Louise Hackett. 1 FEB 2017; https://doi.org/10.1152/physrev.00025.2015

滑筋の肥厚、炎症細胞の浸潤、壁の線維化、軟骨の退行性変化がみられる。気管支粘膜下腺の増大と杯細胞の増生は、気道過分泌による喀痰症状の原因になる。

2．末梢気道

　末梢気道（内径2mm以下の細気管支）では粘液分泌物の貯留、杯細胞の増生、炎症細胞の浸潤、肺胞接着の消失、気道壁の線維化、平滑筋肥厚による気道の変形と狭窄および細気管支の破壊による気道の消失が生じて気流閉塞の原因になる（図2）[1-4]。また、気腫性病変により細気管支壁に付着した肺胞が破壊されると、気道の内腔を拡げる力が弱まり、末梢気道が虚脱して気流閉塞の原因になる[1]。末梢気道病変は気腫性病変に先行して生じると考えられている[3]。

3．肺胞領域

　肺胞領域では弾性線維が破壊されて気腫性病変（肺気腫）が生じる。肺気腫は「終末細気管支より末梢の気腔がそれを構成する壁の破壊を伴いながら非可逆的に拡大した肺で、明らかな線維化病変はみられない」と定義された病変である[1]。細葉（終末細気管支より末梢）のどの部分に病変が生じているかによって、細葉（小葉）中心型肺気腫、汎細葉（小葉）型肺気腫、遠位細葉（小葉）型（傍隔壁型）肺気腫に分けられるが、臨床的に問題になるのは呼吸細気管支を中心に肺胞の破壊が生じる細葉（小葉）中心型肺気腫と細葉（小葉）全体の肺胞が破壊される汎細葉（小葉）型肺気腫である。細葉（小葉）中心型肺気腫の大部分は喫煙者であり、肺の上葉に多い。汎細葉（小葉）型肺気腫は上葉、下葉のいずれにもみられるが、AATD患者では下葉にみられるのが典型的である。気腫性病変は肺弾性収縮力を低下させて気流閉塞や呼気時のair trappingの原因になる。

4．肺血管

　肺動脈では内膜や血管平滑筋の肥厚、炎症細胞の浸潤、壁の線維化などがみられる[1]。これらの病変は血管内皮の機能異常とともに肺高血圧症や右心負荷の原因になる。

References
Ⅰ-D．病　理
1) Barnes PJ. Chronic obstructive pulmonary disease. N Engl J Med. 2000；343：269-80.［Ⅵ］
2) Agusti A, Hogg JC. Update on the pathogenesis of chronic obstructive pulmonary disease. N Engl J Med 2019；381：

D. 病理

1248-56. [Ⅵ]

3) Martinez FD. Early-life origins of chronic obstructive pulmonary disease. N Engl J Med. 2016；375：871-8. [Ⅵ]

4) Willemse BW, Postma DS, Timens W, et al. The impact of smoking cessation on respiratory symptoms, lung function, airway hyperresponsiveness and inflammation. Eur Respir J. 2004；23：464-76. [Ⅵ]

5) Saetta M, Di Stefano A, Turato G, et al. CD8+ T-lymphocytes in peripheral airways of smokers with chronic obstructive pulmonary disease. Am J Respir Crit Care Med. 1998；157：822-6. [Ⅳb]

6) Barnes PJ. Inflammatory mechanisms in patients with chronic obstructive pulmonary disease. J Allergy Clin Immunol. 2016；138：16-27. [Ⅵ]

Ⅰ-D-1. 中枢気道

1) Nagai A, West WW, Thurlbeck WM. The National Institutes of Health Intermittent Positive-Pressure Breathing trial：pathology studies. II. Correlation between morphologic findings, clinical findings, and evidence of expiratory air-flow obstruction. Am Rev Respir Dis. 1985；132：946-53. [Ⅳb]

Ⅰ-D-2. 末梢気道

1) Nagai A, West WW, Thurlbeck WM. The National Institutes of Health Intermittent Positive-Pressure Breathing trial：pathology studies. II. Correlation between morphologic findings, clinical findings, and evidence of expiratory air-flow obstruction. Am Rev Respir Dis. 1985；132：946-53. [Ⅳb]

2) Hogg JC, Macklem PT, Thurlbeck WM. Site and nature of airway obstruction in chronic obstructive lung disease. N Engl J Med. 1968；278：1355-60. [Ⅳb]

3) McDonough JE, Yuan R, Suzuki M, et al. Small-airway obstruction and emphysema in chronic obstructive pulmonary disease. N Engl J Med. 2011；365：1567-75. [Ⅳb]

4) Hogg JC, Paré PD, Hackett TL. The contribution of small airway obstruction to the pathogenesis of chronic obstructive pulmonary disease. Physiol Rev. 2017；97：529-52. [Ⅵ]

Ⅰ-D-3. 肺胞領域

1) The definition of emphysema. Report of a National Heart, Lung, and Blood Institute, Division of Lung Diseases workshop. Am Rev Respir Dis. 1985；132：182-5. [Ⅵ]

Ⅰ-D-4. 肺血管

1) Wright JL, Levy RD, Churg A. Pulmonary hypertension in chronic obstructive pulmonary disease：current theories of pathogenesis and their implications for treatment. Thorax. 2005；60：605-9. [Ⅵ]

第Ⅰ章 疾患概念と基礎知識

E. 病　因

POINTS

- ◉ COPD 発症においてタバコ煙などの有害物質による気道や肺の炎症反応が最も重要な危険因子であるが、他にも大気汚染や粉じん吸入、化学物質、幼少時の繰り返す気道感染、喘息などが考えられる。
- ◉ 酸化ストレスおよび肺における過剰なプロテアーゼによって炎症反応がさらに増強され、COPD に特徴的な病理学的変化が引き起こされる。
- ◉ 幼少期の肺の発育障害も COPD の病因の 1 つである。

COPD の気流閉塞は気道病変（特に末梢気道病変）と気腫性病変（肺胞壁の破壊）とが複合的に作用して生じる[1]。COPD の主な原因物質はタバコ煙である。タバコ煙に含まれる有害粒子により肺の炎症が惹起される。COPD 患者でこの炎症が通常より増強し、慢性化している可能性がある。肺の炎症は、禁煙後も持続することが明らかになっている。また、自己抗原および微生物の存続が要因である可能性が考えられるが、詳細な機序は不明である[2]。喫煙による炎症の増強には、遺伝的素因の関与も考えられている[3]。炎症の持続により肺胞組織が破壊され気腫化し、正常な組織修復が障害され、末梢気道の線維化につながると考えられる。こうした分子機構の変化により、病理学的変化が誘導され、air trapping や進行性の気流閉塞につながる[4]。COPD の病態の理解は治療開発において重要であるが、動物モデルとヒト COPD には類似点と相違点があることも明らかになっている[5]。

1. 炎症細胞と炎症メディエーター

COPD の炎症には好中球、マクロファージ、リンパ球などが関与している[1]。COPD 患者の気道では、CD8[+] リンパ球（細胞毒性 T 細胞）の増加を伴う[2]。これらの炎症細胞や上皮細胞をはじめとする肺構築細胞は、ケモカインやサイトカインなどの炎症性メディエーターを産生して炎症反応を増強させるとともに、プロテアーゼやオキシダントなどを放出して気道や肺を傷害する。また、TGF-β、EGF などの成長因子の過剰産生は、組織のリ

モデリングのみならず、発がんとの関連も示唆されている[3,4]。

2. プロテアーゼ・アンチプロテアーゼ不均衡説

COPD 患者では、プロテアーゼとアンチプロテアーゼの均衡が崩れてプロテアーゼ優位に傾いている（プロテアーゼ・アンチプロテアーゼ不均衡説）。COPD 患者の炎症細胞や上皮細胞をはじめとする肺構築細胞からは、さまざまなプロテアーゼが放出されるが、特にエラスターゼ活性を有するプロテアーゼによりエラスチン（肺胞を構成する主要な結合組織）が分解されると気腫性病変が形成される。

エラスターゼ活性を有するプロテアーゼには好中球エラスターゼ、カテプシン、プロテアーゼ 3、MMPs などがある[1]。一方、気道や肺にはプロテアーゼに拮抗する α_1-アンチトリプシン、SLPI、TIMPs などのアンチプロテアーゼが存在しているが、COPD（肺気腫）患者ではプロテアーゼ活性とアンチプロテアーゼ活性の均衡が崩れていると考えられている[2]。

3. オキシダント・アンチオキシダント仮説

酸化ストレスは、COPD の重要なメカニズムの 1 つと考えられている[1]。

酸化ストレスのバイオマーカー（過酸化水素などのオ

E. 病因

キシダント、8-イソプロスタンなどの脂質過酸化物、ニトロチロシンなどのニトロ化ストレス生成物）は、COPD患者の呼気凝集液、喀痰、全身循環系で増加している。COPDの増悪時には酸化ストレスがさらに増強する。酸化ストレスは、オキシダントとアンチオキシダントの均衡が破綻することにより引き起こされる。オキシダントはタバコ煙などに大量に含有されており、またマクロファージや好中球など活性化された炎症細胞からも放出される。一方、COPD患者ではさまざまなアンチオキシダントが減少、あるいは反応性に増加はするものの過剰なオキシダントに対して相対的に不十分な状態となる。酸化ストレスは、炎症性遺伝子の活性化、アンチプロテアーゼの不活化、粘液分泌や血管透過性の亢進などを引き起こす。酸化ストレスによるヒストン脱アセチル化酵素活性の低下やエピジェネティクス変化は、炎症性遺伝子の発現増強やステロイドの抗炎症作用の抑制にも関連している[2]。

4. アポトーシスの関与

肺気腫における肺胞細胞のアポトーシスの役割が1990年代後半にAoshibaおよびNagaiにより最初に仮説として取り上げられ[1]、Segura-Valdezらによりヒトの肺において立証された[2]。細胞の死とクリアランスの問題は、オートファジー現象の観点からも注目されている[3]。細胞死を引き起こす機序の違い、そのクリアランスの異常がCOPDの病態に関与している。

5. 肺の発育障害

幼少期の気道・肺に対する持続的な炎症や重篤な傷害は、成人期の肺の発育障害の原因となる。近年の報告によると、肺の発育障害がCOPD発症の危険を増加させることが示唆されている。II期以上のCOPDと診断された対象者の53％に肺の発育障害を認めた報告[1]や、幼少期の喘息が将来のCOPDのリスクとなる可能性[2]など、COPDの新たな病因として注目されている[1]。マウスにおける動物実験では、肺胞嚢期の胎児肺における好中球性炎症によって肺胞壁のエラスチン集合障害がもたらされて、生後に気腔の開大が生じることが示されている[3]。

References

I-E. 病因

1) Berg K, Wright JL. The Pathology of Chronic Obstructive Pulmonary Disease: Progress in the 20th and 21st Centuries. Arch Pathol Lab Med. 2016; 140: 1423-8. [Ⅵ]

2) Craig JM, Scott AL, Mitzner W. Immune-mediated inflammation in the pathogenesis of emphysema: insights from mouse models. Cell Tissue Res. 2017; 367: 591-605. [Ⅵ]

3) Busch R, Cho MH, Silverman EK. Progress in disease progression genetics: dissecting the genetic origins of lung function decline in COPD. Thorax. 2017; 72: 389-90. [Ⅵ]

4) Hogg JC, Paré PD, Hackett TL. The Contribution of Small Airway Obstruction to the Pathogenesis of Chronic Obstructive Pulmonary Disease. Physiol Rev. 2017; 97: 529-52. [Ⅵ]

5) Yun JH, Morrow J, Owen CA, et al. Transcriptomic Analysis of Lung Tissue from Cigarette Smoke-Induced Emphysema Murine Models and Human Chronic Obstructive Pulmonary Disease Show Shared and Distinct Pathways. Am J Respir Cell Mol Biol. 2017; 57: 47-58. [Ⅵ]

I-E-1. 炎症細胞と炎症メディエーター

1) Craig JM, Scott AL, Mitzner W. Immune-mediated inflammation in the pathogenesis of emphysema: insights from mouse models. Cell Tissue Res. 2017; 367: 591-605. [Ⅵ]

2) Hodge G, Hodge S. Steroid Resistant CD8+CD28null NKT-Like Pro-inflammatory Cytotoxic Cells in Chronic Obstructive Pulmonary Disease. Front Immunol. 2016; 7: 617. [Ⅵ]

3) Verhamme FM, Bracke KR, Joos GF, et al. Transforming growth factor-β superfamily in obstructive lung diseases. more suspects than TGF-β alone. Am J Respir Cell Mol Biol. 2015; 52: 653-62. [Ⅵ]

4) Goldkorn T, Filosto S, Chung S. Lung injury and lung cancer caused by cigarette smoke-induced oxidative stress: Molecular mechanisms and therapeutic opportunities involving the ceramide-generating machinery and epidermal growth factor receptor. Antioxid Redox Signal. 2014; 21: 2149-74. [Ⅵ]

I-E-2. プロテアーゼ・アンチプロテアーゼ不均衡説

1) Houghton AM. Matrix metalloproteinases in destructive lung disease. Matrix Biol. 2015; 44-46: 167-74. [Ⅵ]

2) Tsai YF, Hwang TL. Neutrophil elastase inhibitors: a patent review and potential applications for inflammatory lung diseases (2010 - 2014). Expert Opin Ther Pat. 2015; 25: 1145-58. [Ⅵ]

I-E-3. オキシダント・アンチオキシダント仮説

1) McGuinness AJ, Sapey E. Oxidative Stress in COPD: Sources, Markers, and Potential Mechanisms. J Clin Med. 2017; 6. pii: E21. [Ⅵ]

2) Zong DD, Ouyang RY, Chen P. et al. Epigenetic mechanisms in chronic obstructive pulmonary disease. Eur Rev Med

Pharmacol Sci. 2015；19：844-56.［Ⅵ］

Ⅰ-E-4. アポトーシスの関与

1) Aoshiba K, Tsuji T, Yamaguchi K, et al. The danger signal plus DNA damage two-hit hypothesis for chronic inflammation in COPD. Eur Respir J. 2013；42：1689-95.［Ⅵ］
2) Segura-Valdez L, Pardo A, Gaxiola M, et al. Upregulation of gelatinases A and B, collagenases 1 and 2, and increased parenchymal cell death in COPD. Chest. 2000；117：684-94.［Ⅵ］
3) Mizumura K, Maruoka S, Gon Y, et al. The role of necroptosis in pulmonary diseases. Respir Investig. 2016；54：407-12.［Ⅵ］

Ⅰ-E-5. 肺の発育障害

1) Lange P, Celli B, Augsti A, et al. Lung-function trajectories leading to chronic obstructive pulmonary disease. N Engl J Med. 2015；373：111-22.［Ⅳa］
2) Bui DS, Lodge CJ, Burgess JA, et al. Childhood predictors of lung function trajectories and future COPD risk：a prospective cohort study from the first to the sixth decade of life. Lancet Respir Med. 2018；6：535-44.［Ⅳa］
3) Benjamin JT, Plosa EJ, Sucre JM, et al. Neutrophilic inflammation during lung development disrupts elastin assembly and predisposes adult mice to COPD. J Clin Invest. 2021；131：e139481.［Ⅵ］

F. 病態生理

F. 病態生理

POINTS

- COPD 患者において、労作時呼吸困難の原因となる基本的病態は、気流閉塞と動的肺過膨張である。これらの病態は患者の症状と重症度を規定する因子であり、その軽減が重要な治療目標になる。
- 換気血流不均等は低酸素血症の原因になる。気流閉塞が高度に進行した COPD 患者の一部では、肺胞低換気により高二酸化炭素血症を呈する。
- 一部の患者に認められる気道粘液の過分泌は咳、痰の原因になる。
- 肺高血圧症は、毛細血管床の破壊による血管抵抗の増大や低酸素性肺血管収縮反応、肺血管床の組織学的再構築変化などが原因となり生じる。重症例では肺高血圧症が出現し、さらに進行すると肺性心になる。

1. 気流閉塞と動的肺過膨張

末梢気道病変と気腫性病変の両者が気流閉塞の原因になる。気流閉塞は、末梢気道病変と気腫性病変が、患者によりさまざまな割合で複合的に作用して生じる。末梢気道病変部位では、炎症細胞浸潤による気道壁の炎症および壁の線維化が生じ、喀痰などの内腔滲出物の貯留と相まって気流閉塞を来す。炎症の結果、末梢気道壁の肥厚が惹起される。この気道壁の肥厚程度と FEV_1 との間に逆相関が認められることから[1]、末梢気道の炎症性狭窄が気流閉塞の主な原因と考えられている（図1）。一方、気腫性病変は、末梢気道への肺胞接着の消失（loss of alveolar attachments）や肺の弾性収縮力の低下をもたらして気流閉塞の原因となる。また気腫性病変は、肺胞構造の破壊に伴う肺血管床の減少をもたらし、ガス交換障害や肺動脈圧の上昇を引き起こす。同時に呼気時の気流閉塞の主な原因でもあり、air trapping を引き起こす。

COPD 患者では、呼気時の気道抵抗の増加および肺の弾性収縮力の減少により、安静時でも air trapping が生じて肺が過膨張になるが、労作時には air trapping がより顕著になる。肺の過膨張が生じると残気量が増加し、その結果、IC が減少する。特に労作時の air trapping（動的肺過膨張：dynamic hyperinflation）は、EELV を増加させて IC を減少させるため、労作時呼吸困難や運動耐容能低下の原因になる。

COPD 患者では、労作時には呼気時の呼吸器系の力学的な平衡点に達する前に吸気が開始されるため、EELV が増加し、動的肺過膨張が生じる（図2）[2]。動的肺過膨張は疾患の早期から認められ、COPD の労作時呼吸困難の主要な機序と考えられている[3-5]。一般に、労作時では要求される酸素消費量が増加するため換気量が増加し、十分な換気量を維持するために呼吸数は増加する。一方で、COPD 患者では EELV の増加のために V_T は健常者ほど増加しない。呼吸数の増加は 1 回換気量の呼出時間を短縮させるため、EELV がさらに増加することになる。気管支拡張薬は air trapping を改善して（動的）肺過膨張を軽減し、労作時呼吸困難と運動耐容能を改善する[4]。

2. ガス交換障害

COPD 患者では、肺気腫や末梢気道病変による肺胞構造の破壊と気道狭窄が生じ、換気不均等が出現する。さらに肺気腫による肺胞構造の破壊は、肺毛細血管床の減少を招来し、血流の不均等分布が生じる。この結果、$\dot{V}_A/\dot{Q}$ 不均等分布が発生し、低酸素血症が出現する[1]。COPD 患者では、$\dot{V}_A/\dot{Q}$ 不均等分布が存在するが、この分布形式は、肺気腫患者と慢性気管支炎患者では異なる（図3）[2]。肺気腫患者では、高 $\dot{V}_A/\dot{Q}$ 領域（10 近傍）の換気が著明に増加し、その分、低 $\dot{V}_A/\dot{Q}$ 領域（1 近傍）が低下している。これは無効になっている換気が増大してい

第Ⅰ章 疾患概念と基礎知識

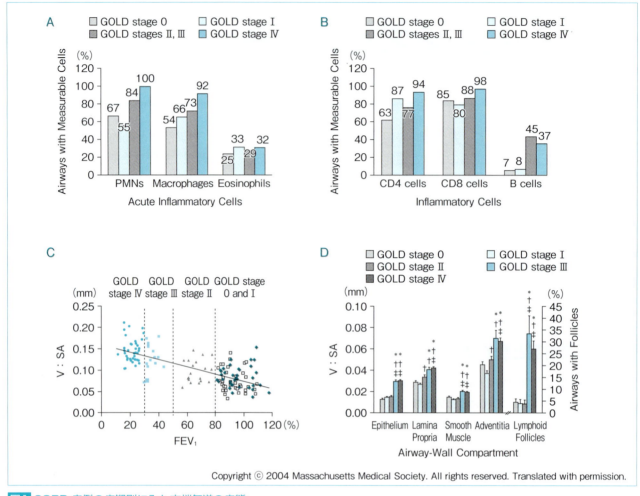

図1 COPD症例の病期別にみた末梢気道の病態
A、B：肺末梢小型肺がんの切除術（100例）およびLVRS（59例）を受けたCOPD患者の末梢気道（内径2mm以下）での気道壁の炎症性細胞の分布。
PMNs：好中球
C：壁肥厚とFEV₁の関係。V：SA；基底膜の長さに対する組織の面積比（気道壁の肥厚の程度を示す）
D：壁肥厚を構成する成分の解析。＊：$p<0.001$ vs. 他のstage、†：$p<0.001$ vs. stage Ⅰ、‡：$p<0.001$ vs. stage Ⅱ
GOLD 0は、GOLD 2003年版でのリスク群、すなわち喫煙者などで咳、痰などの症状を有するが、呼吸機能は正常の群。
COPDの重症度と壁のPMNs、マクロファージ、リンパ球の浸潤の度合い（A、B）および壁の肥厚程度と重症度（C）は相関する。
［文献1（Hogg JC, Chu F, Utokaparch S, et al. The nature of smallairway obstruction in chronic obstructive pulmonary disease. N Engl J Med. 2004；350：2645-53.）より引用］

ることを示す。逆に低$\dot{V}_A/\dot{Q}$領域に分布する血流はわずかである。このため、肺気腫患者ではPaO₂の低下は比較的軽度である。一方で、慢性気管支炎患者では、主峰の$\dot{V}_A/\dot{Q}$領域（1近傍）と低$\dot{V}_A/\dot{Q}$領域（0.1近傍、生理学的シャント）に血流が分布する二峰性パターンをとる。低$\dot{V}_A/\dot{Q}$領域（0.1近傍、生理学的シャント）に多量の血流が分布するため、慢性気管支炎患者では、PaO₂の低下がより高度となることが多い²⁾。また、COPD患者では、労作時には低酸素血症を生じるが、これは労作時の酸素消費量の増加、運動による$\dot{V}_A/\dot{Q}$の不均等の増大、動的肺過膨張による換気の低下などの諸因子が関与すると考えられる。軽症から中等症のCOPD患者では、$\dot{V}_A/\dot{Q}$不均等分布を有するにもかかわらず、PaCO₂は正常であることが多い。これはPaCO₂が上昇傾向を示すと中枢性化学受容体が刺激され、肺胞換気量が増加するためである¹⁾。一方で、換気障害がより進行すると、肺胞低換気が出現し、高二酸化炭素血症が顕在化するようになる。この傾向は、慢性気管支炎患者で起こりやす

F. 病態生理

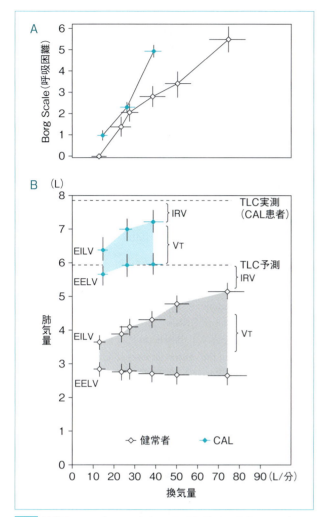

図2 健常者およびCAL患者の運動負荷時の換気量と呼吸困難および肺気量分画

A：CAL患者では健常者と同じ換気量でも呼吸困難の程度が強い。
B：労作時には呼吸数は増加するが、VTの増加は小さく、EELVが安静時にみられる呼吸器系の力学的な平衡点に達する前に吸気が開始され、健常者に比較して著しくEELVが増加する。

（文献2より引用）

Reprinted with permission of the American Thoracic Society. Copyright © 1993 American Thoracic Society.
O'Donnell DE, Webb KA/1993/Exertional breathlessness in patients with chronic airflow limitation. The role of lung hyperinflation/Am Rev Respir Dis./148/1351-7.
Annals of the American Thoracic Society is an official journal of the American Thoracic Society.

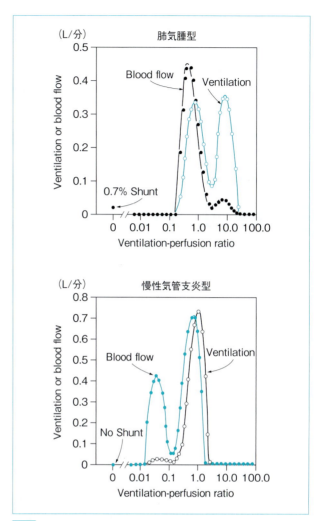

図3 COPDにおける換気-血流比の分布パターン

COPD患者では肺気腫型と慢性気管支炎型によって換気、血流の分布形式が異なる。

（文献2より引用）

い[1]。重度の換気障害を呈するCOPD患者では、横隔膜などの呼吸筋疲労が生じる。重症のCOPD患者の一部は、呼吸筋疲労が生じるレベルに近いところで呼吸していることが明らかにされている[1]。このような重症COPD患者において増悪が発症すると呼吸抵抗が増加し、呼吸筋の仕事量が増加することで呼吸筋疲労が生じる。その結果、肺胞低換気、二酸化炭素の蓄積と低酸素血症が増悪する。高二酸化炭素血症は、横隔膜の収縮力を障害し、重篤な低酸素血症は呼吸筋疲労の発現を促進することから悪循環が生じ、呼吸不全が進行すると考えられている[1]。

3. 気道の過分泌

タバコ煙などの有害物質の刺激により、杯細胞の過形成と気管支粘膜下腺の増生が生じて粘液が過分泌される。気道の過分泌はすべてのCOPD患者にみられるわけではないが、慢性の咳、痰の原因になり、気流閉塞の原因となる。気道の過分泌の機序には、EGFRの活性化[1]

第Ⅰ章　疾患概念と基礎知識

やTh2サイトカイン[2]など、さまざまなメディエーターが関与しており、COPD患者由来の気道上皮クローンでは粘液過分泌を来す遺伝子学的変化が生じている[3]。また近年、下気道のマイクロバイオームが注目されている。COPD患者の下気道のマイクロバイオームは気道の過分泌や増悪、気流閉塞とも関連するが、その多様性が損なわれることで気道炎症が増悪することが報告されている[4]。

4. 肺高血圧・肺性心

　COPD患者における肺高血圧症は、気流閉塞、低酸素血症の進行に伴い緩徐に進行する。COPD患者では、労作時（肺血流量増加時）の肺動脈圧の上昇が顕著である[1]。COPD患者における肺高血圧症の原因は以下に示す種々の因子が複合し作用すると考えられる[2]。肺気腫では、毛細血管床の破壊による血管抵抗の増大が生じる。さらに肺胞低酸素が生じた患者では、小肺動脈の低酸素性血管収縮が肺動脈圧をさらに上昇させる。病理組織学的には、内膜肥厚や平滑筋を含む中膜の肥厚など肺血管壁の構築変化が生じる[3]。肥厚した血管壁では炎症細胞の浸潤がみられ、血管内皮細胞の機能不全を示唆する知見も得られている[4]。以前の報告では、CTで測定した肺動脈径の拡大が増悪の危険因子であることが示されたが、詳しい機序については不明である[5]。肺高血圧症が進行すると、右室の拡張や壁肥厚（肺性心）が生じ、最終的には右心不全を生じる。重症肺高血圧症を伴うCOPD患者の生命予後は不良で有効な薬物療法は存在せず[6]、低酸素血症が生じる症例では酸素療法が行われる。

References

Ⅲ-F-1. 気流閉塞と動的肺過膨張

1) Hogg JC, Chu F, Utokaparch S, et al. The nature of small-airway obstruction in chronic obstructive pulmonary disease. N Engl J Med. 2004；350：2645-53.［Ⅳb］
2) O'Donnell DE, Webb KA. Exertional breathlessness in patients with chronic airflow limitation. The role of lung hyperinflation. Am Rev Respir Dis. 1993；148：1351-7.［Ⅳb］
3) O'Donnell DE, Revill SM, Webb KA. Dynamic hyperinflation and exercise intolerance in chronic obstructive pulmonary disease. Am J Respir Crit Care Med. 2001；164：770-7.［Ⅲ］
4) O'Donnell DE, Flüge T, Gerken F, et al. Effects of tiotropium on lung hyperinflation, dyspnoea and exercise tolerance in COPD. Eur Respir J. 2004；23：832-40.［Ⅱ］
5) O'Donnell DE, Elbehairy AF, Faisal A, et al. Exertional dyspnoea in COPD: the clinical utility of cardiopulmonary exercise testing. Eur Respir Rev. 2016；25：333-47.［Ⅳb］

Ⅲ-F-2. ガス交換障害

1) West JB. Obstructive Diseases. West JB, editor. Pulmonary Pathophysiology: The Essentials（PULMONARY PATHOPHYSIOLOGY（WEST））. Philadelphia：Lippincott Williams & Wilkins；2012. p.47-73.［Ⅵ］
2) Wagner PD, Dantzker DR, Dueck R, et al. Ventilation-perfusion inequality in chronic obstructive pulmonary disease. J Clin Invest. 1977；59：203-16.［Ⅵb］

Ⅲ-F-3. 気道の過分泌

1) Burgel PR, Nadel JA. Epidermal growth factor receptor-mediated innate immune responses and their roles in airway diseases. Eur Respir J. 2008；32：1068-81.［Ⅵ］
2) Miotto D, Ruggieri MP, Boschetto P, et al. Interleukin-13 and -4 expression in the central airways of smokers with chronic bronchitis. Eur Respir J. 2003；22：602-8.［Ⅳb］
3) Rao W, Wang S, Duleba M, et al. Regenerative Metaplastic Clones in COPD Lung Drive Inflammation and Fibrosis. Cell. 2020；181：848-64.e18.
4) Dicker AJ, Huang JTJ, Lonergan M, et al. The Sputum Microbiome, Airway Inflammation and Mortality in Chronic Obstructive Pulmonary Disease. J Allergy Clin Immunol. 2020；147：158-67.［Ⅳb］

Ⅲ-F-4. 肺高血圧・肺性心

1) Kubo K, Koizumi T, Fujimoto K, et al. Effects of lung volume reduction surgery on exercise pulmonary hemodynamics in severe emphysema. Chest. 1998；114：1575-82.［Ⅲ］
2) Kovacs G, Agusti A, Barberà JA, et al. Pulmonary Vascular Involvement in Chronic Obstructive Pulmonary Disease. Is There a Pulmonary Vascular Phenotype? Am J Respir Crit Care Med. 2018；198：1000-11.［Ⅰ］
3) Chaouat A, Naeije R, Weitzenblum E. Pulmonary hypertension in COPD. Eur Respir J. 2008；32：1371-85.［Ⅵ］
4) Arao T, Takabatake N, Sata M, et al. In vivo evidence of endothelial injury in chronic obstructive pulmonary disease by lung scintigraphic assessment of ^{123}I-metaiodobenzylguanidine. J Nucl Med. 2003；44：1747-54.［Ⅳb］
5) Wells JM, Washko GR, Han MK, et al. Pulmonary arterial enlargement and acute exacerbations of COPD. N Engl J Med. 2012；367：913-21.［Ⅳa］
6) Hurdman J, Condliffe R, Elliot CA, et al. Pulmonary hypertension in COPD: results from the ASPIRE registry. Eur Respir J. 2013；41：1292-301.［Ⅳa］

G. 全身の併存症

POINTS

- ◉ 全身併存症（併存症）と肺合併症（合併症）は、それぞれ肺以外の全身性疾患と肺に限局した疾患の併存病態を指す。
- ◉ COPDによる全身への影響として全身性炎症、フレイル、サルコペニア、栄養障害、心血管疾患、GERD、骨粗鬆症、不安・抑うつ、糖尿病、貧血などの併存症がある。
- ◉ 併存症は、増悪頻度、QOLの低下、予後に影響を及ぼす。

COPDは、肺固有の疾患であると同時に全身性炎症性疾患でもある。肺合併症（合併症）としては、喘息（ACO）、肺がん、CPFE（第Ⅰ章-H-1～3を参照）、肺高血圧症、肺炎、気胸などがある。肺外の全身併存症（併存症）には、栄養障害、骨格筋機能障害、心血管疾患、骨粗鬆症、不安・抑うつ、メタボリックシンドローム、糖尿病、GERD、SAS、貧血などが挙げられる（表1）。COPDの気流閉塞の程度にかかわらず、併存症の有無が、増悪頻度の増加、身体活動制限、予後の悪化に影響を及ぼす可能性がある[1]。特に、人口の高齢化に伴い、身体活動性を維持するために、フレイルやサルコペニアの早期発見、介入が必要である。欧米の大規模コホート研究ECLIPSE研究では、心不全、虚血性心疾患、糖尿病の併存が予後の悪化と関連していた[2]。ただし日本人は欧米人と体格、背景因子や社会環境が異なるため、合併症、併存症にも違いがみられる[3-5]。

表1 COPDの併存症

- ●栄養障害：脂肪量の減少、除脂肪量の減少
- ●骨格筋機能障害：筋力の低下、筋線維構成・酵素活性の変化、サルコペニア
- ●心血管疾患：高血圧症、心筋梗塞、狭心症、不整脈、脳血管障害
- ●骨粗鬆症：脊椎圧迫骨折、大腿骨頸部骨折
- ●精神疾患：不安・抑うつ
- ●代謝性疾患：糖尿病、メタボリックシンドローム
- ●消化器疾患：胃潰瘍、GERD
- ●SAS
- ●貧血

1. 全身性炎症

多くのCOPD患者は、増悪期だけでなく、安定期でも血中のIL-6などの炎症性メディエーターやCRPが増加しており、全身性炎症が認められる[1,2]。全身性炎症は栄養障害、骨粗鬆症、骨格筋機能障害、心血管疾患のリスクと関連している（図1）。全身性炎症の低いCOPD患者と心血管疾患、悪液質、代謝障害、精神疾患の併存症をもつ5つのクラスターを比較した研究[3]では、TNF-α受容体と代謝障害、IL-6高値と心血管疾患との関連性が示唆された。ただし、日本のクラスター解析では、貧血、低栄養クラスターが存在し、併存症患者群の

質が異なる点に留意する必要がある[4]。全身性炎症の発症機序として、肺で産生された炎症性メディエーターが全身へ "spill-over" する当初の説に対し、身体活動性の低下（physical inactivity）を原因とする説が支持されている[5]。それらの背景には、microRNA等を含むエキソソームによるメカニズムが注目されている[6,7]。

2. 骨粗鬆症

COPDでは喫煙、低酸素血症、低栄養、骨格筋量の減少、ステロイド薬投与、カルシウムやビタミンDの摂取不足など多くの要因が骨粗鬆症の併存に関与する[1]。TNF-α、IL-6などの炎症性サイトカインは骨形成抑制、骨吸収を促進し、日本人患者で骨形成低下が観察されている[2]。欧米では、併存は約35％、本邦では18％から79％まで幅があり、評価基準で診断率は異な

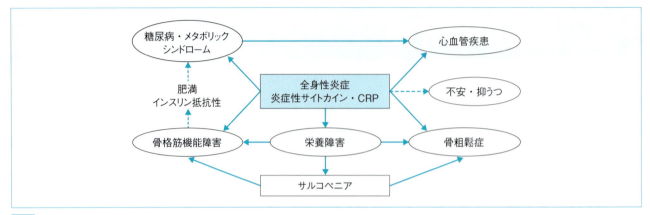

図1 COPDの全身性炎症と併存症

る[3)-5)]。骨粗鬆症は脊椎の圧迫骨折などを介してADLやQOLを低下させるばかりでなく、関連する大腿骨頸部骨折は、日本人COPDの死亡率の増加に寄与すると報告されている[6)]。

骨密度の低下は気腫性病変の程度と関連し[7)]、FEV_1/FVCの低下が脊椎圧迫骨折の発生と有意に関連すると報告されている[5)]。また、栄養障害が骨塩量の低下に関与し、体重減少は体幹部の骨塩量の減少、椎体圧迫骨折のリスクとなることが報告されている[8)]。活動性の低下、運動能の低下も重大な骨粗鬆症の危険因子である。吸入および経口ステロイド薬投与患者は骨粗鬆症のリスクであるが[9)]、未投与の患者でも脊椎圧迫骨折を高率に合併することに留意する[3)]。

3. 骨格筋機能障害、サルコペニア、フレイル

COPDでは骨格筋の減少や質的変化に基づく骨格筋機能障害がみられる。外来患者の2つのコホート研究で、大腿四頭筋の筋力低下が軽症例からみられ、全患者の32〜33%を占めること、気流閉塞の重症度、息切れの重症度（MRCスコア）と関連することが報告されている[1)]。その分子機序として、酸化ストレスの増加によってiNOSやNF-κBの発現が亢進し、筋蛋白合成の減少やアポトーシスが誘導されることが報告されている[2)]。この下肢筋力の低下、下肢筋量の減少は運動耐容能の規定因子として重要である[3)]。

また、筋量と筋力の進行性かつ全身性の減少は、サルコペニア[4)]として注目されている。COPDでは加齢に伴う一次性サルコペニアに加えて、身体活動性の低下や栄養障害、全身性炎症に伴う二次性サルコペニアが加わった状態と考えられる。サルコペニアは、COPD外来患者の約15〜21%、介護施設患者の63%に併存し、年齢と臨床病期（気流閉塞の程度）の進行とともに増加すると報告されている[4,5)]。

サルコペニアによる筋力や活動性の低下などで要介護状態に至る前段階の状態をフレイルと呼び、その対策が重要視されている。23研究のメタ解析では、COPD患者の56%がプレフレイル、19%がフレイルであったと報告されている[6)]。フレイルによる息切れと身体活動性の制限が予後に寄与している可能性が指摘されている[7)]。同様に、息切れによる身体活動制限の早期予測がフレイルの診断に役立つ可能性が示されている[8)]。COPDではI型筋線維（遅筋線維）の減少とII型筋線維（速筋線維）の増加がみられ、骨格筋での好気的エネルギー産生に必要な酸化酵素活性の低下、運動時の動脈血乳酸値の上昇が運動能の低下と関連している[9)]。

フレイルやサルコペニアは予後不良因子として注目されている。また、脊柱起立筋の筋量維持が増悪抑制と予後改善に働くと予測されており、筋肉量維持の重要性が支持されている[10)]。

4. 心血管疾患

COPDでは、早期から血管内皮機能が低下し[1)]、頸動脈壁の内膜中膜肥厚[2)]および脈波伝搬速度の亢進がみられ、動脈硬化が促進する[3)]。ECLIPSE研究では、COPD患者の冠動脈石灰化と血中IL-6やIL-8レベル、末梢血

好中球数などとの関連が報告されている[4]。心血管疾患の合併が横断的検討でも縦断的検討でも増加している[5]。また、COPD患者の心筋梗塞後の予後は不良である[6]。本邦の高畠研究でも、気流閉塞患者の心筋梗塞死は6.7倍に増加したと報告されている[7]。

慢性心不全患者の約3割がCOPDを合併し、逆に安定期COPD患者の約3割に心不全が併存する[8,9]。米国における心不全を併存するCOPD患者（5,419例）のヘルスケアレコードの解析においては、HFpEFの頻度が70%に達することが報告されている[10]。また、不整脈の合併も多く、%FEV$_1$の低下は心房細動の発症を増加させ[11]、一方で、心房細動患者は高率にCOPDを発症、合併する[12]。さらにCOPDでは脳梗塞、脳出血ともにリスクが高い[13]。

欧米では、心血管疾患による死亡が呼吸器関連の死亡に次いで多く、全体の20～30%を占め、突然死が多い[14]。欧米では軽症、中等症でも心血管疾患死亡が多いことが懸念されている[15]。一方、本邦では心血管疾患の合併頻度は13～22%と報告されている[16,17]。北海道コホートでは、肺炎と呼吸器関連疾患死が40%であるのに対し、心血管死亡は11%と報告されており、欧米より少ない可能性がある[18]。その要因の1つとして、肺気腫が重症化するほど抗動脈硬化作用を有する血中アディポネクチンが上昇することの関与が推測されている[19]。

5. 消化器疾患、GERD、嚥下障害

COPD患者では消化性潰瘍の併存頻度が高い。その機序として低酸素血症、高二酸化炭素血症、喫煙、低栄養、ステロイド薬などの治療薬の関与が想定されている[1]。ピロリ菌抗体の陽性率も高く[2]、消化性潰瘍に伴う出血リスクが高いと報告されている[3]。さらに近年、患者が増加しているGERDの頻度が高いことが指摘されている[4]。その機序として、肺過膨張による横隔膜の低位が下部食道括約筋の機能を低下させることが示唆されている[5]。GERD併存は、COPD増悪のリスクとして重要であることが明らかにされている[6,7]。その要因として、GERDに伴う嚥下障害の可能性が示唆される[6,8-10]。また、GERDが併存することで、SGRQやCATスコアが上昇し、QOLが低下することが指摘されている[11]。

6. 不安、抑うつ、認知症

COPD患者では高率に不安や抑うつなどの精神症状を合併する[1]。抑うつの併存率は、欧米で80%、日本人でも38%の報告がある[2,3]。これらの報告では評価方法により頻度がばらつく可能性があるので、評価指標を参照する必要がある。うつの原因としては、身体機能障害や呼吸困難による日常生活の制限、社会的孤立や疎外感などが挙げられている。ECLIPSE研究では、うつ病の規定因子は、疲労・HRQOLの低下・若年・女性・循環器疾患の既往歴・現喫煙歴などであった[4]。増悪頻度の増加[5]や死亡率の悪化[6]、自殺企図の増加[7]との関連も報告されている。呼吸リハビリテーションは不安・抑うつを改善させるが[8]、認知行動療法の併用の有効性も示唆されている[9]。

COPD患者では、同年代高齢者と比較して軽度認知障害と認知症の頻度が高く、認知症発症のリスクであることが報告されている[10-12]。

7. 代謝性疾患

COPDは糖尿病発症の危険因子であり、相対危険率が1.5倍と報告され[1]、糖尿病性神経障害が1.54倍増加すると報告されている[2]。また、非気腫型COPDは気腫型COPDに比較して相対危険率が高い[3]。日本人コホート研究でも、10.5～17.4%の併存が報告されている[4,5]。糖尿病のCOPD併存率も高く、特に65歳以上高齢者での増加が指摘されている[6]。糖尿病併存患者では、入院リスクの増加と入院期間の延長[7]、死亡率の増加[8]が報告されている。

COPDの全身性炎症が糖代謝異常やインスリン抵抗性を惹起し、メタボリックシンドロームの発症につながる可能性も推測される[9]。半数近いCOPD患者が複数のメタボリックシンドロームの要素をもち、高血圧、内臓脂肪型肥満、高血糖の頻度が高い[10,11]。女性のメタボリックシンドロームでは、増悪リスクが上昇すると報告されている[11]。一方で、本邦では欧米よりも肥満COPD患者が少なく、COPDの気流閉塞が進行するとともにBMIが低下し、必ずしも糖尿病有病率が増加しないとする報告もある[4]。

8. 閉塞性睡眠時無呼吸

COPD には、OSA の併存も多く、併存患者は overlap syndrome と定義されている[1]。無呼吸患者で高血糖を併存すると増悪頻度が高いことが知られている[2]。COPD と OSA との併存は一般人口で 1 ～ 3 ％、OSA 患者の COPD 併存率は 7.6 ～ 55.7 ％と報告によりばらつきがある[3]。また、併存患者の BMI は、OSA 単独より大きいと報告されている[3]。日本人では、都市部の労働男性の集団での COPD と OSA との併存率は全体の 3.6 ％とする報告[4] や、OSA 患者の COPD の併存率が 12 ％であったとする報告[5] などがある。欧米人とは異なり、日本人は OSA 単独より COPD と OSA との併存患者の BMI は小さい傾向にある[4,5]。また最近、気管支拡張症患者では、COPD と OSA 併存が多いとの指摘がある[6]。日本人の検討で、overlap syndrome は OSA 単独より微量アルブミン尿の増加が指摘されており、慢性腎臓病、全身炎症の進行の指標としても注目されている[7]。

9. 貧　血

栄養障害とともに近年、併存症としての貧血が注目される。併存率は 7.5 ～ 34 ％と報告されている[1,2]。本邦でも、23.8 ％とする報告がある[3]。息切れの悪化、運動耐容能低下、疾患重症度や予後の悪化との関連が示唆されている[4,5]。貧血によるエリスロポエチン上昇が報告されている[6]。また、血清鉄欠乏が報告されており、鉄の補充により呼吸困難の軽減も認めたと報告されている[2]。一方で、貧血を認めない COPD でも鉄欠乏があることが指摘されている[7]。実験モデルでも、鉄欠乏状態だと喫煙肺障害が悪化することが示されており[8]、血清鉄が十分にあると呼吸機能障害の悪化が少なかったとする観察研究がある[9]。

References

Ⅰ-G.　全身の併存症

1) Sievi NA, Senn O, Brack T, et al. Impact of comorbidities on physical activity in COPD. Respirology. 2015；20：413-8. [Ⅳb]
2) Agusti A, Edwards LD, Celli B, et al. Characteristics, stability and outcomes of the 2011 GOLD COPD groups in the ECLIPSE cohort. Eur Respir J. 2013；42：636-46. [Ⅳa]
3) Guo Y, Zhang T, Wang Z, et al. Body mass index and mortal-

ity in chronic obstructive pulmonary disease：A dose-response meta-analysis. Medicine（Baltimore）. 2016；95：e4225. [Ⅰ]
4) Takahashi S, Betsuyaku T. The chronic obstructive pulmonary disease comorbidity spectrum in Japan differs from that in western countries. Respir Investig. 2015；53：259-70. [Ⅵ]
5) Omori H, Higashi N, Nawa T, et al. Associated Factors and Comorbidities of Airflow Limitation in Subjects Undergoing Comprehensive Health Examination in Japan - Survey of Chronic Obstructive Pulmonary Disease Patients Epidemiology in Japan (SCOPE- J). Int J Chron Obstruct Pulmon Dis. 2020；15：3039-50. [Ⅵ]

Ⅰ-G-1.　全身性炎症

1) Gan WQ, Man SF, Senthilselvan A, et al. Association between chronic obstructive pulmonary disease and systemic inflammation：a systematic review and a meta-analysis. Thorax. 2004；59：574-80. [Ⅰ]
2) Su B, Liu T, Fan H, et al. Inflammatory Markers and the Risk of Chronic Obstructive Pulmonary Disease：A Systematic Review and Meta-Analysis. PLoS One. 2016；11：e0150586. [Ⅰ]
3) Vanfleteren LE, Spruit MA, Groenen M, et al. Clusters of comorbidities based on validated objective measurements and systemic inflammation in patients with chronic obstructive pulmonary disease. Am J Respir Crit Care Med. 2013；187：728-35. [Ⅳa]
4) Chubachi S, Sato M, Kameyama N, et al. Keio COPD Comorbidity Research（K-CCR）Group. Identification of five clusters of comorbidities in a longitudinal Japanese chronic obstructive pulmonary disease cohort. Respir Med. 2016；117：272-9. [Ⅳa]
5) Handschin C, Spiegelman BM. The role of exercise and PGC1alpha in inflammation and chronic disease. Nature. 2008；454：463-9. [Ⅵ]
6) Wang N, Wang Q, Du T, et al. The Potential Roles of Exosomes in Chronic Obstructive Pulmonary Disease. Front Med（Lausanne）. 2021；7：618506. [Ⅵ]
7) Takahashi T, Kobayashi S, Fujino N, et al. Increased circulating endothelial microparticles in COPD patients：a potential biomarker for COPD exacerbation susceptibility. Thorax. 2012；67：1067-74. [Ⅳb]

Ⅰ-G-2.　骨粗鬆症

1) Lehouck A, Boonen S, Decramer M, et al. COPD, bone metabolism, and osteoporosis. Chest. 2011；139：648-57. [Ⅵ]
2) Tsukamoto M, Mori T, Nakamura E, et al. Chronic obstructive pulmonary disease severity in middle-aged and older men with osteoporosis associates with decreased bone formation. Osteoporos Sarcopenia. 2020；6：179-84. [Ⅳb]
3) Graat-Verboom L, Wouters EF, Smeenk FW, et al. Current

status of research on osteoporosis in COPD : a systematic review. Eur Respir J. 2009 ; 34 : 209-18.［Ⅰ］

4) Chubachi S, Sato M, Kameyama N, et al; Keio COPD Comorbidity Research（K-CCR）Group. Identification of five clusters of comorbidities in a longitudinal Japanese chronic obstructive pulmonary disease cohort. Respir Med. 2016 ; 117 : 272-9.［Ⅳa］

5) Watanabe R, Tanaka T, Aita K, et al. Osteoporosis is highly prevalent in Japanese males with chronic obstructive pulmonary disease and is associated with deteriorated pulmonary function. J Bone Miner Metab. 2015 ; 33 : 392-400.［Ⅳb］

6) Yamauchi Y, Yasunaga H, Sakamoto Y, et al. Mortality associated with bone fractures in COPD patients. Int J Chron Obstruct Pulmon Dis. 2016 ; 11 : 2335-40.［Ⅳb］

7) Ohara T, Hirai T, Muro S, et al. Relationship between pulmonary emphysema and osteoporosis assessed by CT in patients with COPD. Chest. 2008 ; 134 : 1244-9.［Ⅳb］

8) Yamamoto Y, Yoshikawa M, Tomoda K, et al. Distribution of bone mineral content is associated with body weight and exercise capacity in patients with chronic obstructive pulmonary disease. Respiration. 2014 ; 87 : 158-64.［Ⅳb］

9) Ozcakir S, Sigirli D, Ursavas A,et al. COPD and Osteoporosis : Associated Factors in Patients Treated with Inhaled Corticosteroids. Int J Chron Obstruct Pulmon Dis. 2020 ; 15 : 2441-8.［Ⅳb］

Ⅰ-G-3. 骨格筋機能障害、サルコペニア、フレイル

1) Seymour JM, Spruit MA, Hopkinson NS, et al. The prevalence of quadriceps weakness in COPD and the relationship with disease severity. Eur Respir J. 2010 ; 36 : 81-8.［Ⅳa］

2) Agustí A, Morlá M, Sauleda J, et al. NF-kappaB activation and iNOS upregulation in skeletal muscle of patients with COPD and low body weight. Thorax. 2004 ; 59 : 483-7.［Ⅳb］

3) Yoshikawa M, Yoneda T, Takenaka H, et al. Distribution of muscle mass and maximal exercise performance in patients with COPD. Chest. 2001 ; 119 : 93-8.［Ⅳb］

4) Jones SE, Maddocks M, Kon SS, et al. Sarcopenia in COPD : prevalence, clinical correlates and response to pulmonary rehabilitation. Thorax. 2015 ; 70 : 213-8.［Ⅳb］

5) Benz E, Trajanoska K,Lahousse L. et al. Sarcopenia in COPD : a systematic review and meta-analysis. Eur Respir Rev. 2019 ; 28 : 190049.［Ⅰ］

6) Marengoni A, Vetrano DL, Manes-Gravina E, et al. The Relationship Between COPD and Frailty : A Systematic Review and Meta-Analysis of Observational Studies. Chest. 2018 ; 154 : 21-40.［Ⅰ］

7) Kusunose M, Oga T, Nakamura S, et al. Frailty and patient-reported outcomes in subjects with chronic obstructive pulmonary disease : are they independent entities? BMJ Open Respir Res. 2017 ; 4 : e000196.［Ⅳb］

8) Oishi K, Matsunaga K, Harada M, et al. A New Dyspnea Evaluation System Focusing on Patients' Perceptions of Dyspnea and Their Living Disabilities : The Linkage between COPD and Frailty. J Clin Med. 2020 ; 9 : 3580.［Ⅳb］

9) Maltais F, Simard AA, Simard C, et al. Oxidative capacity of the skeletal muscle and lactic acid kinetics during exercise in normal subjects and in patients with COPD. Am J Respir Crit Care Med. 1996 ; 153 : 288-93.［Ⅳb］

10) Tanimura K, Sato S, Fuseya Y, et al. Quantitative Assessment of Erector Spinae Muscles in Patients with Chronic Obstructive Pulmonary Disease. Novel Chest Computed Tomography-derived Index for Prognosis. Ann Am Thorac Soc. 2016 ; 13 : 334-41.［Ⅳb］

Ⅰ-G-4. 心血管疾患

1) Clarenbach CF, Senn O, Sievi NA, et al. Determinants of endothelial function in patients with COPD. Eur Respir J. 2013 ; 42 : 1194-204.［Ⅳb］

2) Iwamoto H, Yokoyama A, Kitahara Y, et al. Airflow limitation in smokers is associated with subclinical atherosclerosis. Am J Respir Crit Care Med. 2009 ; 179 : 35-40.［Ⅳb］

3) Sabit R, Bolton CE, Edwards PH, et al. Arterial stiffness and osteoporosis in chronic obstructive pulmonary disease. Am J Respir Crit Care Med. 2007 ; 175 : 1259-65.［Ⅳb］

4) Williams MC, Murchison JT, Edwards LD, et al. Coronary artery calcification is increased in patients with COPD and associated with increased morbidity and mortality. Thorax. 2014 ; 69 : 718-23.［Ⅳa］

5) Wang B, Zhou Y, Xiao L, et al. Association of lung function with cardiovascular risk : a cohort study. Respir Res. 2018 ; 19 : 214.［Ⅳb］

6) Sabit R, Bolton CE, Edwards PH, et al. Arterial stiffness and osteoporosis in chronic obstructive pulmonary disease. Am J Respir Crit Care Med. 2007 ; 175 : 1259-65.［Ⅳb］

7) Shibata Y, Inoue S, Igarashi A, et al. A lower level of forced expiratory volume in 1 second is a risk factor for all-cause and cardiovascular mortality in a Japanese population : the Takahata study. PLoS One. 2013 ; 8 : e83725.［Ⅳa］

8) Rutten FH, Cramer MJ, Grobbee DE, et al. Unrecognized heart failure in elderly patients with stable chronic obstructive pulmonary disease. Eur Heart J. 2005 ; 26 : 1887-94.［Ⅳb］

9) Onishi K, Yoshimoto D, Hagan GW, et al. Prevalence of airflow limitation in outpatients with cardiovascular diseases in Japan. Int J Chron Obstruct Pulmon Dis. 2014 ; 9 : 563-8.［Ⅳa］

10) Gulea C, Zakeri R, Quint JK. Differences in Outcomes between Heart Failure Phenotypes in Patients with Coexistent COPD : A Cohort Study. Ann Am Thorac Soc. 2021 Dec 14. [Online ahead of print]［Ⅳa］

11) Buch P, Friberg J, Scharling H, et al. Reduced lung function and risk of atrial fibrillation in the Copenhagen City Heart

Study. Eur Respir J. 2003 ; 21 : 1012-6. [IVa]

12) Li J, Agarwal SK, Alonso A, et al. Airflow obstruction, lung function, and incidence of atrial fibrillation : the Atherosclerosis Risk in Communities (ARIC) study. Circulation. 2014 ; 129 : 971-80. [IVb]

13) Portegies ML, Lahousse L, Joos GF, et al. Chronic Obstructive Pulmonary Disease and the Risk of Stroke. The Rotterdam Study. Am J Respir Crit Care Med. 2016 ; 193 : 251-8. [IVa]

14) Williams MC, Murchison JT, Edwards LD, et al. Coronary artery calcification is increased in patients with COPD and associated with increased morbidity and mortality. Thorax. 2014 ; 69 : 718-23. [IVa]

15) Celli B, Vestbo J, Jenkins CR, et al. Sex differences in mortality and clinical expressions of patients with chronic obstructive pulmonary disease. The TORCH experience. Am J Respir Crit Care Med. 2011 ; 183 : 317-22. [II]

16) Suzuki M, Makita H, Ito YM, et al. Clinical features and determinants of COPD exacerbation in the Hokkaido COPD cohort study. Eur Respir J. 2014 ; 43 : 1289-97. [IVa]

17) Miyazaki M, Nakamura H, Chubachi S, et al. Analysis of comorbid factors that increase the COPD assessment test scores. Respir Res. 2014 ; 15 : 13. [IVb]

18) Makita H, Suzuki M, Konno S,et al. Unique Mortality Profile in Japanese Patients with COPD: An Analysis from the Hokkaido COPD Cohort Study. Int J Chron Obstruct Pulmon Dis. 2020 Sep 4 ; 15 : 2081-90. [IVa]

19) Tomoda K, Yoshikawa M, Itoh T, et al. Elevated circulating plasma adiponectin in underweight patients with COPD. Chest. 2007 ; 132 : 135-40. [IVb]

I-G-5. 消化器疾患、GERD、嚥下障害

1) van Manen JG, Bindels PJ, IJzermans CJ, et al. Prevalence of comorbidity in patients with a chronic airway obstruction and controls over the age of 40. J Clin Epidemiol. 2011 ; 54 : 287-93. [IVb]

2) Sze MA, Chen YW, Tam S, et al. The relationship between Helicobacter pylori seropositivity and COPD. Thorax. 2015 ; 70 : 923-9. [IVb]

3) Huang KW, Kuan YC, Chi NF, et al. Chronic obstructive pulmonary disease is associated with increased recurrent peptic ulcer bleeding risk. Eur J Intern Med. 2017 ; 37 : 75-82. [IVb]

4) Lee AL, Goldstein RS. Gastroesophageal reflux disease in COPD : links and risks. Int J Chron Obstruct Pulmon Dis. 2015 ; 10 : 1935-49. [VI]

5) Mokhlesi B, Morris A, Huang CF, et al. Increased prevalence of gastroesophageal reflux symptoms in patients with COPD. Chest. 2001 ; 119 : 1043-8. [IVb]

6) Terada K, Muro S, Sato S, et al. Impact of gastro-oesophageal reflux disease symptoms on COPD exacerbation. Thorax. 2008 ; 63 : 951-5. [IVb]

7) Huang C, Liu Y, Shi G. A systematic review with meta-analysis of gastroesophageal reflux disease and exacerbations of chronic obstructive pulmonary disease. BMC Pulm Med. 2020 ; 20 : 2. [I]

8) Terada K, Muro S, Ohara T, et al. Abnormal swallowing reflex and COPD exacerbations. Chest. 2010 ; 137 : 326-32. [IVa]

9) Nagami S, Oku Y, Yagi N, et al. Breathing-swallowing discoordination is associated with frequent exacerbations of COPD. BMJ Open Respir Res. 2017 ; 4 : e000202. [IVa]

10) Yoshimatsu Y, Tobino K, Sueyasu T, et al. Repetitive Saliva Swallowing Test Predicts COPD Exacerbation. Int J Chron Obstruct Pulmon Dis. 2019 ; 14 : 2777-85. [IVb]

11) Chubachi S, Sato M, Kameyama N, et al ; Keio COPD Comorbidity Research (K-CCR) Group. Identification of five clusters of comorbidities in a longitudinal Japanese chronic obstructive pulmonary disease cohort. Respir Med. 2016 ; 117 : 272-9. [IVa]

I-G-6. 不安、抑うつ、認知症

1) Yohannes AM, Alexopoulos GS. Depression and anxiety in patients with COPD. Eur Respir Rev. 2014 ; 23 : 345-9. [VI]

2) Kunik ME, Roundy K, Veazey C, et al. Surprisingly high prevalence of anxiety and depression in chronic breathing disorders. Chest. 2005 ; 127 : 1205-11. [IVb]

3) Horita N, Kaneko T, Shinkai M, Depression in Japanese patients with chronic obstructive pulmonary disease : a cross-sectional study. Respir Care. 2013 ; 58 : 1196-203. [IVb]

4) Hanania NA, Müllerova H, Locantore NW, et al. Determinants of depression in the ECLIPSE chronic obstructive pulmonary disease cohort. Am J Respir Crit Care Med. 2011 ; 183 : 604-11. [IVa]

5) Ng TP, Niti M, Tan WC, et al. Depressive symptoms and chronic obstructive pulmonary disease : effect on mortality, hospital readmission, symptom burden, functional status, and quality of life. Arch Intern Med. 2007 ; 167 : 60-7. [III]

6) Iyer AS, Bhatt SP, Garner JJ, et al. Depression Is Associated with Readmission for Acute Exacerbation of Chronic Obstructive Pulmonary Disease. Ann Am Thorac Soc. 2016 ; 13 : 197-203. [IVb]

7) Fleehart S, Fan VS, Nguyen HQ, et al. Prevalence and correlates of suicide ideation in patients with COPD : a mixed methods study. Int J Chron Obstruct Pulmon Dis. 2014 ; 10 : 1321-9. [IVa]

8) Gordon CS, Waller JW, Cook RM, et al. Effect of Pulmonary Rehabilitation on Symptoms of Anxiety and Depression in COPD : A Systematic Review and Meta-Analysis. Chest. 2019 ; 156 : 80-91. [I]

9) Pollok J, van Agteren JE, Esterman AJ, et al. Psychological therapies for the treatment of depression in chronic obstructive pulmonary disease. Cochrane Database Syst Rev. 2019 ;

3：CD012347.［Ⅰ］

10) Hung WW, Wisnivesky JP, Siu AL, et al. Cognitive decline among patients with chronic obstructive pulmonary disease. Am J Respir Crit Care Med. 2009；180：134-7.［Ⅳb］

11) Kakkera K, Padala KP, Kodali M, et al. Association of chronic obstructive pulmonary disease with mild cognitive impairment and dementia. Curr Opin Pulm Med. 2018；24：173-8.［Ⅵ］

12) Xie F, Xie L. COPD and the risk of mild cognitive impairment and dementia：a cohort study based on the Chinese Longitudinal Health Longevity Survey. Int J Chron Obstruct Pulmon Dis. 2019；14：403-8.［Ⅳa］

Ⅰ-G-7. 代謝性疾患

1) Mannino DM, Thorn D, Swensen A, et al. Prevalence and outcomes of diabetes, hypertension and cardiovascular disease in COPD. Eur Respir J. 2008；32：962-9.［Ⅳa］

2) Divo M, Cote C, de Torres JP, Casanova C, Marin JM, Pinto-Plata V, Zulueta J, Cabrera C, Zagaceta J, Hunninghake G, Celli B；BODE Collaborative Group. Comorbidities and risk of mortality in patients with chronic obstructive pulmonary disease. Am J Respir Crit Care Med. 2012；186：155-61.［Ⅳa］

3) Hersh CP, Make BJ, Lynch DA, et al. Non-emphysematous chronic obstructive pulmonary disease is associated with diabetes mellitus. BMC Pulm Med. 2014；14：164.［Ⅳa］

4) Machida H, Shibata Y, Inoue S, et al. Prevalence of diabetes mellitus in individuals with airflow obstruction in a Japanese general population：The Yamagata-Takahata Study. Respir Investig. 2018；56：34-9.［Ⅳa］

5) Chubachi S, Sato M, Kameyama N, et al；Keio COPD Comorbidity Research（K-CCR）Group. Identification of five clusters of comorbidities in a longitudinal Japanese chronic obstructive pulmonary disease cohort. Respir Med. 2016；117：272-9.［Ⅳa］

6) Ishii M, Yamaguchi Y, Hamaya H, et al. Characteristics of factors for decreased lung function in elderly patients with type 2 diabetes. Sci Rep. 2019；9：20206.［Ⅳb］

7) Gunasekaran K, Murthi S, Elango K, et al. The impact of diabetes mellitus in patients with chronic obstructive pulmonary disease（COPD）hospitalization. J Clin Med. 2021；10：235.［Ⅳa］

8) Ho TW, Huang CT, Ruan SY, et al. Diabetes mellitus in patients with chronic obstructive pulmonary disease-The impact on mortality. PLoS One. 2017；12：e0175794.［Ⅳa］

9) Chan SMH, Selemidis S, Bozinovski S, et al. Pathobiological mechanisms underlying metabolic syndrome（MetS）in chronic obstructive pulmonary disease（COPD）：clinical significance and therapeutic strategies. Pharmacol Ther. 2019；198：160-88.［Ⅵ］

10) Marquis K, Maltais F, Duguay V, et al. The metabolic syndrome in patients with chronic obstructive pulmonary disease. J Cardiopulm Rehabil. 2005；25：226-32.［Ⅳb］

11) Breyer MK, Spruit MA, Hanson CK, et al. Prevalence of metabolic syndrome in COPD patients and its consequences. PLoS One. 2014；9：e98013.［Ⅳb］

Ⅰ-G-8. 閉塞性睡眠時無呼吸

1) Chaouat A, Weitzenblum E, Krieger J, et al. Association of chronic obstructive pulmonary disease and sleep apnea syndrome. Am J Respir Crit Care Med. 1995；151：82-6.［Ⅳb］

2) Ingebrigtsen TS, Marott JL, Lange P. Witnessed sleep apneas together with elevated plasma glucose are predictors of COPD exacerbations. Eur Clin Respir J. 2020；7：1765543.［Ⅳb］

3) Shawon MS, Perret JL, Senaratna CV, et al. Current evidence on prevalence and clinical outcomes of co-morbid obstructive sleep apnea and chronic obstructive pulmonary disease：A systematic review. Sleep Med Rev. 2017；32：58-68.［Ⅵ］

4) Azuma M, Chin K, Yoshimura C, et al. Associations among chronic obstructive pulmonary disease and sleep-disordered breathing in an urban male working population in Japan. Respiration. 2014；88：234-43.［Ⅳb］

5) Shiina K, Tomiyama H, Takata Y, et al. Overlap syndrome：additive effects of COPD on the cardiovascular damages in patients with OSA. Respir Med. 2012；106：1335-41.［Ⅳb］

6) Yang X, Tang X, Cao Y, et al. The Bronchiectasis in COPD-OSA Overlap Syndrome Patients. Int J Chron Obstruct Pulmon Dis. 2020；15：605-11.［Ⅳb］

7) Matsumoto T, Murase K, Tachikawa R, et al. Microalbuminuria in patients with obstructive sleep apnea-chronic obstructive pulmonary disease overlap syndrome. Ann Am Thorac Soc. 2016；13：917-25.［Ⅳb］

Ⅰ-G-9. 貧血

1) Yohannes AM, Ershler WB. Anemia in COPD：A systematic review of the prevalence, quality of life, and mortality. Respir Care. 2011；56：644-52.［Ⅰ］

2) Silverberg DS, Mor R, Weu MT, et al. Anemia and iron deficiency in COPD patients：prevalence and the effects of correction of the anemia with erythropoiesis stimulating agents and intravenous iron. BMC Pulm Med. 2014；14：24.［Ⅳb］

3) Chubachi S, Sato M, Kameyama N, et al；Keio COPD Comorbidity Research（K-CCR）Group. Identification of five clusters of comorbidities in a longitudinal Japanese chronic obstructive pulmonary disease cohort. Respir Med. 2016；117：272-9.［Ⅳa］

4) Putcha N, Fawzy A, Paul GG, et al. Anemia and Adverse Outcomes in a Chronic Obstructive Pulmonary Disease Population with a High Burden of Comorbidities. An Analysis from SPIROMICS. Ann Am Thorac Soc. 2018；15：710-7.［Ⅳ

第Ⅰ章　疾患概念と基礎知識

a]

5) Ergan B, Ergun R. Impact of anemia on short-term survival in severe COPD exacerbations : a cohort study. Int J Chron Obstruct Pulmon Dis. 2016 ; 11 : 1775-83. [Ⅳb]

6) Martinez-Rivera C, Portillo K, Muñoz-Ferrer A, et al. Anemia is a mortality predictor in hospitalized patients for COPD exacerbation. COPD. 2012 ; 9 : 243-50. [Ⅳa]

7) Nickol AH, Frise MC, Cheng HY, et al. A cross-sectional study of the prevalence and associations of iron deficiency in a cohort of patients with chronic obstructive pulmonary disease. BMJ Open. 2015 ; 5 : e007911. [Ⅳb]

8) Sato K, Inoue S, Igarashi A, et al. Effect of iron deficiency on a murine model of smoke-induced emphysema Am J Respir Cell Mol Biol. 2020 ; 62 : 588-97.

9) Shibata Y, Inoue S, Igarashi A, et al. Elevated serum iron is a potent biomarker for spirometric resistance to cigarette smoke among Japanese males : the Takahata study. PLoS One. 2013 ; 8 : e74020. [Ⅳa]

H. 肺の合併症

1. 喘　息

POINTS

◉ 典型的な場合には COPD と喘息の鑑別は容易であるが、日常臨床では区別が困難な場合も少なくない。

◉ ACO という概念が提唱されている。

◉ ACO の増悪頻度や予後については、一定の見解が得られていない。

◉ 日本人 COPD 患者の約 25%が ACO に該当する。

COPD と喘息との臨床的特徴の比較を表1に示す。典型的な場合には COPD と喘息との区別は容易であるが、喫煙者や高齢者では、両者を鑑別することが問題となる。特に、COPD 患者のなかには喘息の特徴をもつものも多く、日常臨床では区別が困難な場合も少なくない。また、これまでの臨床試験は、喘息や COPD それぞれ単独の集団を研究対象としており、両者の合併例を除外することが多いため、合併例についての十分な知見が得られていない。

このようなことから、GINA と GOLD は合同で、「喘息・COPD オーバーラップ」という概念を提唱している[1]。本邦においても、『喘息と COPD のオーバーラップ診断と治療の手引き 2018』が刊行され、ACO を「慢性の気流閉塞を示し、喘息と COPD のそれぞれの特徴を有する疾患」と定義している[2]。今日、ACO の診断基準に世界的なコンセンサスが得られたものはないが、本手引きで本邦における ACO の診断基準が示されている[2]。

これまで ACO の診断に統一した基準がなかったことから、COPD 患者中における ACO の正確な割合は不明であるが、本邦における報告では 15.4 ～ 20.7 %[3-5]とされている。ACO の増悪の頻度や予後は、COPD に比べて良好、不変、悪いとする報告がそれぞれあり、一定の見解が得られていない[6-10]。このような違いは、ACO の定義や対象とする母集団の違いのみならず、治療内容

表1 COPD と喘息の臨床的特徴の比較

	COPD	喘息
発症時期	中高年	全年齢層
要因	喫煙、大気汚染	アレルギー、感染
症状 　　持続性 　　出現形態	 進行性 労作性	 変動性 発作性
呼吸機能	$FEV_1/FVC < 70\%$	正常の場合もある
気流閉塞の可逆性	なし（or 小さい）	あり（大きい）
FeNO	正常	上昇
CT での低吸収領域	通常あり	なし
肺拡散能力	低下	低下しない
アレルギー性鼻炎	少ない	2/3 であり
アトピー素因	通常なし	あり
喀痰中の炎症細胞	好中球主体	好酸球主体
血中好酸球数	通常正常	増加傾向

の差も影響していることが考えられ、最適な治療管理方法の確立が望まれている。

最近、Hashimoto らは、日本人 COPD 集団において本手引きの基準を用いて、約 25 %が ACO と診断されたことを報告した（COPD における ACO の診断基準については、**第Ⅲ章-C. 安定期の管理-表 1 参照**）[11]。

第Ⅰ章　疾患概念と基礎知識

2. 肺がん

POINTS

◉ COPD は肺がんの合併リスクが高く、肺がんは COPD 患者の主な死因の 1 つである。
◉ COPD 患者において、気流閉塞と気腫性病変は肺がん発症の独立した危険因子である。
◉ COPD に合併した肺がんは、治療が困難になることがあるため早期発見が重要である。

悪性新生物の併存は COPD 患者の QOL や生命予後に大きな影響を及ぼす[1-3]。デンマークのコホート研究[4] において、COPD 患者では、肺、咽頭、喉頭、口腔、舌、食道、胃、膵、肝、子宮頸部および泌尿器がんの発症リスクが増加していた。本邦の COPD 患者では、年齢、性別、喫煙歴をマッチさせた対象群と比較して悪性疾患の発症リスクは 2.3 倍であったとの報告があり、なかでも肺がんが最も多く、次いで頸部、泌尿器がんの順であった[5]。

肺がんは COPD の重要な合併症であり、COPD は喫煙とは独立した肺がんの危険因子である[6-9]。COPD 患者では、非 COPD 喫煙者と比較して、肺がんのリスクが約 3 倍高い[8,9]。COPD における肺がんの合併率は、海外の研究で約 9 ～ 17 %[1]、本邦では 6 %[10] であったとの報告がある。さらに、本邦のコホート研究から、COPD 患者における肺がんの年発症率は 1.85 ～ 2.3 %/年と報告されている[11,12]。肺がんは、COPD 患者の主な死因の 1 つであり、全死因のなかで、海外の代表的な 4 つの臨床試験において、12 ～ 33 %（うち 3 試験が 14 %以下）[13-16]、本邦の 3 つの研究においては、16 ～ 21 %を肺がんが占めていた[17-19]。一方、肺がん患者の 40 ～ 70 %が COPD を合併している[20-22]。COPD 患者において、気流閉塞[23-26]、気腫性病変[26-29]、さらに増悪[26] が、肺がんの独立した危

険因子であることが報告されている。また、気流閉塞より肺気腫が重要であるとされており[27,30]、特に細葉（小葉）中心型肺気腫でリスクが高い[31]。COPD に合併した肺がんの組織型では、扁平上皮がんの比率が高く[32-34]、気腫性病変を有する切除肺がん症例では、EGFR 遺伝子変異陽性率が低いと報告されている[35]。COPD あるいは気腫性病変と肺がんの発症に共通して、遺伝的素因、喫煙による酸化ストレス、プロテアーゼなどの関与が示唆されており、また、COPD における肺の慢性炎症が肺がんの発生を惹起する可能性が報告されている[36,37]。他にも早期老化、テロメアの短縮、DNA メチル化やヒストン修飾などのエピジェネティクスの関与なども共通の機序として示唆されている[37]。

以上より、肺がんによる死亡リスクに関しては、国内外の COPD 患者で大きな差がないものと考えられる。一方、COPD 患者における肺がんの合併リスクについては、海外のほうが高い可能性があるが、本邦の臨床研究のデータが乏しいため、比較が困難である。喫煙による肺がんの合併リスクについては、欧米の男性では 10 倍以上高くなることが報告されているが[38]、本邦の男性ではこの半分以下の 4.4 倍であったとのメタ解析の報告がある[39]。

3. 気腫合併肺線維症

POINTS

◉ CPFE は CT にて上肺野の肺気腫と下肺野の肺線維症を呈する症候群である。
◉ 気腫性病変と肺線維化病変の合併により、スパイロメトリーの肺気量分画は比較的保たれるのに対し、DLco は著明に低下する。
◉ 肺高血圧症と肺がんを合併するリスクが高く、予後に影響する。また CPFE の増悪も重要な病態であり、COPD 型と IPF 型に分類される。

H. 肺の合併症

　CPFE は、2005 年に Cottin らにより提唱された臨床症候群で、CT において上肺野の肺気腫と下肺野の肺線維症を合併したものである[1]。

　疫学的に重喫煙者の男性に多く、CPFE に占める喫煙率は 97.5 %、男性は 90.4 % との報告がある[2]。COPD における頻度としては、HRCT 解析を用いたコホート研究（COPDGene study）において、COPD 患者の 7.4 % に間質性異常影、0.25 % に間質性肺炎が認められている[3]。一方、肺線維症における CPFE の頻度は、約 30 % と報告されている[4-6]。この頻度の相違は、CPFE では閉塞性換気障害の異常が目立たないため（後述）、COPD 患者に限定した場合の CPFE の頻度は高い値とはならないためと考えられる。CPFE の症状としては呼吸困難、咳嗽、喀痰が多く、線維化病変を反映して fine crackle、バチ指の頻度が高い[1,4]。

　呼吸機能に関しては、肺気腫と肺線維症を併せた特徴を示す（表 2）[4]。スパイロメトリーでは、気腫性病変による閉塞性換気障害（肺過膨張、肺コンプライアンス上昇、末梢気道閉塞）と線維化病変による拘束性換気障害（肺気量減少、肺コンプライアンス低下、牽引性気管支拡張）が互いに相殺され、閉塞性換気障害の程度は比較的軽度なことが多い[4,7]。一方、DLCO は、気腫性病変（肺胞破壊、毛細血管床減少）と線維化病変（肺胞虚脱、肺胞隔壁肥厚）が相乗的に作用し有効ガス交換面積が大きく損なわれることから、顕著な低下を示す[4,7]。呼吸機能の経年的変化を COPD と比較した報告[8]では、CPFE において FVC、DLCO の低下量は有意に大きい一方で、FEV1 の減少量は有意な差はなく、FEV1/FVC は変化量自体がやや増加していた。IPF における FVC の経年的変化を合併気腫の程度で分類して検討した報告では、肺気腫病変 ≧ 15 % の CPFE において FVC の経年低下が強く抑制され、IPF としての病態進行を正確に表現しない可能性が示唆されている[9]。

　CPFE の中央生存期間は 2.1 ～ 8.5 年と報告により開きがある[4]。CPFE と肺気腫との生存曲線の比較では CPFE 群が有意に予後不良であるが[10]、一方、肺線維症との比較では異なる結果が複数報告されており[5,6,11-14]、最近の 13 報のメタ解析では、両者の予後はほぼ同程度となっている[15]。CPFE の予後不良マーカーとしては、FVC 低下、DLCO 低下、蜂窩肺病変の存在、CPI[脚注4]の増大などが報告されている[16,17]が、最も重要な指標は FEV1 の低下[16]とされている。

　CPFE の重要な合併症として、肺高血圧症、肺がんが挙げられる[4,18]。また、CPFE の増悪も重要な病態である[18]。肺高血圧症の合併は肺線維症や肺気腫の単独症例に比べて頻度が高く[1]、その原因として、CPFE では肺血管傷害が気道構造の正常領域を含めた全肺領域に及ぶことが示唆されている[19]。肺高血圧症を合併すると予後不良であり[4,5,20]、1 年生存率は約 60 % である。原発性肺がんの合併は約 50 % と高率で認められ[2,4]、組織型として扁平上皮がんが最多である[21,22]。CPFE に合併する肺がんは治療リスクが高く、病期進展度も高いため、非CPFE 症例に比して予後不良とされる[21-25]。CPFE の増悪は COPD 型と IPF 型に分類される[18,26]。前者は COPD 増悪に類似の気道閉塞増悪を背景とし、予後は IPF 型の増悪よりもよい。一方、IPF 型の増悪は、急性肺障害の病態に類似し、より高度な集中治療を要する[18,26]。

　CPFE の管理治療は、COPD と肺線維症の場合に準ずる。禁煙、感染予防、気管支拡張薬、抗線維化薬、酸素療法等が考慮される[4]。特に抗線維化薬については、IPF に対するニンテダニブの臨床試験の post-hoc 解析において、CPFE に対する有効性が示唆されている[18,27]。ま

表2 IPF、肺気腫、CPFE における呼吸機能と CT 所見などの特徴

	IPF	CPFE	肺気腫
呼吸機能検査			
FEV1	↓	↓ or N	↓
FVC	↓	↓ or N	↓
FEV1/FVC	↑	↓ or ↑ or N	↓
TLC	↓	↓ or ↑ or N	↑
FRC	↓	↓ or ↑ or N	↑
RV	↓	↓ or ↑ or N	↑
DLCO	↓	↓↓	↓
労作時低酸素血症	+	++	+
CT 所見			
気腫	−	+	+
線維化	+	+	−
病理所見	UIP	UIP or f-NSIP ＋気腫	気腫
肺高血圧	+	++	+
肺がんリスク	++	++	+

N：正常。

（文献4より改変引用）

脚注4　$\text{CPI} = 91 - (0.65 \times \% \text{DLCO}) - (0.53 \times \% \text{FVC}) + (0.34 \times \text{FEV}_1)$

第Ⅰ章　疾患概念と基礎知識

た、定期的に HRCT、呼吸機能検査、心エコー等の検査を行い、病勢の進行の他、肺高血圧症、肺がんなどの合併症や CPFE の増悪の発症に注意して管理を行っていく必要がある。

References

Ⅰ-H-1. 喘　息

1) Global Initiative for Asthma. 2017 GINA Report, Global Strategy for Asthma Management and Prevention. 2017. http://ginasthma.org/2017-gina-report-global-strategy-for-asthma-management-and-prevention/（accessed 2021-12-17）［Ⅵ］

2) 日本呼吸器学会 喘息と COPD のオーバーラップ（Asthma and COPD overlap：ACO）診断と治療の手引き2018作成委員会（編）. 喘息と COPD のオーバーラップ 診断と治療の手引き2018. 東京：メディカルレビュー社；2017.［Ⅵ］

3) Kurashima K, Takaku Y, Ohta C, et al. COPD assessment test and severity of airflow limitation in patients with asthma, COPD, and asthma-COPD overlap syndrome. Int J Chron Obstruct Pulmon Dis. 2016；11：479-87.［Ⅳb］

4) Kitaguchi Y, Yasuo M, Hanaoka M. Comparison of pulmonary function in patients with COPD, asthma-COPD overlap syndrome, and asthma with airflow limitation. Int J Chron Obstruct Pulmon Dis. 2016；11：991-7.［Ⅳb］

5) Yamauchi Y, Yasunaga H, Matsui H, et al. Comparison of in-hospital mortality in patients with COPD, asthma and asthma-COPD overlap exacerbations. Respirology. 2015；20：940-6.［Ⅳb］

6) Suzuki M, Makita H, Konno S, et al. Hokkaido COPD Cohort Study Investigators. Asthma-like Features and Clinical Course of Chronic Obstructive Pulmonary Disease. An Analysis from the Hokkaido COPD Cohort Study. Am J Respir Crit Care Med. 2016；194：1358-65.［Ⅳa］

7) de Marco R, Marcon A, Rossi A, et al. Asthma, COPD and overlap syndrome：a longitudinal study in young European adults. Eur Respir J. 2015；46：671-9.［Ⅳa］

8) Cosio BG, Soriano JB, López-Campos JL, et al. CHAIN Study. Defining the Asthma-COPD Overlap Syndrome in a COPD Cohort. Chest. 2016；149：45-52.［Ⅳa］

9) Diaz-Guzman E, Khosravi M, Mannino DM. Asthma, chronic obstructive pulmonary disease, and mortality in the U.S. population. COPD. 2011；8：400-7.［Ⅳa］

10) Lange P, Çolak Y, Ingebrigtsen TS, et al. Long-term prognosis of asthma, chronic obstructive pulmonary disease, and asthma-chronic obstructive pulmonary disease overlap in the Copenhagen City Heart study：a prospective population-based analysis. Lancet Respir Med. 2016；4：454-62.［Ⅳa］

11) Hashimoto S, Sorimachi R, Jinnai T, et al. Asthma and Chronic Obstructive Pulmonary Disease Overlap According to the Japanese Respiratory Society Diagnostic Criteria：The Pro-

spective, Observational ACO Japan Cohort Study. Adv Ther. 2021；38：1168-84.［Ⅳa］

Ⅰ-H-2. 肺がん

1) Smith MC, Wrobel JP. Epidemiology and clinical impact of major comorbidities in patients with COPD. Int J Chron Obstruct Pulmon Dis. 2014；9：871-88.［Ⅵ］

2) Miller J, Edwards LD, Agustí A, et al. Evaluation of COPD Longitudinally to Identify Predictive Surrogate Endpoints（ECLIPSE）Investigators. Comorbidity, systemic inflammation and outcomes in the ECLIPSE cohort. Respir Med. 2013；107：1376-84.［Ⅳa］

3) Divo M, Cote C, de Torres JP, et al. BODE Collaborative Group. Comorbidities and risk of mortality in patients with chronic obstructive pulmonary disease. Am J Respir Crit Care Med. 2012；186：155-61.［Ⅳb］

4) Kornum JB, Sværke C, Thomsen RW, et al. Chronic obstructive pulmonary disease and cancer risk：a Danish nationwide cohort study. Respir Med. 2012；106：845-52.［Ⅳa］

5) Nakayama M, Satoh H, Sekizawa K. Risk of cancers in COPD patients. Chest. 2003；123：1775-6.［Ⅳb］

6) Tockman MS, Anthonisen NR, Wright EC, et al. Airways obstruction and the risk for lung cancer. Ann Intern Med. 1987；106：512-8.［Ⅳa］

7) Sin DD, Anthonisen NR, Soriano JB, et al. Mortality in COPD：Role of comorbidities. Eur Respir J. 2006；28：1245-57.［Ⅵ］

8) Mannino DM, Aguayo SM, Petty TL, et al. Low lung function and incident lung cancer in the United States：data from the First National Health and Nutrition Examination Survey follow-up. Arch Intern Med. 2003；163：1475-80.［Ⅳa］

9) Park HY, Kang D, Shin SH, et al. Chronic obstructive pulmonary disease and lung cancer incidence in never smokers：a cohort study. Thorax. 2020；75：506-9.［Ⅳa］

10) Miyazaki M, Nakamura H, Chubachi S, et al. Analysis of comorbid factors that increase the COPD assessment test scores. Respir Res. 2014；15：13.［Ⅳa］

11) Machida H, Inoue S, Shibata Y, et al. The incidence and risk analysis of lung cancer development in patients with chronic obstructive pulmonary disease：Possible effectiveness of annual CT-screening. Int J Chron Obstruct Pulmon Dis. 2021；16：739-49.［Ⅳa］

12) Chubachi S, Takahashi S, Tsutsumi A, et al. Radiologic features of precancerous areas of the lungs in chronic obstructive pulmonary disease. Int J Chron Obstruct Pulmon Dis. 2017；12：1613-24.［Ⅳa］

13) Vilkman S, Keistinen T, Tuuponen T, et al. Survival and cause of death among elderly chronic obstructive pulmonary disease patients after first admission to hospital. Respiration. 1997；64：281-4.［Ⅳa］

14) Bale G, Martínez-Camblor P, Burge PS, et al. Long-term mor-

tality follow-up of the ISOLDE participants : causes of death during 13 years after trial completion. Respir Med. 2008 ; 102 : 1468-72. [Ⅱ]

15) Anthonisen NR, Skeans MA, Wise RA, et al. The effects of a smoking cessation intervention on 14.5-year mortality : a randomized clinical trial. Ann Intern Med. 2005 ; 142 : 233-9. [Ⅱ]

16) McGarvey LP, John M, Anderson JA, Zvarich M, et al. Ascertainment of cause-specific mortality in COPD : operations of the TORCH Clinical Endpoint Committee. Thorax. 2007 ; 62 : 411-5. [Ⅱ]

17) Haruna A, Muro S, Nakano Y, et al. CT scan findings of emphysema predict mortality in COPD. Chest. 2010 ; 138 : 635-40. [Ⅳa]

18) Makita H, Suzuki M, Konno S, et al. Unique Mortality Profile in Japanese Patients with COPD: An Analysis from the Hokkaido COPD Cohort Study. Int J Chron Obstruct Pulmon Dis. 2020 ; 15 : 2081-90. [Ⅳa]

19) Shibata Y, Inoue S, Igarashi A, et al. A lower level of forced expiratory volume in 1 second is a risk factor for all-cause and cardiovascular mortality in a Japanese population : the Takahata study. PLoS One. 2013 ; 8 : e83725. [Ⅳa]

20) Young RP, Hopkins RJ, Christmas T, et al. COPD prevalence is increased in lung cancer, independent of age, sex and smoking history. Eur Respir J. 2009 ; 34 : 380-6. [Ⅳb]

21) Arca JA, Lamelas IP, Ortega RA, et al. Lung cancer and COPD : a common combination. Arch Bronconeumol. 2009 ; 45 : 502-7. [Ⅳb]

22) Loganathan RS, Stover DE, Shi W, et al. Prevalence of COPD in women compared to men around the time of diagnosis of primary lung cancer. Chest. 2006 ; 129 : 1305-12. [Ⅳb]

23) Young RP, Duan F, Chiles C, et al. Airflow limitation and histology shift in the National Lung Screening Trial. The NLST-ACRIN Cohort Substudy. Am J Respir Crit Care Med. 2015 ; 192 : 1060-7. [Ⅳa]

24) Fry JS, Hamling JS, Lee PN. Systematic review with meta-analysis of the epidemiological evidence relating FEV₁ decline to lung cancer risk. BMC Cancer. 2012 ; 12 : 498. [Ⅰ]

25) Wasswa-Kintu S. Relationship between reduced forced expiratory volume in one second and the risk of lung cancer : a systematic review and meta-analysis. Thorax. 2005 ; 60 : 570-5. [Ⅰ]

26) Carr LL, Jacobson S, Lynch DA, et al. Features of COPD as Predictors of Lung Cancer. Chest. 2018 ; 153 : 1326-35. [Ⅳb]

27) Wilson DO, Weissfeld JL, Balkan A, et al. Association of radiographic emphysema and airflow obstruction with lung cancer. Am J Respir Crit Care Med. 2008 ; 178 : 738-44. [Ⅳb]

28) Sánchez-Salcedo P, Wilson DO, de-Torres JP, et al. Improving selection Criteria for lung cancer screening. The potential role of emphysema. Am J Respir Crit Care Med. 2015 ; 191 : 924-31. [Ⅳb]

29) de-Torres JP, Wilson DO, Sánchez-Salcedo P, et al. Lung cancer in patients with chronic obstructive pulmonary disease. Development and validation of the COPD Lung Cancer Screening Score. Am J Respir Crit Care Med. 2015 ; 191 : 285-91. [Ⅳb]

30) de Torres JP, Bastarrika G, Wisnivesky JP, et al. Assessing the relationship between lung cancer risk and emphysema detected on low-dose CT of the chest. Chest. 2007 ; 132 : 1932-8. [Ⅳa]

31) González J, Henschke CI, Yankelevitz DF, et al. Emphysema phenotypes and lung cancer risk. PLoS One. 2019 ; 14 : e0219187. [Ⅳb]

32) Papi A, Casoni G, Caramori G, et al. COPD increases the risk of squamous histological subtype in smokers who develop non-small cell lung carcinoma. Thorax. 2004 ; 59 : 679-81. [Ⅳb]

33) Hashimoto N, Matsuzaki A, Okada Y, et al. Clinical impact of prevalence and severity of COPD on the decision-making process for therapeutic management of lung cancer patients. BMC Pulm Med. 2014 ; 14 : 14. [Ⅳb]

34) de Torres JP, Marín JM, Casanova C, et al. Lung cancer in patients with chronic obstructive pulmonary disease. Incidence and predicting factors. Am J Respir Crit Care Med. 2011 ; 184 : 913-9. [Ⅳa]

35) Takeda K, Yamasaki A, Igishi T, et al. Frequency of Epidermal Growth Factor Receptor Mutation in Smokers with Lung Cancer Without Pulmonary Emphysema. Anticancer Res. 2017 ; 37 : 765-71. [Ⅳb]

36) Houghton AM. Mechanistic links between COPD and lung cancer. Nat Rev Cancer. 2013 ; 13 : 233-5. [Ⅵ]

37) Durham AL, Adcock IM. The relationship between COPD and lung cancer. Lung Cancer. 2015 ; 90 : 121-7. [Ⅵ]

38) Villeneuve PJ, Mao Y. Lifetime probability of developing lung cancer, by smoking status, Canada. Can J Public Health. 1994 ; 85 : 385-8. [Ⅳa]

39) Wakai K, Inoue M, Mizoue T, et al. Tobacco smoking and lung cancer risk : an evaluation based on a systematic review of epidemiological evidence among the Japanese population. Jpn J Clin Oncol. 2006 ; 36 : 309-24. [Ⅳa]

Ⅰ-H-3.　気腫合併肺線維症

1) Cottin V, Nunes H, Brillet PY, et al. Combined pulmonary fibrosis and emphysema : a distinct underrecognised entity. Eur Respir J. 2005 ; 26 : 586-93. [Ⅳa]

2) Jankowich MD, Rounds SI. Combined pulmonary fibrosis and emphysema syndrome : a review. Chest. 2012 ; 141 : 222-31. [Ⅵ]

3) Washko GR, Hunninghake GM, Fernandez IE, et al. Lung volumes and emphysema in smokers with interstitial lung abnormalities. N Engl J Med. 2011 ; 364 : 897-906. [Ⅳa]

4) Papaioannou AI, Kostikas K, Manali ED, et al. Combined pul-

monary fibrosis and emphysema：The many aspects of a cohabitation contract. Respir Med. 2016；117：14-26.［Ⅵ］

5) Mejia M, Carrillo G, Rojas-Serrano J, et al. Idiopathic pulmonary fibrosis and emphysema：decreased survival associated with severe pulmonary arterial hypertension. Chest. 2009；136：10-5.［Ⅳb］

6) Kurashima K, Takayanagi N, Tsuchiya N, et al. The effect of emphysema on lung function and survival in patients with idiopathic pulmonary fibrosis. Respirology. 2010；15：843-8.［Ⅳb］

7) Kitaguchi Y, Fujimoto K, Hanaoka M, et al. Clinical characteristics of combined pulmonary fibrosis and emphysema. Respirology. 2010；15：265-71.［Ⅳb］

8) Kitaguchi Y, Fujimoto K, Hayashi R, et al. Annual changes in pulmonary function in combined pulmonary fibrosis and emphysema：over a 5-year follow-up. Respir Med. 2013；107：1986-92.［Ⅳa］

9) Cottin V, Hansell DM, Sverzellati N, et al. Effect of Emphysema Extent on Serial Lung Function in Patients with Idiopathic Pulmonary Fibrosis. Am J Respir Crit Care Med. 2017；196：1162-71.［Ⅳa］

10) Lee CH, Kim HJ, Park CM, et al. The impact of combined pulmonary fibrosis and emphysema on mortality. Int J Tuberc Lung Dis. 2011；15：1111-6.［Ⅳa］

11) Todd NW, Jeudy J, Lavania S, et al. Centrilobular emphysema combined with pulmonary fibrosis results in improved survival. Fibrogenesis Tissue Repair. 2011；4：6.［Ⅳa］

12) Ryerson CJ, Hartman T, Elicker BM, et al. Clinical features and outcomes in combined pulmonary fibrosis and emphysema in idiopathic pulmonary fibrosis. Chest. 2013；144：234-40.［Ⅳa］

13) Sugino K, Ishida F, Kikuchi N, et al. Comparison of clinical characteristics and prognostic factors of combined pulmonary fibrosis and emphysema versus idiopathic pulmonary fibrosis alone. Respirology. 2014；19：239-45.［Ⅳb］

14) Jacob J, Bartholmai BJ, Rajagopalan S, et al. Functional and prognostic effects when emphysema complicates idiopathic pulmonary fibrosis. Eur Respir J. 2017；50：1700379.［Ⅳa］

15) Jiang CG, Fu Q, Zheng CM. Prognosis of combined pulmonary fibrosis and emphysema：comparison with idiopathic pulmonary fibrosis alone. Ther Adv Respir Dis. 2019；13：1-7.［Ⅳa］

16) Schmidt SL, Nambiar AM, Tayob N, et al. Pulmonary function measures predict mortality differently in IPF versus combined pulmonary fibrosis and emphysema. Eur Respir J. 2011；38：176-83.［Ⅳa］

17) Kim YS, Jin GY, Chae KJ, et al. Visually stratified CT honeycombing as a survival predictor in combined pulmonary fibrosis and emphysema. Br J Radiol. 2015；88：20150545.［Ⅳa］

18) Hage R, Gautschi F, Steinack C, et al. Combined Pulmonary Fibrosis and Emphysema（CPFE）Clinical Features and Management. Int J Chron Obstruct Pulmon Dis. 2021；16：167-77.［Ⅰ］

19) Awano N, Inomata M, Ikushima S, et al. Histological analysis of vasculopathy associated with pulmonary hypertension in combined pulmonary fibrosis and emphysema：comparison with idiopathic pulmonary fibrosis or emphysema alone. Histopathology. 2016；70：896-905.［Ⅳb］

20) Cottin V, Pavec JL, Prévot G, et al. Pulmonary hypertension in patients with combined pulmonary fibrosis and emphysema syndrome. Eur Respir J. 2010；35：105-11.［Ⅳb］

21) Koo HJ, Do K-H, Lee JB, et al. Lung Cancer in Combined Pulmonary Fibrosis and Emphysema：A Systematic Review and Meta-Analysis. PLoS One. 2016；11：e0161437.［Ⅰ］

22) Li C, Wu W, Chen N, et al. Clinical characteristics and outcomes of lung cancer patients with combined pulmonary fibrosis and emphysema：a systematic review and meta-analysis of 13 studies. J Thorac Dis. 2017；9：5322-34.［Ⅰ］

23) Mimae T, Suzuki K, Tsuboi M, et al. Surgical Outcomes of Lung Cancer in Patients with Combined Pulmonary Fibrosis and Emphysema. Ann Surg Oncol. 2015；22：S1371-9.［Ⅳb］

24) Usui K, Tanai C, Tanaka Y, et al. The prevalence of pulmonary fibrosis combined with emphysema in patients with lung cancer. Respirology. 2011；16：326-31.［Ⅳb］

25) Fukui M, Suzuki K, Matsunaga T, et al. Outcomes of lung cancer resection for patients with combined pulmonary fibrosis and emphysema. Surg Today. 2015；46：341-7.［Ⅳb］

26) Zantah M, Dotan Y, Dass C, et al. Acute exacerbations of COPD versus IPF in patients with combined pulmonary fibrosis and emphysema. Respir Med. 2020；21：164.［Ⅳb］

27) Cottin V, Azuma A, Raghu G, et al. Therapeutic effects of nintedanib are not influenced by emphysema in the INPULSIS trials. Eur Respir J. 2019；53：1801655.［Ⅲ］

第II章

診　断

第Ⅱ章　診　断

A.　診断（診断基準）

POINTS

◉ 長期にわたる喫煙歴や、それに相当する曝露因子がある場合、COPD を疑う。高齢になればなるほど COPD の罹患率は高くなる。

◉ 気管支拡張薬吸入後のスパイロメトリーで FEV₁/FVC が 70%未満であることが、COPD 診断の必要条件である[脚注1]。

◉ 進行すれば、労作時呼吸困難が主症状であることが多いが、軽症や身体活動性が低下している場合は自覚症状に乏しいこともある。喀痰が詰まる感じ、喀痰の喀出、咳嗽を訴えることもある。

◉ 除外診断が重要である。画像診断、生理学的検査などにより、症状や所見が類似する疾患、特に気流閉塞を来す他疾患を除外する必要がある。

◉ 喘息との鑑別に HRCT と肺拡散能検査が有用である。

1. 診断の契機

a. 安定期における COPD 診断

　長期の喫煙歴がある場合に COPD を疑う。労作時呼吸困難、湿性咳嗽がある中高年者では COPD の可能性が高くなる。詳細は**第Ⅱ章-D. 臨床所見**を参照されたい。人間ドックや肺がん検診などで胸部 CT を施行され、偶然に気腫性病変を指摘され、COPD の診断契機になる、あるいは、健康診断などで施行されたスパイロメトリーで閉塞性障害を指摘されることもある。

b. 気道感染や増悪時などにおける COPD 診断

　日常診療では、"風邪が治りにくい" "風邪の症状が強い" などといった増悪期の症状や、気道感染後の症状で医療機関を受診し、診断契機になることもある。特に、喫煙経験者の上気道炎・気道感染時の症状や経過が診断の契機となりうることに留意が必要である。正確な病態は、安定期に復してから評価する。

2. 診断の必要条件

　タバコ煙を主とする有害物質の長期にわたる吸入曝露やそれに相当する危険因子があり、完全には正常化しない気流閉塞を証明することが COPD 診断に必要である[脚注1]。

　完全には正常化しない気流閉塞を証明するために、安定期に施行したスパイロメトリーにおいて、気管支拡張薬吸入後の FEV₁/FVC が 70 %未満であることが COPD 診断の必要条件である（**表1**）。フロー・ボリューム曲線を確認することが重要であり、検査の妥当性の判断や、中枢性気道閉塞などの他疾患の鑑別に役立つ。また、フロー・ボリューム曲線が下に凸であることが COPD の

表1 診断基準

1. 長期の喫煙歴などの曝露因子があること[脚注2]。
2. 気管支拡張薬吸入後のスパイロメトリーで FEV₁/FVC が 70%未満であること。
3. 他の気流閉塞を来しうる疾患を除外すること。

脚注1　COVID-19 流行期においては、スパイロメトリーの施行が往々にして困難である。そのような状況下ではスパイロメトリーを用いない作業診断と管理手順が別項に記載されている（**付録「新興感染症流行と COPD」**参照）。

脚注2　病態生理としては、発育不全、アトピー素因などの吸入曝露因子以外の発症因子が想定されている。しかし、COPD の治療介入のエビデンスは、すべて喫煙歴のある症例に対してなされた試験である。ガイドラインの目的が、治療指針を示すことであることを鑑み、本ガイドラインでは吸入曝露が重要であるとの立場をとった。

特徴とされる。この下に凸であることを定量評価すると、気腫性病変の程度と関連することが報告されている[1]。

3. 鑑別診断

受診契機により、鑑別のポイントは異なるが、共通している重要な点は、閉塞性障害を来す他の疾患を鑑別・

表2-1 閉塞性換気障害を来す疾患と鑑別に有用な検査

1. 喘息
   気道可逆性検査、過敏性検査、喀痰・血中好酸球数、FeNO、肺気量分画、肺拡散能、HRCT、血清IgE
2. びまん性汎細気管支炎・副鼻腔気管支症候群・気管支拡張症
   胸部X線写真、HRCT、喀痰細菌検査
3. 閉塞性細気管支炎（移植後や膠原病関連、健康食品被害など）
   HRCT（吸気・呼気）、肺気量分画、肺拡散能、クロージングボリューム
4. リンパ脈管筋腫症
   胸部X線写真、HRCT
5. じん肺症
   胸部X線写真、HRCT
6. 肺結核
   胸部X線写真、HRCT、喀痰細菌検査

表2-2 呼吸困難を来す疾患（表2-1に加えて）

1. 心不全・不整脈
   心電図、心臓超音波検査、BNP、NT-proBNP
2. 肺高血圧症
   上記に加えて右心カテーテル検査
3. 肺血栓塞栓症
   D-ダイマー、造影CT検査、右心カテーテル検査、シンチグラム
4. 間質性肺炎
   HRCT、呼吸機能検査、KL-6、SP-D
5. 全身性疾患（神経筋疾患、貧血、甲状腺機能異常、代謝性アシドーシスなど）

表2-3 慢性の咳、痰を来す疾患（表2-1に加えて）

1. 肺がん
2. 間質性肺炎
3. 後鼻漏、薬剤など（詳細は『咳嗽・喀痰の診療ガイドライン2019』を参照）

除外することである。症状の観点では、呼吸困難、倦怠感、咳嗽、喘鳴を来す疾患が鑑別として重要である。画像的には気道肥厚や気腫化病変を来す疾患が、鑑別には病歴・症状・身体所見が最も重要である。代表的な鑑別すべき疾患としては、同様に閉塞性換気障害を有する喘息、特に労作で喘鳴/呼吸困難を生じる心不全、長引く咳、痰症状の原因となる肺がんなどがあり、各々鑑別に有用な検査とともに表2-1・2-2・2-3に列記する。また、これらの疾患は往々にして併存がありうるので、横断的な評価に留まらず、経過をみて再検討するなど注意が必要となる。喘息は特に鑑別が必要となるが、HRCTと肺拡散能検査所見が参考となる。自施設での検査が困難な場合には病診連携にて実施することを検討する。

4. 日常診療で疑うべき症例・状況、診断の実際

1. COPDを発症する喫煙量の閾値は個人差が大きく設定できないが、概ね10～20 pack-years以上の喫煙歴があり、40歳以上であればCOPDを疑う。50歳以上になると、特にCOPDの可能性が高くなる。
2. 環境タバコ煙（受動喫煙、副流煙など）、工業地帯や幹線道路近傍での大気汚染・粉塵曝露も危険因子となりうるが、危険因子が特定できないことも臨床的にはありうる。
3. 上気道炎症状（いわゆる感冒・風邪）で受診された場合に、これまで明らかでなかったCOPD症状が顕在化することがしばしばある。
   a. 喘鳴を訴える、あるいは聴取する。
   b. 労作時の呼吸困難を訴える、倦怠感が強い。
   c. 回復に時間がかかる。
   d. 風邪症状を繰り返す。
4. 日常診療では、症状がCOPDに矛盾しない場合では、気管支拡張薬を吸入しない状態でのスパイロメトリーでも十分である場合も多い。

5. 初期評価すべき併存症・合併症
（詳細は第Ⅰ章-G. 全身の併存症/H. 肺の合併症を参照）

下記の合併症・併存症は、COPDの経過に影響を与える、あるいはCOPDの経過が併存症に影響を与えることが知られている。診断と同時に、あるいは診断後早期に

第Ⅱ章　診　断

評価することが望ましい。

1. COPD増悪の関連因子：気管支拡張症、GERD、嚥下機能低下、後鼻漏・慢性気管支炎症状
2. COPD増悪が経過に影響を与える併存症：骨密度低下、虚血性心疾患
3. COPDの予後悪化因子：心不全、心房細動、冠動脈疾患、肺線維症、肺がん、消化性潰瘍、食道がん、膵臓がん、肝硬変、糖尿病性神経障害、不安

6.　課　題

1. FEV₁/FVCが70％未満を異常と定義すると、高齢者になるにしたがって過剰診断となることが指摘されているため、年齢ごとのLLNを閾値とする考え方もある。また、FVCはVCよりも低値となることもあるため、FEV₁/VC 70％未満を気流閉塞陽性の閾値とする考え方もある[1]。
2. FEV₁/FVCが70％以上であっても、COPD様の症状があれば経過中に呼吸器症状増悪を経験することが報告されている[2]。CT検診などで、閉塞性障害のない気腫性病変もしばしば発見される。これらをどのように定義するか、今後の課題である。
3. 大規模コホート研究で、閉塞性障害は認めないが（FEV₁/FVC≧0.7）、FEV₁の低下（FEV₁＜80％ pred）している一群が注目されている。この集団はPRISmと呼ばれ、肺機能が低下しているが、COPDのスパイロメトリー定義には該当しない。不均一な集団と考えられるが、COPDに移行する症例も多く[3]、これらの症例の特徴や予後、適切な治療法については、よ

り詳細な検討が必要である。

4. COVID-19パンデミック時には、呼吸機能検査は飛沫感染、エアロゾル感染を誘発するリスクがあるため、JRSでは「COVID-19流行期日常診療における慢性閉塞性肺疾患(COPD)の作業診断と管理手順」を発表した（**第Ⅲ章-F. COPDの医療連携-図2参照**）[4]。今後、この作業診断の手順が有効であるかどうかを検証していく必要がある。

References

Ⅱ-A-2.　診断の必要条件

1) Mochizuki F, Iijima H, Watanabe A, et al. The Concavity of the Maximal Expiratory Flow-Volume Curve Reflects the Extent of Emphysema in Obstructive Lung Diseases. Sci Rep. 2019；9：13159. ［Ⅳb］

Ⅱ-A-6.　課題

1) Fortis S, Comellas AP, Bhatt SP, et al. Ratio of FEV₁/Slow Vital Capacity of ＜ 0.7 Is Associated With Clinical, Functional, and Radiologic Features of Obstructive Lung Disease in Smokers With Preserved Lung Function. Chest. 2021；160：94-103. ［Ⅳa］
2) Woodruff PG, Barr RG, Bleecker E, et al. Clinical Significance of Symptoms in Smokers with Preserved Pulmonary Function. N Engl J Med. 2016；374：1811-21. ［Ⅳb］
3) Wijnant SRA, De Roos E, Kavousi M, et al. Trajectory and mortality of preserved ratio impaired spirometry：the Rotterdam Study. Eur Respir J. 2020；55：1901217. ［Ⅳa］
4) 日本呼吸器学会. COVID-19流行期日常診療における慢性閉塞性肺疾患（COPD）の作業診断と管理手順. 2021. https://www.jrs.or.jp/covid19/file/OLD_20210108_att.pdf（accessed 2022-04-26）［Ⅵ］

B. 病期分類

B. 病期分類

POINTS

● COPD の病期分類には、予測 1 秒量に対する比率（% FEV$_1$）を用いる。
● Ⅰ期：軽度の気流閉塞（% FEV$_1$≧80%）、Ⅱ期：中等度の気流閉塞（50%≦% FEV$_1$＜80%）、Ⅲ期：高度の気流閉塞（30%≦% FEV$_1$＜50%）、きわめて高度の気流閉塞（% FEV$_1$＜30%）、の 4 段階とする。

1. 気流閉塞に基づく病期分類

COPD の病期は、伝統的に気流閉塞の障害の程度で分類されてきた[1,2]。指標としては予測 1 秒量に対する比率（% FEV$_1$）を用いる。この理由として、診断に用いる FEV$_1$/FVC は、分母の FVC の値に影響され、疾患進行により FVC の低下が FEV$_1$ の低下よりも顕著であると、FEV$_1$/FVC が上昇するというパラドックスが生じうるからである。表 1 に % FEV$_1$ に基づいた病期分類を示す。

2. 正常値に関する留意点

これまで採用されてきた日本呼吸器学会肺生理専門委員会 2001 の正常予測式を表 2 に示す[1]。しかしながら、コンピューターの発達によって、より実測値に近い予測式が 2014 年に発表された[2]。この計算方法は線形（年齢と一次直線の関係）ではないため、計算がやや煩雑であり、JRS のウェブサイトで Microsoft excel を用いた計算式がダウンロード可能である[3]。本表を用いると、日本人の LLN も計算可能であり、今後のデータ集積が期待できる。2022 年 1 月の現状では、臨床現場ではまだ旧予測式（2001 年版）が頻用されているが、2014 年版の普及と臨床知見の集積と JRS による全国的な新予測式の検証に期待したい。

References

Ⅱ-B-1. 気流閉塞に基づく病期分類

1) 日本呼吸器学会 COPD ガイドライン第4版作成委員会（編）. COPD（慢性閉塞性肺疾患）診断と治療のためのガイドライン第4版. 東京：メディカルレビュー社；2013.［Ⅵ］

表1 COPD の病期分類

	病期	定義
Ⅰ期	軽度の気流閉塞	%FEV$_1$≧80%
Ⅱ期	中等度の気流閉塞	50%≦%FEV$_1$＜80%
Ⅲ期	高度の気流閉塞	30%≦%FEV$_1$＜50%
Ⅳ期	きわめて高度の気流閉塞	%FEV$_1$＜30%

気管支拡張薬投与後の FEV$_1$/FVC 70%未満が必須条件。

表2 日本人のスパイロメトリー正常予測値

男性
VC（L） ＝0.045×身長（cm）－0.023×年齢－2.258
FVC（L） ＝0.042×身長（cm）－0.024×年齢－1.785
FEV$_1$（L） ＝0.036×身長（cm）－0.028×年齢－1.178

女性
VC（L） ＝0.032×身長（cm）－0.018×年齢－1.178
FVC（L） ＝0.031×身長（cm）－0.019×年齢－1.105
FEV$_1$（L） ＝0.022×身長（cm）－0.022×年齢－0.005

（文献1より引用）

2) Global Initiative for Chronic Obstructive Lung Disease (GOLD). GOLD 2021 Report. 2020. 2021. https://goldcopd.org/2021-gold-reports/（accessed 2021-11-22）［Ⅵ］

Ⅱ-B-2. 正常値に関する留意点

1) 日本呼吸器学会肺生理専門委員会（編）. 日本人のスパイログラムと動脈血液ガス分圧基準値. 日呼吸会誌. 2001；39：巻末14ページ.［Ⅳa］

2) Kubota M, Kobayashi H, Quanjer PH, et al. Reference values for spirometry, including vital capacity, in Japanese adults calculated with the LMS method and compared with previous values. Respir Investig. 2014；52：242-50.［Ⅳb］

3) 日本呼吸器学会肺生理専門委員会. LMS 法による日本人のスパイロメトリー新基準値. 2014. https://www.jrs.or.jp/activities/guidelines/statement/20160721155135.html（accessed 2022-04-01）［Ⅵ］

第Ⅱ章　診　断

C.　病型分類

POINTS

◉ 古典的には、肺気腫と慢性気管支炎、pink puffer と blue bloater という分類がある。

◉ 本邦では、CT 検査が容易に施行可能という利点を活かして気腫型と非気腫型（おそらく気道病変優位な症例）と分類され、気腫性病変の程度と臨床像にさまざまな知見が集積されている。非気腫型では、喘息など他疾患との鑑別が問題となる。

◉ 増悪しやすい一群（frequent exacerbator）や、rapid decliner という一群が提唱され、濃厚治療の対象群と目される。

◉ 病型分類の視点は多様であり、治療法の発展と臨床経過の知見が集積されるとともに、新たな有用な病型分類が提唱されると考えられる。

1. 病型の定義

　COPD は気流閉塞によって定義される疾患であるが、気流閉塞は気腫性病変と気道病変の両者によって成立し[1]、それぞれの病変と関連する要因は遺伝素因、環境因子など多岐にわたると考えられる。そのため、臨床像は一様ではなく、詳細な病態の解明、予後の予測や治療の最適化のためには、いくつかの亜集団＝病型に分類することが必要と考えられる[2,3]。ここでは、COPD の病型を「疾患の経過、予後や治療反応が異なる（可能性のある）一定の傾向をもった亜集団」と定義する。

2. 古典的病型分類

　古典的には、やせと赤ら顔で肺気腫型の「pink puffer」と、肥満と青ざめた顔で慢性気管支炎型の「blue bloater」という病型が提唱されてきた[1]。HRCT による検証においても、気腫はるいそうと密接に関連していることが示されている[2]。また、いわゆる慢性気管支炎症状（咳、痰）は増悪、頻回入院、予後不良の関連因子とされる[3]。

3. 気腫型と非気腫型

　本邦では、HRCT により、気腫性病変が目立つ気腫型と、そうでない非気腫型（おそらく気道病変優位な症例）に分類されてきた[1]。ただし、呼吸機能障害が軽度であれば気腫性病変が目立たなくても当然であるため、二者の区別を定量的に記述することは困難である。本邦では気腫型が多いと考えられている。気腫の分布と重症度は遺伝的素因[2]や FEV_1 の低下[3,4]、予後[5,6]、骨粗鬆症[7]、身体活動性や筋肉量と関連し[6]、増悪で進行する[8]ことが報告されており、気腫に注目することは重要と考えられる。非気腫型では、喘息・閉塞性細気管支炎など、他の気道病変を主体とする疾患との鑑別が問題となる。CT による定量的検討では、気腫性病変と気道病変の両方が多いフェノタイプは呼吸困難などの症状が強く、増悪を起こしやすいとされる[9]。

4. その他の病型

　FEV_1 低下速度の速い一群（rapid decliner）や[1]、頻回増悪群（frequent exacerbator）といった臨床経過に着目した分類もある[2]。頻回の増悪には、胃食道逆流症状が密接に関与しており[3]、合併症・依存症に注目した病型分類も今後提唱される可能性がある。

　2019 年に、1 つのデバイスに LAMA/LABA/ICS を配合した薬剤が上市され、ICS を含む製剤の適正処方が議論となっている。末梢血好酸球増多が ICS の薬効の指標となることが提唱され、好酸球数に注目した分類が定着するかもしれない[4,5]。

References

Ⅱ-C-1. 病型の定義

1) Nakano Y, Muro S, Sakai H, et al. Computed tomographic measurements of airway dimensions and emphysema in smokers. Correlation with lung function. Am J Respir Crit Care Med. 2000；162：1102-8.［Ⅳb］

2) Han MK, Agusti A, Calverley PM, et al. Chronic obstructive pulmonary disease phenotypes：the future of COPD. Am J Respir Crit Care Med. 2010；182：598-604.［Ⅵ］

3) Carolan BJ, Sutherland ER. Clinical phenotypes of chronic obstructive pulmonary disease and asthma：recent advances. J Allergy Clin Immunol. 2013；131：627-34；quiz 635.［Ⅵ］

Ⅱ-C-2. 古典的病型分類

1) Blue bloater：pink puffer. Br Med J. 1968；2：677.［Ⅵ］

2) Ogawa E, Nakano Y, Ohara T, et al. Body mass index in male patients with COPD：correlation with low attenuation areas on CT. Thorax. 2009；64：20-5.［Ⅳb］

3) Miravitlles M. Cough and sputum production as risk factors for poor outcomes in patients with COPD. Respir Med. 2011；105：1118-28.［Ⅵ］

Ⅱ-C-3. 気腫型と非気腫型

1) 日本呼吸器学会 COPD ガイドライン第4版作成委員会（編）. COPD（慢性閉塞性肺疾患）診断と治療のためのガイドライン第4版. 東京：メディカルレビュー社；2013.［Ⅵ］

2) Ito I, Nagai S, Handa T, et al. Matrix metalloproteinase-9 promoter polymorphism associated with upper lung dominant emphysema. Am J Respir Crit Care Med. 2005；172：1378-82.［Ⅳb］

3) Nishimura M, Makita H, Nagai K, et al. Annual change in pulmonary function and clinical phenotype in chronic obstructive pulmonary disease. Am J Respir Crit Care Med. 2012；185：44-52.［Ⅳa］

4) Tanabe N, Muro S, Tanaka S, et al. Emphysema distribution and annual changes in pulmonary function in male patients with chronic obstructive pulmonary disease. Respir Res. 2012；13：31.［Ⅳa］

5) Haruna A, Muro S, Nakano Y, et al. CT scan findings of emphysema predict mortality in COPD. Chest. 2010；138：635-40.［Ⅳb］

6) Tanimura K, Sato S, Fuseya Y, et al. Quantitative Assessment of Erector Spinae Muscles in Patients with Chronic Obstructive Pulmonary Disease. Novel Chest Computed Tomography-derived Index for Prognosis. Ann Am Thorac Soc. 2016；13：334-41.［Ⅳa］

7) Ohara T, Hirai T, Muro S, et al. Relationship between pulmonary emphysema and osteoporosis assessed by CT in patients with COPD. Chest. 2008；134：1244-9.［Ⅳb］

8) Tanabe N, Muro S, Hirai T, et al. Impact of exacerbations on emphysema progression in chronic obstructive pulmonary disease. Am J Respir Crit Care Med. 2011；183：1653-9.［Ⅳa］

9) Van Tho N, Ogawa E, Trang le TH, et al. A mixed phenotype of airway wall thickening and emphysema is associated with dyspnea and hospitalization for chronic obstructive pulmonary disease. Ann Am Thorac Soc. 2015; 12: 988-96.［Ⅳa］

Ⅱ-C-4. その他の病型

1) Nishimura M, Makita H, Nagai K, et al. Annual change in pulmonary function and clinical phenotype in chronic obstructive pulmonary disease. Am J Respir Crit Care Med. 2012；185：44-52.［Ⅳa］

2) Hurst JR, Vestbo J, Anzueto A, et al. Susceptibility to exacerbation in chronic obstructive pulmonary disease. N Engl J Med. 2010；363：1128-38.［Ⅳa］

3) Terada K, Muro S, Sato S, et al. Impact of gastro-oesophageal reflux disease symptoms on COPD exacerbation. Thorax. 2008；63：951-5.［Ⅳa］

4) Chalmers JD, Laska IF, Franssen FME, et al. Withdrawal of inhaled corticosteroids in COPD：a European Respiratory Society guideline. Eur Respir J. 2020；55：2000351.［Ⅵ］

5) Nici L, Mammen MJ, Charbek E, et al. Pharmacologic Management of Chronic Obstructive Pulmonary Disease. An Official American Thoracic Society Clinical Practice Guideline. Am J Respir Crit Care Med. 2020；201：e56-e69.［Ⅵ］

第Ⅱ章　診　断

D. 臨床所見

POINTS

- ◉ COPD に多い症状は、労作時の呼吸困難（息切れ）、慢性の咳と痰である。
- ◉ 症状は mMRC、CAT などの質問票を用いて、客観的に評価することができる。
- ◉ COPD の病初期では自覚症状や身体所見は出現しないことが多い。
- ◉ IPAG や COPD-PS、COPD-Q などの質問票は COPD のスクリーニングに利用できる。

1. 問診（医療面接）、質問票

a. COPD の症状と問診のポイント

　喫煙歴のある 40 歳以上の成人で、労作時の呼吸困難（息切れ）や慢性の咳・痰がある場合、COPD を疑う。また、生活習慣病、特に心血管疾患を有する人も COPD のスクリーニングの対象である[1]。

　病初期では無症状のことが多く、医療機関への自発的な受診は中等症以上の患者が多い。咳と痰は COPD の早期から、呼吸困難に先行して自覚することもある。呼吸困難はある程度進行してから持続的に、あるいは反復性に生じることが多いが、これらは非特異的な症状であるため、加齢や風邪によるものとして見過ごされていることも多い。また、無症状あるいは症状を自覚していない COPD 患者もまれでない。したがって、COPD の診断には、まず COPD を疑うことが大切である。

　病態が進行すると、労作時の呼吸困難が明瞭となり、日常生活に支障を来しはじめる。さらに進行すると症状は持続性となり、呼吸困難の悪化とともに呼吸不全、右心不全、体重減少などがみられることも多い。このように、症状は進行性であり、年単位でゆっくり進行・悪化するのが特徴であると考えられてきたが[2]、近年の研究では長期にわたって状態が安定する症例もまれではないことが報告されている[3]。

　一方、COPD の病期と症状とは必ずしも一致せず、注意を要する。病期が進行しても症状を自覚しないか過小評価している患者の多くは、増悪により急激に悪化するまで医療機関を受診しない。治療によって症状が軽快してはじめて過去の息苦しさを自覚することもある。また、詳細に問診すると、患者は病院を受診する何年も前から息切れがあり次第に悪化してきたことや、風邪をひく機会が多くなったこと、あるいは日常生活にいくらか支障を来すようになった、年齢のせいかと思っていた、などのエピソードを有することが多い。また、呼吸困難を回避するために無意識のうちに活動を自己制限してしまい、呼吸困難を強いて訴えることがない場合もある。日常の行動や活動パターンの変化に関する問診が重要である。反対に、病期が早期にもかかわらず呼吸困難を強く訴える患者もいる。

1）呼吸困難（息切れ）

　COPD の最も特徴的な症状である呼吸困難は、最初は労作時にみられる。呼吸困難の程度を評価する簡便な方法として、mMRC の質問票[4] がよく用いられている（表1）。mMRC は健康状態を評価する他の指標[5] との相関性に優れており、将来の死亡の危険性を予測することもできる[6]。

　COPD の呼吸困難は、多少の日々の変動があるが、基本的に持続的で進行性であるのが特徴である[7]。早期には階段や坂道を上がるときに気づく程度であるが、呼吸機能が悪化すると呼吸困難が進み、同年代の人と同じ早さで歩けないことや、軽い体動でも呼吸困難が出現するようになる。進行期には、着替えや洗面などの日常の体動や安静時にも呼吸困難がみられるようになり、QOL が低下する原因となる。

2）慢性咳嗽

　慢性咳嗽は COPD の症状の 1 つであるが[8]、患者は喫煙や風邪のせいだと考えて軽視していることがある。咳は最初のうちは間欠的であるが、後に毎日みられるよう

表1 呼吸困難（息切れ）を評価する mMRC 質問票

グレード分類	あてはまるものにチェックしてください（1つだけ）	
0	激しい運動をした時だけ息切れがある。	☐
1	平坦な道を早足で歩く、あるいは緩やかな上り坂を歩く時に息切れがある。	☐
2	息切れがあるので、同年代の人よりも平坦な道を歩くのが遅い、あるいは平坦な道を自分のペースで歩いている時、息継ぎのために立ち止まることがある。	☐
3	平坦な道を約100m、あるいは数分歩くと息継ぎのために立ち止まる。	☐
4	息切れがひどく家から出られない、あるいは衣服の着替えをする時にも息切れがある。	☐

呼吸リハビリテーションの保険適用については、旧 MRC のグレード2以上、すなわち上記 mMRC のグレード1以上となる。

になり、1日中持続することもある。一般には痰を伴うことが多いが、乾性咳のこともある。一方、気流閉塞が顕著でも咳がない場合もあり、慢性咳嗽の鑑別が重要となる場合もある（『咳嗽・喀痰の診療ガイドライン2019』を参照）。

3）慢性の痰

2年連続して年間3ヵ月以上、常に痰がある状態が慢性気管支炎の疫学的定義であり[9]、咳、痰は慢性気管支炎症状と記載されることもある。しかし、気流閉塞を伴わないが慢性気管支炎の症状を来す症例もあり、本定義は必ずしも実際の COPD 患者の状況を反映するものではない。患者によっては痰を喀出せずに飲み込んでいることもあり、痰の喀出習慣は文化や性別によっても異なるので、喀痰症状を正確に評価することは難しい。膿性の痰は白血球の存在を反映しており[10]、気道感染や増悪の徴候の可能性がある[11]。大量の痰がある場合には、気管支拡張症も疑われる。

4）喘　鳴

喘鳴は非特異的な症状で、日によって異なり、1日の間でも変動することがある。重症や最重症の COPD 患者でみられることがある。安定期 COPD では喘鳴を認めることは比較的まれであり、気道感染の合併時や増悪期において、しばしば喘鳴を伴う。喘鳴が明らかな場合には、喘息や心不全あるいはそれらの併存の可能性があり、特に喘鳴の日内変動が明瞭である場合は気管支喘息ないしは合併（ACO）の鑑別診断が重要となる。

5）その他の症状

COPD が進行すると、体重減少や食欲不振が出現することがある[12]。これらは予後に影響する因子であるが[13]、他疾患（肺結核、悪性腫瘍など）の合併による場合もあるので注意する。咳の発作中に胸郭内圧が急激に上昇して咳嗽失神を起こしたり、激しい咳のために肋骨を骨折したりすることもある。下肢の浮腫は肺性心を疑う重要な徴候であり、主訴の1つである場合もある。

COPD では多彩な全身の併存症がみられることが多く、治療や予後に影響するため、不安や抑うつなどの精神症状、心疾患、悪性腫瘍、骨粗鬆症、骨格筋異常などを疑わせる症状についてもよく問診することが必要である[14,15]。また、これらの疾患に COPD が併存することにも留意する。

6）患者の活動状態

COPD による活動性の制限、欠勤、経済的影響、家庭生活への影響、不安や抑うつなどの影響を評価しておく。

7）生活歴、家族歴、既往歴

COPD の危険因子として、最も重要なのはタバコ煙であり、喫煙歴を正確に聴取する必要がある。また、その他の危険因子として、職業上の粉塵や化学物質、家庭での調理や暖房の燃料による煙の吸入歴を聴取する。また、結核、喘息、アレルギー、副鼻腔炎、鼻ポリープ、小児期の下気道感染症やその他の呼吸器疾患の既往歴、COPD や呼吸器疾患の家族歴についても聴取する。

b．質問票

COPD の症状（呼吸困難、咳、痰）や日常生活、健康状態の評価は、患者の主観的な訴えに左右される。そこで COPD による患者の日常生活に対する影響を客観的に評価するために、以下の質問票が広く用いられている。

●mMRC 質問票（表1）[4]：日常生活に対する呼吸困難（息切れ）の影響を測定
●CAT（表2）[16,17]：8項目の健康状態の障害を評価する質問票。スコア範囲は0～40点で、代表的な疾患特異的な QOL 質問票の SGRQ との相関も良好である。COPD が全身性疾患であり、息切れだけでない包括的な症状の評価として、使用を勧められる。

第Ⅱ章 診 断

表2 CAT質問票

その他、海外では、CCQ[18]も用いられている。

また、COPDにみられる症状を点数化することにより、系統的にCOPDの可能性をスクリーニングする質問票も考案されている。このなかで、国際的および本邦においても有用性が確認されたものに、IPAG質問票[19]（COPD関連症状と危険因子を測定）やCOPD-PS[20]があり、日本人を対象としたCOPD-Qも開発されている（表3）[21]。COPD-PSおよびCOPD-Qは設問数が5問と少なく、簡便である。

2. 身体所見

身体所見は患者の病態を把握するうえで重要である。

身体所見のみから早期のCOPDを診断することは困難である。進行期身体所見では、意識レベル・血圧・脈拍・体温などのバイタルサイン、外見上の年齢、呼吸補助筋の形状や活動性、栄養状態、脱水・浮腫・チアノーゼ・冷汗の有無などに注意を払う。胸部X線写真などの画像と相補的にみていくことも有用である。

a. 視 診

重症以上の進行例では肺の過膨張による胸郭の拡張と、呼吸機能の低下や低酸素血症による呼吸仕事量の増加の結果、以下のような特徴的な身体所見が認められる。

1）樽状胸郭（barrel chest）

COPDによる肺の過膨張のために、肋骨が水平となる「樽型」の胸郭となる。また、胸骨上縁より甲状軟骨下縁までの距離が短縮し、見かけ上"気管の短縮"が認められることもある。

2）呼気の延長と口すぼめ呼吸

進行した病期では、気流閉塞を反映して呼気の延長がみられる。強制呼出や体動などで呼気延長が誘発・強調されうる。口すぼめ呼吸が自然にみられる場合がある。

3）呼吸運動と胸郭の異常

胸鎖乳突筋などの呼吸補助筋の利用が増強されるため、特徴的な肥大を呈する。また、吸気時には、肋間や鎖骨上窩の陥入がみられる。最重症例では、横隔膜が極端に低位平担化すると、吸気時に下部胸郭が拡張せず、逆に内側へ陥凹する奇異呼吸様の動きがみられるようになる（Hoover徴候）。呼吸筋疲労で横隔膜運動が低下した場合にも奇異呼吸がみられる。

4）チアノーゼ

口唇、顔面、指尖などで観察されるが、低酸素血症以外にも静脈うっ血、心拍出量減少、末梢血管収縮などでみられる。自然光下での観察が原則である。

表3 COPD-Q

| お名前 | 記入日 |
| | 年　　月　　日 |

COPDスクリーニングのための質問票（COPD-Q）

1. 現在、おいくつですか？

40～49歳 □0点　　50～59歳 □1点　　60～69歳 □2点　　70歳以上 □3点

2. かぜをひいていないのに、たんがからんでせきをすることがありますか？

いつも □1点　　ほとんどいつも □1点　　ときどき □1点　　まれに □0点　　ほとんどない □0点

3. 走ったり、重い荷物を運んだりしたとき、同年代の人と比べて息切れしやすい方ですか？

はい □1点　　いいえ □0点

4. この一年間で、走ったり、重い荷物を運んだりしたとき、ゼイゼイやヒューヒューを感じることがありましたか？

いつも □2点　　ほとんどいつも □1点　　ときどき □0点　　まれに □0点　　ほとんどない □0点

5. これまで、たばこをどれくらい吸いましたか？（　）に数字を記入し、次の計算をしてください。

1日の平均本数（　　　　）×喫煙年数（　　　　）＝合計（　　　　）

合計はどれですか？

吸わない □0点　　1～399 □1点　　400～999 □2点　　1,000以上 □3点

各質問の点数を足して合計点を計算してください。

1の点数（　）＋2の点数（　）＋3の点数（　）＋4の点数（　）＋5の点数（　）

＝ 総合点（　　　　）

総合点が4点以上でCOPD（慢性閉塞性肺疾患）にかかっている可能性があります。
医療機関を受診し、呼吸機能検査を受けることをおすすめします。

Int J Chron Obstruct Pulmon Dis 2017；12：1469.

5）ばち指（clubbed finger）

COPD単独でみられることはまれである。COPD患者でばち指がみられた場合、肺がんや間質性肺炎・肺線維症の合併に注意が必要である。

6）呼吸不全あるいは右心不全の徴候

頸静脈の怒張、肝腫大、下腿浮腫などがあれば、右心不全や呼吸不全を疑う。頸静脈の怒張と足首の圧痕浮腫は、肺性心を示唆する最も有用な臨床的徴候である。

b. 触診および打診

1）心尖拍動

肺の過膨張により心尖拍動の検出が難しい場合がある。

2）肝触知

肺の膨張により肝臓が下方へ移動し、肝臓が肥大していないのに容易に触れることがある。

第Ⅱ章 診 断

3) その他

呼吸補助筋の過剰活動は視診だけではなく、手掌を軽く胸壁に当てて呼吸させると鋭敏に検出できることがある。声音振盪（vocal fremitus、tactile fremitus）は高度のCOPDでは減弱する。打診では鼓音を呈し、また深呼吸に伴う横隔膜の運動範囲が制限される。

c. 聴 診

1) 呼気延長・呼吸音の減弱

呼気の延長がみられる。呼吸音、特に肺胞呼吸音が減弱していることもあるが、COPDに特徴的な所見ではない[1]。肺炎や無気肺などにより音の伝播がよくなる場合には、気管支呼吸音が強調されて聴こえることがある。

2) 異常呼吸音（副雑音）

断続性ラ音でやや低調なcoarse cracklesや、連続性ラ音が聴取されることがある。これらの副雑音は気道平滑筋の収縮、気道分泌物の増加などに起因する。連続性ラ音は細い気管支から生じる高調性のwheezeと太い気道から生じる低調性のrhonchusに分けられる。安静呼吸中の喘鳴は気流閉塞の有用な指標である。努力性呼気時にのみ喘鳴が聴取される場合もあるが、必ずしもCOPDに限らない。

3) 心 音

心音の最強点が移動し、剣状突起領域で最もよく聴き取れる。肺高血圧を合併すると、Ⅱp音の亢進を認めることがある。

References

Ⅱ-D-1. 問診（医療面接）、質問票

1) Onishi K, Yoshimoto D, Hagan GW, Jones PW. Prevalence of airflow limitation in outpatients with cardiovascular diseases in Japan. Int J Chron Obstruct Pulmon Dis. 2014；9：563-8. [Ⅳb]

2) Oga T, Nishimura K, Tsukino M, et al. Longitudinal deteriorations in patient reported outcomes in patients with COPD. Respir Med. 2007；101：146-53. [Ⅳa]

3) Nishimura M, Makita H, Nagai K, et al. Annual change in pulmonary function and clinical phenotype in chronic obstructive pulmonary disease. Am J Respir Crit Care Med. 2012；185：44-52. [Ⅳa]

4) Global Initiative for Chronic Obstructive Lung Disease (GOLD). Global Strategy for Prevention, Diagnosis and Man-agement of Chronic Obstructive Pulmonary Disease 2021 Report. 2020. https://goldcopd.org/wp-content/uploads/2020/11/GOLD-REPORT-2021-v1.1-25Nov20_WMV.pdf（accessed 2022-04-22）[Ⅵ]

5) Bestall JC, Paul EA, Garrod R, et al. Usefulness of the Medical Research Council（MRC）dyspnoea scale as a measure of disability in patients with chronic obstructive pulmonary disease. Thorax. 1999；54：581-6. [Ⅳb]

6) Nishimura K, Izumi T, Tsukino M, et al. Dyspnea is a better predictor of 5-year survival than airway obstruction in patients with COPD. Chest. 2002；121：1434-40. [Ⅳa]

7) Oga T, Tsukino M, Hajiro T, et al. Analysis of longitudinal changes in dyspnea of patients with chronic obstructive pulmonary disease：an observational study. Respir Res. 2012；13：85. [Ⅳa]

8) Georgopoulas D, Anthonisen NR. Symptoms and signs of COPD. Cherniack NS, editor. Chronic obstructive pulmonary disease. Toronto：W.B. Saunders；1991. p.357-63. [Ⅵ]

9) Definition and classification of chronic bronchitis for clinical and epidemiological purposes. A report to the Medical Research Council by their Committee on the Aetiology of Chronic Bronchitis. Lancet. 1965；1：775-9. [Ⅵ]

10) Hill AT, Bayley D, Stockley RA. The interrelationship of sputum inflammatory markers in patients with chronic bronchitis. Am J Respir Crit Care Med. 1999；160：893-8. [Ⅳb]

11) Stockley RA, O'Brien C, Pye A, et al. Relationship of sputum color to nature and outpatient management of acute exacerbations of COPD. Chest. 2000；117：1638-45. [Ⅳa]

12) Schols AM, Soeters PB, Dingemans AM, et al. Prevalence and characteristics of nutritional depletion in patients with stable COPD eligible for pulmonary rehabilitation. Am Rev Respir Dis. 1993；147：1151-6. [Ⅳb]

13) Schols AM, Slangen J, Volovics L, et al. Weight loss is a reversible factor in the prognosis of chronic obstructive pulmonary disease. Am J Respir Crit Care Med. 1998；157：1791-7. [Ⅲ]

14) Agusti A, Calverley PM, Celli B, et al. Characterisation of COPD heterogeneity in the ECLIPSE cohort. Respir Res. 2010；11：122. [Ⅳa]

15) Divo M, Cote C, de Torres JP, et al. Comorbidities and risk of mortality in patients with chronic obstructive pulmonary disease. Am J Respir Crit Care Med. 2012；186：155-61. [Ⅳa]

16) COPDアセスメントテスト（CAT）. http://www.gold-jac.jp/support_contents/cat.html（accessed 2021-03-12）[Ⅵ]

17) Tsuda T, Suematsu R, Kamohara K, et al. Development of the Japanese version of the COPD Assessment Test. Respiratory Investig. 2012；50：34-9. [Ⅳb]

18) van der Molen T, Willemse BW, Schokker S, et al. Development, validity and responsiveness of the Clinical COPD Questionnaire. Health Qual Life Outcomes. 2003；1：13. [Ⅳ

D. 臨床所見

a]

19) International Primary Care Airways Group（IPAG）. IPAG 診断・治療ハンドブック日本語版 慢性気道疾患プライマリケア医用ガイド2005. [Ⅵ]

20) COPD 集団スクリーニング質問票（COPD-PS）. http://www. gold-jac.jp/support_contents/copd-ps.html（accessed 2021-03-12）[Ⅳ]

21) Samukawa T, Matsumoto K, Tsukuya G, et al. Development of a self-scored persistent airflow obstruction screening questionnaire in a general Japanese population：the Hisayama study. Int J Chron Obstruct Pulmon Dis. 2017；12：1469-81. [Ⅳa]

Ⅱ-D-2. 身体所見

1) Badgett RG, Tanaka DJ, Hunt DK, et al. Can moderate chronic obstructive pulmonary disease be diagnosed by historical and physical findings alone? Am J Med. 1993；94：188-96. [Ⅳb]

E. 検査

1. 画像診断

> **POINTS**
> - 画像のみで COPD を診断することはできない。
> - 胸部単純 X 線写真は、進行した気腫性病変および気道病変の診断に有用であるが、早期の病変検出は困難である。
> - CT により気腫性病変と気道病変を評価することができる。
> - COPD を気腫型と非気腫型の病型に分類する際には、CT による評価が必要である。

a. 画像検査の役割

画像のみで COPD を診断することはできない。しかし、画像は COPD のいろいろな病態を反映しており、特徴的な所見を呈することが多い。さらには、画像所見によって COPD の病型を分類（気腫型と非気腫型については第Ⅱ章-C. 病型分類を参照）するなど、COPD の病態生理の理解にも役立つ[1,2]。

b. 胸部単純 X 線写真

胸部単純 X 線写真は、進行した COPD の気腫性病変および気道病変を評価し、他疾患を除外するのに有用である。典型的な COPD の胸部単純 X 線写真を図 1 に示す。胸部単純 X 線写真には、気腫性病変によって引き起こされる肺の破壊、それに伴う血管の変化、そして肺容量の増加という 3 つの要素が反映されている。正面像では、①肺野の透過性の亢進、②肺野末梢の血管陰影の細小化、③横隔膜の平低化、④滴状心（tear drop heart）による CTR の減少、⑤肋間腔の開大などがみられる。側面像では、①横隔膜の平低化、②胸骨後腔（retrosternal clear space）の拡大、③心臓後腔の拡大などがみられる[3]。また、肺高血圧を来す症例などでは、肺動脈が太く見えることがある。診断にあたって最も信頼できる所見は横隔膜の平低化であるといわれている[4]。

COPD の気道病変を示唆する所見としては気道壁の肥厚（tram line や ring shadow など）があるが、高度でない限り胸部単純 X 線写真で検出することは難しい。気道病変による air trapping のために、肺野の過膨張や透過性の亢進がみられることもある。早期の気腫性病変の検出は胸部単純 X 線写真ではできないため、その検出には CT が必要となる。

c. 胸部 CT

CT による評価には HRCT の使用が推奨される。HRCT は気腫性病変や気道病変の描出にきわめて有用である。また、CT 検査は気流閉塞を来す他疾患の鑑別にも有用である[5]。しかし、CT 画像のみで COPD を診断することはできない。

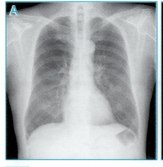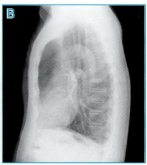

図 1 COPD の胸部単純 X 線写真

A：正面像
(1) 肺野の透過性の亢進
(2) 肺野末梢血管影の細小化
(3) 横隔膜の平低化
(4) 滴状心による心胸郭比の減少
(5) 肋間腔の開大
などが認められる。

B：側面像
(1) 横隔膜の平低化
(2) 胸骨後腔の拡大
(3) 心臓後腔の拡大
などが認められる。

E. 検査

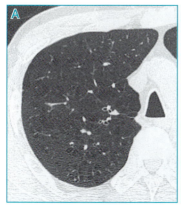 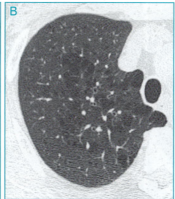 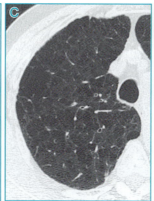 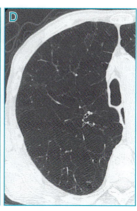

図2 気腫性病変のHRCT画像
A：Goddard分類-1点：径1cm以下の気腫性病変が散在する。
B：Goddard分類-2点：気腫性病変が癒合して大きな低吸収領域が認められる。
C：Goddard分類-3点：気腫性病変の癒合がさらに進み、低吸収領域がかなりの部分を占める。
D：Goddard分類-4点：大部分が気腫性病変で健常肺はわずかに残るのみである。

1）気腫性病変の評価

①CTの撮像方法、表示条件

CTの撮像では、X線被曝量の低減に努めるべきである。気腫性病変の定性、定量評価は低線量でも可能である[6,7]。近年では、CT装置を製造する各社が被曝低減技術を搭載した機器を発売している。

検査前には患者に息止めの必要性をよく説明するとともに、撮像時には患者の胸郭運動の静止を確認する必要がある。通常、胸部CTは深吸気位で撮像される。一方、吸気時と呼気時のCTを比較し、モザイクパターンなどによりair trappingを評価することも可能である[8,9]。

HRCTの画像再構成関数は、空間分解能を重視した高分解能アルゴリズムを用いるべきである。CT画像の表示条件はWL－700～－900、WW800～1,300程度が標準的である。3D表示は肺全体の容積や胸郭の形態を表すのに有用であり、近年ではコンピュータソフトウェアを用いて3次元的に気腫性病変や気道病変を評価することが可能である[10]。

②気腫性病変のCT像（図2）

肺気腫は病理学的に汎細葉（小葉）型、細葉（小葉）中心型、遠位細葉（小葉）型（傍隔壁型）に分類される。汎細葉型肺気腫は細葉全体の構造が破壊されるもので、CTでは肺野全体がLAAを示す。典型的な汎細葉（小葉）型は、AATDでみられる。本邦に最も多いのは細葉（小葉）中心型肺気腫で、そのほとんどが喫煙によるものである。初期の細葉（小葉）中心型肺気腫は、正常肺野に囲まれた壁のない低吸収領域として認められる。早期の

表1 肺気腫の視覚評価法（Goddardの方法）

左右、上、中、下の3レベルの合計6部位について、視覚的に肺気腫の程度を5段階評価し、6つの部位で合計したものを肺気腫スコアとする
0：肺気腫なし 1：肺気腫が肺野面積の25％以下 2：肺気腫が肺野面積の25～50％ 3：肺気腫が肺野面積の50～75％ 4：肺気腫が肺野面積の75％以上
6部位の合計　最大24ポイント

（文献12より引用）

LAAは細葉中心部にみられるが、気腫性病変が進行するとLAAが拡大・癒合して大きな低吸収域を形成するようになる[11]。病変がさらに進行すると肺野は囊胞性変化で占められ、肺実質が胸膜下にわずかに残存し、囊胞性病変の間に血管が残るのみとなる（図2）。遠位細葉（小葉）型（傍隔壁型）肺気腫は胸膜直下の細葉に限局する肺気腫で、CT画像では胸膜直下に拡大した気腔が一層に並んだような形態を示すが、細葉（小葉）中心型肺気腫に合併していることが多い。

③気腫性病変の定性的、定量的評価法

気腫性病変の評価法には、主観的な視覚評価やCT値の計測、あるいは形態的特徴の抽出による自動計測などがある。

日本では2次元的な半定量的評価法としてLAAの占める面積を視覚的に25％、50％、75％、100％に分けてスコア化するGoddardの方法（表1）がよく用いられる[12]。コンピュータを用いた定量的解析では、LAAの

第Ⅱ章　診　断

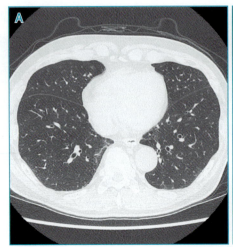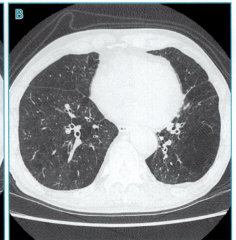

図3 COPDの気道病変
A：気道の形態は比較的正常。
B：気道内腔の狭小化・気道壁の肥厚が認められる。

CT値が正常肺野よりも低いことを利用してLAAを検出しているものが多い。CT値が一定の閾値より低い部分をLAAとして肺野に占める面積率（LAA％）を計算する方法が代表的である。LAAの閾値の設定は使用する機種や撮像条件などに依存するので、異なる機種や撮像条件で得られたデータを単純に比較することには限界がある[7,13]。したがって、LAA％に正常値は存在しない。そこで、放射線画像から得られる定量値を標準化し、臨床試験や日常臨床で使用できるよう確立することを目的とした活動が行われている[14]。

④CTによる気腫性病変評価の意義

CT検査を用いて気腫性病変の分布や病態の進展を知ることができる[15,16]。CT検査は気腫性病変の早期発見にも有用である。LAAのサイズと数の関係にはフラクタル性が存在するが、フラクタル次元の解析も気腫性病変の早期発見に有用である[17,18]。CTによる気腫性病変の評価は、DLCO、TLC、RVなどとよく相関する。

2）気道病変の評価
①CTの撮像方法

気道壁肥厚の検出にもHRCTが有用である。しかし、過度に空間分解能を強調した画像再構成関数では、壁肥厚が強調されて見えるので注意が必要である。また、気道病変の正確な評価のため、被験者に対し撮像時に過度にいきまないように指導する。

②気道病変のCT像（図3）

COPD患者ではCT画像によって気道壁肥厚の所見が認められることがある（図3）[19,20]。また、近年の機器の進歩により内径1mm程度までの末梢気道についても評価可能となっている[21,22]。

気道病変の評価にあたっては、気管支の走行方向とCT画像の交差角を意識することが大切である。CT画像と直交している気管支では、壁の肥厚や内腔の狭窄が輪切り像（ring shadow）として描出される。画像断面に平行ないし斜めに走行する気管支では、線路様の所見（tram line）としてみられるが、気道壁の厚みや内腔の見え方は気管支の走行角度によって異なって見えるため、近年では3次元的な解析が行われるようになってきた[10,21]。

③気道壁の計測法

2次元で計測されるパラメータは、気道壁の厚さ、WAや気道壁面積を気道全面積で補正した面積百分率（WA％）などがある[19]。

気道壁の評価にあたってもCTの使用機種や撮影条件、画像再構成方法の異なる施設間での計測値の単純な比較はできず、WA％に正常値は存在しない。

④CTによる気道病変評価の意義

気道病変を定量的に評価することで、薬剤の効果などを判断することができる[23-25]。また、CTを用いて気腫性病変と気道病変の両方を評価すれば、病型が「気腫型」

E. 検査

か「非気腫型」かの判断を行うことができる[1,2]。

3) 肺内血管の評価

COPD患者における肺血管の変化は特徴的な所見の1つであり、ソフトウェアを用いた血管病変のCT画像解析法なども報告されている[26,27]。

d. その他の画像診断

MRIを用いた換気スキャンが行われ、COPD患者の呼吸機能と良好な相関性が得られている[28,29]。また、COPD患者の呼吸運動に伴う胸郭や気道の動きをMRIやマルチスライスCTを用いて評価する試みも行われている[30,31]。

2. 呼吸機能検査

> **POINTS**
> - COPDの診断には、スパイロメトリーによる気流閉塞の検出が必要である。
> - 閉塞性換気障害（FEV_1/FVC が70%未満）を気流閉塞の判断基準とし、気管支拡張薬吸入後の測定値を用いて評価を行う。
> - COPDのガス交換機能の低下は、DL_{CO} の低下を指標とする。

COPD患者の呼吸機能障害は以下の所見に代表される（第Ⅰ章-F. 病態生理も参照）。
① 気流閉塞
② 肺弾性収縮圧の減少と肺気量分画の異常
③ 換気および血流の不均等、動脈血ガスの異常
④ DL_{CO} の低下

COPDの診断には気流閉塞の存在を示すことが必須であり、スパイロメトリーによる閉塞性換気障害の有無によって判断する。呼吸機能検査は、診断時のみでなく、経時的変化においても定量的に評価でき、病態の理解にも役立つ。

a. スパイロメトリー

測定は、呼吸機能検査ガイドライン[1,2]にしたがって行う。気流閉塞の評価では、正確な手技を用いて最大努力で呼出させることが、正しい再現性のある結果を得るために重要である。

1) スパイログラム（図4）

最大吸気位から最大努力で一気に呼気する手技（FVC手技）によって、FEV_1、FVCを求める。閉塞性換気障害（FEV_1/FVC が70%未満）を気流閉塞の判断基準とし、気管支拡張薬吸入後の測定値（例：SABA吸入15分後に測定、あるいは、SAMA吸入30分後に測定）を用いて評価を行う。

閉塞性換気障害の指標には、FEV_1 のFVCに対する比率であるGaenslerの1秒率が用いられ、その閾値としては、LLNを用いる方法もあるが、本ガイドラインでは、正常予測値に依存せず単純で、頻用されている定値（0.7）を用いている。

一方、病期の分類には予測1秒量に対する実測1秒量の比率 [% FEV_1 = 1秒量実測値/1秒量予測値 × 100（%）] を用いる（**第Ⅱ章-B. 病期分類**を参照）。なお、FEV_1 の予測値は日本呼吸器学会肺生理専門委員会2001

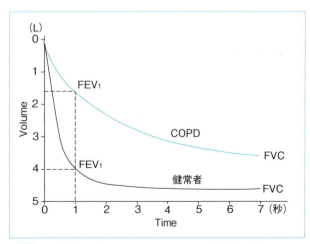

図4 健常者および重症COPD患者のスパイログラム（最大努力呼気曲線）

COPD患者では、FEV_1/FVC <0.7の閉塞性換気障害を示す。

第Ⅱ章　診　断

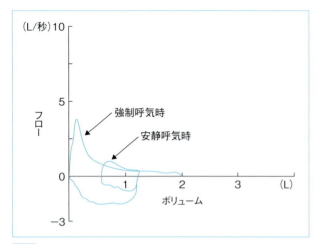

図5 高度に進行したCOPDのフロー・ボリューム曲線
強制呼気時の流量が安静呼気時の流量を下回っている。
（文献1より改変引用）

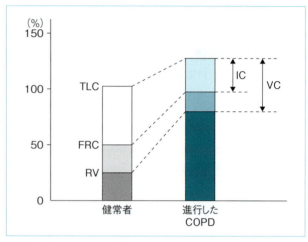

図6 健常者、COPDの肺気量分画
進行したCOPDでは、RV、FRCが増大し、VC、ICが減少する。

の正常予測式が日常臨床で頻用されているが、新しい基準値として、JRSによる日本人のスパイログラムの基準値（2014年）[3]が発表されており、学術雑誌に論文を投稿する際には、じん肺の肺機能障害や呼吸機能障害の障害認定に関する論文を除き、2014年の基準値を使用することが推奨されている。

2）フロー・ボリューム曲線

FVC手技で気流量（flow）と肺気量（volume）との関係を示した曲線であり、曲線の下降脚が「下に凸」となることがEFL[4]を起こす病変の存在を示す特徴である。進行したCOPDでは、強制呼気時に気道が虚脱して安静時の呼気流量を下回る曲線を示す症例もみられる（図5）[1]。

3）気管支拡張薬反応性検査（気道可逆性検査）[2,5]

COPDでは気管支拡張薬吸入後、さまざまな程度の不完全な気道可逆性がみられる。気管支拡張薬の吸入前後にFEV_1を測定し、その改善度を以下のように求める。

改善量（mL）　＝FEV_1（吸入後）－FEV_1（吸入前）
改善率（％）　＝改善量/FEV_1（吸入前）×100

FEV_1が12％かつ200mL以上増加すれば気管支拡張薬反応性（気道可逆性）ありと判定するが[1,2]、FEV_1の経時的な低下や増悪頻度などを予測できるものではなく[6,7]、COPDの診断に際しても、気道可逆性の有無や程度は問わない。

b．肺気量分画

COPDでは、肺弾性収縮圧の低下およびEFLにより、TLC、FRCおよびRVが増加する。当初はこれらの増加が並行して起こるためVCの変化は起こらない。しかし、COPDの進行期では、TLCに比較してRVやFRCの増加が相対的に大きくなり、VCの減少を認めるようになる。VCの分画では、臨床上、特にICの減少が重要である（図6）[8]。このように進行したCOPDでは、換気診断図上、混合性換気障害（図7）となるが、結核後遺症や間質性肺炎など肺活量が減少する病態に閉塞性換気障害が合併した典型的な混合性換気障害とは病態が異なる。肺気量分画（TLCなど）や画像情報などにより病態を鑑別することが必要である。

COPD患者の労作時では、呼吸数が増加すると吸気量に対して呼気量が追いつかなくなるため、EELVの増加、いわゆる動的肺過膨張（dynamic hyperinflation）が生じやすい。このときTLCは大きく変化しないため、動的肺過膨張によるEELVの一過性の上昇はICの一過性の減少をもたらし、労作時呼吸困難や運動耐容能の低下の原因となる[9]。

なお、スパイロメトリーでは、RVを含んだ肺気量分画を測定できないため、ガス希釈法か体プレチスモグラフ法が必要である。ガス希釈法は、ブラなどの換気が不良な部位の容量を測定できず、胸郭内気量を過小評価しうることに注意する。同様に、進行したCOPDでは、不均等換気が顕著となるため、体プレチスモグラフ法による測定値との差が大きくなりやすい。

E. 検査

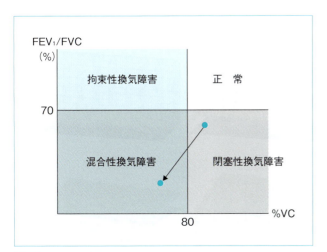

図7 COPDの進行に伴う、閉塞性換気障害から混合性換気障害への移行

c. 肺拡散能力

測定は、呼吸機能検査ガイドライン[1,2]にしたがって行う。

DLCOの測定により、肺胞気から肺毛細管内の血中への酸素の拡散能力が評価される。COPDではDLCOは低下するが、その大きな要因は、気腫性変化による肺胞壁破壊であり、肺胞ガス交換面積と肺毛細血管床を減少させることによる[10,11]。また、換気と血流の不均等分布も低下の要因となっている。CPFE（第Ⅰ章-H．肺の合併症を参照）では、VC、FEV1/FVCの低下が比較的軽度にとどまるわりにDLCOの低下が大きい[12]。その他、結果の解釈には、一般的なDLCO低下要因［肺胞膜の異常、肺毛細血管血液量、ヘモグロビン（Hb）含量など］も考慮する[11]。なお、DLCOの測定で汎用されている1回呼吸法[13]では、1回呼気中のガスから肺胞気の成分を採取する必要があるため、重症例で肺活量が低い場合にはしばしば測定が困難となりうるので留意する。

3. 強制オシレーション法

> **POINTS**
> - 安静換気下に空気振動を気道・肺へ送り込んだ後の圧と流量から一種の抵抗を測定する呼吸機能検査法である。
> - リアクタンスの吸気と呼気の差は呼気時の気流閉塞、つまり、動的肺過膨張と運動制限を反映する。
> - 本法はスパイロメトリーの代用ではなく、相補的に用いるべきである。

a. 概念

FOTは、安静換気下に空気振動（オシレーション）を口から気道ならびに肺へ送り込み、戻ってくる空気の圧と流量から呼吸インピーダンスという一種の抵抗を測定する呼吸機能検査法であり[1]、オシロメトリー法とも呼ばれる[2]。現在本邦で市販されている測定機器には、4〜36Hzの広域周波数を用いるMostGraph®とIOS®がある。いずれも約20秒間の安静換気下にRrsとXrsを連続して測定することが可能で、MostGraph®は結果がカラー3D画像で表示されるため視覚的に異常を把握することができる。診療報酬では、呼吸抵抗測定（広域周波オシレーション法を用いた場合）として150点の請求が可能で、月に1回判断料140点も請求できる。

b. 測定と解釈

強制呼出が必要不可欠なスパイロメトリーと異なり、FOTは安静換気で測定できることから、小児や高齢者、低肺機能の患者でも施行可能となる。しかし、被験者が緊張しない状態で安静換気（1回換気量約500mL、呼吸数約12回/分）を毎回正しく行うことが重要である[1]。

評価項目には、5Hzと20HzにおけるRrs（R5とR20）、その差のR5-R20、5HzにおけるXrs（X5）、Fres、ALXが頻用される。Rrsは粘性抵抗に相当し、気道抵抗や肺組織抵抗、胸郭抵抗を含んでいるが、実用的には気道径を反映する指標である。R5-R20は、Rrsが低周波数で高く、高周波数で低くなる周波数依存性の指標でCOPDで

第Ⅱ章 診 断

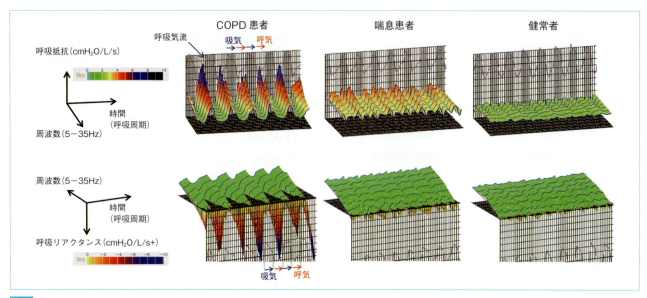

図8 COPD患者、喘息患者、健常者の典型的なMostGraph®のカラー3D画像

(文献4より改変引用)

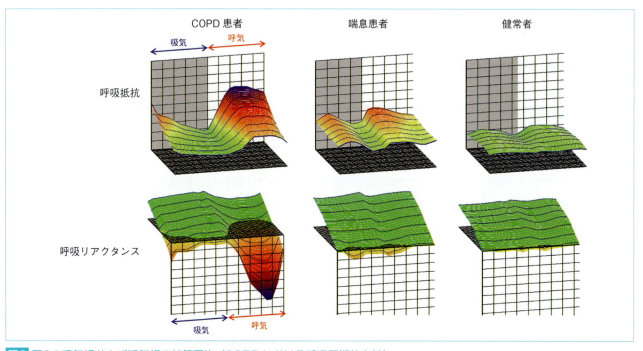

図9 図8の吸気相および呼気相の加算平均（COPDにおける呼吸周期依存性）

(文献4より改変引用)

は肺の換気不均等を反映し、上気道にオシレーションが抜ける際にも高値となる（upper airway shunt）[3,4]。Xrsは弾性と慣性に相当し、肺の実質や気道の異常（気腫、線維化、狭窄など）を反映する。平均値、吸気相、呼気相、その差（Δ）の値は目的に応じて使い分ける。

典型的なCOPD患者では、Rrsは周波数依存性を示し、Xrsは低周波数で大きくマイナスとなる（図8）[4]。また、呼気でRrsが高値、Xrsが大きくマイナスとなる呼吸周期依存性がCOPDで目立つ（図9）[4]。吸気と呼気のXrsの差、特にΔX5は重症例でみられるEFLを反映し、動的肺過膨張の存在が示唆される[5]。過去の報告によれば、ΔX5によりCOPDと喘息の鑑別が可能で[6]、

68

E. 検 査

ΔX5 高値に寄与する因子は気腫の程度、FEF25-75%、FRC、R5 であった[7]。スパイロメトリーが正常な喫煙者は、非喫煙健常者と COPD 患者の中間値を示し、COPD の早期発見に応用可能である[8]。また、COPD 患者における 5 年間の FEV_1 低下は Xrs の変化と相関し[9]、6 年間の FEV_1 と Rrs、Xrs の経年低下は増悪歴のある COPD 患者で大きく[10]、COPD 患者の 6MWT における歩行距離（350 m 未満）の予測因子は吸気 R5 であった[11]。

FOT の各指標と FEV_1 に代表されるスパイロメト リーの指標の相関は中等度に過ぎない[6]。FOT はもともとスパイロメトリーの代用ではなく、スパイロメトリーで検出できない気道や肺の異常を評価できるのが根本的な意義である。日常診療では、FOT はスパイロメトリーとの同時測定が望ましく、治療前後などの評価では FEV_1 の動きと連動するか否かを確認する。FEV_1 に変化がなく、FOT の値に変化がある場合には、わずかな気道径の変化があると判断する。

MostGraph®、IOS® ともに基準値が報告されている[12-14]。

4. 動脈血ガス分析・パルスオキシメータ

POINTS

◉ 動脈血ガス分析とパルスオキシメータは、ガス交換障害の程度や低酸素血症に関連する病態を評価する目的で行われる。

◉ パルスオキシメータで明らかな異常がなくても呼吸困難を訴える場合、動脈血ガス分析を行うべきである。

◉ COPD 患者の経過をみるためには、パルスオキシメータは必須の機器である。

a. 動脈血ガス分析

1) 目 的

動脈血ガス分析は、PaO_2、$PaCO_2$、酸塩基平衡などを評価する目的で行う。パルスオキシメータが普及し、低酸素血症の有無に関しては、動脈血ガス検査を行わずに評価できるものの、低換気・有効換気量低下による $PaCO_2$ の上昇や、酸塩基平衡異常、異常 Hb（一酸化炭素ヘモグロビンやメトヘモグロビン）の存在などを評価するためには動脈血ガス分析が必要である。特に、酸素吸入下において高二酸化炭素血症を認めている場合においては、定期的に動脈血ガス検査を施行することによって、換気状態や CO_2 ナルコーシスのリスク評価が可能となる。

2) 解 釈

①低酸素血症（hypoxemia）の病態

低酸素血症は、PaO_2 の正常予測式[1] で判断されるが、一般的にはおよそ $PaO_2 > 75Torr$ を正常と考える。また、$PaO_2 ≦ 55Torr$（$PaCO_2$ 40Torr、pH7.4、体温 37 ℃、Hb 15g/dL の条件でパルスオキシメータによる $SpO_2 ≦ 88$ ％に相当）を著しい低酸素血症とするのが一般的である。安静時の低酸素血症は病期がある程度進まないと表面化しない。労作時の PaO_2 低下は安静時 PaO_2 低下よりも先行してみられる。

$PaCO_2 > 45Torr$ を高二酸化炭素血症とする。$PaCO_2$ の増大は有効換気量低下を示唆しており、COPD の病期の進行や増悪でみられる。$AaDO_2 < 10Torr$ を正常とし、$AaDO_2 > 20Torr$ を異常な開大と考える。換気血流比不均等、拡散障害などで $AaDO_2$ は開大する。$PaCO_2$ および $AaDO_2$ 値の評価は低酸素血症を来している病態を理解することに役立つ。

②呼吸不全

呼吸不全の診断基準は、室内気吸入時の PaO_2 が 60Torr 以下となる呼吸障害、またはそれに相当する呼吸障害を呈する異常状態である[2]。その際、$PaCO_2 ≦ 45Torr$ の場合は I 型呼吸不全、$PaCO_2 > 45Torr$ の場合が II 型呼吸不全である。慢性呼吸不全は呼吸不全の状態が 1 ヵ月以上持続する場合である。慢性の呼吸器疾患例に急速な症状、所見の悪化が生じて呼吸不全に陥る場合は増悪と呼ばれる。慢性呼吸不全は COPD の進行に伴って認められる。I 型と II 型の呼吸不全のどちらの場合も

69

第Ⅱ章　診　断

ありうるが、Ⅱ型の場合にはCO_2ナルコーシスのリスク
をより強く意識する必要がある。

③呼吸性アシドーシス

呼吸性アシドーシスは、$PaCO_2$が一次的に正常上限の
45Torr を超えて増加する病態である[3]。COPD のⅡ型呼
吸不全の場合のように有効換気量が低下するとみられ
る。急性期の場合、pH < 7.35 を呈するが、$PaCO_2$高値
が持続している場合、代償性機構が働き、HCO_3^-が増
加、pH 値が是正される。

b. パルスオキシメータ

パルスオキシメータは、経皮的に拍動する動脈血中の
Hb 酸素飽和度を非侵襲的に測定する機器である。簡易
的に、かつ迅速に低酸素血症の有無を判断可能であるの
で、日常診療上、COPD 患者の経過をみていくには必須
の機器といえる。運動負荷検査や酸素吸入量調節時の酸
素飽和度変化をみるために有用である。連続測定が可能
であるので、測定値をメモリーできるタイプのパルスオ
キシメータを使用すれば、日常活動上の変化を捉えるこ
とができ、労作時や睡眠時の状態評価に用いることがで
きる。

呼吸困難を訴える場合、パルスオキシメータが正常で
あることをもって、他の何らかの異常を否定してはなら
ない。逆に SpO_2 が低下していても呼吸困難の訴えに乏
しい場合があり、見逃してはならない。動脈血ガス分析
をはじめとしてその他の必要な評価を実施し、慎重に病
態を見極めるべきである。

5. 運動負荷試験・呼吸筋の評価・睡眠検査

POINTS

- ◉ 運動負荷試験は、運動耐容能や運動制限因子の評価、重症度や予後の評価、治療の効果判定に有用である。
- ◉ 呼吸筋力の測定は、病態評価、呼吸リハビリテーション効果判定などを目的として行う。
- ◉ 睡眠に関連した症状や日中の症状悪化がみられる場合、また OSA を含む睡眠関連呼吸障害が疑われる場合には睡眠検査を考慮する。

a. 運動負荷試験

1）目　的

運動耐容能は運動能力の客観的指標であり、運動負荷
試験によって評価される。COPD においては、労作時の
末梢気道狭窄による気流閉塞、動的肺過膨張、呼吸筋の
疲労、さらには下肢筋力の低下などによって運動耐容能
は低下している。運動耐容能の低下は身体活動性や
QOL を低下させ、生命予後を悪化させるため、その評価
は、個々の症例の病態把握、重症度判定、呼吸リハビリ
テーションのプログラムおよび薬物療法の決定とそれら
の効果判定、予後予測などに有用となる。

2）運動負荷試験の種類

a）平地歩行試験[1,2]

6MWT および SWT などの平地歩行試験は、ともに健
康保険の適用とされており、臨床の場で行われている有
用な試験である。日常生活における機能障害の重症度を
評価することはできるものの、運動制限因子や労作時呼
吸困難の原因を特定することはできないことに留意す
る。

① 6MWT

6MWT は、患者が 6 分間で、できるだけ長く歩くこと
ができる距離を測定する試験である。歩行距離以外に
も、呼吸困難、酸素飽和度、心拍数なども測定する。

② SWT

SWT は、9 m の標識間（10 m コース）を SWT 用の
CD からの発信音に歩行速度を合わせ往復歩行させるも
のである。試験の終了基準は、呼吸困難がひどく歩行維

持が困難になったとき、あるいは他の理由で歩くのを止めたとき、あるいは歩行速度の維持ができなくなったときである[2]。

b) CPET[3]

CPET には一定負荷試験と漸増負荷試験があり、負荷装置にはエルゴメータやトレッドミルがある。平地歩行試験との大きな違いは呼気ガス分析を行う点である。すなわち $\dot{V}O_2$ と $\dot{V}CO_2$ が測定される。加えて、V_E、V_T、fR も測定される。漸増負荷試験において $\dot{V}O_2$ が増加しなくなった時点の $\dot{V}O_2$ が $\dot{V}O_2max$ と定義され、運動耐容能の指標となる。しかし、$\dot{V}O_2max$ を決定するには被験者の負荷が著しいため、通常は安全性を考慮して、運動終了時の $\dot{V}O_2$ である $\dot{V}O_2peak$ により運動耐容能が評価される[4]。漸増運動負荷試験において、$\dot{V}CO_2$ は $\dot{V}O_2$ と負荷量の増加に伴って同様に直線的に増加するが、$\dot{V}O_2max$ の $50 \sim 60\%$ あたりから $\dot{V}CO_2$ の直線の傾斜が増加して急峻となる。$\dot{V}O_2$ に対して $\dot{V}CO_2$ がより増加する点が AT であり、運動強度（$\dot{V}O_2$ 値）で表示する。COPD では、運動制限因子として換気以外に循環系因子や骨格筋機能の関与も考慮しなければならず、目標心拍数に達するまでに CPET が終了されることが多い。

b. 呼吸筋の評価
1) 目 的

COPD では、肺過膨張による横隔膜運動機能障害に加えて栄養障害による横隔膜以外の呼吸筋（吸息筋および呼息筋）の筋力低下が呼吸困難悪化、運動耐容能低下、身体活動性低下の原因となる。したがって、呼吸筋力の評価は、病態評価、呼吸リハビリテーションの処方および効果判定などを目的として行われる。

2) 呼吸筋力の測定法

呼吸回路を閉鎖して、肺活量をある一定の量に保ったままで最大吸気努力と最大呼気努力したときの口腔内圧をそれぞれ MIP、MEP という。とりわけ、最大呼気位（RV 位）での口腔内圧を PImax、最大吸気位（TLC 位）での口腔内圧を PEmax という。前者は全吸気筋力、後者は全呼気筋力の指標とされている。PImax あるいは PEmax には呼吸器系の弾性収縮力も含まれているので、FRC での MIP が吸気筋力、MEP が呼気筋力となる。測定にあたっては、最低 1.5 秒以上圧を維持し、1

秒間維持できた最大圧を用いる[4]。

3) 呼吸筋力の評価

COPD では病態の進行とともに PImax および PEmax ともに低下するが、前者の低下がより大きいのが一般的である。これは肺過膨張による横隔膜の平低化や吸息筋である内肋間筋の筋力低下が影響している。

c. 睡眠検査
1) 目 的

健常者においても呼吸調節および呼吸動態は覚醒時と睡眠時とでは異なるが、COPD では末梢気道、肺胞レベルの破壊、構造改変を伴うため、睡眠中の呼吸はより大きな影響を受ける。したがって、可能であれば睡眠関連呼吸障害のスクリーニングとして実施すべきである。特に、睡眠に関連した症状や日中の呼吸困難や倦怠感の悪化を認めた場合には睡眠検査を考慮する。COPD と OSA とのオーバーラップでは肺性心・右心不全のリスクおよび頻回増悪を通じて生命予後の悪化が懸念されるため、OSA の合併が疑われる際には睡眠検査は必要となる[5-7]。また、酸素療法において夜間の酸素流量の決定のために睡眠中のパルスオキシメータ測定は有用である。

2) 検査法
①パルスオキシメトリー検査

メモリー機能のあるパルスオキシメータを用いて、酸素飽和度を終夜連続的に測定する。

②経皮二酸化炭素分圧測定

2016 年から慢性呼吸器疾患患者の経皮二酸化炭素分圧の連続測定が健康保険の適用となった。同時に酸素飽和度も測定できる機種が多く、睡眠関連低換気の検出には有用である。

③睡眠ポリグラフ検査

睡眠ポリグラフ検査には、一般的に脳波を含まない限られたチャンネルを計測する携帯用装置を用いた睡眠検査と、入院のうえ脳波を含む多くのチャンネルを計測する終夜睡眠ポリグラフ検査がある。

3) 評 価

パルスオキシメトリー検査、経皮二酸化炭素分圧測定

第Ⅱ章　診　断

の場合、睡眠時間が特定できないので、睡眠日誌など行動記録表を用いて睡眠時のみを評価するようにする。具体的には、睡眠中の $SpO_2 < 90$ ％が5分以上持続する場合や睡眠全体の 10 ％以上である場合は、酸素投与や NPPV を用いた陽圧換気療法の導入を考慮する。横隔膜の活動は覚醒、ノンレム睡眠、レム睡眠で大きな影響を受けないが、内肋間筋および胸鎖乳突筋、僧帽筋、斜角筋などの補助呼吸筋は睡眠の影響を大きく受け、とりわけレム睡眠ではそれらの筋活動は著しく低下する。したがって横隔膜が平低化した COPD 患者では、レム睡眠関連低換気が生じることが多く、二酸化炭素分圧の上昇を伴った SpO_2 の低下が観察される。これらのレム睡眠関連低換気をより正確に捉えるためには、経皮二酸化炭素分圧および脳波の測定を含めた終夜睡眠ポリグラフ検査が望ましい。また OSA の合併の有無も含めて NPPV や CPAP など適切な陽圧換気療法の導入を検討する。酸素療法下の COPD においては、睡眠による換気量の低下が FiO_2 を上昇させることになる。CO_2 ナルコーシス発症リスクの回避のため、夜間の酸素流量決定に適切な睡眠検査を行う必要がある。

6. 肺循環・右心機能

POINTS

- ◉ COPD 患者の肺高血圧症は、軽度から中等度（平均肺動脈圧 20 ～ 35mmHg）のことが多く、心拍出量は正常もしくは増加していることが多い。
- ◉ 一般に安定期の COPD では、右室収縮能は保たれているが、急性増悪期には右室不全を呈する。
- ◉ COPD の肺高血圧症の診断は、心臓超音波検査によるスクリーニングが推奨され、BNP または NT-proBNP の高値も参考となる。しかし、心臓超音波による推定肺動脈圧は誤差が大きく、肺高血圧症の診断には右心カテーテル検査による正確な評価が必要である。

a. 肺循環・右心機能の診断・評価

1）臨床症状と身体所見

　肺性心や右心不全の身体所見として、頸静脈怒張、下腿浮腫、胸骨左縁第2肋間のⅡ音肺動脈成分の亢進などが認められる。ただし、COPD では胸腔内圧の変動が大きいために、頸静脈怒張が観察されないことがある[1]。閉塞性換気障害の程度に比して労作時呼吸困難が顕著な場合、あるいは運動時の SpO_2 の低下が顕著な場合は、肺高血圧症の存在も疑うべきである[2]。COPD の増悪時には、肝腫大、体重増加、尿量減少などの右心不全徴候が悪化することがある。なお、COPD の浮腫に関しては、右心不全によらず、二次性高アルドステロン血症や低蛋白血症などが原因であることも多いとされ、注意を要する[1,3,4]。

2）胸部 X 線写真

　心陰影は、右心の肥大・拡張に伴い、右室自由壁が前方にくるように回転するが、横隔膜が低位となるため、胸部 X 線写真では心臓の横径が著しく拡大することは少ない。

　肺門血管陰影では、右下行肺動脈径の拡大や、肺門・胸郭指数の増加などがみられる。右下行肺動脈径が 18mm 以上、または肺門・胸郭指数（脊椎棘突起上に引いた中心線から左右肺動脈の第1枝の外側縁までの距離の和と胸郭最大径の比）が 36 ％以上では肺高血圧症が疑われる[4,5]。

3）動脈血ガス分析

　COPD では動脈血ガス所見と平均肺動脈圧の間に相関がみられる。PaO_2 が 60Torr 以下であれば肺高血圧症を合併していることが多く、高二酸化炭素血症が加われば肺動脈圧はさらに上昇する[1,6]。

4）心電図

　COPD では、肺高血圧症が比較的軽度なことや、肺過膨張のために右軸偏位や V1 の qR パターンなどの右室肥大の判定基準[7] を満たさないことが多く、心電図による右室肥大の診断の感度は低い[1,8]。したがって、心電図

により右室肥大を検出することは難しいが、右室肥大の判定基準を満たしている場合には高度の右室肥大の存在が疑われ、予後不良である[9]。

5）心臓超音波検査

COPDでは心臓と前胸壁間に気腫化肺組織が入り込んでいるため、経胸壁操作よりも肋骨弓下操作で明瞭な画像が得られることが多い[10]。心臓超音波検査は、肺高血圧症のスクリーニング検査として推奨され、左心疾患やシャント性疾患など他の肺高血圧症の原因疾患を鑑別することができる。三尖弁閉鎖不全による血流波形から逆流速度が得られれば、ベルヌーイの簡易式より三尖弁圧較差が推定でき、下大静脈の径から予測した右房圧を加えることで、推定肺動脈収縮期圧が算出される[11]。しかしながら、ことに重症肺疾患では、右心カテーテルによる実測値との誤差が大きいとされる。右心系の評価は、右室流出路におけるAcTやAcTとETの比（AcT/ET）の計測によって可能であり、両者とも肺高血圧症例では短縮し、平均肺動脈圧と負の相関がある[12]。また、右室流入血流波形の終了から開始までの時間aとETを用いて測定した値（a-ET）/ET（Tei index）やTAPSEが平均肺動脈圧と相関すると報告されているが、COPDに伴う肺高血圧症では十分な検討がされていない[1]。

6）胸部CT

胸部CTにおける主肺動脈径29mm以上の場合、肺高血圧症を示唆するとされる[8,13]。さらに、肺動脈主幹分岐部レベルの肺動脈径/大動脈径＞1は、安静時肺高血圧症の存在を示唆し[14]、入院を要するような重症の急性増悪の予測因子でもある[15]。肺気腫では肺細小血管の減少が肺高血圧症に関連すると予測され、5mm^{2}未満の肺細小血管の合計面積と肺野面積との比率（% cross-sectional area；% CSA < 5）が平均肺動脈圧と良好な負の相関を示す[16]。

7）BNP、NT-proBNP

BNPまたはNT-proBNPは心室の伸展で上昇し、重症の肺高血圧症を合併したCOPDの検出に有用であり、予後因子とされる[17]。しかし、軽症〜中等症の肺高血圧症では検出感度が低いこと、左心疾患が合併している場合にも上昇がみられることから、その解釈には注意を要する[8]。

8）右心カテーテル検査

肺高血圧症の診断に必須の検査であるが、侵襲的なことから、COPDに対して日常診療で施行されることは少ない[11]。一方、次に挙げるような場合には、正確な肺血行動態の評価のために実施されるべき検査である[2,8,11,18]。

①肺移植に向けた評価が必要と判断される場合
②臨床的悪化/運動機能制限の進行度が、換気障害の進行だけでは説明できない場合
③ガス交換障害の進行（PaO$_2$の低下）度が、換気障害の進行とは不釣り合いである場合
④精密な予後評価が重要と判断される場合
⑤非侵襲的評価を行った結果、重症肺高血圧症が疑われ、さらなる治療/臨床試験/レジストリー研究への参加が考慮される場合
⑥左室拡張/収縮機能不全の疑い

b. 肺高血圧症

1）診断と肺性心

成人の肺循環は低圧・低抵抗の循環系であり、安静時、健常者の平均肺動脈圧は14.0 ± 3.3mmHgで[19]、20mmHgを超えることはない。平均肺動脈圧が25mmHg以上の場合に肺高血圧症と診断され、35mmHg以上を重症肺高血圧症と定義する[20]。なお、21〜24mmHgの例は境界型肺高血圧症とされるが、COPDなどの換気障害を主とする呼吸器疾患では、平均肺動脈圧20mmHg以上を肺高血圧症と定義した研究も多い[3,11,18]。

進行したCOPD（通常PaO$_2$が60Torr以下で、しばしば高二酸化炭素血症を伴う状態）では肺高血圧症を合併することが多く、運動時、睡眠時、急性増悪期には肺動脈圧がさらに上昇する[3,11]。持続的な肺高血圧症は右室の肥大と拡張をもたらし、肺性心と呼ばれる状態になる[1,3,21]。

右室肥大はFEV$_1$が1L以下のCOPD患者の約40％に観察され、FEV$_1$が0.6L以下の患者では70％にみられる[1]。PAHでは病態の進行とともに心拍出量が低下するのに対し、COPDに伴う肺高血圧症の心拍出量は正常もしくは増加している場合が多い[6,8,9]。進行例を除き、安定期の右室収縮能は保たれているが、急性増悪期には低酸素血症の悪化に伴い肺動脈圧が上昇し、右室不全を呈する[3,11]。

COPDに伴う肺高血圧症の評価は、心臓超音波検査に

第II章　診　断

よるスクリーニングが推奨される[22]。しかし、COPDに
よる肺過膨張のため十分な観察が難しく、心臓超音波に
よる推定肺動脈圧は誤差が大きいことも知られている。
肺高血圧症の確定診断には右心カテーテル検査が必要で
あり、外科治療（肺移植やLVRS）を検討する場合や、
PAHや慢性血栓塞栓性肺高血圧症との鑑別を要する症
例、臨床試験やレジストリー研究へ参加する際は実施す
べきである[20,22]。

2）臨床的意義

COPD患者における肺高血圧症の存在は、FEV1や

D_{LCO}よりも予後決定因子として重要である[4,8,13,23-25]。
COPDの肺高血圧症は、急性増悪期や多血症、肺血栓塞
栓症、睡眠呼吸障害などを合併した場合は高度とな
る[3,11,18]。平均肺動脈圧35〜40mmHg以上の高度の肺
高血圧症を来す場合、きわめて予後が不良とされ
る[11,18,26,27]。一方、換気障害が軽度の症例はPAHの要素
が混在することがあり、肺血管拡張薬への反応が比較的
良好な可能性がある[28]。肺気腫と肺線維症の合併病態
（CPFE）では、約半数の症例が肺高血圧症を呈し、肺高
血圧症合併例は予後不良である[25,29,30]。

7. QOL・ADL の評価

POINTS

● 症状および QOL の改善は COPD の管理目標における現状の改善のうちの 1 つである。
● 日常生活を反映した疾患特有の QOL は質問票を用いて半定量評価ができる。
● CAT は簡便な QOL 評価法であり、プライマリケアでも使用しやすい。
● COPD や呼吸器疾患に特異的な ADL 質問票も開発されている。

a. COPD と PRO 評価

COPDでは労作時呼吸困難を筆頭とする呼吸器症状
や、増悪・予後といった臨床上重要なアウトカムと呼吸
機能障害とは必ずしも関連が強くないことが指摘されて
いる。そこで、個々の症例の症状やQOLを定量的に評
価するために、PROによる評価が必要である。PROと
は、医療従事者の解釈をはさまない患者の自己評価を指
し、その評価項目には症状、身体機能、健康状態やQOL
が含まれる。一般にPROは「質問票」の自己記入また
は面接法により、疾患による患者の日常生活や健康への
影響を数値化して定量評価される。これらの質問票は、
識別性、信頼性、妥当性、反応性が検証されている必要
があるため、米国ではFDAが中心となり、新たなPRO
質問票の作成基準が決められている[1]。

b. COPD における QOL 評価

QOL評価はCOPDの管理目標の達成や、医療介入の
成果を評価するためのPROとして重要である。本来
QOLには、経済状況や社会環境など健康状態に起因し
ないものや、生きがいや満足感までも含まれるが、保健

医療分野では、健康や疾病との関連性を重視し、生理
的、感情的、心理的影響の観点からQOLを論じるため、
HRQOLと呼ばれる。COPDは呼吸機能の障害により、
身体活動性が低下し、さらに筋肉の機能低下、ディコン
ディショニングを来し、呼吸困難、不安感を生じ、その
結果として頻呼吸を招くことで動的肺過膨張を招き、ま
すます症状を悪化させ、HRQOLを悪化させるという悪
循環を来す（図10）[2]。

c. 包括的尺度と疾患特異的尺度

HRQOLの評価尺度には、「包括的尺度」と「疾患特異
的尺度」とがある。包括的尺度は、特定の疾患に限定さ
れない一般的なHRQOLの質問による尺度である。疾患
を限定しないため、他疾患や健常者との比較、合併疾
患・併存疾患の影響評価など適用範囲が広い。しかし特
異的な治療に対する反応性が乏しく、効果が十分に反映
されない可能性がある。一方、疾患特異的尺度は、疾患
に特徴的な症状や身体機能の質問による評価尺度であ
る。包括的尺度と比較し、臨床的な妥当性が高く、治療
効果を鋭敏に反映する場合が多い。これらの尺度を目的

E. 検査

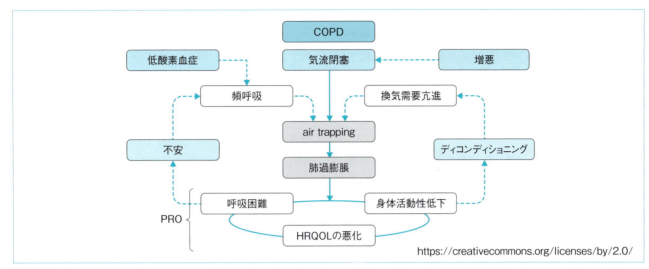

図10 COPDの病態とHRQOLの悪化の悪循環

(文献2より改変引用)

表2 本邦でよく用いられているCOPD向けの疾患特異的QOL質問票

疾患特異的質問票	質問項目	項目数	点数範囲	MCID	使用許可
SGRQ	症状（symptoms）、活動（activities）、影響（impacts）	50	0～100	4	要
SGRQ-C	症状（symptoms）、活動（activities）、影響（impacts）	40	0～100	4	要
CRQ	呼吸困難（dyspnea）、疲労（fatigue）、感情（emotional function）、病気による支配感（mastery）	20	1～7	0.5	要
CAT	咳、痰、胸部絞扼感、息切れ、活動性、睡眠、元気さ	8	0～40	2	不要

や対象に応じて選択するが、両者を併用することもある。なお、日本語版も含めてすべての質問票の版権は原著者に属しており、使用にあたり原著者、もしくは日本語版作成者の版権使用許可が必要な場合があり、注意を要する。

d. 包括的質問票

包括的質問票として普及しているのはSF-36[3]である。SF-36は、健康を多次元的に測定するプロファイル型尺度に属し、36の質問項目、8つの下位尺度〔身体機能、日常生活機能（身体）、身体の痛み、全体的健康感、日常役割機能（精神）、社会生活機能、活力、心の健康〕から構成される。その他に、SIP[4]、NHP[5]、EQ-5D[6] などがある。EQ-5Dは選好による尺度で効用値を求めることができるため、近年、医療費の費用対効果の評価に頻用される。

e. 疾患特異的質問票

COPDに疾患特異的なHRQOL尺度で国際的に普及しているのはCRQ[7]、SGRQ[8]、およびCOPD向けに改良されたSGRQ-C[9]、さらにこれらより簡便なCAT[10]であり、日本語版の有用性も検証されている[11]。

治療効果の判定にHRQOLを用いる場合、通常スコアの差の有意性を統計学的に判断するが、それとは別に、MCIDの概念がある。治療介入効果の臨床的意義には、統計学的有意差だけでなくMCIDも考慮する。本邦でよく使用される質問票とそのMCIDを表2に示す[12-14]。

f. COPD患者におけるHRQOL評価の現状

HRQOL評価は、主に研究や臨床試験におけるアウトカムとして使用されてきた。その目的は、①患者間でQOLの差を分別する、②医療介入による患者内での反応をみる、③将来起こりうる事象を予測する、の3点に

第II章　診　断

要約される。QOL の客観的評価が可能になり、横断的検討で HRQOL と FEV1 は有意な相関関係があるが、相関は強くないこと[15)]、COPD 患者の QOL は経時的に低下するが、FEV1 の変化との関係は弱いこと[16)]、QOL が FEV1 と独立して予後と関係する[17)] ことが報告されている。以上から、QOL は呼吸機能と同様に評価する必要がある。

従来、多くの QOL 評価は版権や検査時間などの影響もあり、日常臨床で利用されることは少なかった。しかし CAT は利便性・有用性が高く、呼吸機能などの臨床指標と相関し[10)]、悪化とその回復を反映する[18)]。呼吸リハビリテーションの効果判定[19)]、増悪の予後予測[20)]、あるいは軽度の COPD でも有用性が高い[21)] ことなどが報告され、プライマリケアにおいても利用しやすくなっている。GOLD の ABCD 分類では増悪頻度とともに CAT を評価して治療方針を決めることを提案しており、日常臨床で積極的に CAT を用いることを勧めている。特に CAT 10 点以上は治療介入が必要であり、経時的に調べて CAT の変化を追うことが疾患管理のうえで重要としている[22)]。

g.　ADL 評価

ADL とは、人が日々の生活を送るために行う活動能力であり、基本的 ADL とは移動、入浴、トイレ使用、階段昇降、食事、着衣など基本的な日常生活活動を指している。また手段的 ADL は買い物、食事の準備、服薬管理、金銭管理、交通機関を使った外出など、より複雑で多くの動作が必要となるものが含まれる。基本的 ADL 評価には、BI[23)] および FIM[24)] が一般的である。BI は日常生活でできる ADL レベルを評価し、FIM は実際にしている ADL レベルを評価しているといわれ、後者は対象者の自立度と介護量を把握することができる。しかし、これらは呼吸器疾患による呼吸困難や動作の困難さを判定できないため、より COPD の病態を反映した評価法として LCADL[25)] などが開発され、本邦でも日本人の生活に合わせた質問票[26,27)] が作成されている。

以上はすべて質問票による ADL 評価であるが、この他に日常動作とほぼ同じ行為（机上の物を移動する、バッグを持って歩く、洗濯物を干すなど）を被験者に行わせて所要時間で ADL 評価をする方法が海外で考案されている[28)]。質問票は主観による間隔尺度であるのに対し、実際の所要時間による比例尺度となる点が異なり、注目されている。

8.　喀痰・呼気ガス・呼気凝集液・血液検査

POINTS

◉ 喀痰や呼気ガスおよび血液の検査は気道炎症の評価に用いられる。
◉ COPD 患者の末梢血中で CRP などの全身性炎症マーカーの増加を示す一群が存在し、増悪頻度や死亡率、併存症の増加との関連性が示されている。
◉ COPD 患者における喘息病態合併を支持する客観的指標として、末梢血好酸球数や FeNO、血清 IgE が用いられている。

a.　喀　痰

喀痰検査は、COPD 安定期の常在菌の検索・気道炎症の評価や、増悪時の原因菌検索・気道炎症の評価に用いられる。一般的に自然喀出痰が用いられるが、高張食塩水吸入による誘発喀痰も用いることがある。誘発喀痰は、安定期の気道炎症の評価[1,2)] や原因微生物の検索に用いられる。ただし、高度の閉塞性換気障害の患者（% FEV1 ＜ 30 %）では、高張食塩水の吸入により気道攣縮を招くことがある[2)]。喀痰は比較的中枢部の気道に由来する成分であり、必ずしも末梢気道病変を反映していない。また喀痰の還元剤（dithiothreitol；DTT）処理をする場合は抗原蛋白が変性し、抗体反応を利用したメディエーターの測定や表面マーカーの検索などに支障を来すことがある。

76

E. 検査

1) 喀痰の誘発方法と処理[2]

3〜7％の高張食塩水を超音波ネブライザーを用いて吸入させる。気道攣縮を予防するために、誘発前にSABAを吸入させる。誘発喀痰が得られるまで高張食塩水を15〜20分程度吸入させるが、5〜10分ごとにFEV1を測定し、吸入前値の90％以下になる場合には誘発を中止する。得られた喀痰は唾液部分を除去した後、DTTなどで処理して粘度を低下させ、遠心分離により細胞成分と液性成分（上清）に分ける。

2) 炎症細胞

COPD患者の喀痰中には、炎症細胞、特に好中球が増加している[1]。しかし、喀痰中の好中球数はCOPDの重症度や症状との弱い相関を示すのみで増悪回数や肺の気腫化の程度との関連性は乏しく、臨床的指標としての有用性は限定的である。喀痰中の好中球数が増加していると、ステロイド反応性が乏しい。一方、喀痰中に好酸球が増加している患者では、増悪頻度が高く、気流制限と症状が強いことが示され[3]、ICSにより増悪頻度を低下させるという成績も報告されている[4]。また、喀痰中のCD8陽性リンパ球も増加している。その他、誘発喀痰を用いた網羅的な遺伝子発現解析では閉塞性障害や気腫化との関連性を示す遺伝子群が報告されている[5]。

3) 液性因子

喀痰中のIL-6、IL-8、TNF-αなどの炎症性メディエーターの濃度はCOPDの重症度と相関し、増悪や予後の予測因子となることが報告されている[1]。また、肺局所でのプロテアーゼ・アンチプロテアーゼ不均衡を反映し、喀痰中の好中球エラスターゼやMMP-8および9、12濃度が増加している[1]。喀痰中のムチン濃度はCOPD患者で増加し、重症度や増悪頻度、末梢気道閉塞との関連が示されている[6,7]。

b. 呼気ガスと呼気凝集液[1]

呼気ガスとEBC検査は、気道炎症の非侵襲的評価法として日常臨床への応用が期待される。呼気ガス成分では、一酸化窒素（NO）と一酸化炭素（CO）、呼気凝集液ではpHの測定が比較的簡便である。その他、呼気ガスでは酸化ストレスのマーカーとしてエタンやペンタンなどが、EBCではサイトカイン、酸化ストレスマーカー、脂質メディエーターなどの測定成績が報告されている。

1) 呼気ガス

①一酸化窒素（NO）

喘息患者ではFeNOが上昇しており、ステロイド治療により低下する。一方、COPD患者では喘息と同様に気道のNO合成酵素の発現が増加しているが、FeNOの上昇はわずかである[8]。これは喫煙がFeNOを低下させ、禁煙していてもCOPD患者ではNOが酸化ストレスによりnitrotyrosineなどに代謝されてしまうためと考えられている[9]。COPD管理におけるFeNO高値（＞35ppb）は、喘息病態の合併を支持する客観的指標として本邦で広く用いられている[8,10,11]。また、FeNOが持続して高い患者では、増悪頻度が高いことが報告されており[12]、FeNO高値（＞35ppb）であった場合、ICSによる呼吸機能や症状の改善効果が高いことが示された[13-15]。喫煙などの影響因子やカットオフ値の決定といったさらなる検討が必要であるが、COPD患者においてFeNOは喘息病態の合併やICS治療適応の有用なバイオマーカーとなりうる。

②一酸化炭素（CO）

タバコ煙中に含まれるCOの影響で、喫煙者では呼気CO濃度が上昇している。COPD患者では禁煙後も呼気CO濃度は高値であり[16]、気道炎症を反映する所見と考えられる。しかし、呼気CO値は大気中のCOの影響を受けることから、現時点ではCO測定の臨床的意義は確立されていない。

2) 呼気凝集液

EBCは採集量が少なく、含有物濃度も低いのが欠点であるが、COPDでも数多くのメディエーターが測定されてきた。pHは比較的簡便に測定でき、喘息やCOPD患者では、気道炎症を反映してEBCのpHは低下しており、COPD増悪時はさらに低下することが示されている。しかし、COPD患者多数例における検討では、喫煙コントロール群と差がないとされている[17]。近年ではCOPD患者のEBC中におけるアデノシンの増加が示され、閉塞性障害との関連性が報告されている[18]。EBCは再現性や唾液による影響、検体の処理などの問題点があり、その臨床的意義は確立されていない。

第Ⅱ章　診　断

c. 血液検査

1) 血液中のバイオマーカー

喫煙は末梢血中の CRP、IL-6、白血球数などを増加させるが、COPD 患者では禁煙後も全身性炎症マーカーが増加していることがある。全身性炎症を伴う COPD 患者では増悪頻度や死亡率が高く[19]、心血管疾患や糖尿病などの併存症の増加との関連が報告されている[20]。

その他、血液中の IL-6、フィブリノーゲン、chemokine ligand-18/pulmonary and activation-regulated chemokine（CCL-18/PARC）、TNF-α、tissue inhibitor of metalloproteinase（TIMP）-1、NT-proBNP、歯周病関連抗体、アディポネクチン、Vit D、soluble receptor for advanced glycation end-products（sRAGE）などが増悪や FEV_1 の低下、気腫化、予後との関連を示している[21-27]。COPD において細胞老化の病態への関与が注目されており、senescence-associated secretory phenotype（SASP）因子である growth and differentiation factor（GDF）-15 が気流制限や増悪、予後、身体活動性、認知機能と関連することが報告されている[28,29]。また、老化抑制因子である GDF-11 は COPD 患者で低下し、呼吸機能や身体活動性との関連も示されている[30,31]。

2) 末梢血好酸球

末梢血の好酸球は、喀痰中の好酸球と同様に気道の好酸球性炎症を反映する指標となる可能性が、近年の大規模臨床試験の事後分析や後ろ向き研究などから示唆されている。末梢血好酸球が多い COPD 患者では ICS による増悪頻度の抑制効果が高く[32-34]、呼吸機能と症状に関する治療反応性も高い[14,15,33]。また、末梢血中の好酸球増加がなければ ICS を中止しても COPD の増悪頻度は増加しないという成績も報告されている[35]。COPD の増悪時においては、末梢血中の好酸球比率が 2％未満の患者では増悪時の治療としての全身性ステロイド薬を投与せずとも、ステロイド薬投与群とその後の臨床経過は変わらないという成績が報告されている[36]。なお、安定期における末梢血の好酸球が将来の増悪リスクの指標となるかについては見解が一致しない[10]。以上より、COPD 患者における末梢血中の好酸球数は ICS の有用性や増悪時の全身性ステロイド薬治療適応の予測因子となる可能性がある。ただし、臨床応用するうえでは前向き研究での検証や好酸球数のカットオフ値の決定、再現性や影響因子など、さらなる検討が必要である。

3) 血清総 IgE、抗原特異的 IgE

総 IgE 高値あるいは通年性吸入抗原に対する特異的 IgE 陽性といったアトピー素因の存在は、肺の発育障害や経年的な気流制限進行に寄与しており、COPD の発症リスクであることが指摘されている[37]。COPD 患者の 15 〜 40% にアトピー素因が認められ[10,38,39]、アトピー素因の存在は ICS による FEV_1 の上昇や症状改善効果が高いことが報告されている[13,14]。IgE 高値は本邦における ACO の診断基準に含まれており[11]、COPD における IgE 評価の重要性は増している。

E. 検 査

9. 身体活動性

POINTS

● 身体活動とは、骨格筋により生み出される動作でエネルギー消費量を伴うものと定義されており、指標として、種類別活動時間、強度別活動時間、身体活動量、歩数などが用いられている。
● COPD の身体活動性は健常者に比べ有意に低下しており、呼吸困難感や運動耐容能に加え、脊柱起立筋量、アイリシン、成長分化因子 11 などとの関連が示されている。
● 歩数標準値の簡易予測式は、患者個々の歩数目標値設定に活用できる可能性がある。
● セデンタリー行動は、身体活動性とは独立した COPD 死亡の危険因子であり、今後注目すべき指標の 1 つである。

a. 身体活動性（physical activity）とは

身体活動性は、骨格筋により生み出されるあらゆる動作で、エネルギー消費量を伴うものと定義されているが[1]、近年では、推奨レベルに達する身体的活動状態（physically active）と、それに達しない身体非活動性（physical inactivity）にも分類されている。評価方法として質問票を用いた主観的方法と歩数計や加速度計を用いた客観的方法が存在する。

b. 身体活動性の評価方法

1）主観的方法（質問票）

日本語訳版の存在する SGRQ の活動性ドメインや、IPAQ などがよく用いられている。しかし、COPD 患者は呼吸困難を回避するため無意識に活動を自己制限する傾向にあることに注意が必要である。これら主観的評価法は、高強度の活動に比べ中等度や低強度の活動では誤差が大きいことから[2,3]、COPD 患者の評価に必ずしも適しているとはいいきれない。最近、運動負荷による活動制限と行動回避による活動制限を同時に評価する呼吸困難スケールである PROMS-D 質問票が本邦で開発され、COPD 患者におけるフレイル合併のスクリーニング検査として有用であることが報告されている。設問数が 4 問と少なく、簡便である（表3）[4]。

2）客観的方法（加速度計）

加速度計には、直線方向（1軸）、平面方向（2軸）、空間方向（3軸）の加速度を計測するタイプが存在するが、精度の高さから近年では 3 軸加速度計を用いた研究が主流となってきている。加速度計で評価する場合、非装着のデータの除外が必要で、再現性維持のためには、天候[5,6]、気温や大気汚染濃度[6]、休日[7,8] などのデータ調整や、必要最低日数（3 日から 5 日の報告が多い）の確保[5,9,10] などの考慮も重要である。

c. 身体活動性の指標

加速度計で測定した場合、種類別活動時間、強度別活動時間、身体活動量、歩数などが指標として用いられる。種類別活動時間は、臥位・座位・立位・歩行などの活動種類ごとの時間を計測する。一方、強度別活動時間は、METs で表現される活動強度ごとの時間を用いて評価することが多い。METs とは、安静座位のエネルギー消費量に対する活動時のエネルギー消費量の比率で、安静座位では 1.0METs、移動を伴わない活動では 2.0METs 未満、4km/時の平地歩行では 3.0METs 相当となる[11]。身体活動量（総活動量とも呼ばれる）は、一定強度（3.0METs が多い）以上の活動量の合計を意味し、METs・時などが単位として用いられている。なお、身体活動量を安静時エネルギー消費量で除した値を身体活動レベル、3.0METs 以上の強度の METs・時を「エクササイズ（Ex）」などとも表現されている。歩数は、一般に親しみやすいことにより、実用的な指標の 1 つである。

d. COPD における身体活動性

COPD では健常者に比べ、1 日総歩数は少なく、歩行時間、立位時間割合はいずれも低値で[7]、2.0METs 以上

79

第Ⅱ章　診　断

表3 PROMS-D 質問票

<table>
<tr>
<td colspan="3">PROMS-D 質問票
日常生活における、息切れ症状と活動制限との関連性を調べる4つの質問です。
すべての質問に、"はい"または"いいえ"でお答えください。</td>
</tr>
<tr>
<td>お名前（　　　　　　　　　　　　　　　）</td>
<td colspan="2">記入日　　　年　　　月　　　日</td>
</tr>
<tr>
<td>1. 息切れのために、同年代の人よりも平地を歩くのが遅い。</td>
<td>はい</td>
<td>いいえ</td>
</tr>
<tr>
<td>2. 息切れのために、着替えや入浴をすることが面倒だと感じる。</td>
<td>はい</td>
<td>いいえ</td>
</tr>
<tr>
<td>3. 息切れのために、自分一人で家から外出することが難しい。</td>
<td>はい</td>
<td>いいえ</td>
</tr>
<tr>
<td>4. 息切れのために、必要な場合以外には着替えや入浴をしない。</td>
<td>はい</td>
<td>いいえ</td>
</tr>
</table>

「はい」を1点、「いいえ」を0点として、合計点が2点以上であればフレイルを合併している可能性が高くなります。
基本チェックリストなどで身体的、心理的、社会的フレイルの状態をチェックすることをおすすめします。

（文献4より改変引用）

表4 COPD 患者の簡易歩数予測式

歩数標準値＝（−0.079×［年齢］−1.595×［mMRC］＋2.078×［IC］＋18.149)[3]
　　　　　　［年齢（歳）、mMRC（点）、IC（L）の値を使用］

このアプリは、ID「copd」パスワード「move」を用いて無料でアクセス可能となっている（URL：https://copd-move.jp/）。

（文献24より引用）

のあらゆる強度の活動時間も短縮している[12]。また、身体活動量の低下した患者では有意に予後が不良であり[13,14]、COPD 全死亡の最大の危険因子とされている[13]。一方、COPD の身体活動性は、呼吸困難感[12,15]、運動耐容能[12,16]に加え、CT における脊柱起立筋の断面積[17]、マイオカインであるアイリシン[18]や成長分化因子11[19]などと関連するとの報告がみられる。

e.　身体活動性改善のための方策

　COPD の身体活動性に対する気管支拡張薬あるいは呼吸リハビリテーションなどの医療介入の有効性に関しては、まだ結論が得られていない。ただし、日本人を対象とした介入試験のサブ解析において、LAMA/LABA 配合薬が LAMA 単剤に比べて身体活動性を有意に改善する報告はみられ[20,21]、カウンセリングの重要性を示唆する報告もみられる[22]。

　厚生労働省では 65 歳以上の国民に対し、1 週間に計10Ex の活動を行うことや、1 日の歩数を男性 7,000 歩、女性 6,000 歩とすることを目標とすることを推奨しているが[23]、COPD に特化した活動目標は存在しない。これに対し近年、日本人 COPD 患者の歩数簡易予測式が報告され（表4）[24]、算出される標準値と歩数実測値から患者個々の歩数目標値設定法の提案がなされ、それに基づく標準値・目標値の自動計算アプリが作成された[25]。

f.　セデンタリー行動

　近年、覚醒時の ≦ 1.5METs の行動で、座位や臥位が該当する行動をセデンタリー行動と呼び、注目されている。セデンタリー行動は、COPD 患者の再入院や認知障害のリスクと関連するだけではなく、≧ 3.0METs の時間とは独立した COPD 死亡の危険因子であることが報告されている[26-28]。今後、活動時間の延長とともに座位・臥位時間の短縮も COPD 患者の健康寿命を延長していくために重要になると考えられる。

10. 栄養評価

POINTS

● 複数の指標を用いた包括的な栄養評価を行う必要がある。
● 栄養障害患者の簡便なスクリーニングとして簡易栄養状態評価表（MNA®-SF）が有用である。
● 体重のみならず体成分、特に LBM の評価が重視される。

可能な範囲で複数の指標を用いた包括的な栄養評価の実施が望ましい。推奨される栄養評価項目を必須の項目、行うことが望ましい項目および可能であれば行う項目として段階的に記載する（表5）。

体重は最も簡便な指標であり、%IBW < 90% や BMI < 20kg/m² であれば栄養障害と考えられる。定期的に体重を測定して、経時的な体重変化を把握することも重要である。BMI の低下が COPD の発症や進行に影響を及ぼすとの報告もある[1]。問診や質問票を用いて、食習慣や食事を妨げる要因である摂食時の息切れや腹部膨満の有無、咀嚼や嚥下の状態に関して評価する必要がある。

食事調査による栄養摂取量の評価も重要である。管理栄養士による食事摂取内容の聞き取りや患者の食事内容の記録から、摂取エネルギー量や栄養素を大まかに把握することができる。疫学的検討から、食事パターンや食物繊維摂取量が COPD の発症や病態と関連することが示唆されている。栄養障害患者の簡便なスクリーニングとして簡易栄養状態評価表（MNA®-SF）が有用であり、MNA スコアは増悪の予測因子にもなる[2]。LBM は体重よりも鋭敏に COPD の栄養障害を検出できる指標であり、体成分の評価が重要である[3]。身体計測では%上腕筋囲（% AMC）が筋蛋白量の、%上腕三頭筋部皮下脂肪厚（% TSF）が体脂肪量の指標として用いられる。全身の体成分の評価法としては、BIA や DXA が非侵襲的で精度の高い方法として推奨される。DXA 法では LBM や FM に加えて BMC も評価可能である。BIA 法や DXA 法で測定した四肢骨格筋量を［身長（m）]² で除した骨格筋指数はサルコペニアの確定診断において重要な指標となる[4]。血清アルブミンは栄養指標として汎用されているが、COPD 患者では感度が低い。骨格筋や呼吸筋の機能評価には、握力や最大吸気・呼気口腔内圧の測定が簡便であり、握力はサルコペニアの評価として重要である。

間接カロリメトリーによる REE は代謝状態を反映し、栄養療法のエネルギー量や組成を決定するうえで有用な指標である。COPD 患者では REE が増大しており、代謝亢進が栄養障害の一因となっている[5]。プレアルブミン（トランスサイレチン）やレチノール結合蛋白などの RTP の低下や、BCAA/AAA 比の低下などの蛋白代謝の異常がみられる[5]。細胞性免疫能も栄養障害とともに低下する。

表5 推奨される栄養評価項目

●必須の評価項目
・体重（% IBW、BMI）
・食習慣
・食事摂取時の臨床症状の有無

●行うことが望ましい評価項目
・食事調査（栄養摂取量の解析）
・簡易栄養状態評価表（MNA®-SF）
・%上腕囲（% AC）
・%上腕三頭筋部皮下脂肪厚（% TSF）
・%上腕筋囲（% AMC：AMC＝AC － π × TSF）
・体成分分析（LBM、FM、BMC、SMI）
・血清アルブミン
・握力

●可能であれば行う評価項目
・安静時エネルギー消費量（REE）
・rapid turnover protein（RTP）
・血漿アミノ酸分析（BCAA/AAA）
・呼吸筋力
・免疫能

IBW：80≦% IBW <90：軽度低下。70≦% IBW <80：中等度低下、% IBW <70：高度低下。
BMI：低体重<18.5、標準体重18.5〜24.9、体重過多25.0〜29.9。

References

Ⅱ-E-1. 画像診断

1) Nakano Y, Müller NL, King GG, et al. Quantitative assessment of airway remodeling using high-resolution CT. Chest. 2002；122：271S-5S. ［Ⅵ］

2) Ogawa E, Nakano Y, Ohara T, et al. Body mass index in male patients with COPD：correlation with low attenuation areas on CT. Thorax. 2009；64：20-5. ［Ⅳb］

3) Pratt PC. Role of conventional chest radiography in diagnosis and exclusion of emphysema. Am J Med. 1987；82：998-1006. ［Ⅵ］

4) Müller NL, Fraser RS, Colman NC, Paré PD. Radiologic Diagnosis of diseases of the chest. Philadelphia：W. B. Saunders；2001. p.472-83. ［Ⅵ］

5) Copley SJ, Wells AU, Müller NL, et al. Thin-section CT in obstructive pulmonary disease：discriminatory value. Radiology. 2002；223：812-9. ［Ⅳb］

6) Gierada DS, Pilgram TK, Whiting BR, et al. Comparison of standard and low-radiation-dose CT for quantification of emphysema. AJR Am J Roentgenol. 2007；188：42-7. ［Ⅳb］

7) Madani A, De Maertelaer V, Zanen J, et al. Pulmonary Emphysema：radiation dose and section thickness at multidetector CT quantification-comparison with macroscopic and microscopic morphometry. Radiology. 2007；243：250-7. ［Ⅳb］

8) Matsuoka S, Kurihara Y, Yagihashi K, et al. Quantitative assessment of air trapping in chronic obstructive pulmonary disease using inspiratory and expiratory volumetric MDCT. AJR Am J Roentgenol. 2008；190：762-9. ［Ⅳb］

9) Galbán CJ, Han MK, Boes JL, et al. Computed tomography-based biomarker provides unique signature for diagnosis of COPD phenotypes and disease progression. Nat Med. 2012；18：1711-5. ［Ⅳb］

10) Coxson HO, Mayo J, Lam S, et al. New and current clinical imaging techniques to study chronic obstructive pulmonary disease. Am J Respir Crit Care Med. 2009；180：588-97. ［Ⅵ］

11) Matsuoka S, Kurihara Y, Yagihashi K, Nakajima Y. Morphological progression of emphysema on thin-section CT：Analysis of longitudinal change in the number and size of low-attenuation clusters. J Comput Assist Tomogr. 2006；30：669-74. ［Ⅳb］

12) Goddard PR, Nicholson EM, Laszlo G, Watt I. Computed tomography in pulmonary emphysema. Clin Radiol. 1982；33：379-87. ［Ⅳb］

13) Boedeker KL, McNitt-Gray MF, Rogers SR, et al. Emphysema：effect of reconstruction algorithm on CT imaging measures. Radiology. 2004；232：295-301. ［Ⅳb］

14) Japan Quantitative Imaging Biomarker Alliance (J-QIBA). http://www.radiology.jp/j-qiba/index.html (accessed 2021-11-23) ［Ⅵ］

15) Nakano Y, Sakai H, Muro S, et al. Comparison of low attenuation areas on computed tomographic scans between inner and outer segments of the lung in patients with chronic obstructive pulmonary disease：incidence and contribution to lung function. Thorax. 1999；54：384-9. ［Ⅳb］

16) Remy-Jardin M, Edme JL, Boulenguez C, et al. Longitudinal follow-up study of smoker's lung with thin-section CT in correlation with pulmonary function tests. Radiology. 2002；222：261-70. ［Ⅳb］

17) Mishima M, Hirai T, Itoh H, et al. Complexity of terminal airspace geometry assessed by lung computed tomography in normal subjects and patients with chronic obstructive pulmonary disease. Proc Natl Acad Sci U S A. 1999；96：8829-34. ［Ⅳb］

18) Tanabe N, Muro S, Hirai H, et al. Impact of exacerbations on emphysema progression in chronic obstructive pulmonary disease. Am J Respir Crit Care Med. 2011；183：1653-9. ［Ⅳb］

19) Nakano Y, Muro S, Sakai H, et al. Computed tomographic measurements of airway dimensions and emphysema in smokers. Correlation with lung function. Am J Respir Crit Care Med. 2000；162：1102-8. ［Ⅳb］

20) Orlandi I, Moroni C, Camiciottoli G, et al. Chronic obstructive pulmonary disease：thin-section CT measurement of airway wall thickness and lung attenuation. Radiology. 2005；234：604-10. ［Ⅳb］

21) Hasegawa M, Nasuhara Y, Onodera Y, et al. Airflow limitation and airway dimensions in chronic obstructive pulmonary disease. Am J Respir Crit Care Med. 2006；173：1309-15. ［Ⅳb］

22) Tanabe N, Shima H, Sato S, et al. Direct evaluation of peripheral airways using ultra-high-resolution CT in chronic obstructive pulmonary disease. Eur J Radiol. 2019；120：108687. ［Ⅳb］

23) Hasegawa M, Makita H, Nasuhara Y, et al. Relationship between improved airflow limitation and changes in airway calibre induced by inhaled anticholinergic agents in COPD. Thorax. 2009；64：332-8. ［Ⅳb］

24) Shimizu K, Makita H, Hasegawa M, et al. Regional bronchodilator response assessed by computed tomography in chronic obstructive pulmonary disease. Eur J Radiol. 2015；84：1196-201. ［Ⅳb］

25) Shimizu K, Seto R, Makita H, et al. Computed tomography (CT) -assessed bronchodilation induced by inhaled indacaterol and glycopyrronium/indacaterol in COPD. Respir Med. 2016；119：70-7. ［Ⅳb］

26) Matsuoka S, Washko GR, Dransfield MT, et al. Quantitative CT measurement of cross-sectional area of small pulmonary vessel in COPD：correlations with emphysema and airflow limitation. Acad Radiol. 2010；17：93-9. ［Ⅳb］

27) Wells JM, Iyer AS, Rahaghi FN, et al. Pulmonary artery enlargement is associated with right ventricular dysfunction

and loss of blood volume in small pulmonary vessels in chronic obstructive pulmonary disease. Circ Cardiovasc Imaging. 2015；8：pii：e002546. [IVa]

28) Ohno Y, Iwasawa T, Seo JB, et al. Oxygen-enhanced magnetic resonance imaging versus computed tomography：multicenter study for clinical stage classification of smoking-related chronic obstructive pulmonary disease. Am J Respir Crit Care Med. 2008；177：1095-102. [IVb]

29) Kirby M, Svenningsen S, Owrangi A, et al. Hyperpolarized 3He and 129Xe MR imaging in healthy volunteers and patients with chronic obstructive pulmonary disease. Radiology. 2012；265：600-10. [IVb]

30) Iwasawa T, Kagei S, Gotoh T, et al. Magnetic resonance analysis of abnormal diaphragmatic motion in patients with emphysema. Eur Respir J. 2002；19：225-31. [IVb]

31) Yamashiro T, Moriya H, Tsubakimoto M, et al. Continuous quantitative measurement of the proximal airway dimensions and lung density on four-dimensional dynamic-ventilation CT in smokers. Int J Chron Obstruct Pulmon Dis. 2016；11：755-64. [IVb]

II-E-2. 呼吸機能検査

1) 日本呼吸器学会肺生理専門委員会（編）. 呼吸機能検査ガイドライン—スパイロメトリー、フローボリューム曲線、肺拡散能力. 東京：メディカルレビュー社；2004. [VI]

2) 日本呼吸器学会 肺生理専門委員会 呼吸機能検査ハンドブック作成委員会（編）. 呼吸機能検査ハンドブック. 東京：メディカルレビュー社；2021. [VI]

3) Kubota M, Kobayashi H, Quanjer PH, et al. Reference values for spirometry, including vital capacity, in Japanese adults calculated with the LMS method and compared with previous values. Respir Investig. 2014；52：242-50. [IVb]

4) Calverley PM, Koulouris NG. Flow limitation and dynamic hyperinflation：key concepts in modern respiratory physiology. Eur Respir J. 2005；25：186-99. [VI]

5) Graham BL, Steenbruggen I, Miller MR, et al. Standardization of Spirometry 2019 Update. An Official American Thoracic Society and European Respiratory Society Technical Statement. Am J Respir Crit Care Med. 2019；200：e70-e88. [VI]

6) Calverley PM, Burge PS, Spencer S, et al. Bronchodilator reversibility testing in chronic obstructive pulmonary disease. Thorax. 2003；58：659-64. [IVb]

7) Albert P, Agusti A, Edwards L, et al. Bronchodilator responsiveness as a phenotypic characteristic of established chronic obstructive pulmonary disease. Thorax. 2012；67：701-8. [IVb]

8) Gibson GJ. Lung volumes and elasticity. Hughes JMB, Pride NB, editor. Lung Function Tests：Physiological Principles and Clinical Applications. London：WB Saunders；1999. p.45-56. [VI]

9) O'Donnell DE, Webb KA. Exertional breathlessness in pa-

tients with chronic airflow limitation. The role of lung hyperinflation. Am Rev Respir Dis. 1993；148：1351-7. [IVb]

10) 日本呼吸器学会 肺生理専門委員会（編）. 臨床呼吸機能検査 第8版. 東京：メディカルレビュー社；2016. [VI]

11) Hughes JM, Pride NB. Examination of the carbon monoxide diffusing capacity（DL（CO））in relation to its KCO and VA components. Am J Respir Crit Care Med. 2012；186：132-9. [VI]

12) Akagi T, Matsumoto T, Harada T, et al. Coexistent emphysema delays the decrease of vital capacity in idiopathic pulmonary fibrosis. Respir Med. 2009；103：1209-15. [IVb]

13) Graham BL, Brusasco V, Burgos F, et al. 2017 ERS/ATS standards for single-breath carbon monoxide uptake in the lung. Eur Respir J. 2017；49：1600016. [VI]

II-E-3. 強制オシレーション法

1) Shirai T, Kurosawa H. Clinical application of the forced oscillation technique. Intern Med. 2016；55：559-66. [VI]

2) King GG, Bates J, Berger KI, et al. Technical standards for respiratory oscillometry. Eur Respir J. 2020；55(2)：1900753. [VI]

3) Zimmermann SC, Tonga KO, THamrin C. Dismantling airway disease with the use of new pulmonary function indices. Eur Respir Rev. 2019；28：180122. [VI]

4) Yasuo M, Kitaguchi Y, Kinota F, et al. Usefulness of the forced oscillation technique in assessing the therapeutic result of tracheobronchial central airway obstruction. Respir Investig. 2018；56：222-9. [IVb]

5) Dellacà RL, Santus P, Aliverti A, et al. Detection of expiratory flow limitation in COPD using the forced oscillation technique. Eur Respir J. 2004；23：232-40. [IVb]

6) Mori K, Shirai T, Mikamo M, et al. Colored 3-dimensional analyses of respiratory resistance and reactance in COPD and asthma. COPD. 2011；8：456-63. [IVb]

7) Mikamo M, Shirai T, Mori K, et al. Predictors of expiratory flow limitation measured by forced oscillation technique in COPD. BMC Pulm Med. 2014；14：23. [IVb]

8) Shinke H, Yamamoto M, Hazeki N, et al. Visualized changes in respiratory resistance and reactance along a time axis in smokers：a cross-sectional study. Respir Investig. 2013；51：166-74. [IVb]

9) Akita T, Shirai T, Akamatsu T, et al. Long-term change in reactance by forced oscillation technique correlates with FEV_1 decline in moderate COPD patients. Eur Respir J. 2017；49：1601534. [IVb]

10) Kamada T, Kaneko M, Tomioka H. Impact of exacerbations on respiratory system impedance measured by a forced oscillation technique in COPD：a prospective observational study. Int J Chron Obstruct Pulmon Dis. 2017；12：509-16. [IVa]

11) Yamamoto A, Shirai T, Hirai K, et al. Oscillometry as a pre-

dictor of exercise tolerance in COPD. COPD. 2020；17：647-54.［Ⅳb］

12) Abe Y, Shibata Y, Igarashi A, et al. Reference values of Most-Graph measures for middle-aged and elderly Japanese individuals who participated in annual health checkups. Respir Investig. 2016；54：148-55.［Ⅳb］

13) Miura E, Tsuchiya N, Igarashi Y, et al. Respiratory resistance among adults in a population-based cohort study in Northern Japan. Respir Investig. 2019；57：274-81.［Ⅳa］

14) Shiota S, Katoh M, Fujii M, et al. Predictive equations and the reliability of the impulse oscillometry system in Japanese adult subjects. Respirology 2005；10：310-5.［Ⅳb］

Ⅱ-E-4. 動脈血ガス分析・パルスオキシメータ

1) 日本呼吸器学会肺生理専門委員会（編）．日本人のスパイログラムと動脈血液ガス分圧基準値．日呼吸会誌．2001；39：巻末14ページ．［Ⅳa］

2) 厚生省特定疾患「呼吸不全」調査研究班（編）．呼吸不全—診断と治療のためのガイドライン．東京：メディカルレビュー社；1996.［Ⅵ］

3) 日本呼吸器学会 肺生理専門委員会（編）．臨床呼吸機能検査 第8版．東京：メディカルレビュー社；2016.［Ⅵ］

Ⅱ-E-5. 運動負荷試験・呼吸筋の評価・睡眠検査

1) Holland AE, Spruit MA, Troosters T, et al. An official European Respiratory Society/American Thoracic Society technical standard：field walking tests in chronic respiratory disease. Eur Respir J. 2014；44：1428-46.［Ⅵ］

2) 日本呼吸ケア・リハビリテーション学会 呼吸リハビリテーション委員会ワーキンググループ，日本呼吸器学会 呼吸管理学術部会，日本リハビリテーション医学会 呼吸リハビリテーションガイドライン策定委員会，日本理学療法士協会 呼吸理学療法診療ガイドライン作成委員会（編）．呼吸リハビリテーションマニュアル—運動療法—．第2版．東京：照林社；2012.［Ⅵ］

3) American Thoracic Society；American College of Chest Physicians. ATS/ACCP Statement on cardiopulmonary exercise testing. Am J Respir Crit Care Med. 2003；167：211-77.［Ⅵ］

4) 日本呼吸器学会肺生理専門委員会（編）．臨床呼吸機能検査 第8版．東京：メディカルレビュー社；2016.［Ⅵ］

5) Malhotra A, Schwartz AR, Schneider H, et al. Research Priorities in Pathophysiology for Sleep-disordered Breathing in Patients with Chronic Obstructive Pulmonary Disease. An Official American Thoracic Society Research Statement. Am J Respir Crit Care Med. 2018；197：289-99.［Ⅵ］

6) McNicholas WT. COPD-OSA Overlap Syndrome：Evolving Evidence Regarding Epidemiology, Clinical Consequences, and Management. Chest. 2017；152：1318-26.［Ⅵ］

7) Kitajima T, Marumo S, Shima H, et al. Clinical impact of episodic nocturnal hypercapnia and its treatment with noninvasive positive pressure ventilation in patients with stable ad-

vanced COPD. Int J Chron Obstruct Pulmon Dis. 2018；13：843-53.［Ⅳb］

Ⅱ-E-6. 肺循環・右心機能

1) MacNee W. Pathophysiology of cor pulmonale in chronic obstructive pulmonary disease. Part One. Am J Respir Crit Care Med. 1994；150：833-52.［Ⅵ］

2) 日本肺高血圧・肺循環学会．肺疾患に伴う肺高血圧症診療ガイドライン．広島：レタープレス；2018.［Ⅵ］

3) Weitzenblum E, Chaouat A, Kessler R, et al. Pulmonary hypertension and cor pulmonale in chronic obstructive pulmonary Disease. Voelkel NF, Macnee W, editors. Chronic Obstructive Lung Disease. London：BC Decker Inc.；2002. p.306-18.［Ⅵ］

4) Barberá JA, Peinado VI, Santos S. Pulmonary hypertension in chronic obstructive pulmonary disease. Eur Respir J. 2003；21：892-905.［Ⅵ］

5) Chetty KG, Brown SE, Light RW. Identification of pulmonary hypertension in chronic obstructive pulmonary disease from routine chest radiographs. Am Rev Respir Dis. 1982；126：338-41.［Ⅳb］

6) 角坂育英，岡田修．呼吸不全患者のベットサイドにおける循環管理—右心機能障害—．日呼吸管理会誌．1993；2：77-80.［Ⅵ］

7) Harrigan RA, Jones K. Conditions affecting the right side of the heart. BMJ. 2002；324：1201-4.［Ⅵ］

8) Minai OA, Chaouat A, Adnot S. Pulmonary hypertension in COPD：epidemiology, significance, and management：pulmonary vascular disease：the global perspective. Chest. 2010；137（6 Suppl）：39S-51S.［Ⅵ］

9) Incalzi RA, Fuso L, De Rosa M, et al. Electrocardiographic signs of chronic cor pulmonale：A negative prognostic finding in chronic obstructive pulmonary disease. Circulation. 1999；99：1600-5.［Ⅳb］

10) Ferrazza A, Marino B, Giusti V, et al. Usefulness of left and right oblique subcostal view in the echo-Doppler investigation of pulmonary arterial blood flow in patients with chronic obstructive pulmonary disease. The subxiphoid view in the echo-Doppler evaluation of pulmonary blood flow. Chest. 1990；98：286-9.［Ⅳb］

11) Chaouat A, Naeije R, Weitzenblum E. Pulmonary hypertension in COPD. Eur Respir J. 2008；32：1371-85.［Ⅵ］

12) Kitabatake A, Inoue M, Asao M, et al. Noninvasive evaluation of pulmonary hypertension by a pulsed Doppler technique. Circulation. 1983；68：302-9.［Ⅳb］

13) Hida W, Tun Y, Kikuchi Y, et al. Pulmonary hypertension in patients with chronic obstructive pulmonary disease：recent advances in pathophysiology and management. Respirology. 2002；7：3-13.［Ⅵ］

14) Iyer AS, Wells JM, Vishin S, et al. CT scan-measured pulmonary artery to aorta ratio and echocardiography for detecting pulmonary hypertension in severe COPD. Chest. 2014；

145：824-32.［IVb］

15) Wells JM, Washko GR, Han MK, et al. Pulmonary arterial enlargement and acute exacerbations of COPD. N Engl J Med. 2012；367：913-21.［IVb］

16) Matsuoka S, Washko GR, Yamashiro T, et al. Pulmonary hypertension and computed tomography measurement of small pulmonary vessels in severe emphysema. Am J Respir Crit Care Med. 2010；181：218-25.［IVb］

17) Leuchte HH, Baumgartner RA, Nounou ME, et al. Brain natriuretic peptide is a prognostic parameter in chronic lung disease. Am J Respir Crit Care Med. 2006；173：744-50.［IVb］

18) Hoeper MM, Barberà JA, Channick RN, et al. Diagnosis, assessment, and treatment of non-pulmonary arterial hypertension pulmonary hypertension. J Am Coll Cardiol. 2009；54 (1 Suppl)：S85-96.［VI］

19) Kovacs G, Berghold A, Scheidl S, et al. Pulmonary arterial pressure during rest and exercise in healthy subjects：a systematic review. Eur Respir J. 2009；34：888-94.［VI］

20) Galiè N, Humbert M, Vachiery JL, et al. 2015 ESC/ERS Guidelines for the diagnosis and treatment of pulmonary hypertension. Eur Respir J. 2015；46：903-75.［VI］

21) Chronic cor pulmonale：Report of an expert committee. Circulation. 1963；27：594-615.［VI］

22) Tanabe N, Taniguchi H, Tsujino I, et al. Current trends in the management of pulmonary hypertension associated with respiratory disease in institutions approved by the Japanese Respiratory Society. Respir Investig. 2014；52：167-72.［IVb］

23) Burrows B, Kettel LJ, Niden AH, et al. Patterns of cardiovascular dysfunction in chronic obstructive lung disease. N Engl J Med. 1972；286：912-8.［IVb］

24) Oswald-Mammosser M, Weitzenblum E, Quoix E, et al. Prognostic factors in COPD patients receiving long-term oxygen therapy. Importance of pulmonary artery pressure. Chest. 1995；107：1193-8.［IVb］

25) Tanabe N, Taniguchi H, Tsujino I, et al. Multi-institutional retrospective cohort study of patients with severe pulmonary hypertension associated with respiratory diseases. Respirology. 2015；20：805-12.［IVb］

26) Chaouat A, Bugnet AS, Kadaoui N, et al. Severe pulmonary hypertension and chronic obstructive pulmonary disease. Am J Respir Crit Care Med. 2005；172：189-94.［IVb］

27) Hurdman J, Condliffe R, Elliot CA, et al. Pulmonary hypertension in COPD：results from the ASPIRE registry. Eur Respir J. 2013；41：1292-301.［IVa］

28) Tanabe N, Kumamaru H, Tamura Y, et al. Multi-institutional prospective cohort study of patients with pulmonary hypertension associated with respiratory diseases. Circ J. 2021；85：333-42.［IVa］

29) Cottin V, Nunes H, Brillet PY, et al. Combined pulmonary fibrosis and emphysema：a distinct underrecognised entity. Eur Respir J. 2005；26：586-93.［IVb］

30) Cottin V, Le Pavec J, Prévot G, et al. Pulmonary hypertension in patients with combined pulmonary fibrosis and emphysema syndrome. Eur Respir J. 2010；35：105-11.［IVb］

Ⅱ-E-7. QOL・ADL の評価

1) US Department of Health and Human Services, Food and Drug Administration, Center for Drug Evaluation and Research (CDER), Center for Biologics Evaluation and Research (CBER), Center for Devices and Radiological Health (CDRH). Guidance for Industry. Patient-reported Outcome Measures：Use in Medical Product Delvelopment to Support Labelling Claims. 2009. http://www.fda.gov/downloads/Drugs/GuidanceComplianceRegulatoryInformation/Guidances/UCM193282.pdf（accessed 2021-11-23）［VI］

2) Troosters T, van der Molen T, Polkey M, et al. Improving physical activity in COPD：towards a new paradigm. Respir Res. 2013；14：115.［VI］

3) Ware JE Jr, Sherbourne CD. The MOS 36-item short-form health survey (SF-36). I. Conceptual framework and item selection. Med Care. 1992；30：473-83.［VI］

4) Bergner M, Bobbitt RA, Carter WB, et al. The Sickness Impact Profile：development and final revision of a health status measure. Med Care. 1981；19：787-805.［IVb］

5) Hunt SM, McKenna SP, McEwen J, et al. The Nottingham Health Profile：subjective health status and medical consultations. Soc Sci Med A. 1981；15：221-9.［IVa］

6) EuroQol Group. EuroQol--a new facility for the measurement of health-related quality of life. Health Policy. 1990；16：199-208.［IVb］

7) Guyatt GH, Berman LB, Townsend M, et al. A measure of quality of life for clinical trials in chronic lung disease. Thorax. 1987；42：773-8.［IVb］

8) Jones PW, Quirk FH, Baveystock CM, et al. A self-complete measure of health status for chronic airflow limitation. The St. George's Respiratory Questionnaire. Am Rev Respir Dis. 1992；145：1321-7.［IVb］

9) Meguro M, Barley EA, Spencer S, et al. Development and Validation of an Improved, COPD-Specific Version of the St. George Respiratory Questionnaire. Chest. 2007；132：456-63.［IVb］

10) Jones PW, Harding G, Berry P, et al. Development and first validation of the COPD Assessment Test. Eur Respir J. 2009；34：648-54.［IVb］

11) Tsuda T, Suematsu R, Kamohara K, et al. Development of the Japanese version of the COPD Assessment Test. Respiratory Investig. 2012；50：34-9.［IVb］

12) Jaeschke R, Singer J, Guyatt GH. Measurement of health status. Ascertaining the minimal clinically important difference. Control Clin Trials. 1989；10：407-15.［Ⅱ］

13) Jones PW. St. George's Respiratory Questionnaire：MCID. COPD. 2005；2：75-9.［VI］

第Ⅱ章　診　断

14) Kon SS, Canavan JL, Jones SE, et al. Minimum clinically important difference for the COPD Assessment Test：a prospective analysis. Lancet Respir Med. 2014；2：195-203. ［Ⅳa］

15) Hajiro T, Nishimura K, Tsukino M, et al. Comparison of discriminative properties among disease-specific questionnaires for measuring health-related quality of life in patients with chronic obstructive pulmonary disease. Am J Respir Crit Care Med. 1998；157：785-90. ［Ⅳb］

16) Spencer S, Calverley PM, Sherwood Burge P, et al. Health status deterioration in patients with chronic obstructive pulmonary disease. Am J Respir Crit Care Med. 2001；163：122-8. ［Ⅱ］

17) Oga T, Nishimura K, Tsukino M, et al. Analysis of the factors related to mortality in chronic obstructive pulmonary disease：role of exercise capacity and health status. Am J Respir Crit Care Med. 2003；167：544-9. ［Ⅳa］

18) Mackay AJ, Donaldson GC, Patel AR, et al. Usefulness of the Chronic Obstructive Pulmonary Disease Assessment Test to evaluate severity of COPD exacerbations. Am J Respir Crit Care Med. 2012；185：1218-24. ［Ⅳa］

19) Dodd JW, Hogg L, Nolan J, et al. The COPD assessment test (CAT)：response to pulmonary rehabilitation. A multicentre, prospective study. Thorax. 2011；66：425-9. ［Ⅳa］

20) García-Sidro P, Naval E, Martinez Rivers C, et al. The CAT (COPD Assessment Test) questionnaire as a predictor of the evolution of severe COPD exacerbations. Respiratory Med. 2015；109：1546-52. ［Ⅳa］

21) Gupta N, Pinto L, Benedetti A, et al. The COPD Assessment Test：Can It Discriminate Across COPD Subpopulations? Chest. 2016；150：1069-79. ［Ⅳa］

22) Global Initiative for Chronic Obstructive Lung Disease (GOLD). Global Strategy for Prevention, Diagnosis and Management of Chronic Obstructive Pulmonary Disease 2021 Report. 2020. https://goldcopd.org/wp-content/uploads/2020/11/GOLD-REPORT-2021-v1.1-25Nov20_WMV.pdf（accessed 2022-04-22）［Ⅵ］

23) Mahoney FI, Barthel DW. Functional evaluation：the barthel index. Md State Med J. 1965；14：61-5. ［Ⅵ］

24) Hamilton BB, Granger CV, Sherwin FS, et al. A uniform national data system for medical rehabilitation. In：Fuhrer M, editor. Rehabilitation outcomes：analysis and measurement. Baltimore：Brookes Publishing. 1987；137-47. ［Ⅵ］

25) Garrod R, Bestall JC, Paul EA, et al. Development and validation of a standardized measure of activity of daily living in patients with severe COPD：the London Chest Activity of Daily Living scale (LCADL). Respir Med. 2000；94：589-96. ［Ⅳb］

26) Yoza Y, Ariyoshi K, Honda S, et al. Development of an activity of daily living scale for patients with COPD：the Activity of Daily Living Dyspnoea scale. Respirology. 2009；14：429-35. ［Ⅳb］

27) 後藤葉子, 佐藤義文, 川邊利子, 他. 慢性閉塞性肺疾患患者のための新しい ADL 評価尺度の検討. 日本呼吸ケア・リハビリテーション学会誌. 2015；25：423-8. ［Ⅳb］

28) Sant'Anna T, Dona'ria L, Furlanetto KC, et al. Validity and Reliability of the Londrina Activities of Daily Living Protocol for Subjects With COPD. Respir Care. 2017；62：288-97. ［Ⅳb］

Ⅱ-E-8. 喀痰・呼気ガス・呼気凝集液・血液検査

1) Barnes PJ, Chowdhury B, Kharitonov SA, et al. Pulmonary biomarkers in chronic obstructive pulmonary disease. Am J Respir Crit Care Med. 2006；174：6-14. ［Ⅵ］

2) Szefler SJ, Wenzel S, Brown R, et al. Asthma outcomes：biomarkers. J Allergy Clin Immunol. 2012；129 (3 Suppl)：S9-23. ［Ⅵ］

3) Hastie AT, Martinez FJ, Curtis JL, et al. Association of sputum and blood eosinophil concentrations with clinical measures of COPD severity：an analysis of the SPIROMICS cohort. Lancet Respir Med. 2017；5：956-67. ［Ⅳb］

4) Siva R, Green RH, Brightling CE, et al. Eosinophilic airway inflammation and exacerbations of COPD：a randomised controlled trial. Eur Respir J. 2007；29：906-13. ［Ⅳb］

5) Singh D, Fox SM, Tal-Singer R, et al. Induced sputum genes associated with spirometric and radiological disease severity in COPD ex-smokers. Thorax. 2011；66：489-95. ［Ⅳb］

6) Kesimer M, Ford AA, Ceppe A, et al. Airway Mucin Concentration as a Marker of Chronic Bronchitis. N Engl J Med. 2017；377：911-22. ［Ⅳa］

7) Kesimer M, Smith BM, Ceppe A, et al. Mucin Concentrations and Peripheral Airway Obstruction in Chronic Obstructive Pulmonary Disease. Am J Respir Crit Care Med. 2018；198：1453-6. ［Ⅳa］

8) Matsunaga K, Kuwahira I, Hanaoka M, et al. An official JRS statement：The principles of fractional exhaled nitric oxide (FeNO) measurement and interpretation of the results in clinical practice. Respir Investig. 2021；59：34-52. ［Ⅵ］

9) Ichinose M, Sugiura H, Yamagata S, et al. Increase in reactive nitrogen species production in chronic obstructive pulmonary disease airways. Am J Respir Crit Care Med. 2000；162 (2 Pt 1)：701-6. ［Ⅳb］

10) Oishi K, Matsunaga K, Shirai T, et al. Role of Type2 Inflammatory Biomarkers in Chronic Obstructive Pulmonary Disease. J Clin Med. 2020；9：2670. ［Ⅳb］

11) 日本呼吸器学会 喘息と COPD のオーバーラップ（Asthma and COPD Overlap：ACO）診断と治療の手引き2018作成委員会（編）. 喘息と COPD のオーバーラップ診断と治療の手引き2018. 東京；メディカルレビュー社：2018. ［Ⅵ］

12) Alcázar-Navarrete B, Ruiz Rodríguez O, Conde Baena P, et al. Persistently elevated exhaled nitric oxide fraction is associated with increased risk of exacerbation in COPD. Eur

Respir J. 2018；51：1701457. ［Ⅳb］

13) Akamatsu K, Matsunaga K, Sugiura H, et al. Improvement of Airflow Limitation by Fluticasone Propionate/Salmeterol in Chronic Obstructive Pulmonary Disease：What is the Specific Marker? Front Pharmacol. 2011；2：36. ［Ⅵ］

14) Yamaji Y, Oishi K, Hamada K, et al. Detection of type2 biomarkers for response in COPD. J Breath Res. 2020；14：026007. ［Ⅳb］

15) Matsunaga K, Harada M, Suizu J, et al. Comorbid Conditions in Chronic Obstructive Pulmonary Disease：Potential Therapeutic Targets for Unmet Needs. J Clin Med. 2020；9：3078. ［Ⅵ］

16) Sato S, Nishimura K, Koyama H, et al. Optimal cutoff level of breath carbon monoxide for assessing smoking status in patients with asthma and COPD. Chest. 2003；124：1749-54. ［Ⅳb］

17) MacNee W, Rennard SI, Hunt JF, et al. Evaluation of exhaled breath condensate pH as a biomarker for COPD. Respir Med. 2011；105：1037-45. ［Ⅳb］

18) Esther CR, Jr., Lazaar AL, Bordonali E, et al. Elevated airway purines in COPD. Chest. 2011；140：954-60. ［Ⅳb］

19) Agustí A, Edwards LD, Rennard SI, et al. Persistent systemic inflammation is associated with poor clinical outcomes in COPD：a novel phenotype. PLoS One. 2012；7：e37483. ［Ⅳa］

20) Thomsen M, Dahl M, Lange P, et al. Inflammatory biomarkers and comorbidities in chronic obstructive pulmonary disease. Am J Respir Crit Care Med. 2012；186：982-8. ［Ⅳa］

21) Serban KA, Pratte KA, Bowler RP. Protein Biomarkers for COPD Outcomes. Chest. 2021；159：2244-53. ［Ⅵ］

22) Celli BR, Locantore N, Yates J, et al. Inflammatory biomarkers improve clinical prediction of mortality in chronic obstructive pulmonary disease. Am J Respir Crit Care Med. 2012；185：1065-72. ［Ⅳa］

23) Chi SY, Kim EY, Ban HJ, et al. Plasma N-terminal pro-brain natriuretic peptide：a prognostic marker in patients with chronic obstructive pulmonary disease. Lung. 2012；190：271-6. ［Ⅳb］

24) Higashimoto Y, Yamagata Y, Iwata T, et al. Increased serum concentrations of tissue inhibitor of metalloproteinase-1 in COPD patients. Eur Respir J. 2005；25：885-90. ［Ⅳb］

25) Kunisaki KM, Niewoehner DE, Connett JE. Vitamin D levels and risk of acute exacerbations of chronic obstructive pulmonary disease：a prospective cohort study. Am J Respir Crit Care Med. 2012；185：286-90. ［Ⅳa］

26) Takahashi T, Muro S, Tanabe N, et al. Relationship between periodontitis-related antibody and frequent exacerbations in chronic obstructive pulmonary disease. PLoS One. 2012；7：e40570. ［Ⅳa］

27) Suzuki M, Makita H, Östling J, et al. Lower leptin/adiponectin ratio and risk of rapid lung function decline in chronic obstructive pulmonary disease. Ann Am Thorac Soc. 2014；11：1511-9. ［Ⅳa］

28) Husebø GR, Grønseth R, Lerner L, et al. Growth differentiation factor-15 is a predictor of important disease outcomes in patients with COPD. Eur Respir J. 2017；49：1601298. ［Ⅳa］

29) Hirano T, Doi K, Matsunaga K, et al. A Novel Role of Growth Differentiation Factor（GDF）-15 in Overlap with Sedentary Lifestyle and Cognitive Risk in COPD. J Clin Med. 2020；9：2737. ［Ⅳb］

30) Onodera K, Sugiura H, Yamada M, et al. Decrease in an anti-ageing factor, growth differentiation factor 11, in chronic obstructive pulmonary disease. Thorax. 2017；72：893-904. ［Ⅳb］

31) Tanaka R, Sugiura H, Yamada M, et al. Physical inactivity is associated with decreased growth differentiation factor 11 in chronic obstructive pulmonary disease. Int J Chron Obstruct Pulmon Dis. 2018；13：1333-42. ［Ⅳb］

32) Bafadhel M, Peterson S, De Blas MA, et al. Predictors of exacerbation risk and response to budesonide in patients with chronic obstructive pulmonary disease：a post-hoc analysis of three randomised trials. Lancet Respir Med. 2018；6：117-26. ［Ⅲ］

33) Barnes NC, Sharma R, Lettis S, et al. Blood eosinophils as a marker of response to inhaled corticosteroids in COPD. Eur Respir J. 2016；47：1374-82. ［Ⅵ］

34) Pascoe S, Barnes N, Brusselle G, et al. Blood eosinophils and treatment response with triple and dual combination therapy in chronic obstructive pulmonary disease：analysis of the IMPACT trial. Lancet Respir Med. 2019；7：745-56. ［Ⅱ］

35) Watz H, Tetzlaff K, Wouters EF, et al. Blood eosinophil count and exacerbations in severe chronic obstructive pulmonary disease after withdrawal of inhaled corticosteroids：a post-hoc analysis of the WISDOM trial. Lancet Respir Med. 2016；4：390-8. ［Ⅲ］

36) Bafadhel M, Davies L, Calverley PM, et al. Blood eosinophil guided prednisolone therapy for exacerbations of COPD：a further analysis. Eur Respir J. 2014；44：789-91. ［Ⅱ］

37) Sherrill DL, Lebowitz MD, Halonen M, et al. Longitudinal evaluation of the association between pulmonary function and total serum IgE. Am J Respir Crit Care Med. 1995；152：98-102. ［Ⅳb］

38) Suzuki M, Makita H, Konno S, et al. Asthma-like Features and Clinical Course of Chronic Obstructive Pulmonary Disease. An Analysis from the Hokkaido COPD Cohort Study. Am J Respir Crit Care Med. 2016；194：1358-65. ［Ⅳa］

39) Tamada T, Sugiura H, Takahashi T, et al. Biomarker-based detection of asthma-COPD overlap syndrome in COPD populations. Int J Chron Obstruct Pulmon Dis. 2015；10：2169-76. ［Ⅳb］

第Ⅱ章　診　断

Ⅱ-E-9. 身体活動性

1) Caspersen CJ, Powell KE and Christenson GM：Physical activity, exercise, and physical fitness：definitions and distinctions for health-related research. Public health reports (Washington, D.C.：1974). 1985；100：126-131. [Ⅵ]

2) Jacobs DR, Jr., Ainsworth BE, Hartman TJ, et al. A simultaneous evaluation of 10 commonly used physical activity questionnaires. Med Sci Sports Exerc. 1993；25：81-91. [Ⅳb]

3) Ichinose M, Minakata Y, Motegi T, et al. A Non-Interventional, Cross-Sectional Study to Evaluate Factors Relating to Daily Step Counts and Physical Activity in Japanese Patients with Chronic Obstructive Pulmonary Disease：STEP COPD. Int J Chron Obstruct Pulmon Dis. 2020；15：3385-96. [Ⅳb]

4) Oishi K, Matsunaga K, Harada M, et al. A new dyspnea evaluation system focusing on patient's perceptions of dyspnea and their living disabilities：the linkage between COPD and frailty. J Clin Med. 2020；9：3580. [Ⅳb]

5) Sugino A, Minakata Y, Kanda M, et al. Validation of a compact motion sensor for the measurement of physical activity in patients with chronic obstructive pulmonary disease. Respiration. 2012；83：300-7. [Ⅳb]

6) Alahmari AD, Mackay AJ, Patel AR, et al. Influence of weather and atmospheric pollution on physical activity in patients with COPD. Respir Res. 2015；16：71. [Ⅳb]

7) Pitta F, Troosters T, Spruit MA, et al. Characteristics of physical activities in daily life in chronic obstructive pulmonary disease. Am J Respir Crit Care Med. 2005；171：972-7. [Ⅳb]

8) Tudor-Locke C, Burkett L, Reis JP, et al. How many days of pedometer monitoring predict weekly physical activity in adults? Prev Med. 2005；40：293-8. [Ⅳb]

9) Steele BG, Holt L, Belza B, et al. Quantitating physical activity in COPD using a triaxial accelerometer. Chest. 2000；117：1359-67. [Ⅳb]

10) Watz H, Waschki B, Meyer T, et al. Physical activity in patients with COPD. Eur Respir J. 2009；33：262-72. [Ⅳb]

11) Ainsworth BE, Haskell WL, Herrmann SD, et al. 2011 Compendium of Physical Activities：a second update of codes and MET values. Med Sci Sports Exerc. 2011；43：1575-81. [Ⅵ]

12) Minakata Y, Sugino A, Kanda M, et al. Reduced level of physical activity in Japanese patients with chronic obstructive pulmonary disease. Respir Investig. 2014；52：41-8. [Ⅳb]

13) Waschki B, Kirsten A, Holz O, et al. Physical activity is the strongest predictor of all-cause mortality in patients with COPD：a prospective cohort study. Chest. 2011；140：331-42. [Ⅳa]

14) Garcia-Rio F, Rojo B, Casitas R, et al. Prognostic value of the objective measurement of daily physical activity in patients with COPD. Chest. 2012；142：338-46. [Ⅳb]

15) Hayata A, Minakata Y, Matsunaga K, et al. Differences in physical activity according to mMRC grade in patients with COPD. Int J Chron Obstruct Pulmon Dis. 2016；11：2203-8. [Ⅳb]

16) Waschki B, Spruit MA, Watz H, et al. Physical activity monitoring in COPD：compliance and associations with clinical characteristics in a multicenter study. Respir Med. 2012；106：522-30. [Ⅳa]

17) Tanimura K, Sato S, Sato A, et al. Accelerated Loss of Antigravity Muscles Is Associated with Mortality in Patients with COPD. Respiration. 2020；99：298-306. [Ⅳa]

18) Ijiri N, Kanazawa H, Asai K, et al. Irisin, a newly discovered myokine, is a novel biomarker associated with physical activity in patients with chronic obstructive pulmonary disease. Respirology. 2015；20：612-7. [Ⅳb]

19) Tanaka R, Sugiura H, Yamada M, et al. Physical inactivity is associated with decreased growth differentiation factor 11 in chronic obstructive pulmonary disease. Int J Chron Obstruct Pulmon Dis. 2018；13：1333-42. [Ⅳb]

20) Ichinose M, Minakata Y, Motegi T, et al. Efficacy of tiotropium/olodaterol on lung volume, exercise capacity, and physical activity. Int J Chron Obstruct Pulmon Dis. 2018；13：1407-19. [Ⅱ]

21) Minakata Y, Motegi T, Ueki J, et al. Effect of tiotropium/olodaterol on sedentary and active time in patients with COPD：post hoc analysis of the VESUTO ((R)) study. Int J Chron Obstruct Pulmon Dis. 2019；14：1789-801. [Ⅳb]

22) Shioya T, Sato S, Iwakura M, et al. Improvement of physical activity in chronic obstructive pulmonary disease by pulmonary rehabilitation and pharmacological treatment. Respir Investig. 2018；56：292-306. [Ⅵ]

23) 厚生科学審議会地域保健健康増進栄養部会，次期国民健康づくり運動プラン策定専門委員会．健康日本21（第2次）の推進に関する参考資料．2012．https://www.mhlw.go.jp/bunya/kenkou/dl/kenkounippon21.02.pdf，（accessed 2021-03-06）[Ⅵ]

24) Nakanishi M, Minakata Y, Tanaka R, et al. Simple standard equation for daily step count in Japanese patients with chronic obstructive pulmonary disease. Int J Chron Obstruct Pulmon Dis. 2019；14：1967-77. [Ⅳb]

25) 南方良章．COPD身体活動性関与因子の詳細分析と目標値設定に基づく自己管理法の構築報告書　南方良章研究班．環境再生保全機構第12期環境保健調査研究（令和2年度）；2020．[Ⅵ]

26) Furlanetto KC, Donaria L, Schneider LP, et al. Sedentary Behavior Is an Independent Predictor of Mortality in Subjects With COPD. Respir Care. 2017；62：579-87. [Ⅳb]

27) Nguyen HQ, Chu L, Amy Liu IL, et al. Association between physical activity and 30-day readmission risk in chronic obstructive pulmonary disease. Ann Am Thorac Soc. 2014；24713094. [Ⅳb]

28) Hirano T, Doi K, Matsunaga K, et al. A novel role of growth differentiation factor (GDF) -15 in overlap with sedentary

lifestyle and cognitive risk in COPD. J Clin Med. 2020；9：2737.［Ⅳb］

Ⅱ-E-10. 栄養評価

1) Park HJ, Cho JH, Kim HJ, et al. The effect of low body mass index on the development of chronic obstructive pulmonary disease and mortality. J Intern Med. 2019；286：573-82.［Ⅳa］
2) Yoshikawa M, Fujita Y, Yamamoto Y, et al. Mini Nutritional Assessment Short-Form predicts exacerbation frequency in patients with chronic obstructive pulmonary disease. Respirology. 2014；19：1198-203.［Ⅳb］
3) Vestbo J, Prescott E, Almdal T, et al. Body mass, fat-free body mass, and prognosis in patients with chronic obstructive pulmonary disease from a random population sample：findings from the Copenhagen City Heart Study. Am J Respir Crit Care Med. 2006；173：79-83.［Ⅳa］
4) Chen LK, Woo J, Assantachai P, et al. Asian Working Group for Sarcopenia：2019 Consensus update on sarcopenia diagnosis and treatment. J Am Med Dir Assoc. 2020；21：300-7.［Ⅵ］
5) Yoneda T, Yoshikawa M, Fu A, et al. Plasma levels of amino acids and hypermetabolism in patients with chronic obstructive pulmonary disease. Nutrition. 2001；17：95-9.［Ⅳa］

第III章

治療と管理

第Ⅲ章　治療と管理

A. 管理目標

POINTS

- ◉ COPD の管理目標は、①現状の改善、すなわち症状および QOL の改善、運動耐容能と身体活動性の向上および維持に加え、②将来リスクの低減、すなわち増悪の予防、疾患進行の抑制および健康寿命の延長である。
- ◉ 管理目標の達成には、安定期のみならず増悪期や終末期の対応を含めた管理計画を立て、タバコ煙などの原因物質曝露からの回避、病態や重症度にあわせた薬物療法や非薬物療法を実施する。
- ◉ 肺合併症と全身併存症の診断・評価・治療は、現状の改善および将来リスクの低減につながると期待される。

1. 管理目標

　COPD 患者は、気流閉塞による労作時息切れや慢性的な咳・痰などの症状のため、日常生活の QOL、運動耐容能や身体活動性が低下する。病態は多くの場合進行性であり、長期管理を要するため、管理目標の設定が重要である。十分な管理は、症状および QOL や ADL の改善に加え、増悪を予防し、患者の将来リスク（疾患進行、死亡率）の低減にもつながると期待される。高齢化が進む本邦の医療には、平均寿命を延長させると同時に健康状態の向上と健康で生活できる期間（いわゆる健康寿命）の延長が求められ[1]、COPD 患者も健康寿命の延長が重要となる。疾患の不均一性（heterogeneity）が高いという特性[2,3]は、個別化医療の必要性も示唆している。

　このような本邦の患者の病態や特性に基づき、管理目標を次のように定める（表1）。また、肺合併症と全身併存症の診断・評価は、現状や将来リスクの把握に寄与し、これらを予防・治療することで、現状の改善および将来リスクの低減が期待される。

2. 管理計画

　上記の管理目標を達成するために、原因物質（危険因子）の特定とその曝露からの回避を行い、病態や重症度を評価した後に薬物療法や非薬物療法の管理計画を立てる。管理目標を達成するために以下のことを行う。

表1 COPD の管理目標

> Ⅰ．現状の改善*
> 　①症状および QOL の改善
> 　②運動耐容能と身体活動性の向上および維持
>
> Ⅱ．将来リスクの低減*
> 　①増悪の予防
> 　②疾患進行の抑制および健康寿命の延長

＊：現状および将来リスクに影響を及ぼす全身併存症および肺合併症の診断・評価・治療と発症の抑制も並行する。

a. 原因物質（危険因子）の特定とその回避

　疾患発症と疾患進行に関与するタバコ煙やその他の有害物質を特定し、禁煙を含めた原因物質曝露から回避することは、初期管理として必須かつ最優先の課題である。原因物質曝露からの回避は個人への教育や支援も重要であるが、環境整備への働きかけも必要である。喫煙期間の短縮は疾患進行の抑制が期待されるため、より早期の禁煙介入が望ましい[1]。

b. 重症度の評価および治療計画

　COPD の重症度は FEV_1 や画像所見、動脈血ガス分析値に加え、症状や QOL、増悪歴および肺合併症や全身併存症を加味して総合的に判断する。症状の強さや増悪歴は予後を左右する重要な因子である[2,3]。一方で、患者は症状や増悪を訴えないことがあり、そもそも自覚していないこともある。そのため、病状が過小評価されること

を想定し、症状や QOL については質問票を用いながら、具体的な例を挙げて丁寧に聴取することが重要である。さらに、全身併存症や肺合併症は現在の状態や将来リスクに大きな影響を及ぼすため、積極的に診断および重症度の評価を行う。病態と重症度に合わせて治療計画を立案し、実施する。

c. 長期管理

安定期のみならず、増悪期や終末期の対応を含めて管理計画を立てる。重症度は、治療介入や治療変更あるいは加齢に伴って変化する可能性がある。したがって、定期的に重症度を再評価することが重要である。肺合併症や全身併存症に対しては、他の診療科および多職種による連携や診療体制の強化を行う。薬物療法や非薬物療法に加え、日頃から疾患啓発や生活改善などの患者教育を行うことで、患者の行動変容を支援するよう努める。増悪の原因となる感染予防のため、患者に手洗いや口腔ケア、ワクチン接種などを勧める。

■ 3. 気流閉塞の基準を満たさない場合

現在あるいは過去喫煙者で、気流閉塞がなく COPD の診断基準にあてはまらない場合でも、症状や増悪がみられることがある[1]。症状のある患者のみならず、呼吸機能で FEV_1/FVC は保たれているにもかかわらず、% FEV_1 対基準値が 80 % 未満や胸部 HRCT で気腫性病変などの異常所見が認められる場合、禁煙指導や身体活動などの生活指導とともに、呼吸機能検査や画像検査による経過観察、および肺がんや生活習慣病などのチェックを定期的に行うことが奨められる。慢性的な痰を有する者では、将来 COPD に移行するリスクが高く[2]、気腫性病変や気道病変の存在、運動耐容能の低下などが示され

ている[2,3]。

References

Ⅲ-A-1. 管理目標

1) 厚生労働省. 健康日本21（第二次）. 国民の健康の増進の総合的な推進を図るための基本的な方針. https://www.mhlw.go.jp/stf/seisakunitsuite/bunya/kenkou_iryou/kenkou/kenkounippon21.html（accessed 2021-12-11）[Ⅵ]
2) Agusti A. The path to personalised medicine in COPD. Thorax. 2014；69：857-64. [Ⅵ]
3) Agusti A, Calverley P, Celli B, et al. Characterisation of COPD heterogeneity in the ECLIPSE cohort. Respir Res. 2010；11：122-36. [Ⅳb]

Ⅲ-A-2. 管理計画

1) Oelsner EC, Balte PP, Bhatt SP, et al. Lung function decline in former smokers and low-intensity current smokers：a secondary data analysis of the NHLBI Pooled Cohorts Study. Lancet Respir Med. 2020；8：34-44. [Ⅳb]
2) Donaldson GC, Seemungal TA, Bhowmik A, et al. Relationship between exacerbation frequency and lung function decline in chronic obstructive pulmonary disease. Thorax. 2002；57：847-52. [Ⅳa]
3) Soler-Cataluña JJ, Martínez-García MA, Sánchez PR, et al. Severe acute exacerbations and mortality in patients with chronic obstructive pulmonary disease. Thorax. 2005；60：925-31. [Ⅳa]

Ⅲ-A-3. 気流閉塞の基準を満たさない場合

1) Woodruff PG, Barr RG, Bleecker E, et al. Clinical significance of symptoms in smokers with preserved pulmonary function. N Engl J Med. 2016；374：1811-21. [Ⅳa]
2) Lindberg A, Eriksson B, Larsson LG, et al. Seven-year cumulative incidence of COPD in an age-stratified general population sample. Chest. 2006；129：879-85. [Ⅳa]
3) Regan EA, Lynch DA, Curran-Everett D, et al. Clinical and radiologic disease in smokers with normal spirometry. JAMA Intern Med. 2015；175：1539-49. [Ⅳa]

第Ⅲ章　治療と管理

B. 禁　煙

POINTS

- ● ほとんどの COPD は禁煙によって予防可能である。
- ● すべての COPD 病期で禁煙を奨めるべきである。
- ● COPD 患者の禁煙は FEV_1 の経年低下を鈍化させる。
- ● 医師が 3 分間の短い禁煙アドバイスを繰り返すだけでも、禁煙成功率が上昇する。

1. 喫煙と COPD

COPD の最大の危険因子は喫煙であり、喫煙しないことで多くの COPD は予防可能である。また、COPD 患者における禁煙の介入は FEV_1 の経年低下を抑制し、増悪を減少させ、死亡率を減少させ[1-3]、COPD 重症例でも予後改善が期待できる[4]ため、すべての病期で禁煙を奨めるべきである。また、受動喫煙は COPD の危険因子であり、増悪の原因にもなる[5,6]ため、受動喫煙の回避を指導するべきである。

2. 依存性

ニコチン依存は、禁煙を妨げる最大の因子である。依存には、身体的依存と精神的依存がある。禁煙によってイライラなどの苦痛となるような身体症状（離脱症状）を起こすものが身体的依存である。血中ニコチンの低下に起因する離脱症状のストレスは、喫煙治療で用いられるニコチン製剤によって緩和される。身体的依存は通常、完全禁煙によって数日で急速に消失する。一方、喫煙は一般的ストレスの解消手段と誤認されやすく、精神的依存が起こる。ニコチン摂取に関して、都合のよい歪曲した思い込みをもつ傾向となり、この精神的依存は一生続くことがある。誤った思い込みが解けないため、喫煙欲求の葛藤が生じやすく、一旦禁煙できたとしても、精神的依存が残っていれば再喫煙に至りやすい。

3. 喫煙への介入

a. 禁煙外来

一定要件を満たした医療機関では、保険診療で薬物療法が可能となる。禁煙外来の実施方法は標準手順書に準じる[1]。薬物療法には、NRT（ニコチンパッチ、ニコチンガムなど）[2]や内服薬（バレニクリン）があり、主に離脱症状緩和を目的に行われる。バレニクリン内服のほうが禁煙時の離脱症状だけでなく、再喫煙時の満足感も抑制されるため、NRT に比べて禁煙成功率はやや良好である[3]。実際の選択は、それらの効用と、副作用や併存症などを総合的に考慮し決める。通常、NRT とバレニクリン内服は併用しない。薬物療法だけでは禁煙成功率に限界があるため、精神的依存への介入を念頭に、患者指導やその他の非薬物療法と組み合わせて行うことが長期的な禁煙成功率を向上させる[3,4]。現行の保険医療制度では、禁煙外来で不成功に終わった場合、1 年のインターバルを置く必要があるが、インターバル期間中も、禁煙に向けて継続管理すべきである。最近、心理的依存への介入の有効な手段として、バレニクリンとの併用で禁煙アプリの処方が保険診療で認められた[5]。

b. 一般の外来

COPD の予防および潜在患者の発掘と早期介入の観点に立ち、臨床のあらゆる機会に患者の喫煙状況を尋ね、すべての喫煙者に禁煙指導を行うべきである。外来での介入方法として 5A アプローチ（Ask、Advise、Assess、Assist、Arrange）が推奨されており、喫煙の有無を尋ねる（Ask）ことが重要である。医師が 3 分間の短い禁煙アドバイスをするだけでも、禁煙成功率が上昇す

る[6]。肺年齢を使った指導や呼吸機能検査でのCOPDの自然歴の説明、あるいは、CT画像上の気腫性変化の説明などは禁煙の動機づけになる。薬物療法が必要である場合、前項の禁煙外来が開設されている医療機関に依頼する。なお、低用量のNRTは一般の薬店で購入可能である。

c. 新型タバコ

加熱式タバコや電子タバコが紙巻タバコよりも健康リスクが低いという証拠はなく、その喫煙や使用は推奨されない[7]。加熱式タバコの喫煙や電子タバコの使用の際には、紙巻タバコと同様な二次曝露対策が必要である[7]。

References

Ⅲ-B-1. 喫煙とCOPD

1) Anthonisen NR, Connett JE, Kiley JP, et al. Effects of smoking intervention and the use of an inhaled anticholinergic bronchodilator on the rate of decline of FEV1. The Lung Health Study. JAMA. 1994；272：1497-505.［Ⅱ］

2) Anthonisen NR, Skeans MA, Wise RA, et al. The effects of a smoking cessation intervention on 14.5-year mortality:a randomized clinical trial. Ann Intern Med. 2005；142：233-9.［Ⅱ］

3) Kanner RE, Anthonisen NR, Connett JE, et al. Lower respiratory illnesses promote FEV（1）decline in current smokers but not ex-smokers with mild chronic obstructive pulmonary disease：results from the lung health study. Am J Respir Crit Care Med. 2001；164：358-64.［Ⅳa］

4) Postma DS, Sluiter HJ. Prognosis of chronic obstructive pulmonary disease：the Dutch experience. Am Rev Respir Dis. 1989；140：S100-5.［Ⅳb］

5) Garcia-Aymerich J, Farrero E, Félez MA, et al. Risk factors of readmission to hospital for a COPD exacerbation：a prospectivestudy. Thorax. 2003；58：100-5.［Ⅳa］

6) Yin P, Jiang CQ, Cheng KK, et al. Passive smoking exposure and risk of COPD among adults in China：the Guangzhou Biobank Cohort Study. Lancet. 2007；370：751-7.［Ⅳa］

Ⅲ-B-3. 喫煙への介入

1) 日本循環器学会，日本肺癌学会，日本癌学会，日本呼吸器学会．禁煙治療のための標準手順書 第8版．2021. http://j-circ. or.jp/kinen/anti_smoke_std/pdf/anti_smoke_std_rev8_.pdf （accessed 2021-12-11）［Ⅵ］

2) Hartmann-Boyce J,Chepkin SC, Ye W, et al. Nicotine replacement therapy versus control for smoking cessation. Cochrane Database Syst Rev. 2018：CD000146.［Ⅰ］

3) Cahill K, Lindson-Hawley N, Thomas KH, et al. Nicotine receptor partial agonists for smoking cessation. Cochrane Database Syst Rev. 2016：CD006103.［Ⅰ］

4) van Eerd EA, van der Meer RM, van Schayck OC, et al. Smoking cessation for people with chronic obstructive pulmonary disease. Cochrane Database Syst Rev. 2016：CD010744.［Ⅰ］

5) Masaki K, Tateno H, Nomura A, et al. A randomized controlled trial of a smoking cessation smartphone application with a carbon monoxide checker. NPJ Digit Med. 2020；3：35.［Ⅱ］

6) Tabacco Use and Dependence Guideline Panel. Treating Tobacco Use and Dependence：2008 Update. Rockville; U.S. Department of Health and Human Services；2008.［Ⅵ］

7) 日本呼吸器学会．加熱式タバコや電子タバコに関する日本呼吸器学会の見解と提言（改定 2019-12-11）．https://www.jrs. or.jp/activities/guidelines/file/hikanetsu_kenkai_kaitei.pdf （accessed 2022-04-01）［Ⅵ］

C. 安定期の管理

　安定期の管理では、原因物質曝露からの回避、薬物療法および非薬物療法を組み合わせる（各治療のSRの結果および推奨度は**第Ⅳ章**を参照）（図1）。管理目標を達成するために、重症度にあわせてエビデンスに基づいた治療を選択する。また、肺合併症や全身併存症の評価や治療を並行する。さらに治療介入や変更後に重症度を再評価することで、管理目標の達成および個別化最適医療の実現を目指すように努める。図2に安定期管理の概略をアルゴリズムで示す。

a. 原因物質曝露からの回避

　原因物質（危険因子）曝露からの回避は、重症度にかかわらず実施すべきである。本邦では、喫煙は疾患発症および進行において最も重要な危険因子である。したがって、電子タバコも含めて禁煙は強く推奨される[1]。現喫煙者には、禁煙を完遂かつ継続すべく支援を行う。また、受動喫煙あるいは喫煙以外の原因が同定されている場合には、その原因物質曝露からの回避を奨める。

b. 薬物療法

　薬物療法の中心は、吸入療法である。有用性のみならず、副作用や医療費を考慮する必要がある。患者ごとに適切な吸入手技や継続が可能と考えられる薬剤、デバイスおよび吸入方法を選択すべきである。積極的な薬物治

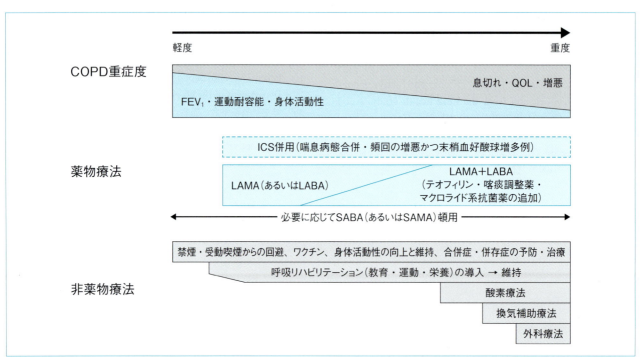

図1 安定期COPDの重症度に応じた管理
- COPDの重症度は、FEV₁低下の程度のみならず、運動耐容能や身体活動性の障害程度、さらに息切れの強度、QOLの程度（CATスコア）や増悪の頻度と重症度を加味して総合的に判断する。これらの評価は初診時のみでなく、定期的に繰り返すことが大切である。
- 禁煙は、一般のタバコのみならず、電子タバコ・加熱式タバコも例外ではない。また、受動喫煙からの回避のための教育および環境整備を行う。
- ICSは喘息病態合併患者に追加併用を行う（表1）。また、頻回の増悪（年間の中等度の増悪が2回以上、および/または、重度の増悪が1回以上）かつ末梢血好酸球増多（参考値300/μL以上）患者においてICSの追加併用を考慮する。ただし、本邦でICS単剤はCOPDに保険適用ではない。
- マクロライド系抗菌薬はCOPDに保険適用ではなく、クラリスロマイシンが好中球性炎症性気道疾患に保険収載されている。
- 肺合併症や全身併存症の診断、重症度の評価および予防、治療を並行する。特に喘息病態の合併は薬物療法の選択に重要な因子である。

C. 安定期の管理

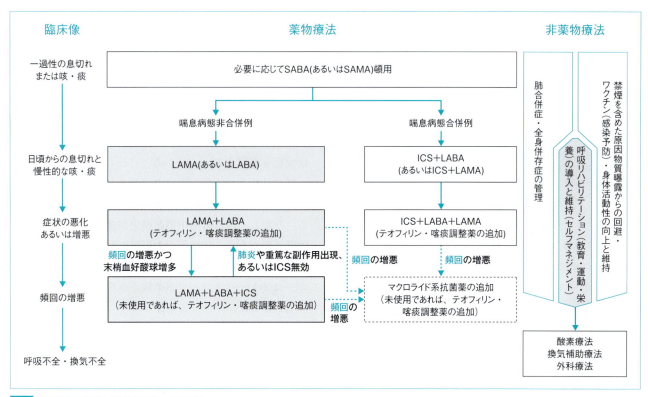

図2 安定期COPD管理のアルゴリズム

- COPD患者は症状を過小評価しがちで、しばしば増悪を報告しないこともあるので詳細な聴取が重要である。質問票を用いて具体的に評価する。
- 臨床像の評価は、初期治療導入時のみならず、病状の変化や治療の変更に合わせて、繰り返し重症度を評価することで、個別化最適医療の実現を目指すべきである。
- 鑑別疾患を含めて肺合併症や全身併存症の予防・管理には、他科や多職種との連携は不可欠である。特に喘息（あるいは喘息病態）の合併は、薬物療法の選択のうえで重要である。
- 喘息病態非合併者で、ICSを追加した際の効果判定は重要である。安易なICSの追加を避ける。無効あるいは副作用発症患者は中止を検討する。末梢血好酸球増多の目安として300/μL以上が用いられることが多い。喘息病態合併患者では、喘息病態が軽症の段階からLABDsにICSを追加・継続する。LAMAが使用できない場合はLABA/ICS配合薬を使用する。
- LAMA、LABAやICSの長期管理薬使用中の増悪時にはSABA（あるいはSAMA）を頓用する。また、長期管理薬を2剤以上使用しても増悪が頻回であればマクロライド系抗菌薬を追加する。ただし、本邦でマクロライド系抗菌薬はCOPDに保険適用はなく、クラリスロマイシンが好中球性炎症性気道疾患に保険収載されている。
- 非薬物療法の禁煙、ワクチン、身体活動性の向上や維持は、疾患進行予防の観点からできるかぎり早期からの導入を検討すべきである。軽症COPDに対する早期呼吸リハビリテーション導入意義のエビデンスは乏しい。

療介入は疾患進行の抑制[2]および生命予後の改善[3,4]が期待できる。

1）気管支拡張薬

通常、気管支拡張薬は吸入薬を用いる。

SABDsは、息切れやQOLなどの症状緩和に対して、予防あるいは治療として使用される。また、LABDsの定期使用下でも追加効果が得られる。日常的に症状が認められる、症状のため常にQOLが低下している、あるいは過去に増悪を経験している患者には、LABDsの定期吸入を行う。LABDsには、LAMAとLABAがある。初期導入にはLAMAを選択し、LAMAでコントロール不良または副作用（排尿障害を伴う前立腺肥大や閉塞隅角性緑内障）が懸念される場合にLABAへの変更を考慮する。それぞれの単独療法で増悪や症状のコントロールが得られない場合には、LAMAとLABAとの併用療法（LAMA/LABA配合薬）に変更する。ただし実臨床においては、症状が強い（mMRC呼吸困難スケール2グレード以上またはCAT 20点以上）[5-8]、あるいは、身体活動性が損なわれている場合[9]には、初期導入としてのLAMA/LABA配合薬は許容される。吸入が困難な患者には、LABA貼付薬を考慮する。

第Ⅲ章　治療と管理

表1 ACO 診断基準における喘息の特徴

> 1、2、3の2項目あるいは
> 1、2、3のいずれか1項目と4の2項目以上
>
> 1. 変動性（日内、日々、季節）あるいは発作性の呼吸器症状
>   （咳、痰、呼吸困難）
> 2. 40歳以前の喘息の既往
> 3. FeNO ＞35ppb
> 4-1) 通年性アレルギー性鼻炎の合併
>   -2) 気道可逆性（FEV₁≧12％かつ≧200mL の変化）
>   -3) 末梢血好酸球数＞5％あるいは＞300/μL
>   -4) IgE 高値（総 IgE あるいは吸入抗原）

（文献10より引用）

2）テオフィリン・喀痰調整薬

それぞれ単独で使用することもあるが、通常、LABDs と組み合わせて用いる。テオフィリンを使用する場合は、中毒を回避すべく至適血中濃度をモニタリングする必要がある。

3）抗炎症療法

ICS 単独療法は、COPD に対して有用性が乏しく、有害事象も多く、推奨されず、本邦では保険適用も有しない。したがって、COPD に対しては、ICS は LABDs と併用する。ICS は、重症度にかかわらず、喘息あるいは喘息様病態合併患者（ACO）には追加する（表1）[10]。また、すでに LABDs を投与されている患者への ICS の追加は、増悪を繰り返すあるいは症状コントロールが不良な患者で、かつ末梢血好酸球増多がみられる場合に有用性が高いことが報告されている[11-16]。

LAMA/LABA/ICS 配合薬は、LAMA/LABA 配合薬に比較して、QOL や呼吸機能改善、増悪抑制や生命予後の改善が期待される[3,4,11-19]。LAMA が使用できない場合には、LABA/ICS 配合薬を用いる。末梢血好酸球増多の定義は『喘息と COPD のオーバーラップ診断と治療の手引き 2018』に準じる（表1）[10,19]。ただし、末梢血好酸球増多を伴う COPD には、ACO と非喘息合併の場合があり、末梢血好酸球増多の定義を含め議論の余地があり、今後の課題である。特に、本邦の COPD 患者は高齢で痩せが特徴であり、ICS の併用は肺炎を含む呼吸器感染症の発症のリスクとなるため、注意を要する[11-14,17-20]。呼吸器感染症を繰り返す場合には ICS の中止、減量あるいは変更を考慮する。

低用量テオフィリンやマクロライド系抗菌薬の定期投与は好中球性炎症の制御あるいは増悪抑制に期待される。ただし、前者は血中濃度測定が必要である。後者は保険適用がなく、細菌叢への影響や耐性菌の発生に注意する。抗 IL-5 抗体などの生物学的製剤は、保険適用がなく、コスト・ベネフィットの観点から推奨しない。

c. 非薬物療法

非薬物療法は、禁煙を含めて、包括的に行う。そのため、医師のみならず多職種連携が必須である。インフルエンザワクチンと肺炎球菌ワクチン接種、栄養療法や運動療法は疾患早期から導入する。また、新型コロナウイルス（SARS-CoV-2）流行期には、ワクチン接種を考慮する。包括的呼吸リハビリテーションは、有症状者に対して積極的に導入する。栄養療法や運動療法は在宅でも実施できるように、患者の行動変容を促すよう教育する。LTOT/HOT は、PaO₂ 55Torr以下、あるいは、PaO₂ 60Torr 以下で睡眠時や運動負荷時に著しい低酸素血症を来す場合に導入する。在宅人工呼吸療法は、Ⅱ型呼吸不全患者や CO₂ ナルコーシスの既往あるいは予防目的に導入される。外科的治療は、内科的治療で改善が望めない患者に対して、適応条件を厳正に検討したうえで考慮する。

C. 安定期の管理

1. ワクチン

POINTS

- インフルエンザワクチンは COPD の増悪頻度と死亡率を低下させる。
- PPSV23 は COPD 患者の肺炎と増悪を減少させる。PCV13 は COPD 患者を含む 65 歳以上の高齢者の市中肺炎の発症を抑制する。
- インフルエンザワクチンと肺炎球菌ワクチンの併用により、インフルエンザワクチン単独に比較して COPD の感染性増悪の頻度が減少する。

a. インフルエンザワクチン

　COPD を対象とした RCT のメタ解析により、インフルエンザワクチンは COPD 増悪の発症頻度を有意に減少させることが示されている[1]。また、65 歳以上の高齢者を対象とした、より大規模なコホート調査でも、インフルエンザワクチンはインフルエンザや肺炎による入院を約 30 ％減少させ、死亡を約 50 ％減少させた[2]。本邦では 65 歳以上の高齢者にインフルエンザワクチンの定期接種が行われるようになって以降、65 歳以上の COPD 患者のインフルエンザ流行期の死亡率が有意に減少した[3]。これらの成績から、すべての COPD 患者にインフルエンザワクチンの接種が奨められる。

b. 肺炎球菌ワクチン（第Ⅳ章-CQ11 参照）

　成人には PPSV23 と PCV13 の 2 種類が使用できる。前者は血清型のカバー率が高いこと、後者はメモリー B 細胞の誘導など免疫原性に優れることが長所である。

　COPD 患者を対象とした RCT のメタ解析により、PPSV23 は肺炎および COPD 増悪を有意に減少させることが示されている[4]。一方、PCV13 は COPD 患者を含む 65 歳以上の高齢者の肺炎球菌性市中肺炎と IPD の発症を 4 年間にわたって有意に抑制した[5]。以上より、65 歳以上のすべての COPD 患者には肺炎球菌ワクチン接種が推奨され、65 歳未満の COPD 患者には PPSV23 接種が推奨される。また、COPD を対象に PPSV23 と PCV7（7 価蛋白結合型肺炎球菌ワクチン）を比較した研究では、対応する 7 つの血清型に関して、PCV のほうが PPSV よりも抗体価の誘導は良好であったが、肺炎、全

入院、増悪について、両ワクチンの間に有意差は認められなかった[6]。

　原則として PPSV23 は高齢者（65 歳以上、または 60 歳から 65 歳未満のハイリスク患者[脚注1]）対象の定期接種となっており、非高齢者（2 歳以上）で任意接種が可能である。PCV13 は、全年齢の肺炎球菌による罹患リスクが高いと考えられる者に接種が可能である。本邦では、2017 年までに高齢者の PPSV23 定期接種率は 30 ％台に留まっており、小児の PCV13 定期接種率の 90 ％台後半とは大きな開きがある[7]。一方、小児の PCV13 定期接種による集団免疫効果により、成人 IPD 原因菌に占める PCV13 血清型の検出率（PCV13 血清型のカバー率）は経時的に低下しているが、PPSV23 のカバー率は維持されている[8]。こうした現状と海外の動向を踏まえて、2019 年に日本呼吸器学会ワクチン検討 WG 委員会および日本感染症学会ワクチン委員会の合同委員会において、「65 歳以上の成人に対する肺炎球菌ワクチン接種に関する考え方（第 3 版）」が発表された[8]。要点として以下が挙げられる。①PPSV23 は高齢者の定期接種として推奨し接種率の向上を目指す。②PCV13-PPSV23 の連続接種（PPSV は定期または任意接種）は、強力な予防効果が期待されるため、可能な選択肢として維持する。③PCV13-PPSV23 の接種間隔は 6 ヵ月 〜 4 年以内、PPSV23-PCV13 の接種間隔は 1 年以上、PPSV23-PPSV23 の接種間隔は 5 年以上とする。④第 3 版[8] での PPSV23 の高齢者定期接種は 2019 年 4 月 〜 2024 年 3 月の 5 年間の時限措置とする。ちなみに現時点では多くの先進国において、高齢者の肺炎球菌ワクチンとして

脚注1　60 歳から 65 歳未満の方で、心臓、腎臓、呼吸器の機能に自己の身辺の日常生活活動が極度に制限される程度の障害やヒト免疫不全ウイルスによる免疫の機能に日常生活がほとんど不可能な程度の障害がある方。

第Ⅲ章　治療と管理

PPSV23 の推奨が維持されている。

c. インフルエンザワクチンと肺炎球菌ワクチンの併用

COPD 患者に対するインフルエンザワクチンと肺炎球

菌ワクチンの併用は、インフルエンザワクチン単独に比較して、肺炎の発症や非感染性の増悪には影響しないが、感染性の増悪を有意に予防する[9]。

2. 薬物療法

a. 気管支拡張薬（SAMA および SABA、LAMA、LABA、LAMA/LABA 配合薬、テオフィリン）

POINTS

- ◉ 薬物療法の中心は気管支拡張薬であり、閉塞性換気障害の程度・症状・増悪などから総合的な評価に基づき使用する。薬剤の選択にあたっては、患者ごとに治療反応性や副作用に注意しながら治療を継続する。
- ◉ 気管支拡張薬は、作用と副作用のバランスから吸入薬が推奨され、治療効果が不十分な場合には単剤を増量するよりも多剤併用が奨められる。
- ◉ 気管支拡張薬は COPD 患者の症状・QOL および運動耐容能を改善することから、身体活動性の向上および維持に有用と考えられる。

　気管支拡張薬は COPD 薬物療法の中心である。気管支平滑筋の弛緩作用によって、気道抵抗の低下や肺の過膨張の改善が得られ、運動耐容能が向上する[1,2]。患者の呼吸機能（気流閉塞の程度）に加え、労作時息切れなどの症状の強さや増悪リスクなどを考慮した薬剤選択が望まれる。可能な限り、呼吸機能検査（スパイロメトリー）で薬剤に対する反応性を評価し、それに応じて薬剤の選択を行い、副作用に注意しながら治療を継続する。治療効果の目安としては、一般的には FEV1 の改善を用いるが、FEV1 の変化が軽微でも、気管支拡張薬で肺の過膨張が軽減し、息切れや運動耐容能が改善する場合も多い（エビデンス B）[3]。実際、気流閉塞が中等度以上の患者では、気管支拡張薬による運動耐容能の改善は FEV1 よりも肺過膨張の改善とよく相関する（エビデンス B）[4-6]。したがって、薬剤の治療効果は呼吸機能だけでなく、患者の症状、QOL、運動耐容能や身体活動性の改善なども含めた広い視点から評価すべきである。

　気管支拡張薬には抗コリン薬、β2 刺激薬、メチルキサンチン（テオフィリン）の 3 系統があり、それぞれ作用機序が異なる。β2 刺激薬は、気道平滑筋の細胞膜に存在する β2 受容体を刺激し、アデニル酸シクラーゼを活性化し、細胞内 cAMP の増加に引き続くプロテインキ

ナーゼ A の活性化作用を介して気道平滑筋を弛緩させる。抗コリン薬は、M3 受容体に拮抗することにより迷走神経由来の ACh による気道平滑筋の収縮を抑制する[7]。テオフィリンの作用は、非選択的 PDE 阻害やアデノシン拮抗など多岐にわたるが、気管支拡張作用は PDE 阻害による気道平滑筋の cAMP 増加作用によると考えられている（エビデンス B）[7]。

　ごく軽度の COPD では、症状の軽減を目的として、労作などの必要時に SABDs の使用が推奨される。一方、気流閉塞が中等度以上の患者では、LABDs の定期使用が推奨され、必要に応じて SABDs を併用する。単剤の使用で症状の改善が不十分な場合には、多剤を併用することにより気管支拡張の上乗せ効果が得られる[8-11]。効果と副作用のバランスを考慮すると、吸入薬の使用が望ましい。表2 に COPD に用いられる薬剤を示す。

1）SABA および SAMA（第Ⅳ章-CQ01 参照）

　COPD に対する最大の気管支拡張反応は SAMA のほうが優れるが、効果発現までの時間は SABA のほうが早い。SABA や SAMA は、運動時の呼吸困難の予防に有効と考えられ（エビデンス B）[12,13]、重症患者では、入浴時などの日常生活における呼吸困難の予防に有用と考え

100

C. 安定期の管理

表2 COPD 管理に使用する薬剤（剤型）[*1]

薬品名	吸入（μg）（1回量）	ネブライザー液 (mg/mL)	経口	注射 (mg)	貼付 (mg)	作用持続時間（時間）
1. 気管支拡張薬						
抗コリン薬						
●短時間作用性（SAMA）						
臭化イプラトロピウム	20（MDI）					6〜8
臭化オキシトロピウム[*2]	100（MDI）					7〜9
●長時間作用性（LAMA）						
チオトロピウム	18（DPI）；5（SMI）[*5]					24以上
グリコピロニウム	50（DPI）					24以上
アクリジニウム	400（DPI）					12以上
ウメクリジニウム	62.5（DPI）					24以上
β_2刺激薬						
●短時間作用性（SABA）						
サルブタモール	100（MDI）	5	2mg			4〜6
テルブタリン			2mg	0.2		4〜6
プロカテロール	5〜10（MDI）、10（DPI）	0.1	25〜50μg			8〜10
ツロブテロール			1mg			8〜12
フェノテロール	100（MDI）		2.5mg			8
●長時間作用性（LABA）						
サルメテロール	25〜50（DPI）					12以上
ホルモテロール	9（DPI）					12以上
インダカテロール	150（DPI）					24以上
ツロブテロール（貼付）					0.5〜2	24
メチルキサンチン						
アミノフィリン				250		変動、最長24
テオフィリン（徐放薬）			50〜400mg			変動、最長24
2. ステロイド（グルココルチコイド）						
局所投与（吸入）[*3]						
ベクロメタゾン	50〜100（MDI）					
フルチカゾン（プロピオン酸エステル）	50〜200（DPI）；50〜100（MDI）					
ブデソニド	100〜200（DPI）					
シクレソニド	50〜200（MDI）					
モメタゾン	100、200（DPI）					
フルチカゾン（フランカルボン酸エステル）	100、200（DPI）					
全身投与（経口、注射）[*4]						
プレドニゾロン			5mg			
メチルプレドニゾロン			2〜4mg	40〜125		
3. 長時間作用性β_2刺激薬/吸入ステロイド薬配合薬（LABA/ICS）						
サルメテロール/フルチカゾン（プロピオン酸エステル）	50/250（DPI）；25/125（MDI）					
ホルモテロール/ブデソニド	4.5/160（DPI）					
ビランテロール/フルチカゾン（フランカルボン酸エステル）	40/100（DPI）					
4. 長時間作用性抗コリン薬/長時間作用性β_2刺激薬配合薬（LAMA/LABA）						
グリコピロニウム/インダカテロール	50/110（DPI）					
ウメクリジニウム/ビランテロール	62.5/25（DPI）					
チオトロピウム/オロダテロール	5/5（SMI）[*5]					
グリコピロニウム/ホルモテロール	14.4/9.6（MDI）					
5. 長時間作用性抗コリン薬/長時間作用性β_2刺激薬/吸入ステロイド薬配合薬（LAMA/LABA/ICS）						
ウメクリジニウム/ビランテロール/フルチカゾン（フランカルボン酸エステル）	62.5/25/100, 62.5/25/200					
グリコピロニウム/ホルモテロール/ブデソニド	14.4/9.6/320					
6. 喀痰調整薬						
ブロムヘキシン		2	4mg	4		
カルボシステイン			250〜500mg			
フドステイン			200mg			
アンブロキソール			15mg			
アセチルシステイン		200				

MDI：定量噴霧式吸入器、DPI：ドライパウダー定量吸入器、SMI：ソフトミスト定量吸入器
*1：マクロライド系抗菌薬は本邦では COPD に保険適用がなく、本表には記載していない（第Ⅲ章 -C-2-d. マクロライド系抗菌薬を参照）。
*2：現在製造中止。
*3：ICS に関しては COPD 適応外であるが、参考のため現行の剤型を記載。
*4：増悪時の使用が原則。
*5：1吸入はチオトロピウム2.5μg（/ オロダテロール2.5μg）。1回2吸入する。

られる。安定期COPD患者に対するLABAとSAMAの併用はLABA単独と比較して有意に呼吸機能（初回吸入時のベースラインからのFEV₁の最大変化量）（エビデンスA）、呼吸困難症状（TDI）（エビデンスB）、HRQOL（SGRQの変化量）（エビデンスA）の改善を認めた。一方で、増悪の頻度には差を認めなかった（エビデンスB）。重篤な有害事象や心血管系有害事象は多い傾向を認めた（エビデンスB）が、臨床的に問題になる排尿障害はみられなかった。運動耐容能、身体活動性への効果についてのエビデンスは乏しい。

2) LAMA（第Ⅳ章-CQ02を参照）

LAMAには1日1回吸入のチオトロピウム、グリコピロニウム、ウメクリジニウムと、1日2回吸入のアクリジニウムがある。LAMAは、持続した呼吸機能改善（FEV₁上昇や肺容量減少）効果により、症状やQOLを改善し、運動耐容能を向上させる（エビデンスA）[14-21]。LAMAによる運動耐容能の向上は、呼吸リハビリテーション（運動トレーニング）の併用でより有効性を増す（エビデンスB）[22,23]。投与5分後から3時間後までのFEV₁は、チオトロピウムと比較し、グリコピロニウムにおいて有意に高値であり、即効性もあるが、増悪回数や増悪による入院頻度は両者とも有意に抑制する（エビデンスA）[14,18]。アクリジニウムは非常に高いM3受容体親和性をもち、チオトロピウムよりも効果発現が早い[24,25]。一方、チオトロピウムはアクリジニウムに比べてM3受容体親性は同程度であったが、M3受容体解離半減期や効果持続時間が長いことが報告されている[26]。本邦の検討では、FEV₁、SGRQ、SF-8、mMRCグレード、増悪においてチオトロピウムと有意差を認めなかった[27]。

チオトロピウムは疾患進行（FEV₁の経年低下）を中等度の気流閉塞患者で抑制し[28-30]、死亡率を低下させる可能性も示唆される（エビデンスB）[14]。チオトロピウム・ドライパウダー製剤は対照群と比較し心血管イベントを減少させることが示されている[14]。一方、メタ解析でチオトロピウム・ソフトミスト製剤では心血管イベントの増加の可能性が指摘されたが[31]、大規模比較試験で、チオトロピウム・ソフトミスト製剤もチオトロピウム・ドライパウダー製剤と死亡率や心血管イベント発症率で差がないことが証明された[32]。

LAMAは体内への吸収率が低く、常用量であれば全身性の副作用はほとんど問題にならない[33]。閉塞隅角緑内障の患者では禁忌であるが、開放隅角緑内障の患者では問題ないので、眼科への相談を行うことが奨められる。前立腺肥大症の患者では、まれに排尿困難症状が悪化する副作用があるが、薬剤の使用を中止すればすみやかに症状は改善する。

3) LABA

LABAには吸入薬として1日2回吸入のサルメテロール[34]、ホルモテロール[35,36]、1日1回吸入かつ即効性を有するインダカテロールがあり[37-39]、貼付薬としてはツロブテロールがある。サルメテロールとツロブテロールの気管支拡張効果発現までの時間は遅く、最大効果が得られるまで1〜2時間かかるため、SABAのような即効性は期待できない[40]。LABAは気道平滑筋を拡張させ、気流閉塞や肺過膨張の改善、呼吸困難の軽減、QOLの改善、増悪の予防（エビデンスA）[34,36,38,39,41]、運動耐容能の改善（エビデンスB）[42,43]、身体活動性の改善（エビデンスB）[44]などの効果を示す。貼付薬ツロブテロールは吸入薬に比べて気管支拡張効果は劣るが[45]、夜間症状の改善やQOL改善に優れている可能性があり（エビデンスB）[46]、チオトロピウムへの併用で呼吸機能と症状の改善効果が認められた（エビデンスB）[47]。

LABAの副作用として、頻脈、手指の振戦、PaO₂の軽度の低下などがあるが、その頻度は経口薬に比べて少なく、常用量であれば問題がない[48-50]。貼付薬で皮膚のかゆみやかぶれが認められる場合には、貼付部位の変更が必要である。

4) LAMA/LABA配合薬（第Ⅳ章-CQ04を参照）

LAMA/LABA配合薬には1日1回吸入のグリコピロニウム/インダカテロール、ウメクリジニウム/ビランテロール、チオトロピウム/オロダテロール、1日2回吸入のグリコピロニウム/ホルモテロールの4剤がある。

LAMA/LABA配合薬はLAMAやLABAの単剤治療に比べ、気流閉塞や肺過膨張の改善効果が大きく（エビデンスA）[51-53]、息切れなどの症状も改善する（エビデンスA）[54-56]。運動耐容能に関しても、プラセボに比べ大きな改善効果を示す（エビデンスB）[57,58]。本邦から、身体活動性に対してLAMA/LABA（チオトロピウム/オロダテロール）配合薬で、LAMA（チオトロピウム）単剤と比較して、6MWDの延長（重度の気流閉塞患者に限定）

C. 安定期の管理

や 2METs 以上の活動時間の延長（エビデンス B）[59]、あるいはセデンタリー行動の短縮が認められた（エビデンス B）[60,61] との報告もある。増悪抑制効果に関して、LAMA/LABA 配合薬（グリコピロニウム/インダカテロール）は LAMA（グリコピロニウム）と比較して、有意に増悪を抑制した（エビデンス B）[62]。さらに、グリコピロニウム/インダカテロールの増悪抑制効果は、サルメテロール/フルチカゾンより強い（エビデンス B）[63,64]。

LAMA/LABA 配合薬は、それぞれの薬剤の作用機序・作用時間が異なっているため、単剤の増量に比べ副作用のリスクが低く、かつ、より強力な気管支拡張効果が期待できる（エビデンス A）[65]。LABA は、コリン作動性神経終末に存在する β_2 受容体に作用し、ACh の遊離を抑制し、LAMA による気道平滑筋の拡張作用を増強させる。また、LAMA による M3 受容体の拮抗作用は、LABA によって増加した気管支平滑筋内の cAMP 濃度を保持する効果があり、LABA による気道平滑筋の拡張作用を増強させる。そのため、LABA と LAMA の併用は相乗効果があると考えられている。

5）テオフィリン（第IV章-CQ07 を参照）

経口の徐放性テオフィリンが用いられる[66,67]。本薬剤による FEV1 の改善効果は吸入気管支拡張薬に比べて小さいが（エビデンス A）、サルメテロールに併用した場合の気管支拡張作用の上乗せ効果が報告されている（エビデンス B）[68,69]。

LAMA、LABA または LAMA/LABA 配合薬吸入＋テオフィリン併用群と、LAMA、LABA または LAMA/LABA 配合薬吸入の吸入単独群の 2 群間比較で、アウトカムとして「呼吸機能の改善」「増悪頻度の低下」「息切れ症状の改善」「HRQOL の改善」「運動耐容能の改善」「薬物関連有害事象の増加」を評価したところ、テオフィリンの追加治療は、呼吸機能を改善せず、増悪頻度を低下させ、薬物関連有害事象を増加させた（エビデンス C）。有害事象は、主に消化器症状が増加したが、重篤例の発生はなかったとされる[68,70-72]。気管支拡張作用に有効な血中濃度は 5～15 μg/mL であるが、ときに悪心や不整脈を認める。低用量テオフィリン（5 μg/mL 程度）は気道炎症（エビデンス B）や酸化ストレスを低下させると報告されているが（エビデンス C）[73-75]、長期的な抗炎症効果や疾患進行抑制効果のエビデンスはない。ただし、血中濃度をモニタリングする必要がある。

b. グルココルチコイド（配合薬を含む）

1）LABA/ICS 配合薬（第IV章-CQ05 を参照）

本邦では、LABA/ICS 配合薬としては、サルメテロール/フルチカゾン、ホルモテロール/ブデソニド、ビランテロール/フルチカゾンの 3 種類が COPD に対し適応がある（表2）。これまでの研究では、配合薬は中等度からきわめて高度の気流閉塞を有する患者および増悪を来しやすい患者において、それぞれ単剤で使用するよりも呼吸機能や健康状態を改善し、増悪抑制効果が認められた（エビデンス A）[76,77]。しかし、TORCH 試験では、サルメテロール/フルチカゾンは全死因死亡率を低下するには至らず[78]、ビランテロール/フルチカゾンを対象とした SUMMIT 試験においても、主要評価項目である全死因死亡率を低下するまでの成績は得られなかった[79]。

その後、FLAME 試験[63]、ENERGITO 試験[80]、AFFIRM COPD 試験[81] など、LABA/ICS 配合薬と LAMA/LABA 配合薬を比較検討した成績が明らかとなり、これらの臨床研究を含めたメタ解析が行われた[82]。その結果、増悪の抑制、呼吸機能（トラフ FEV1）の改善、SGRQ 総スコアの改善、肺炎リスクの軽減の観点から、LAMA/LABA 配合薬のほうが優れているとの結論が得られた（エビデンス B）。IMPACT 試験[83]、KRONOS 試験[84] や ETHOS 試験[85] を加えた本ガイドラインにおけるメタ解析においても同様の結論となっているが（第IV章-CQ05 を参照）（エビデンス B）、死亡率については、LABA/ICS 配合薬は LAMA/LABA 配合薬と比較して死亡率を低下させることが認められた。この要因として、IMPACT 試験[83]、KRONOS 試験[84] や ETHOS 試験[85] では、過去に喘息歴を有する例も含まれている点や、海外においては LABA/ICS 配合薬と比較して、LAMA/LABA 配合薬では心血管死の頻度が高い点が影響している可能性がある。実際に、IMPACT 試験のサブ解析[86] を含めて、COPD 患者において末梢血好酸球数と ICS の治療効果には相関があることが示されている[83,87-91]。これらの解析において、末梢血中好酸球数が 300/μL 以上の COPD 患者では ICS による治療効果が期待でき、逆に 100/μL 以下の COPD 患者では ICS による治療効果が期待できないことが示されており、COPD 患者における末梢血中好酸球数が ICS の治療効果予測因子になりうることが示されている。また、COPD 増悪リスクが高い患者（年 2 回以上の増悪歴もしくは年 1 回以上の入院歴）においては、ICS を含む吸入薬の治療効果が高くなることが示されて

第Ⅲ章　治療と管理

おり[63,83,89]、COPD 患者に対する ICS の使用は末梢血中好酸球数と COPD 増悪のリスクを組み合わせて検討することが望ましい。

COPD において、LABA/ICS 配合薬は肺炎のリスクが高くなることが示されており、特に現喫煙者、年齢 55 歳以上、過去の増悪歴、肺炎の既往、低 BMI、低呼吸機能などがリスクになる[92,93]。

LAMA/LABA/ICS 配合薬から ICS を中止した例と継続した例とでは、増悪リスクに差がないことが報告されているが、中止例では約 40mL の FEV1 の低下がみられ[94]、また末梢血中好酸球数 300/μL 以上の患者では、ICS を中止することで FEV1 低下や COPD 増悪リスクの増加が認められている[95,96]。LABA/ICS 配合薬を積極的に処方すべき COPD 患者は、喘息合併の COPD 患者である。また、TORCH 試験ではプラセボやサルメテロール/フルチカゾンに比べ、フルチカゾン単剤は死亡率を高める傾向が認められており（エビデンス A）[78]、COPD に対して ICS 単剤での加療は推奨しない。なお、以前、2 週間の経口ステロイド薬の内服効果が ICS の長期効果を予測するといわれた時期があるが、両者の気管支拡張効果には相関がないので行うべきではない[97,98]。

2）LAMA/LABA/ICS 配合薬（第Ⅳ章-CQ06 を参照）

LAMA、LABA、ICS の 3 剤を併用した治療へのステップアップは、LAMA+LABA に ICS を追加する場合や LABA/ICS 配合薬に LAMA を追加する場合などがあり、治療のステップアップによる呼吸機能や症状の改善効果、増悪の減少効果が示されている（エビデンス A）[9,83-85,89,91,99-103]。本邦では、LAMA/LABA/ICS 配合薬として、ウメクリジニウム/ビランテロール/フルチカゾンとグリコピロニウム/ホルモテロール/ブデソニドの 2 種類が COPD に対し適応があり（表2）、日本人においてもその有用性が報告されている[104-106]。

LAMA/LABA/ICS 配合薬と LAMA/LABA 配合薬、LABA/ICS 配合薬を比較した大規模臨床試験である IMPACT 試験と ETHOS 試験は、CAT スコアが 10 点以上の呼吸器症状、および、頻回または重篤な増悪歴があり、中等症以上の気流閉塞を有する COPD 患者を対象として 1 年間の経過観察を行った試験である[83,85]。増悪抑制を主要評価項目としたこれらの試験では、LAMA/LABA/ICS 配合薬は LAMA/LABA 配合薬、LABA/ICS 配合薬と比較して有意な増悪抑制効果が認められた（エ

ビデンス A）。IMPACT 試験では、副次評価項目として、呼吸機能（トラフ FEV1）や QOL（SGRQ スコア）、症状（TDI スコア）を有意に改善することが示された（エビデンス A）[83]。また、呼吸機能（トラフ FEV1）を主要評価項目とした KRONOS 試験では、LAMA/LABA/ICS 配合薬は LAMA/LABA 配合薬、LABA/ICS 配合薬と比較して有意な呼吸機能改善効果が認められた（エビデンス A）[84]。IMPACT 試験と ETHOS 試験では、LAMA/LABA/ICS 配合薬が LAMA/LABA 配合薬と比較して死亡率を減少させるという新しい知見が報告されたが（エビデンス B）[85,107]、観察期間が短期間であり、イベント数が少数ということから今後の大規模試験による検証が必要である。これらの試験の事後分析では、血中好酸球数増加と ICS の有効性に相関が示され[85,89]、好酸球数が 100/μL 未満であれば ICS の効果が乏しく、好酸球数が 300/μL よりも多い場合は ICS の有効性が高いことが示されている[83]。基準値（分画や絶対数）については、議論が継続されており結論が出ていない[108]。また、IMPACT 試験と ETHOS 試験では、ICS 追加は肺炎リスクを有意に増加させることが示されている（エビデンス A）[83,85]。一方で、SR による GRADE 評価から、LAMA/LABA/ICS 配合薬による増悪抑制効果は肺炎合併のリスクを上回ることが示されている[109-111]。なお、これらの大規模試験では現在の喘息合併は除外されているが、喘息既往は除外されておらず、またスクリーニング時点で参加者の 65 ～ 80 ％が ICS 治療を受けていたことから、ICS に対する反応性が良好な喘息症例が潜在的に含まれている可能性がある[83-85,89]。

以上より、LAMA/LABA/ICS 配合薬は増悪抑制、呼吸機能、QOL、呼吸器症状の改善、死亡率の減少が期待されるが、過去に増悪歴があり、初期治療として LAMA/LABA 配合薬を使用しても息切れなどの症状が強く、血中好酸球が高く、増悪を起こしやすい患者に推奨される[109-111]。LAMA/LABA 配合薬に ICS を追加する際は、ICS 追加の有用性を症状や増悪頻度、呼吸機能、血中好酸球数などで評価し、肺炎の合併に注意しながら長期の継続あるいは中止を判断する必要がある。また、ICS を含む気管支拡張薬（LABA もしくは LAMA）で治療中の喘息を合併した COPD（ACO）患者で症状が残存する場合、あるいは増悪を繰り返す場合は LAMA/LABA/ICS 配合薬のよい適応である[112]。

C. 安定期の管理

c. 喀痰調整薬

咳嗽、喀痰はCOPD患者において早期から出現し、QOLを低下させる原因となる症状である。湿性咳嗽は、気道の過分泌により粘液線毛クリアランスが機能不全を来した結果、咳クリアランスによる代償が生じたものである。したがって、喀痰の喀出困難を改善することで、咳嗽の改善も期待できる。COPD患者の喀痰症状に対して喀痰調整薬が用いられるが、喀痰調整薬には、気道杯細胞過形成抑制（気道分泌細胞正常化）作用、粘液溶解作用、粘液修復作用、粘液潤滑作用など、作用や効果に違いがあるため、喀痰の性状や病態に基づいて使い分けることが重要である。さらに喀痰調整薬には、増悪抑制効果を有することが報告されており[113-117]、また軽度ながらQOLの改善効果も期待できる（エビデンスC）[117-119]。喀痰調整薬は安価で副作用も少ないため、安定期のCOPD患者に対して最も多く投与されている内服薬であるが、特に増悪頻度の高い患者において有用性が期待できる。

d. マクロライド系抗菌薬

マクロライド系抗菌薬［クラリスロマイシン、エリスロマイシン（保険適用なし）、アジスロマイシン（保険適用なし）］によるCOPDの全増悪および重症増悪頻度の抑制（エビデンスB）、増悪による外来受診や入院頻度の抑制（エビデンスB）、治療介入時の増悪の持続期間の短縮（エビデンスC）、次の増悪が生じるまでの期間の延長（エビデンスC）、QOLの向上などが報告された（エビデンスC）[120-130]。メタ解析でも初回増悪までの期間の延長および増悪抑制が報告されており（エビデンスA）[131,132]、そのサブグループ解析で、エリスロマイシンの有効性と高齢者に対する反応性の低下が示されている[132]。増悪抑制効果は、気管支拡張薬やICSを使用中の患者でも認められている[132]。『咳嗽・喀痰の診療ガイドライン2019』では、慢性気道感染を併存しているCOPDにはマクロライド系抗菌薬長期療法が推奨されている[133]。マクロライド系抗菌薬のCOPD増悪抑制効果には、気道炎症や喀痰分泌の抑制、細菌病原性抑制、抗ウイルスなどの作用の関与が報告されている（エビデンスB）[126]。エリスロマイシンやクラリスロマイシンの長期投与において、喀痰中のマクロライド系抗菌薬耐性菌の検出頻度に変化は認められていない[123,126]。近年の非結核性抗酸菌症の増加を考えると、その治療薬であるクラリスロマイシンの使用に先行して、交叉耐性を生じないエリスロマイシンの使用を考慮する。

e. 吸入指導

吸入療法はCOPD管理の根幹をなす。吸入療法をより効果的に行うために、患者に適した吸入デバイスの選択や吸入手技やアドヒアランスに対する患者教育は重要である。また、高齢者の吸入療法に対する家族や介護者の支援は欠かせない[134]。

1）吸入療法の特殊性と問題点

高齢者の割合が高いCOPD患者は、ときに手指が不自由であったり、視覚・聴覚機能の低下であったり、さらには認知機能の低下がみられる。吸入薬は同種同効薬であっても、その吸入デバイスの形状や吸入手技が異なることがある。異なる吸入デバイスに適応できず、適切な吸入手技が修得できないために、期待される薬効が得られないことがある。吸入薬の有効性は吸入手技のみならず、吸入アドヒアランスが関与する。

吸入アドヒアランスの低下には、薬剤側と患者側の要因が考えられる。薬剤側の要因として、①吸入手技が複雑、②複数の吸入デバイス使用時、③効果不十分や有害事象の問題、④薬剤の費用が挙げられ、患者側の要因として、①年齢、②併存症、③吸入手技に対する理解不足、④手技の不良が挙げられる[135,136]。吸入アドヒアランス不良患者は、良好患者に比較して、中等度の増悪や入院を経験した患者割合が高い[137]。

FEV_1の低下は最大吸気流速の低下と有意な正の相関性を示し[138]、最大吸気流速低下は加齢に依存することも知られている[139]。

2）吸入デバイスの特性

吸入デバイスには、pMDI製剤、SMI製剤とDPI製剤がある。pMDI製剤やSMI製剤の粒子径は比較的小さく、いずれもミスト状の薬剤が噴霧されるため、最大吸気流速が低下している患者に使用しやすい[140,141]。ただし、pMDI製剤は吸入に同調が必要なため、吸気のタイミングを合わせることが困難な場合がある。必要に応じて、吸入スペーサーの併用を考慮する。SMI製剤は、同調が不要で通常呼吸で吸入できる利点がある。DPI製剤は粒子径が比較的大きく、患者自身の吸入力によって薬剤がエアロゾル化し気道へ沈着する。DPI製剤もSMI製

第Ⅲ章　治療と管理

剤と同様に同調が不要であるが、pMDI 製剤や SMI 製剤と比較してより大きな吸気流速が必要とされる[134]。個々にあわせたデバイス選択が望まれる。

3) 吸入薬の処方と指導の実際

　吸入薬を処方する際は、患者がその薬剤を正しく使用できるよう適切な吸入指導が欠かせない。各薬剤には、同封される取扱説明書があるが、患者の前で吸入手技を実演して指導することが最も有用とされる[142]。しかし、吸入薬の取り扱いや指導に不慣れな医師には、薬剤師との病薬連携の構築が望まれる。2020 年度の診療報酬改定により、医師や患者・家族（医師の了解が必要）からの求めなどに応じることで、薬剤師は薬剤服用歴管理指導料吸入薬指導加算が算定できるようになった。文書による吸入薬使用の説明に加え、練習用吸入器を用いた実技指導を行い、その指導内容を医療機関に提供した場合の評価に対し、3 ヵ月に 1 回まで 30 点が加算される[143]。吸入指導は処方初回だけではなく、その後も継続して指導を行っていくことが有用であり、指導を繰り返すことで手技エラーは有意に減少することが報告されている[144]。それぞれの地域の状況にあわせて、大学病院や基幹病院、または、医師会と薬剤師会などを通じて吸入療法に対する情報共有や吸入手技の画一化を目指した勉強会や病薬連携を図ることが望ましい。

　2022 年 4 月現在、COVID-19 の流行により、感染予防のために診察回数は減少し、1 回の処方が長期化する傾向がみられている。そのため、患者指導の頻度が減少し、吸入アドヒアランスの低下が危惧されている。感染症流行下では対面指導や、実際の吸入手技の実演は困難であることも想定される。その際はインターネット上に公開されている吸入手技動画を利用しての指導を行ったり、テレメディシン（遠隔診療）での指導を用いたりすることで、吸入アドヒアランスの維持向上に努めることが必要であろう[142]。

3.　非薬物療法

a.　呼吸リハビリテーション

POINTS

- ◉ 呼吸リハビリテーションは、COPD の呼吸困難の軽減、運動耐容能の改善、HRQOL の改善に有効であり、COPD に対する非薬物療法のなかで標準的治療と位置づけられている。
- ◉ 薬物療法、酸素療法など他の治療に加えて呼吸リハビリテーションを実施すると上乗せ効果が得られる。
- ◉ 運動療法とセルフマネジメント教育は呼吸リハビリテーションの中核である。
- ◉ 身体活動レベルを高めることが重要である。

1) 呼吸リハビリテーションと COPD

　呼吸リハビリテーションは、「呼吸器に関連した病気を持つ患者が、可能な限り疾患の進行を予防あるいは健康状態を回復・維持するため、医療者と協働的なパートナーシップのもとに疾患を自身で管理して、自立できるように生涯にわたり継続して支援していくための個別化された包括的介入である」と定義されている[1]。呼吸リハビリテーションは多職種によるチーム医療で実施され、その構成要素は、運動療法、セルフマネジメント教育、栄養療法、心理社会的サポート、および導入前後、維持期（生活期）の定期的な評価であるが、特に運動療法とセルフマネジメント教育が呼吸リハビリテーションの中核である[1]。特に近年、呼吸リハビリテーションは統合ケア（integrated care）の一環をなし[1-4]、その重要性は増してきている[1-3]。呼吸リハビリテーションは COPD の国際ガイドラインでも非薬物療法の標準的治療と位置づけられ[1-3]、本ガイドラインでもその実施が強く推奨されている（エビデンス B）[5]。

2) 呼吸リハビリテーションの効果

　COPD は、労作時の呼吸困難のため、身体非活動性（physical inactivity）に陥りやすい[6]。身体非活動性は廃

C. 安定期の管理

用症候群などの身体機能の失調を招き、社会的孤立、抑うつなどを背景に加えながら呼吸困難を増し、身体活動性の低下、HRQOLの低下を来すという悪循環を生じる[6]。呼吸リハビリテーションプログラムは、この悪循環を断ち切る方向に働く[1-7]。表3に呼吸リハビリテーションの有益性を示す[1]。特に、呼吸困難、運動耐容能、HRQOLを改善することが示されており[5,8]、呼吸リハビリテーションの併用が推奨される。本ガイドラインで実施された解析でも、下肢の持久力トレーニングを含めた呼吸リハビリテーションは、呼吸困難の軽減、運動耐容能の改善、HRQOLの改善効果を認めた[5]。このような効果は、症状を有するすべての病期において報告されてい

表3 COPDにおける呼吸リハビリテーションの有益性

- 呼吸困難の軽減
- 運動耐容能の改善
- HRQOLの改善
- 不安・抑うつの改善
- 入院回数および期間の減少
- 予約外受診の減少
- 増悪による入院後の回復を促進
- 増悪からの回復後の生存率を改善
- 下肢疲労感の軽減
- 四肢筋力と筋持久力の改善
- ADL（生活機能）の向上
- 長時間作用性気管支拡張薬の効果を向上
- 身体活動レベル向上の可能性
- 相互的セルフマネジメントの向上
- 自己効力感の向上と知識の習得

（文献1より引用）

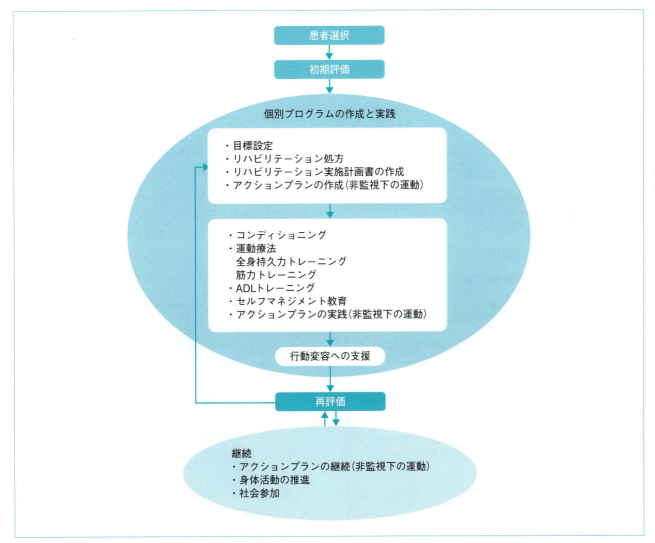

図3 呼吸リハビリテーションのプロセス

（文献1より引用）

る[9,10]。気管支拡張薬や酸素療法に運動療法を加えることにより、単独の治療よりも呼吸困難を軽減し運動持続時間を延長する[11]。

呼吸リハビリテーションの効果は1〜2年で減衰することが報告されている[1,12]。呼吸リハビリテーションプログラム終了後にメンテナンスを実施すると、運動耐容能は改善するものの、HRQOLの改善効果は乏しいことが報告されている[12]。今後は、効果が持続するメンテナンスプログラムのあり方について検討する必要性がある。

3）呼吸リハビリテーションの適応と評価

COPD患者における呼吸リハビリテーションは、症状を有するすべての病期で有効であり、適切に患者が選択されれば高齢者においても有効である[1,13]。そのため、薬物療法などの他の治療法に加えて積極的に導入することが重要である。

呼吸リハビリテーションは図3[1]のプロセスに従って進められる。適応患者に対して、プログラム導入前の初期評価を行う。評価に基づき個別化したプログラムを立案し、目標を設定して実施する。終了後に再評価を行い、目標達成状況等のアウトカム評価や残された課題の検討、継続の立案を行う[1]。呼吸リハビリテーションのプロセスでは、特に患者の評価を行うことが重要である。評価は、「必須の評価」「行うことが望ましい評価」「可能であれば行う評価」に大別される（表4)[1]。必須の評価には、運動療法を行う際の禁忌やリスクの有無の簡易な評価項目も含まれる。なお、フィールド歩行試験としての6MWTならびにSWTは、いずれも健康保険が適用されており、積極的な活用が奨められる。

4）呼吸リハビリテーションのプログラムと運動療法

呼吸リハビリテーションプログラムのコアとなる構成要素は、運動療法、セルフマネジメント教育である[1-4]〔セルフマネジメント教育については**第Ⅲ章-C-3-c. セルフマネジメント教育**を参照のこと〕。

導入期および安定期の運動療法は呼吸困難の軽減、運動耐容能の向上および身体活動性の向上・維持を主たる目的とする。全身持久力ならびに筋力トレーニングを中心とした運動療法、呼吸練習、リラクセーションや柔軟性改善のためのストレッチングなどのコンディショニング、ADLトレーニングより構成される。1セッションあたりのプログラムの構成は図4のとおりである[1,14]。重症例においても運動療法は有効であり、コンディショニング、基礎的なADLトレーニングを行いながら、低負荷の全身持久力・筋力トレーニングから開始することが望ましい。軽症例では、全身持久力・筋力トレーニング

表4 呼吸リハビリテーションの評価

必須の評価	・フィジカルアセスメント ・スパイロメトリー* ・胸部単純X線写真* ・心電図* ・呼吸困難（安静時、日常生活動作時、歩行時など） ・経皮的酸素飽和度（SpO_2） ・ADL ・歩数（身体活動量） ・フィールド歩行試験（6MWT、SWT）** ・握力 ・栄養評価（BMI、%IBW、%LBW など）
行うことが望ましい評価	・上肢筋力、下肢筋力 ・HRQOL（一般的、疾患特異的） ・日常生活動作におけるSpO_2モニタリング
可能であれば行う評価	・身体活動量（活動量計） ・呼吸筋力 ・栄養評価〔質問票、体成分分析（LBMなど）、エネルギー代謝、生化学的検査など〕 ・動脈血ガス分析 ・心理社会的評価 ・心肺運動負荷試験 ・心臓超音波検査

*：外来診療などで実施済みの場合は内容を確認
**：運動負荷が禁忌な病態をあらかじめスクリーニングしておくこと、在宅、訪問リハビリテーションにおける実施を除く

（文献1より引用）

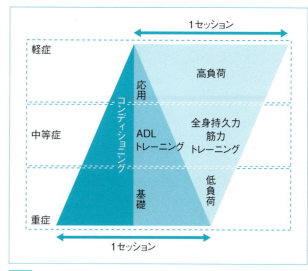

図4 維持期における開始時プログラムの構成

（文献1より引用）

C. 安定期の管理

が開始時より主体となり、強度も高負荷から開始する。運動療法の前後では、ウォームアップ、クールダウンを行う。

身体活動性は予後に密接に関連するため[15]、呼吸リハビリテーションを行う際には、身体活動性を高めるように実施することが重要である[1]［セルフマネジメント教育については**第Ⅲ章-C-3-b. 身体活動性の向上と維持**を参照のこと］。

b. 身体活動性の向上と維持

POINTS

- 身体活動には日常におけるすべての身体の動きが含まれる。
- 身体活動性が高いことは生命予後が良好であることをはじめ、健康寿命の延長や全身併存症率の低減などの臨床的メリットと関連している。
- 身体活動性を高めるには、行動変容を促す動機づけが必要である。

1) 身体活動性と運動耐容能

身体活動は、骨格筋を収縮させて行うあらゆる身体の動きと定義される[16]。安静にしている状態よりも多くのエネルギーを消費するすべての動作を指している[17]。したがって、屋内で行う家事などの身の回りの動作、職業をはじめとした種々の社会活動、健康のための運動、あるいは趣味や嗜好のために行われる活動など、人間が生活を営むうえで行うすべての身体の動きが含まれる。呼吸リハビリテーションで行う運動療法も一種の身体活動であり、6MWTや最大酸素摂取量などの運動耐容能を主な指標としてきた。これに対して、身体活動では、身体活動量あるいは日常の身体活動量の平均レベルである身体活動性を主な指標とする。例えば、歩数計の日ごとのカウントは身体活動量であり、その週間の平均値などは身体活動性の代表的な指標である。したがって、運動耐容能は運動の能力的な指標であり、そのときに到達可能な運動の限界点を示しているのに対し、身体活動性は個々人の生活習慣を反映している[1]。別の観点でいえば、運動耐容能を向上させるには運動療法などでトレーニングが必要である一方、身体活動性の向上には生活習慣の変化、いわゆる行動変容が必要である。

2) 身体活動性の意義

身体活動性の高いCOPD患者では、疾患罹患リスクの減少[18,19]、疾患の進行予防[19]、入院・増悪のリスク減少[18-20]、良好な生命予後[15,18,19,21,22]、その他、生活習慣病や悪性疾患（全身併存症）のリスク減少および抗炎症効果[23]などの臨床的メリットが報告されている。特にCOPDでは、身体活動性が運動耐容能よりも生命予後との関係がより深い[15]。身体活動性の向上と維持はCOPDの管理目標の重要な柱である[24]。

3) 身体活動性の向上と維持のための介入

身体活動性が良好であれば、生命予後は良好である。これに対し、不良であった身体活動性が改善した場合に予後が改善するかについては、明らかになっていない。身体活動性向上のための確かな治療介入の方法が確立されていないことが理由として大きい[4]。薬物療法や一時的な運動療法の導入は、十分な身体活動性の向上効果をあげられず、身体活動性の向上には、生活習慣に変化をもたらす行動変容が必要である[25,26]。歩数計の日誌記録による自己フィードバックの利用[27]、市街地の散歩コース案内の地図を与えて達成感や楽しみの付加[28]などが身体活動性の行動変容に動機を与えるとされる。さらに歩数計の管理に加えて、アドバイスを与え続けていくことの有用性が報告されている[29]。身体活動の向上と維持は、COPD患者の安定期の管理の最も重要なゴールの1つであり、今後も行動科学的な戦略が模索されていくであろう。

109

第Ⅲ章　治療と管理

c. セルフマネジメント教育

POINTS

- セルフマネジメント教育は COPD の HRQOL を改善、呼吸器に関連した入院リスクを減少させる効果が示唆されている。
- 増悪期に加えて安定期等のアクションプランを患者と協働で作成し、行動変容を誘導する介入を行う。
- セルフマネジメント支援では、セルフマネジメント教育をコアとして、調整、意思決定、システム構築、専門職育成等の支援を加えた統合されたアプローチが求められる。

1）セルフマネジメント教育の概要と定義

　セルフマネジメント教育の目的は、患者が疾患に対する理解を深め、病態や病期に応じたセルフマネジメント能力を獲得し、患者と医療者が協働で疾患に取り組む姿勢を向上させることである[1,30]。患者が疾患の管理を自分自身で行い、健康を維持・増進あるいは回復させるために、必要な行動（アクション）を起こすための知識や技術、動機、自信（自己効力感）を育てることが重要である。単に知識や技術の修得のみにとどまらず、感染予防や身体活動性の向上・維持などのセルフマネジメント行動へのアドヒアランスを高めるものでなければならない[1,30]。セルフマネジメント教育は以下に定義される[1]。

　「セルフマネジメント教育は、健康問題を持つ人が疾患に関連する知識を得るだけではなく、自身が多様な価値観に基づき達成目標や行動計画を医療者と協働しながら作成し、問題解決のスキルを高め、自信をつけることにより健康を増進・維持するための行動変容をもたらす介入である」

2）COPD を対象としたセルフマネジメント教育の効果

　行動変容への介入を加えたセルフマネジメント教育が、入院や救急外来の受診を減少させ、HRQOL を改善させることが 2003 年に初めて報告され[31]、医療費の削減効果も示された[32]。2017 年の Cochrane Review では 22 の臨床試験が解析され、増悪時のアクションプランを含むセルフマネジメント教育は、12ヵ月間にわたり HRQOL を改善させ、呼吸器に関連する入院リスクを少なくとも 1 回減少させることを報告した[33]。表 5 にセルフマネジメント教育の主な介入形態を示した。セルフマネジメント教育は呼吸リハビリテーションの重要な位置

を占めるが、最近では、単独でのさまざまな介入形態が検討されている。LAMA/LABA 配合薬の多施設間臨床試験において、セルフマネジメント行動変容プログラムのみによる介入群において、20％の歩行の増加、息切れの軽減効果が認められた[34]。最近では、セルフマネジメント教育においても ICT が活用されつつあり、2021 年の Cochrane Review では 14 の臨床試験を解析、息切れと HRQOL を改善させる可能性があるが、さらなる検討が必要と位置づけている[35]。また、セルフマネジメント教育の運動療法への上乗せ効果のエビデンス構築が今後の課題として指摘されている[36]。

3）セルフマネジメント教育の実際

　セルフマネジメント教育は、評価を行った後、プログラムを作成して実施する。目標を設定、個別計画を立案し、増悪期のみではなく安定期等におけるアクションプランを作成する。教育の学習項目を表 6 に示した[1]。これらの情報は、あくまで実践的なものであるべきで、単に知識や技術の習得のみにとどまらず、セルフマネジメ

表5　セルフマネジメント教育の主な介入形態

1）呼吸リハビリテーションにおける教育セッション（入院、通院、テレリハビリテーションなど）
2）セルフマネジメント教育プログラム
　①対面（個別、グループ）
　②テレヘルス（テレナーシングなど）
　③モバイルヘルスなど
3）LTOT/HOT、HMV 等の導入時における教育セッション
4）LTOT/HOT、HMV 等の維持期における療養指導
5）看護外来
6）地域における教室（保健所など）
7）訪問看護、訪問リハビリテーションにおける教育

C. 安定期の管理

表6 セルフマネジメント教育の学習項目

1. 疾患・病態のセルフマネジメント
2. 肺の構造と機能の理解
3. 禁煙
4. 環境因子の影響
5. 薬物療法・吸入手技
6. ワクチン接種
7. 増悪の予防、早期対応
8. 日常生活の工夫と息切れの管理
9. 運動、活動的な生活の重要性
10. 栄養・食事療法
11. 栄養補給療法
12. LTOT/HOT
13. HMV
14. 社会資源の活用
15. 心理面への援助
16. アドバンス・ケア・プランニング
17. 緩和ケア
18. 災害時対策と対応

(文献1より改変引用)

ント行動へのアドヒアランスを高めるものでなければならない。動機づけや自己効力感が強化されるよう介入し、終了後は再評価を行う[1,30]。日々の診療において短時間でも、セルフマネジメント行動を継続、アクションプランを実行するよう繰り返し支援することも重要である。

4) セルフマネジメント教育と統合された支援

セルフマネジメント能力の獲得やセルフマネジメント行動の実践・継続への個別化された介入を行ううえで、統合されたセルフマネジメント支援が求められる。統合された支援には、セルフマネジメント教育への患者のアクセスや教育の質を維持・向上させる介入も含まれる。

セルフマネジメント教育は、診断された時から終末期まで、必要に応じて繰り返し実施することが望ましい。日々の生活のなかでセルフマネジメント行動を継続して実践するうえでは、支援する人材、環境、使用する機器などの調整が必要となる。患者の多様な価値観や生き方を理解し、その時々に必要な意思決定をできるように支援する。また、教室を開催するなど、教育を提供する場の構築も必要であり、ICT導入は教育へのアクセスを改善させる大きな可能性がある。修得したセルフマネジメント行動を実践できる場の確保、例として自治体等と連携した災害時におけるLTOT/HOTを実施できる避難所の確保も重要な支援である。さらには、セルフマネジメント教育を提供するスキルの高い専門職育成など、社会的な活動にも統合された支援の一環として取り組む必要がある。

d. 栄養管理

POINTS

- Ⅲ期(重症の気流閉塞)以上のCOPDでは約40%に体重減少がみられる。
- 体重減少は気流閉塞とは独立した予後因子であるが、除脂肪量は体重よりも鋭敏に予後を反映する。
- 栄養管理においてサルコペニア対策が重要である。
- 安定期COPDでは栄養補給療法を弱く推奨する(エビデンスD)。
- 栄養療法と運動療法の併用が推奨される。

1) COPDと栄養障害

①頻度と特徴

COPD患者では栄養障害が高頻度に認められ、特にⅢ期(重症)、Ⅳ期(最重症)の気腫型COPDでは高度なことが多い。本邦の外来受診患者の約30%でBMIが$20kg/m^2$未満の体重減少がみられ、Ⅲ期以上では約40%、Ⅳ期では約60%と高率な体重減少が認められた[37]。また、気腫性病変の程度とBMI低下との相関が報告され

ている[38]。呼吸不全を呈する患者や、人工呼吸管理中の患者ではさらに栄養障害が高度となる。安定期のCOPDでは軽度の体重減少はFMの減少が主体であり、中等度以上の体重減少はLBMの減少を伴うものの血清アルブミンは保たれるというマラスムス型の蛋白・エネルギー栄養障害である[39]。

近年、患者の高齢化に伴い、サルコペニアの合併が重視されている。サルコペニアは高齢期にみられる骨格筋

量の減少と筋力、もしくは身体機能の低下により定義される。特に低筋量、低筋力、低身体機能が合併する場合は、重症サルコペニアと診断される[40]。高齢かつ気流閉塞が重症であるほど合併率が高く[41]、最近のメタ解析ではCOPDにおけるサルコペニア合併率は21.6％と報告されている[42]。高齢者COPD患者が多い本邦では、海外よりも高率であると推測されるが、実態は明らかではない。サルコペニアは、運動耐容能や身体活動性の低下および骨粗鬆症[43]とも関連しており、栄養療法としてサルコペニア対策を重視する必要がある。

②栄養障害の原因

COPD患者の栄養障害の原因には、気流閉塞、炎症性サイトカイン、加齢、喫煙や薬剤の影響、食事摂取量の減少や消化管機能の低下、呼吸困難、社会的・精神的要因、遺伝的要因などが複合的に関与している[44]。気流閉塞や肺過膨張に基づく呼吸筋酸素消費の増大がREEの増大につながる[45]。炎症性メディエーターの増加[46]、摂食調節ホルモンであるレプチン[47]やグレリン[48]の分泌動態の変化も関与している。

③体重、身体組成と病態、予後の関連

％標準体重（％IBW）やBMIは、％FEV_1、RV/TLC、％DLCOなどの呼吸機能と相関している。またLBMの減少は、呼吸筋力や運動耐容能の低下と関連している[49]。栄養障害COPD患者では、QOLが低下しており、増悪や入院のリスクが高く[50]、呼吸不全への進行や死亡のリスクも高い。体重減少は、気流閉塞とは独立したCOPDの予後因子である（エビデンスA）[51]。また、体重よりもLBMのほうが予後を鋭敏に反映することも明らかにされている[52]。喫煙歴と独立して、低BMI自体がCOPDの発症や進展に関与することが示されている[51,52]。

④栄養障害のフェノタイプ

近年、FM、LBM、骨塩量などの体成分の変化と画像所見に基づいて、COPDの栄養障害をcachexia（気腫型）、obesity（非気腫型）、sarcopenic obesity（病型と関連なし）の3型に分類することが提唱されている[53]。Cachexiaは筋萎縮、骨粗鬆症、脂肪量の減少を伴い、obesityは皮下・内臓脂肪の増加、動脈硬化病変と心血管疾患のリスクを伴い、sarcopenic obesityは筋萎縮、内臓脂肪増加、動脈硬化と心血管疾患のリスクを伴う。COPDの栄養療法においては、今後これらの病型も考慮した個別化治療を検討する必要がある。

2）栄養管理の実際

①栄養治療

(1)食事指導

エネルギーや栄養素の摂取不足の場合にはその是正を行う（栄養評価は、**第Ⅱ章-E-10. 栄養評価**を参照）。COPDの栄養障害に対しては、基礎代謝量の1.7倍程度の高エネルギー、体重あたり1.2〜1.5gの高蛋白食の指導が基本となる。蛋白源としては、筋蛋白合成促進作用を有するBCAAを多く含む食品の摂取が推奨される。疫学的検討では、果物、野菜、魚類、全粒穀物が豊富な食事（prudent pattern）や抗炎症スコアの高い食事はCOPDの発症、進展リスクを軽減する。また、食物繊維摂取が症状の軽減や進行抑制に有効であることも示唆されている。リン、カリウム、カルシウム、マグネシウムは呼吸筋の機能維持に必要であり、特にリンの摂取が重視される[54]。骨粗鬆症の合併頻度が高いため、カルシウムの摂取も重要である。また、COPDでは血清ビタミンDの減少を高率に認め、FEV_1や身体能力の低下と関連することが報告されており[55,56]、ビタミンDの摂取も重要である。食事による腹部膨満が問題となる場合には、消化管でガスを発生する食品を避け、できるだけ分食とし、ゆっくりと摂食させて空気嚥下を避けるなどの工夫を指導する。体重や食事内容の目標を設定し、体重や食行動を記録するセルフモニタリングの方法も有用である。栄養指導における行動療法では、栄養士、医師、看護師などが参加したチーム医療が望ましい。

(2)栄養補給療法

栄養障害を認めるCOPD患者に対し、食事指導に加えて経腸栄養剤を用いた栄養補給療法が行われる場合がある。体重を増加させるには、実測REEの1.5倍以上の十分なエネルギー摂取が必要となる[39]。脂質と比較し、炭水化物の投与は二酸化炭素の産生を増加させて換気の負担になる可能性が指摘されている[57]。しかし、安定期COPD患者において高脂質/低炭水化物の栄養剤が通常の栄養剤よりも有用とする根拠はなく[58]、著しい換気不全がなければ、組成にかかわらず十分なエネルギー投与を優先する。食事摂取量を維持し腹部膨満感を回避する

ために、栄養剤の少量分割摂取（sip feeds）や夕食以降の摂取を指導する。LES として LBM の増加と身体機能の改善に有効であったとの報告もある[59]。従来のメタ解析では、栄養補給療法による体重、LBM、6MWD、握力の改善が報告されており[60]、栄養障害が認められる患者においては栄養補給療法を考慮すべきとされている。

本ガイドラインの SR では、体重や LBM の増加に対してはエビデンスの確実性は B（中程度）であるが、SGRQ と 6MWD の改善に対するエビデンスの確実性は低い（第Ⅳ章-CQ13 を参照）。

②運動療法とのコンビネーション

栄養療法においては運動療法との併用が必要とされ、その併用療法の有効性が示されている[2,61]。蛋白同化作用と抗炎症作用の面から、栄養療法と低強度運動療法との併用が推奨される。併用効果を高める栄養素材として、BCAA[62]、ω3系脂肪酸[63]、ホエイ蛋白[64] などが報告されている。ロイシンの中間代謝物で強力な蛋白同化作用を有する β-ヒドロキシ-β-メチル酪酸（HMB）含有栄養剤の有用性が示されている[65]。ただし、どの成分が運動療法と併用すべき最適な栄養補給療法かについては、十分なコンセンサスは得られておらず、今後さらなる検討が必要である。

e. 酸素療法

POINTS

- 重度低酸素血症（$PaO_2 \leq 55$ Torr、$SpO_2 \leq 88\%$）を有する患者（特に浮腫、ヘマトクリット値 $\geq 55\%$、肺性 P のいずれかを認める場合）に 1 日 15 時間以上の酸素療法は推奨される（エビデンス B）。
- 安静時中等度低酸素血症（$PaO_2 > 55$ Torr、$SpO_2 > 88\%$）を示す患者には LTOT/HOT は推奨されない（エビデンス C）。
- 労作時低酸素血症を有する患者で、呼吸困難症状を訴えていれば、労作時酸素療法の効果が期待できる（エビデンス B）。
- LTOT/HOT の導入にあたっては、有効と考えられる治療（薬物療法、呼吸リハビリテーションなど）が十分に行われている必要がある。
- 患者および家族に対して LTOT/HOT の意義、目的および機器の安全な利用方法、機器の保守管理、災害・緊急時の対応、増悪の予防と対応、福祉制度の利用・医療費などについての説明や教育指導を十分に行う。

1）酸素療法の目的と意義

本邦では、LTOT/HOT 実施例の基礎疾患として、COPD は全体の約 45% を占めている[66]。COPD による慢性呼吸不全に対して LTOT/HOT を行う最も重要な目的は、生命予後の改善である。英国で行われた MRC[67] と北米で行われた NOTT[68] の多施設臨床試験によれば、$PaO_2 \leq 55$ Torr の重度の低酸素血症を示す慢性呼吸不全患者（特に浮腫、ヘマトクリット値 $\geq 55\%$、肺性 P のいずれかを認める場合）では、1 日 15 時間以上の酸素吸入により生命予後が改善すること[67]、さらに、携帯用酸素ボンベを用いて労作時にも吸入し、平均 1 日約 18 時間の酸素吸入を行った群では、平均 1 日 12 時間の夜

間のみの酸素吸入群に比べ予後が改善することが明らかにされた[3]。また $PaCO_2 > 43$ Torr の高二酸化炭素血症を示す群、重度の低酸素血症を示す群、気流閉塞の重篤な群、神経精神機能障害を示す群では、予後の改善がより大きかった。また、重度の低酸素血症を示す患者では、労作時息切れ、運動能力の向上、睡眠の質の改善効果も報告されている[69]。

同様の研究は本邦においても、1986 年から 5 年間にわたり $PaO_2 \leq 55$ Torr を示す肺気腫、あるいは肺高血圧を有する、あるいは 55 Torr $< PaO_2 \leq 60$ Torr であるが、運動時や夜間睡眠中に $PaO_2 \leq 55$ Torr の重度の低酸素血症になる肺気腫患者を対象として行った調査では、

第Ⅲ章　治療と管理

LTOT/HOT 実施症例において非実施症例に比べて有意に生命予後が良好であったこと、この効果は女性患者でより顕著であったことが示されている[70]。

2) 適応基準

本邦における LTOT/HOT の保険適用基準は、十分な内科的治療と呼吸リハビリテーションを行い、1ヵ月以上安定した状態において、安静時 $PaO_2 \leqq 55$ Torr の重度の低酸素血症を示す者および $55 < PaO_2 \leqq 60$ Torr かつ睡眠時または運動負荷時に著しい低酸素血症を来す者であって、医師が必要であると認めた患者である[71]。重度の低酸素血症とは $PaO_2 \leqq 55$ Torr（$SpO_2 \leqq 88\%$）である。また、肺高血圧症を伴う場合には PaO_2 の値にかかわらず適応となる。保険適用では、その判定に SpO_2 から推測した PaO_2 を用いることは差し支えないとされている（表7）。SpO_2 は簡便で非侵襲的であり経過追跡に有用であるが、データの正確性や $PaCO_2$ および pH が測定できない点から、LTOT/HOT 導入時はもちろんのこと、適時動脈血ガス分析を行う必要がある。一方、海外の国際的ガイドラインでは、PaO_2 が 56〜59Torr に関して本邦と異なり、多血症（ヘマトクリット > 0.55）、あるいは臨床的に心電図上、心臓超音波検査にて肺高血圧あるいは右心不全の所見がある患者に適用と記載されている[72-74]。

3) 適用に関する問題
①境界域の低酸素血症を示す患者

安静時 PaO_2 が 56〜65Torr の中等度の低酸素血症を示す COPD での検討では、LTOT/HOT による生存率の改善効果は認められていない[75]。また、安静時 $PaO_2 \geqq$ 55Torr で中等度から重度の労作時呼吸困難を示す患者への LTOT/HOT は、呼吸困難、QOL、活動能力に対して有意な改善効果は認められていない[76]。2016年の報告[77]では、安静時に SpO_2 が 89〜93% を示す、あるいは 6MWT で中等度の SpO_2 の低下を示す COPD を対象に、6年間の酸素投与の効果が検討されたが、酸素投与群と非投与群の間に死亡、入院、増悪、QOL、運動能力など、いずれも有意な差は認められず、運動負荷時に SpO_2 の低下を来すサブグループ解析も含めて差は認められなかった。現時点では安静時に重度の低酸素血症がなければ、呼吸困難の治療手段としての LTOT/HOT は用いない。

表7	社会保険による HOT の適用基準

1. 高度慢性呼吸不全例
   病状が安定しており、空気呼吸下で安静時の $PaO_2 \leqq 55$ Torr、および $PaO_2 \leqq 60$ Torr で、睡眠時または運動負荷時に著しい低酸素血症を来すものであって、医師が HOT を必要であると認めた者。適用患者の判定に、パルスオキシメータによる酸素飽和度から求めた PaO_2 を用いることは差し支えない。

2. 肺高血圧症

3. チアノーゼ型先天性心疾患
   チアノーゼ型先天性心疾患に対する HOT とは、ファロー四徴症、大血管転位症、三尖弁閉鎖症、総動脈幹症、単心室症などのチアノーゼ型先天性心疾患患者のうち、発作的に低酸素または無酸素状態になる患者について、発作時に在宅で行われる救命的な酸素吸入療法をいう。

4. 慢性心不全
   医師の診断により、NYHA Ⅲ度以上であると認められ、睡眠時のチェーン・ストークス呼吸がみられ、無呼吸低呼吸指数が20/h 以上であることが睡眠ポリグラフィー上で確認されている症例。

［在宅酸素療法指導管理下医科点数表（平成28年改定）より引用］

②運動時にのみ低酸素血症を示す患者

運動時にのみ重度の低酸素血症（$PaO_2 \leqq 55$Torr、$SpO_2 \leqq 88\%$）を示す COPD 患者を対象とした酸素療法の効果については、特に労作時呼吸困難の症状のある中等症から重症患者において、呼吸困難、運動耐容能、肺循環動態の改善が認められる[78]。しかし、長期効果については、労作時の息切れおよび一部の QOL ドメインの改善が報告されているが、プラセボ効果以上の継続した QOL の改善および運動能力の向上、運動トレーニング効果は期待できない[79]。ただ、単盲検 RCT では、酸素吸入で運動能力の改善が認められる患者に、酸素吸入下でリハビリテーションプログラムを施行すると運動能力が有意に改善すると報告されている[80]。しかしながら、2019年の SR およびメタ解析の結果では運動療法時に酸素吸入を行っても有意な運動能力、呼吸困難感、QOL の改善は認められないと結論しており[81]、運動時にのみ低酸素血症を示す COPD に対しては LTOT/HOT の適応はない。

③夜間のみ低酸素血症を示す患者

COPD 患者のなかには日中の低酸素がなくても、夜間睡眠中、特にレム睡眠中に低換気、換気応答の低下およ

C. 安定期の管理

び換気血流ミスマッチによる顕著な低酸素を示す NOD が存在する[82]。重度の NOD は、特に増悪中に不整脈、肺高血圧、夜間の死亡を引き起こす可能性があり、予後が悪い[83,84]。Fletcher ら[85] は、日中の $PaO_2 > 60Torr$ であるが、NOD を示す中等症から重症の COPD に対して3年間の酸素吸入の効果について検討を行った。夜間に酸素投与を行った群では3年後の肺動脈圧を有意に低下させたが、予後には影響を与えなかった。一方、Chaouat ら[86] は2年後の肺循環動態や日中の LTOT/HOT への移行の割合、生存率については酸素非投与群と差がなかったと報告している。また、睡眠の質に対する酸素療法の効果について、質問票と睡眠脳波を用いて検討を行っているが、有効性は得られていない[87]。以上から、夜間のみ低酸素血症を示す患者に対する LTOT/HOT は、生命予後を改善させるほど肺循環動態に影響を与えるものでなく、推奨されない。

④睡眠時無呼吸症候群や肺線維症を合併する場合

COPD に SAS を合併する患者では、夜間 PaO_2 の低下、$PaCO_2$ および肺動脈圧の上昇が高度であり、すべての原因を含む死亡および増悪による入院のリスクを高める[88]。これに対して CPAP による治療は生存率を改善させ、入院を減らすこと[89] から、夜間 SpO_2 モニターによる SAS 合併の診断は重要である。

肺気腫に原因不明の肺線維症を合併する CPFE では、閉塞性換気障害が軽度であるにもかかわらず労作時の低酸素血症が顕著であり、高率に肺高血圧を合併し予後が不良である[90]。

4）LTOT/HOT の導入の実際と維持

①処　方

導入時には安静時のみならず、パルスオキシメータを用いて運動時や睡眠時の低酸素血症についての評価が必要である。また、導入時には必ず安定期にあることを確認し、3週以上空けて最低2回は動脈血ガス分析を行い、PaO_2、$PaCO_2$、pH を確認しなくてはならない（エビデンス A）。酸素流量は併存症や合併症の有無にもよるが、$PaO_2 > 60Torr$（$SpO_2 > 90\%$）を維持することを目標とする[71,91]。LTOT/HOT 患者の多くは航空機による旅行の安全性に問題はないが、飛行中は酸素流量を1～2L/分増やすことが推奨され、機内では少なくとも PaO_2 が 50Torr 以上を維持する必要があることが示されてい

る[92]。吸入時間については、少なくとも1日15時間以上、可能な限り1日18時間以上が原則である。3L/分程度までの酸素流量では臨床的に問題となるような高二酸化炭素血症の増悪を来すことは少ないが、動脈血ガス分析により確認しておく必要がある。また、高二酸化炭素血症自体は LTOT/HOT の禁忌とはならない。むしろ生命予後の改善効果は大きい[67,68]。しかし、日中安静時 $PaCO_2 \geqq 55Torr$ あるいは $PaCO_2 < 55Torr$ で夜間の低換気による低酸素血症を認める症例（経皮 CO_2 モニターを行うことが推奨される）、高二酸化炭素血症を伴う増悪入院を繰り返す症例に対しては、NPPV 単独あるいは酸素療法との併用を考慮すべきである[93,94]。

表8に LTOT/HOT 導入にあたり、医師と医療機関に求められることをまとめた。酸素供給装置に個々の患者への酸素流量、投与方法、緊急時連絡方法、緊急時の対処方法の掲示を行うこと、患者と家族への機器の取り扱いおよび災害を含めた緊急時の対応について、説明と診療録へ記載する義務があることを再確認する必要がある。

②機　器

酸素供給装置には酸素濃縮器、液化酸素、酸素ボンベなどがあるが、本邦の LTOT/HOT 患者の90%以上は据え置き型酸素濃縮器を使用し、外出時には呼吸同調器を装着した携帯型酸素ボンベが用いられている。加湿については、3L/分以下の経鼻的酸素吸入では加湿の必要はないとされている[95,96]。呼吸同調器（サンソセーバー®）が装着された携帯型酸素ボンベを使用する際には、デバイスにより供給される酸素量およびタイミング、患者の吸気努力による反応性も異なるため、同調器の正常作動、歩行時の酸素化をチェックする必要がある[97]。最近は、携帯用ボンベに代わり、電源さえあれば酸素供給ができる携帯型酸素濃縮器が主流となり、小型軽量化も進んでいる。ただし、睡眠時に用いる場合には、換気量の低下により呼吸同調器が正しく作動しない可能性があるので、連続流が出せることを確認する必要がある。また、バッテリーマネジメントや外出時のトラブル対処など、患者の適性を含め慎重な検討が必要である[98]。

③導入時の教育

LTOT/HOT 患者の喫煙による火傷や火災の報告は多

第Ⅲ章　治療と管理

く[99]、LTOT/HOT 導入の際には禁煙の徹底を確認し、酸素には火傷や火災の危険性があることを十分に指導する必要がある。また、チェックリストやクリティカルパスを利用して、LTOT/HOT を導入するのが安全で確実である。導入時期としては、慢性安定期と、増悪による入院の退院時に導入される場合がある。特に後者では、回復後も低酸素血症が持続していることを確認する必要がある。増悪入院後の退院時に導入された場合に38％が2ヵ月後にLTOT/HOTの適応が消失したという報告がある[100]。しかし、LTOT/HOT の適応から外れたからといって、一方的に中止することは患者に不安とパニックをもたらすので、まず患者から理解を得ることが重要である。導入にあたっては、患者と家族にLTOT/HOTの目的、意義、必要性を理解させ、使用法の教育を行う。安静時、労作時、睡眠時の酸素流量の確認と吸入酸素流量の遵守、酸素供給装置の安全な利用方法、機器の保守管理、災害および緊急時の対応、日常生活に関すること、増悪の予防と対応、福祉制度の利用および医療費などについて、説明と指導を行う[71]。アドヒアランスが悪いと入院を要する増悪の頻度が高くなり、より医療費がかかること[101]、歩行時にも積極的に使用し、日常生活活動性が高い患者では予後がよいこと[102]を周知させる。それとともに、携帯用酸素供給装置の扱い方とトラブルに対する対処法を習得させ、積極的に日常生活の活動性を高める努力を行うことを指導する。災害に備えての指導は非常に重要である。2L/分以下の酸素流量で酸素濃縮装置を使用している患者では酸素供給が停止しても2時間程度は問題がない[103]。しかし、停電などにより酸素濃縮器が使用できなくなったときには、パニックに陥らず落ち着いて酸素ボンベに切り替えること、平時に習得した呼吸法の実施、平素から患者自身で機器の取り扱いができるようになることが重要であることを患者に伝える。また、医療機器業者との連携が不可欠であるため、医療機器業者の災害時対応を患者に説明しておく。

④導入後の管理

　酸素療法導入後は、原則月に1回の医療機関への定期受診を要する。ただし外来通院もしくは毎月の外来通院ができない場合は最長で3ヵ月に1回の医療機関への受診を許容し、その間の2ヵ月は遠隔モニタリング診療を行うことができる。身体的所見の評価やSpO₂のモニターにより、酸素投与量の過不足や一般状態の変化に注

表8 LTOT/HOT 導入にあたり、医師および医療機関に求められること

1. LTOT/HOT 患者の指導・管理において医師がすべきこと
   (1) 酸素投与方法の装置への掲示
   (2) 緊急時連絡方法の装置への掲示
   (3) 夜間を含めた緊急時の対処方法の説明
   (4) LTOT/HOT を指示した根拠、指示事項（方法、注意点、緊急時の処置を含む）、指導内容の要点の診療録への記載
   (5) PaO₂測定を月1回程度実施（SpO₂測定器による酸素飽和度の使用可）
   (6) 関連学会より留意事項が示されている在宅療養においては、指示・管理にあたってはこれらの事項を十分参考とするものとする［COPD 診断と治療のためのガイドライン、酸素療法マニュアル（日本呼吸器学会）、呼吸リハビリテーションマニュアル―運動療法―（日本呼吸ケア・リハビリテーション学会、日本呼吸器学会、日本リハビリテーション医学会、日本理学療法士協会）］。

2. 医療機関がすべきこと
   (1) 業務委託業者による機器の保守管理内容の患者への説明
   (2) 上記PaO₂測定結果（SpO₂測定器による酸素飽和度の使用可）の診療報酬明細書への記載

3. LTOT/HOT を実施する保険医療機関または緊急時に入院するための施設が備えなければならない機械および器具
   (1) 酸素吸入設備
   (2) 気管挿管または気管切開の器具
   (3) レスピレータ
   (4) 気道内分泌物吸引装置
   (5) 動脈血ガス分析装置（常時実施できる状態であるもの）
   (6) スパイロメトリー用装置（常時実施できる状態であるもの）
   (7) 胸部X線撮影装置（常時実施できる状態であるもの）

意する。PaCO₂ の確認のため適時動脈血ガス分析を行う。呼吸リハビリテーションの継続、日常生活活動性の向上のため、療養日誌や加速度計を用いた身体活動量のチェックと指導を行う。LTOT/HOT の継続には、酸素業者、地域連携（訪問看護ステーションやかかりつけ医）を介した患者、家族との緊密な連携とアクションプランの活用、呼吸リハビリテーションを含む手厚い継続的なケアが重要であり、増悪および入院のリスクを減らし生命予後を改善しうる可能性がある[104]。

C. 安定期の管理

f. 換気補助療法

> **POINTS**
>
> ◉ 換気補助療法の導入時には、薬物療法、呼吸リハビリテーション、栄養療法などの治療が最大限に行われている必要がある。
> ◉ 導入が容易で侵襲度の低い NPPV を第一選択とする。
> ◉ NPPV は、呼吸困難、起床時の頭痛、過度の眠気などの症状や肺性心の徴候などがあり、高二酸化炭素血症（$PaCO_2 \geq 55Torr$）や夜間の低換気などの睡眠呼吸障害がある症例、あるいは増悪を繰り返す症例に導入を考慮する。
> ◉ NPPV 導入効果については、定期的に評価していく必要がある。

1）換気補助療法

慢性期の換気補助療法には、NIV としての NPPV と体外式換気療法（cuirass ventilation）および、侵襲的換気療法（invasive ventilation）としての TPPV がある。第一選択は、導入が容易で侵襲度の低い NPPV である。その際、薬物療法、呼吸リハビリテーション、栄養療法などの治療が最大限に行われている必要がある。

2）NPPV 導入目的

COPD は、気流閉塞や気腫化による肺過膨張のため、PEEP・吸気筋長短縮が生じている。これらは、ガス交換障害・呼吸負荷増加・呼吸筋収縮効率低下・呼吸筋疲労をもたらし、病期の進行とともに有効換気量が低下し、II 型呼吸不全に至らしめている。この病態は、覚醒時より睡眠時に早期に現れるため、睡眠呼吸障害症状として表出される場合がある。換気補助療法は、気道内を陽圧に保つことにより気流閉塞を軽減し、換気不均等の緩和、内因性 PEEP 低下による EELV の低下・吸気負荷の軽減、そして吸気筋長短縮軽減による筋収縮効率の改善を促すとともに、吸気補助により吸気仕事量を軽減、そして吸気筋を休息させ、有効換気量の改善をさせる。したがって、慢性期 COPD に対する換気補助療法には、有効換気量増加・呼吸仕事量軽減・呼吸筋休息が期待され、その結果、高二酸化炭素血症に伴う症状の緩和、呼吸困難の軽減、QOL 向上、増悪頻度の低下などの効果が得られる可能性がある。

3）導入基準

呼吸困難や起床時の頭痛、過度の眠気などの自覚症状や肺性心の徴候などがあり、高二酸化炭素血症（$PaCO_2$

$\geq 55Torr$）や夜間の低換気などの睡眠呼吸障害がある症例、あるいは増悪を繰り返す症例が NPPV の適応と考えられる（表9）[93]。導入にあたっては、II 型呼吸不全が疑われる場合は動脈血ガス分析で $PaCO_2$ を確認する。またパルスオキシメータによる夜間の SpO_2 モニタリング値を参考にする。NPPV は、QOL を考え、睡眠時、そして日中安静時に行うようにする。

4）NPPV 導入効果

①安定期の II 型呼吸不全状態

表9 NPPV 導入基準

> 1. あるいは2. に示すような自・他覚症状があり、3. の①〜③いずれかを満たす場合
>
> 1. 呼吸困難感、起床時の頭痛・頭重感、過度の眠気などの自覚症状がある。
> 2. 体重増加・頸静脈の怒脹・下肢の浮腫などの肺性心の徴候
> 3. ① $PaCO_2 \geq 55$ Torr
>   　$PaCO_2$ の評価は、酸素吸入症例では、処方流量下の酸素吸入時の $PaCO_2$、酸素吸入をしていない症例の場合、室内空気下で評価する
>   ② $PaCO_2 < 55$ Torr であるが、
>   　夜間の低換気による低酸素血症を認める症例
>   　夜間の酸素処方流量下に終夜睡眠ポリグラフ（PSG）あるいは SpO_2 モニターを実施し、$SpO_2 < 90\%$ が5分間以上継続するか、あるいは、10% 以上を占める症例
>   　また、OSAS 合併症例で、nasalCPAP のみでは夜間の無呼吸、自覚症状が改善しない症例
>   ③安定期の $PaCO_2 < 55$ Torr であるが、高二酸化炭素を伴う増悪入院を繰り返す症例

（文献93より引用）

「日本呼吸器学会 NPPV ガイドライン作成委員会編：NPPV（非侵襲的陽圧換気療法）ガイドライン, 改訂第2版, p.122, 2015, 南江堂」より許諾を得て転載

第Ⅲ章　治療と管理

Ⅱ型呼吸不全を呈した慢性安定期 COPD に対して、NPPV は有意に死亡リスク低下 [OR 0.66（95 % CI 0.51 to 0.87）；p ＝ 0.003；エビデンス B]、入院リスク低下 [OR 0.22（95 % CI 0.11 to 0.43）；p ＜ 0.001；エビデンス C]、挿管リスク低下 [OR 0.34（95 % CI 0.14 to 0.83）；p ＜ 0.02；エビデンス B] が期待できる[105]。また、NPPV による有害事象も認められない[105]。NPPV を夜間 1 日 5 時間以上で 3 週間以上連続で使用している場合、通常管理と比べ、日中 $PaCO_2$ は、3 ヵ月後（エビデンス A）、12 ヵ月後（エビデンス A）ともに低下が維持される。一方、日中 PaO_2 であるが、3 ヵ月後でわずかではあるが改善（エビデンス B）するものの、12 ヵ月後の PaO_2 では通常管理との違いはみられていない（エビデンス C）。6MWD での運動耐容能評価であるが、3 ヵ月後（エビデンス C）、12 ヵ月後（エビデンス C）ともに、有意な臨床的効果は得られていない。HRQOL は、3 ヵ月後のみ改善（エビデンス C）するものの、12 ヵ月後（エビデンス C）では改善が認められなくなる[106]。以上から、慢性安定期の高二酸化炭素血症を呈する COPD 患者において、NPPV は通常治療と比較して、死亡リスク・入院リスク・挿管リスクを低下させること、日中の高二酸化炭素血症を改善させ、短期間ではあるが HRQOL に対しても効果が認められることから、NPPV 導入は推奨される。ERS[107] や ATS[108] でも同様に、NPPV

使用を推奨している。

②増悪後の高二酸化炭素血症持続例に対する NPPV 導入効果

Ⅱ型呼吸不全の増悪で入院し、NPPV 療法導入後に高二酸化炭素血症が持続する患者に対して、在宅 NPPV 療法は通常療法群と比較して、増悪頻度を有意に抑制した（エビデンス C）[109] が、死亡率や動脈血ガス結果に差はみられていない[109]（エビデンス C）。ERS[4] は高二酸化炭素血症が持続する場合に NPPV の導入を推奨し、ATS[5] では、増悪改善 2 ～ 4 週後に NPPV 導入の必要性について再評価すべきとしている。ただし検討症例数が少なく、さらなる検討がまたれる。

③呼吸リハビリテーション時の NPPV 併用効果

NPPV を使用しながら行う運動療法は、NPPV 未使用時に比べ、より高い強度でのトレーニングを可能とし、HRQOL、運動耐容能および身体活動性の改善が期待される。NPPV 使用で、運動強度を 13 %（95 % CI 1-27 %）増加、血清乳酸を低下（エビデンス B）させ、peak exercise capacity（エビデンス C）と endurance exercise capacity（エビデンス C）も増加させる（エビデンス B）[110]。ただし、HRQOL、呼吸困難に対する効果は得られていない。報告も少なく、さらなる検討がまたれる。

g. 外科・内視鏡療法

POINTS

- 最大限の内科療法がすでに行われているにもかかわらず、呼吸困難が日常生活に大きな障害となっている症例に外科・内視鏡療法の適応を検討する。
- LVRS は、上葉優位に気腫性病変が偏在し、運動能力の低下した患者に適応がある。FEV_1 の改善効果は、術後約 3 年間認められる。
- より低侵襲の BLVR が欧米を中心に行われている（本邦では保険適用なし）。
- 国際登録では COPD に対する肺移植は全体の 30.1 %、本邦で 6.5 ％を占める。

1）LVRS

LVRS は 1980 年代以降、重症肺気腫に対する外科的治療法として世界に広まった。本邦でも一時盛んに行われたが、NETT 試験[111,112]で予後が改善する患者群が一部に限られることが明らかになって以降、実施数は限られたものとなっている。2018 年の日本胸部外科学会全国

調査によると、LVRS 症例数は 23 例で、うち 19 例が胸腔鏡下に行われた[113]。

① LVRS の適応

表 10 に、国内外の諸施設で設定されている LVRS の適応基準をまとめた[114,115]。最大限の非外科治療がすで

C. 安定期の管理

に行われているにもかかわらず、呼吸困難により日常生活が大きく障害されていることが適応の基本条件である。肺の状態では、肺過膨張が十分にあり、形態的に切除のターゲットとなる部位が同定できることが条件にあげられる。FEV_1 は 1L 前後が目安となり、それ以下の場合に手術が行われていることが多い。極度に低下した FEV_1・$DLCO$・運動能および栄養状態などはリスクとして考慮される。高度の胸膜癒着、気腫性病変（LAA）のびまん性分布、肺高血圧症の合併、高度の二酸化炭素血症などは、適応を慎重に考慮する条件となる。心臓などの他臓器の重症合併症などの禁忌条件に注意する。

② LVRS の手術法

胸骨正中切開による開胸と胸腔鏡下で行う方法がある。前者は、直視下に気腫部を切除でき、術中体位変換の必要性がないことは有利であるが、侵襲が大きいことが課題である。一方、後者は、低侵襲である点が有利であるが、術後のエアリークが生じやすいことが課題である[115,116]。近年では、手術のさらなる低侵襲性を目指して、single-port での LVRS[117] や、awake nonresectional LVRS も報告されている[118]。

③ NETT 試験の成績

NETT 試験は、1988 〜 2002 年まで北米の 17 施設において実施された RCT である。この試験では、1,218 例の重症肺気腫患者が 6 〜 10 週間の呼吸リハビリテーションの後、内科的治療群と LVRS 群に振り分けられた。試験中の 2001 年に術前 $\%FEV_1 < 20\%$ の症例では術後死亡率が高く、そのような症例には LVRS は行うべきではないとの警告が出された（エビデンス A）[112]。2003 年に公表された最終成績[113] では、次のことが明らかにされた（エビデンス A）[115,116]。

(1) 生命予後に両群で差はないが、運動能力と HRQOL を有意に改善する。

(2) 気腫性病変が上葉優位に偏在し、かつ運動能力の低い患者については、LVRS 群のほうが生命予後が良好。

(3) 気腫性病変が非上葉優位型で、運動能力が高い患者では、LVRS 群のほうが生命予後が不良。

NETT 関連 306 症例についてのメタ解析[119] では、気腫性病変が上葉に偏在しており、運動能力の低い患者では LVRS 治療のほうが内科的治療よりも予後が良好で

表10 国内外の LVRS 適応基準

1. 臨床プロフィール

診断の確定した安定期の気腫型 COPD 患者
- 年齢：80歳未満
- 呼吸困難：mMRC グレード2以上（第Ⅱ章-D を参照）
- 日常生活能：呼吸リハビリテーションに耐えられること（6分間歩行200m 以上）。酸素吸入の有無は問わない
- ライフスタイル：禁煙、栄養保持に十分な食事摂取量
- 治療歴：最大限の内科的治療を受け、その効果が限界に達している
- インフォームド・コンセント：手術リスク、予後改善の見通しを含めて十分に説明されている

2. 画像診断

CT、シンチグラムを含めた画像診断で、気腫部分が不均一に分布して切除対象領域が特定でき（heterogeneity, inhomogeneous distribution）、target area の選定が可能である。できれば上葉優位が望ましい。

3. 呼吸機能検査所見

- 閉塞性換気障害
  $FEV_1 < 1.0L$
  $20\% < \%FEV_1 < 40\%$
- 肺過膨張
  $\%TLC > 120\%$、$\%RV > 250\%$
  $RV/TLC > 50\%$
  $Cst > 0.3L/cmH_2O$
  $20\% < \%DLCO < 60\%$

4. 適応除外例

- 高度の胸膜癒着
- 喘息のコンポーネントが著明な例
- 炎症性変化のコントロールが不十分な例
- びまん性に分布する肺気腫
- 高二酸化炭素血症（$PaCO_2 > 60Torr$ 室内気吸入安静時）
- 肺高血圧症（酸素吸入中の平均肺動脈圧が30mmHg を超える）

（文献114, 115より改変引用）

あった（エビデンス B）。また、2015 年に報告された NETT 試験の HRQOL にかかわる解析では、内科的治療群では QWB が経時的に低下していくのに対し、LVRS 群では術後 2 年目までベースラインより高く保たれ、内科的治療群に比べ 6 年間にわたって QWB が有意に良好であった[120]。

2）BLVR

BLVR は、気腫領域に交通する気管支内腔に呼気時開放式の一方向弁、コイル、あるいはステントを挿入することにより末梢肺の過膨張を軽減させる、いわゆる気管支鏡下肺容量減量術である。VENT 試験では、EBV は、術後 6 ヵ月で非治療群に比べて FEV_1 および 6MWD を、それぞれ 6.8％、5.8％と小幅ながら改善した[121]。

第Ⅲ章　治療と管理

ステントを用いる気道バイパス術（airway bypass）の無作為前向き試験（EASE試験）では、安全性と一時的な改善が示されたものの、長期に維持されるような効果は認められなかった[122]。気管支鏡下に一方向弁を留置する治療の有効性については、その後も検討が続けられ、肺葉間の側副換気がない症例、すなわちCT上分葉の良好な症例においては、呼吸機能ならびに運動耐容能が治療前に比べ有意に改善することが示されたが、一方でEBVに伴う有害事象として、気胸や肺炎に注意を払う必要があることも示唆されている[123-125]。

3）肺移植
①現況
　1997年に臓器移植法が制定され、本邦でも脳死肺移植の実施が可能となった。2010年の臓器移植法改正以降脳死下臓器提供数が増加し、2020年末時点での本邦における累計の肺移植数は835例（脳死肺移植584例、生体肺葉移植251例）となった[126]。脳死肺移植実施施設は、2021年現在で10施設である。

②COPDに対する肺移植
　肺・心肺移植関連学会協議会による肺移植レシピエントの適応基準は肺移植関連学会協議会の基準を参照する（http://www2.idac.tohoku.ac.jp/dep/surg/shinpai/pg348.html）[126]。この適応基準に基づき、各実施施設や地域ならびに中央肺移植適応検討委員会での判定を経て、脳死肺移植登録が行われている。国際登録データによると、1995年から2018年までに肺移植を受けた症例の原疾患としてはCOPDが30.1％と最も多い[127]。本邦では、肺移植適応年齢は両肺で55歳未満、片肺で60歳未満となっていることもあり、COPDに対する肺移植は全体の約6.5％（835例中54例）である[126]。

③肺移植の適応と予後
　肺移植候補者選択に関わる国際ガイドライン[128]によると、COPD患者の肺移植リスト登録のタイミングは、以下のいずれかの状況となった場合である：① BODE index ≧ 7、②％ FEV_1 ＜ 15 〜 20 ％、③ 1年間で3回以上の急性増悪、④ 1回の急性高二酸化炭素血症による急性増悪、⑤中等度または高度の肺高血圧。国際登録におけるCOPDに対する肺移植後の5年生存率は55.9％であり、肺移植全体の成績とほぼ同等である[127]。本邦におけるCOPDに特化した肺移植成績は公表されていないが、肺移植全体の成績をみると、脳死肺移植、生体肺移植ともに5年生存率は70％を超えており、世界の成績を凌駕している[126]。

4）COPDを合併した肺がんの手術
　COPDは肺がんの独立した危険因子であるとされる[129]。肺がんの手術に際して、初めてCOPDと診断されることも多く、そのような患者に対するLAMA、LABA、ICSは術前後の呼吸機能諸量によい結果をもたらす[130,131]。手術前の禁煙[132]や肺のリハビリテーション[133]は術後入院期間や合併症罹患率を改善する。COPDを合併した肺がん患者の手術においては、呼吸機能障害だけではなく、循環器系の問題やその他リスクも考慮する必要がある。一般に切除肺の容積が大きいほど、手術のリスクは高くなる。LVRSの適応となるような重症COPDを合併した肺がん患者は、肺切除術の機能的な適応外となる。しかし、そのような患者に対してLVRSによる肺機能改善効果を期待して、肺切除術を適応できないかという数多くの検討がなされてきた。ACCPのガイドラインによると、LVRSの適応となるような上葉肺がんに対しては、肺がんの切除＋LVRSを行うことが推奨されている[134]。

120

C. 安定期の管理

4. 喘息合併 COPD の管理

POINTS

◉ COPD 患者において、喘息の診断の目安となる項目が認められ、他疾患が除外される場合は喘息合併 COPD とする。

◉ 成人喘息の治療は症状を目安に治療ステップを判定し、ICS を基本とする段階的治療が推奨される。

◉ 喘息合併 COPD では ICS を基本薬とし、LAMA あるいは LABA の併用が推奨される。

a. 喘息を疑う場合と成人喘息の治療

本邦の『喘息予防・管理ガイドライン 2021（JGL2021）』に述べられている喘息での診断の目安を表 11 に示した[1]。β_2 刺激薬の吸入前後や、治療介入、あるいは自然経過によって、呼吸機能検査で FEV_1 が 12 ％以上増加かつ 200mL 以上の増加を示す場合は「可逆性の気流制限」の存在を示唆する。しかし、喘息寛解期には可逆性がみられないことがあり、COPD でも可逆性がみられる場合がある。喘息患者は、健常者では気道が反応しない程度の弱い刺激でも気道収縮反応が起き、「気道過敏性の亢進」と呼称する。無症状でも気道過敏性が亢進している場合は喘息が示唆される。気道過敏性検査には日本アレルギー学会標準法とアストグラフ法がある。喀痰好酸球比率 3 ％以上、剥離した気道上皮であるクレオラ体の検出、あるいは FeNO が 35ppb 以上[2] であれば「好酸球性気道炎症の存在」を示唆する。「アトピー素因」は、血清 IgE 高値、環境アレルゲンに対する特異的 IgE 抗体の存在、アレルギー疾患の既往歴・家族歴などで示唆される。なお、喘息合併 COPD では表 12[1] の COPD 以外の疾患を鑑別する。成人喘息の治療は症状を目安として治療ステップを判定した段階的治療が推奨される（表 13）[1]。治療ステップ 1 から 4 まで ICS の使用が推奨され、ステップ 2 では LABA の併用が推奨される（エビデンス A）[3,4]。LABA の代わりに LAMA、LTRA（エビデンス A）[5,6]、あるいはテオフィリン徐放製剤（エビデンス B）のいずれかを使用してもよい。ステップ 3 では中

～高用量の ICS と LABA の併用を基本とし、不十分であれば LAMA（エビデンス A）[7,8]、LTRA（エビデンス B）、テオフィリン徐放製剤（エビデンス B）のいずれかを追加併用する。ステップ 4 では高用量 ICS と LABA 併用に加えて、LAMA、LTRA、テオフィリン徐放製剤を複数併用する。これらの併用にても喘息コントロールが困難な場合、抗体製剤の使用を検討する。通年性アレルゲンに感作されており血清総 IgE 値が 30 ～ 1,500IU/mL である場合は抗 IgE 抗体製剤（エビデンス A）[9,10]、末梢血好酸球数 300/mL 以上の場合は抗 IL-5 抗体製剤や抗 IL-5 受容体 α 鎖抗体（抗 IL-5Rα 抗体）製剤（エビデンス A）[11-14] の有用性が示されている。なお、現在では抗体製剤として、抗 IL-4 受容体 α 鎖抗体（抗 IL-4Rα 抗体）製剤の有用性が示されている（エビデンス A）[15,16]。気管支熱形成術の適応患者の選定は日本呼吸器学会専門医あるいは日本アレルギー学会専門医が行い、手技は日本呼吸器内視鏡学会気管支鏡専門医の指導下に入院治療にて行う。経口ステロイド薬は短期間の間欠的投与を原則とし、可能な限り連用を回避する。

b. 喘息を合併する場合の COPD の治療

喘息と COPD を合併している場合を ACO と呼称する。ACO 患者では、前項 a で述べた喘息の段階的治療を参考として ICS を使用し、LAMA あるいは LABA を併用することが推奨される（エビデンス B）[17]。

第Ⅲ章　治療と管理

表11　喘息診断の目安

1. 発作性の呼吸困難、喘鳴、胸苦しさ、咳（夜間、早朝に出現しやすい）の反復
2. 変動性・可逆性の気流制限
3. 気道過敏性の亢進
4. 気道炎症の存在
5. アトピー素因
6. 他疾患の除外

- ・上記の1、2、3、6が重要である。
- ・4が好酸球性の場合は診断的価値が高い。
- ・5の存在は喘息の診断を支持する。

（文献1より引用）

表12　喘息と鑑別すべき他疾患

1. 上気道疾患：喉頭炎、喉頭蓋炎、vocal cord dysfunction（VCD）
2. 中枢気道疾患：気管内腫瘍、気道異物、気管軟化症、気管支結核、サルコイドーシス、再発性多発軟骨炎
3. 気管支〜肺胞領域の疾患：COPD、びまん性汎細気管支炎
4. 循環器疾患：うっ血性心不全、肺血栓塞栓症
5. 薬剤：アンジオテンシン変換酵素阻害薬などによる咳
6. その他の原因：自然気胸、迷走神経刺激症状、過換気症候群、心因性咳嗽

（文献1より引用）

表13　喘息治療ステップ

長期管理薬	基本治療	治療ステップ1	治療ステップ2	治療ステップ3	治療ステップ4
		ICS（低用量）	ICS（低〜中用量）	ICS（中〜高用量）	ICS（高用量）
		上記が使用できない場合、以下のいずれかを用いる	上記で不十分な場合に以下のいずれか1剤を併用	上記に下記のいずれか1剤、あるいは複数を併用	上記に下記の複数を併用
		LTRA テオフィリン徐放製剤 ※症状が稀なら必要なし	LABA（配合剤使用可*5） LAMA LTRA テオフィリン徐放製剤	LABA（配合剤使用可*5） LAMA（配合剤使用可*6） LTRA テオフィリン徐放製剤 抗IL-4Rα抗体*7.8.10	LABA（配合剤使用可） LAMA（配合剤使用可*6） LTRA テオフィリン徐放製剤 抗IgE抗体*2.7 抗IL-5抗体*7.8 抗IL-5Rα抗体*7 抗IL-4Rα抗体*7.8 経口ステロイド薬*3.7 気管支熱形成術*7.9
	追加治療	アレルゲン免疫療法*1（LTRA以外の抗アレルギー薬）			
増悪治療*4		SABA	SABA*5	SABA*5	SABA

ICS：吸入ステロイド薬、LABA：長時間作用性β₂刺激薬、LAMA：長時間作用性抗コリン薬、LTRA：ロイコトリエン受容体拮抗薬、SABA：短時間作用性β₂刺激薬、抗IL-5Rα抗体：抗IL-5受容体α鎖抗体、抗IL-4Rα抗体：抗IL-4受容体α鎖抗体

*1：ダニアレルギーで特にアレルギー性鼻炎合併例で、安定期%FEV₁≧70%の場合にはアレルゲン免疫療法を考慮する。
*2：通年性吸入アレルゲンに対して陽性かつ血清総IgE値が30〜1,500IU/mLの場合に適用となる。
*3：経口ステロイド薬は短期間の間欠的投与を原則とする。短期間の間欠投与でもコントロールが得られない場合は必要最小量を維持量として生物学的製剤の使用を考慮する。
*4：軽度増悪までの対応を示し、それ以上の増悪については「急性増悪（発作）への対応（成人）」の項を参照。
*5：ブデソニド/ホルモテロール配合剤で長期管理を行っている場合は同剤を増悪治療にも用いることができる（文献1本文参照）。
*6：ICS/LABA/LAMAの配合剤（トリプル製剤）。
*7：LABA、LTRAなどをICSに加えてもコントロール不良の場合に用いる。
*8：成人および12歳以上の小児に適応がある。
*9：対象は18歳以上の重症喘息患者であり、適応患者の選定の詳細は文献1本文参照。
*10：中用量ICSとの併用は医師によりICSを高用量に増量することが副作用などにより困難であると判断された場合に限る。

（文献1より引用）

C. 安定期の管理

5. 全身併存症および肺合併症への対応

POINTS

◉ 全身併存症および肺合併症は COPD 患者の症状、QOL、増悪や生命予後に影響を及ぼすため、その管理においてはそれぞれの重症度を評価および把握する必要がある。

◉ 併存症や合併症に対して必要に応じてそれぞれの専門医と連携し、疾患ガイドラインが存在する場合にはそれらに準拠した管理を考慮する。

a. 併存症の管理

1) 心血管疾患

①心不全

血中の BNP あるいは NT-proBNP 値測定は心不全併存の診断補助に有効である[1]。心不全の治療は COPD 合併例においてもガイドラインに準じて ACE 阻害薬、ARB、β 遮断薬、利尿薬による治療を行う[2]。選択的 β_1 遮断薬は呼吸機能への影響が小さく、COPD を併存した心不全患者の大多数においても安全に使用可能である（エビデンス A）[3]。ただし、LTOT/HOT 中の COPD 患者の観察研究では選択的 β_1 遮断薬の使用は予後不良因子であったと報告されており[4]、最重症の COPD に対する安全性は十分に示されていない点には留意が必要である。本邦の心不全ガイドラインにおいては、心不全を併存し β 遮断薬の適応のある COPD 患者では、選択的 β_1 遮断薬を少量から開始しゆっくり増量することが推奨されており、コントロールされていない喘息を合併した COPD では β 遮断薬の使用は絶対的禁忌ではないが注意が必要であることが述べられている[2]。

COPD に対する吸入薬を中心とした治療は、心不全に対する治療と並行して施行する。LAMA、LABA およびその配合薬は、心血管疾患の有害事象を有意に増加させないことが RCT のメタ解析および 3、4 年にわたる長期臨床試験によって示されている[5-9]。また LAMA、LAMA/LABA 配合薬、LABA/ICS 配合薬の短期間の臨床試験では、呼吸機能だけでなく左室拡張末期容積、肺循環血流、あるいは BNP が改善することが報告されている[10-13]。

②虚血性心疾患

虚血性心疾患の治療および予防はガイドラインに準じる[14]。虚血性心疾患に対して β 遮断薬の適応がある場合には、選択的 β_1 遮断薬は COPD 併存例でも比較的安全に使用可能である[3]。

LABA、LAMA、および LAMA/LABA 配合薬の安定期 COPD における使用に関する RCT のメタ解析では、虚血性心疾患のリスク上昇は認められていない[15]。ICS を含む配合薬についても、重篤な心血管疾患イベントのリスク上昇は報告されておらず、比較的安全に使用できると考えられる[9,16,17]。

③不整脈

SABA や内服の β_2 刺激薬では頻脈の副作用が報告されているが[18]、LABDs およびその配合薬の大規模臨床試験では、有意な不整脈の増加は認められていない[9,19-21]。ただし、不整脈と慢性呼吸不全を併存した COPD を対象とした小規模な臨床試験では、LABA 投与後のホルター心電図で不整脈の増加が認められており[22]、基礎疾患として不整脈を有する症例では注意が必要な場合もあると考えられる。

④高血圧症

高血圧症は COPD においても高頻度に遭遇する併存症であり、高血圧治療のガイドラインに準じて治療を行う[23]。COPD の存在や治療薬が高血圧治療に影響を及ぼすことは少ないが、選択的 β_1 遮断薬は COPD 併存例でも比較的安全に使用可能である。

2) 骨粗鬆症

ICS は全身性ステロイド薬と比較して、軽微ではあるが長期の使用により病的骨折のリスクを上昇させることが RCT、観察研究のメタ解析によって示されている[24]。骨粗鬆症の予防や治療はガイドラインに準じる[25]。活性型ビタミン D については、その抗炎症作用に着目して

第Ⅲ章　治療と管理

COPD 増悪に対する効果が臨床試験により検証されており、血中の 25-ヒドロキシビタミン D が低値の COPD 患者では、活性型ビタミン D の補充により COPD の増悪が減少すると報告されている[26]。

3）骨格筋機能障害・サルコペニア・フレイル

サルコペニアを併存した COPD 患者では運動能力、身体活動性、健康状態が低下しており、栄養指導や薬物療法を含む包括的な呼吸リハビリテーションの有用性が報告されている（エビデンス B)[27,28]。

4）消化器系疾患

テオフィリンや β_2 刺激薬および全身性ステロイド薬にはそれぞれ胃酸分泌亢進作用および消化性潰瘍の発症リスクがあるので注意する。GERD や消化性潰瘍の予防および治療は、それぞれのガイドラインに準じる[29,30]。GERD を合併した COPD 患者に対して、PPI を使用することで咳嗽などの呼吸器症状の改善が期待できる（エビデンス C)[31]。

5）精神系疾患

うつは本邦の COPD 患者の検討で増悪との関連が示されているが[32]、うつ合併の COPD 患者に対する抗うつ薬による薬物療法の有効性は明らかではない[33]。一方で、呼吸リハビリテーションは COPD 患者の不安・抑うつを改善させることが示されている（エビデンス C)[34,35]。

6）糖尿病

主に、COPD 増悪時に使用される全身性ステロイド薬は高血糖のリスクとなる[36,37]。また、COPD の長期管理薬として ICS を特に高用量で使用した場合には、糖尿病の新規発症および既存の糖尿病の悪化のリスクが上昇する可能性が指摘されている（エビデンス C)[36,38]。糖尿病の治療はガイドラインに準じる[39]。

7）閉塞性睡眠時無呼吸

OSA の管理はガイドラインに準じる[40]。欧米からの報告で COPD と OSA の併存例は OSA 単独より予後不良とされており、CPAP 治療での改善が期待される（エビデンス C)[41,42]が、日本人での報告はない。

b．肺合併症の管理

1）肺がん

禁煙は COPD 患者における肺がん発症予防の観点からも重要である[43]。COPD 合併は肺がん術後の予後不良、術後肺炎、呼吸不全のリスク因子である[44]（外科的治療については**第Ⅲ章-C-3-g．外科・内視鏡療法**を参照）。COPD を含む全身併存症のために外科的切除が困難な肺がん患者では、SBRT の有用性および安全性が報告されており（エビデンス C)[45,46]、LTOT/HOT 施行中の重症の COPD でも SBRT が施行可能であったいう報告もなされている[47]。ただし、CPFE では、IPF ほどではないが、COPD と比較すると放射線肺臓炎のリスクが高い[48]。化学療法は COPD 非合併例と同様に施行可能だが[49]、間質性肺炎合併例では薬剤性肺障害のリスクに留意する必要がある。

2）肺高血圧症

呼吸不全患者に対する LTOT/HOT は、肺高血圧や肺性心への進行阻止および生命予後の改善が期待される（**第Ⅲ章-C-3-e．酸素療法を参照**)[50,51]。肺移植（エビデンス B）や LVRS（エビデンス B）はその適応基準を遵守すべきである（手術に関しては**第Ⅲ章-C-3-g．外科・内視鏡療法を参照**）。血管拡張薬は換気血流比不均等を助長することがあるため、慎重に選択されるべきである（エビデンス B)[51]。増悪時に NPPV は有用なことがある。NPPV の導入はガイドラインに準じる[52]。右心不全併存例は心不全治療に準じる[2]。

3）肺炎

肺炎球菌ワクチンは高齢者肺炎球菌性肺炎の発症を減少させ[53]、COPD 患者においても肺炎の発症を抑制することが示されている（エビデンス B）（**第Ⅲ章-C-1．ワクチンを参照**)[54]。ICS の使用は、COPD 患者の肺炎発症のリスク因子であることが RCT、観察研究により示されており[55]、肺炎既往のある患者に ICS を導入する際はリスク-ベネフィットを慎重に考慮することが推奨されている[56]。COPD 合併の肺炎患者の喀痰検査では、肺炎球菌に加えてインフルエンザ菌、モラクセラ・カタラーリスの検出頻度が高い[57]。肺炎の治療はガイドラインに準じる[58]。COPD 患者における ICS の使用は、結核を含む抗酸菌感染症の発症リスク因子であることが観察研究の結果から指摘されている[59,60]。

C. 安定期の管理

4) 気管支拡張症

気管支拡張症の合併は肺炎、肺非結核性抗酸菌症のリスク因子であることが報告されており[61,62]、気管支拡張症を合併したCOPDに対してICSを導入する場合は、喀痰検査の結果も含めてリスク-ベネフィットを検討し、ICSを使用する際には低用量で用いることを考慮する（エビデンスD）[63]。

5) 気胸

COPD合併気胸例に対する積極的な外科的アプローチの適応は、一定の見解はないが、臨床医は基礎疾患がない一次性自然気胸例に比較して二次性自然気胸例に対して外科的アプローチを用いた積極的な治療を多く選択し

ている[64]。外科的アプローチでは開胸手術よりVATSが選択されている[65]。

6) 間質性肺炎

間質性肺炎の合併がある場合、病型ごとの標準治療を基本とする（**第Ⅰ章-H-3. 気腫合併肺線維症**を参照）[66]。COPDに対しても通常と同様の考えで治療を行う。IPFに対する抗線維化薬の使用と効果については、今後の課題である。労作時の低酸素血症や肺高血圧症を来しやすいため、酸素療法開始のタイミングが遅くならないようにする。運動療法を行う場合や身体活動性の指導をする場合、事前の低酸素血症の評価が重要である。

6. 在宅管理

POINTS

- ◉ 在宅医療は患者の意思や希望を尊重しながら、できるだけ入院生活の必要性を減らし、自宅の療養環境を整備して日常生活の自立を支援し、患者と家族のQOL向上を目指す医療である。
- ◉ 地域医療クリティカルパスの利用と急性期病棟、地域包括ケア病棟、回復期病棟、かかりつけ医、訪問看護ステーションの地域医療ネットワークによる連携が重要である。
- ◉ 患者や家族の負担を減らすためにも、身体障害者福祉法（身体障害者手帳）や介護保険などの社会資源を活用すべきである。
- ◉ COPDに対する在宅医療としては自己管理教育の有用性が確立している。在宅リハビリテーション、訪問看護、テレメディシン（遠隔医療）なども包括した在宅管理体制が望ましい。

a. 在宅医療の目的

在宅医療は、患者の意思や希望を尊重しながら、できるだけ入院生活の必要性を減らし、自宅の療養環境を整備して日常生活の自立を支援し、患者と家族のQOL向上を目指す医療である。在宅医療を推進するために、地域医療ネットワークの推進と急性期病院から回復期病院、在宅医療へとスムーズに移行するための医療連携体制の整備が必要である。

b. 在宅医療の対象者と提供者

病状に応じて、医師、看護師、理学療法士、ケアマネジャーなどの在宅医療提供者の果たす役割は異なる。
① 外来通院可能な患者では、在宅で看護師や理学療法士が中心となって薬物療法や呼吸リハビリテーショ

ンのアドヒアランスを高めてQOLを向上させる。
② 重症度や併存症・合併症のために外来通院ができない患者では、看護や介護に重点を置いた在宅医療が行われる。この場合には医療職とともに、ケアマネジャーの役割が重要になる。
③ LTOT/HOTやHMVなどの管理を行っている患者では、在宅での看護や介護とともに患者や家族・介護者への医療技術の教育と機器のメンテナンスが必要になり、医師と看護師以外にも、LTOT/HOT・HMV機器業者の役割が重要になる。
④ 増悪のために入院した患者では、在宅における再増悪の予防と初期治療が重要になる。急性期病棟、地域包括ケア病棟、回復期病棟、かかりつけ医、訪問看護ステーションを含めた地域医療ネットワークの

第Ⅲ章　治療と管理

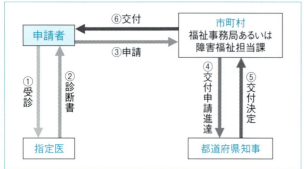

図5 身体障害者手帳の申請と取得

表14 呼吸器機能障害による身体障害者等級表

1級	呼吸器の機能の障害により自己の身辺の日常生活活動が極度に制限されるもの
3級	呼吸器の機能の障害により家庭内での日常生活活動が著しく制限されるもの
4級	呼吸器の機能の障害により社会での日常生活活動が著しく制限されるもの

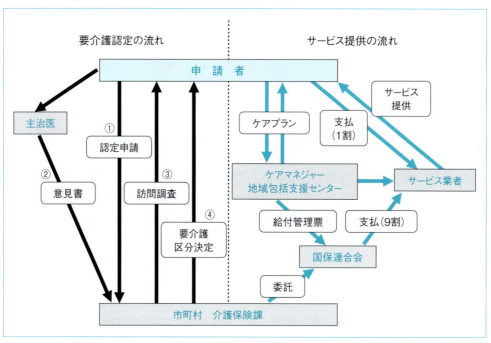

図6 介護保険活用の流れ

連携が必要である。

c. 在宅療養をサポートする社会的資源

患者が家庭生活で感じる問題として、呼吸困難による歩行、階段昇降、食事、入浴、排泄、掃除、買い物などの日常生活の制限、介護者の不在や介護の負担に対する心配、医師や看護師の不在時の不安、医療費・介護費・医療機器費用などの経済的負担がある[1]。在宅療養では、日常生活の支援と経済的負担の軽減のため、社会資源を活用することが大切である[2]。

1）身体障害者手帳の申請と取得

身体障害者手帳は、身体障害者福祉法に掲げる一定以上の障害を有する者に対し、都道府県知事が交付するものである。交付を受けるためにはまず市町村の福祉事務所（あるいは障害福祉担当課）で申請に必要な書類を入手し、身体障害者福祉法の指定医がいる病院を受診して発行された身体障害者診断書・意見書を添えて福祉事務所に申請する（図5）。

呼吸機能障害の程度は、①予測肺活量1秒率（指数）、②動脈血ガス分析、③医師の臨床所見によって判定される。予測肺活量1秒率はスパイロメトリーで測定されたFEV_1の予測肺活量に対する百分率である。動脈血ガスでは空気呼吸下でPaO_2 70Torr以下が、指数では40以下が呼吸機能障害認定対象の目安になる。呼吸機能障害の障害程度等級は1級、3級、4級で、2級はない。表14

C. 安定期の管理

に呼吸機能障害等級の目安を示す。

身体障害者手帳取得により、等級に応じて医療費助成、ネブライザー購入助成、年金・手当の給付、税金・交通費・公共料金の減免、生活支援、パルスオキシメータの取得、通院用の自動車重量税の免除などが受けられる。1級ではすべての医療費が助成対象となるが（ただし入院中の食事代は助成なし）、3級、4級では自治体間で助成対象が異なり、例えば酸素濃縮器の電気代については一部の地域においてのみ助成対象である。なお、訪問看護など介護保険と重複する部分については、介護保険が優先されるため、在宅酸素療法など医療必要度が高い場合には、今後の改定が必要である。ただし、NPPVを導入されている場合には、医療保険で訪問介護がなされる。

2009〜2010年の患者調査ではLTOT/HOT・HMV管理の患者（うちCOPD患者が43％）の79％が身体障害者手帳を取得しているが[1]、患者や家族の経済的負担軽減のためにも、積極的に活用するべきである。

2）介護保険

介護保険は利用者が市町村に申請し、訪問調査と主治医意見書をもとに介護認定審査会において審査判定が行われ、非該当、要支援1〜2、要介護1〜5に分類される（図6）。65歳以上の高齢者が第1号被保険者となるが、COPDは介護保険における特定疾病に該当するため、40歳以上で申請できる。

介護サービスの利用には、地域包括支援センター（要支援者）あるいはケアマネジャー（要介護者）に依頼し、支援あるいは介護レベルごとに定められた支給限度基準額内で調整したケアプランを作成してもらう（図6）。介護保険制度の利用により、訪問介護（ヘルパー）、訪問介護入浴、訪問看護、訪問リハビリテーション、通所リハビリテーション、通所介護・入所サービス、福祉用具の貸与または購入助成、住宅改修費の支給サービスなどを受けることができる。費用の1割（所得に応じて2割〜3割）は自己負担、残りは市町村から委託された国民保険連合会（国保連合会）から業者に支払われる（図6）。

介護認定は日常生活での介護の必要性をもとに判定されるため、呼吸困難が高度であっても、休みながらであれば介助なしに身のまわりのことはできる患者では、要介護度の認定が実態より軽度になる可能性がある。したがって、主治医意見書の記載にあたっては、「5．その他

特記すべき事項」欄に、低酸素血症や呼吸困難による生活全体への影響やQOLの低下、ADL制限の程度を考慮し、見守りや介助などの介護の必要性について詳細に記載するべきである。また、ケアプランの作成時点では医師は関与しないため、ケアマネジャーや訪問看護ステーションとの連携が重要である（付録「身障者援助、法律的側面」を参照）。

d．在宅管理の効果

在宅管理により、安定期の長期的なQOLの向上、増悪期に対しては入院回避という、2つの効果が期待できる。臨床試験において、安定期の在宅リハビリテーション、訪問看護、テレメディシン（遠隔医療）、セルフマネジメント（自己管理）教育と、増悪期の訪問看護を包括した在宅管理（Hospital at home）の有効性が検討されている。

在宅リハビリテーションについては、通所リハビリテーションと比較して短期的、長期的な効果はほぼ同等との報告がある[3,4]。安定期に対する訪問看護は、患者の疾患理解を深め、QOLを高める効果はあるが、死亡率や入院回数、運動耐容能の改善効果は認められていない（エビデンスA）[5-7]。訪問看護の回数は月数回に限られるため、電話回線やインターネットを利用して患者がいつでも看護師と相談できたり、バイタルサインや呼吸機能などの患者情報をモニタリングするテレメディシンのシステムが開発されているが、最近の規模の大きいRCTでは、QOL向上や入院の抑制効果については否定的な研究が多い[8-10]。本邦においても、LTOT/HOTの遠隔モニタリング加算が2018年から算定可能となっているが、通院頻度を減らすことを目的としたものであり、健康アウトカムへの効果についてのデータはない。患者への自己管理教育も重要であり、アクションプラン（行動計画）を含めた包括的なプログラムの実行により予定外受診や入院回数の減少効果が認められている（エビデンスA）[11]。

増悪患者を外来あるいは短期間（72時間未満）の入院で初期治療した後に、訪問看護師を中心とした在宅ケアに移行する方法（Hospital at home）は、継続入院による治療と比べて再入院率を減らし、死亡率を低下させる傾向がある（エビデンスA）[12]。このシステムには、24時間対応可能な在宅療養支援診療所や訪問看護ステーションの整備が必要であるが、直接訪問しなくてもテレ

第Ⅲ章　治療と管理

メディシンのシステムを使用することで再入院率を減らせることも明らかになってきた[8,13,14]。本邦では、増悪回復期にいかに早期かつ円滑に入院から在宅管理に移行できるかが重要な課題である。患者と介護者の不安を取り除くためにも、多職種による地域医療ネットワークを確立し、退院時のケアカンファレンス、地域医療クリティカルパスなどを利用して、急性期病院、回復期病院、かかりつけ医、訪問看護ステーション間で情報を共有し、COPD診療の標準化と達成目標や診療内容の明確化を図ることが大切である。

7. 終末期 COPD への対応

POINTS

◎ 終末期とは、「①日常生活で介助が必要で頻回の増悪があり、症状が持続し、著明なQOL低下を認める。②身体的特徴として、サルコペニアやフレイルの状態を伴うことが多い」と定義される。

◎ ACPとは、将来の変化に備えてその間の医療やケアについて本人の意思決定を支援するプロセスのことであり、なるべく早い時期から継続的に行う。

◎ 緩和ケアとは、痛みや身体的・心理社会的・スピリチュアルな問題を早期に見出して評価を行い、対応することで苦痛を予防し和らげることを通し、QOLを向上させるアプローチである。緩和ケアは、終末期に限らず症状や苦痛が出現した時点で提供されるべきである。

◎ COPDは増悪と回復を繰り返し、徐々に身体機能の低下を来すため、終末期の認識は困難なことが多く、緩和ケアを開始するタイミング難しいことに留意する。

◎ 呼吸リハビリテーションは、回復ケアのみと捉えるべきではなく、呼吸リハビリテーションと緩和ケアの目的は同一線上にある。

◎ 呼吸困難が薬物療法や非薬物療法でも改善されない場合には、オピオイドやベンゾジアゼピン系薬などの使用が考慮されるが、インフォームド・コンセントを得るとともに、医療スタッフ間での討議を経て導入することが望ましい。

a. 終末期・最終末期の考え方

COPDでは呼吸機能の低下や症状の進行が比較的緩徐であること、予測できない急な増悪や回復があることから、どこからを終末期と位置づけるのかの判断は困難である。COPDなどの非がん性呼吸器疾患における終末期とは、「①日常生活で介助が必要で頻回の増悪があり、症状が持続し、著明なQOL低下を認める。②身体的特徴として、サルコペニアやフレイルの状態を伴うことが多い」と定義され、予後はおよそ半年から数年と推察される。最終末期とは、「症状緩和が主目標となり死が差し迫った状態」と定義し、予後数日から1週間程度と推察される[1]。

海外では、慢性進行性呼吸器疾患の終末期の基準として、数ヵ月以上にわたって息切れや衰弱のために他者による支援に依存している、かつ、以下の①～④の少なくとも2項目を満たすもの、との見解を示している学会もある：①過去6ヵ月に増悪、および/またはNPPVもしくは人工呼吸器を要する入院、②LTOT/HOT、NPPVの継続、③適切な栄養療法を行ってもBMI 18kg/m² 未満、④進行性もしくは新たに診断された重篤な併存症[2]。

b. 終末期のトータルペインと多職種連携チーム医療

米国のSUPPORT試験では、終末期に増悪入院した場合、気管挿管や人工呼吸などの延命治療を望まずに緩和ケアのみの加療を望んでいたにもかかわらず、ICUでこれらの延命治療を受けて苦痛のなかで死を迎えていた患者が、肺がん患者に比べて多かったとも報告されている[3]。

身体的・精神的・社会的・スピリチュアルな多側面からなるトータルペイン（図7）を伴う終末期では、患者は自分らしく生きることが困難であり、自立・自律が脅

かされ、人としての尊厳も脅かされることにつながっている[1]。医療チームは、個々の患者の人生の歩みと「病みの軌跡」を患者やその家族と共有し、終末期の対応を考えることが重要である。

c. Advance Care Planning

ACPとは、将来の変化に備えてその間の医療やケアについて、患者本人を主体にその家族や医療・ケアチームが繰り返し話し合いを行い、本人の意思決定を支援するプロセスのことである。患者本人の意思は変化し得るため、医療・ケアチームが適切な情報提供をしたうえで本人の意思を共有しておくことが重要であり、その決定は必要があれば話し合いでいつでも変更可能なものとする。

ACPはなるべく早い時期から継続的に行われるものであり、終末期前から開始することが望ましい（図8）。基本的には急性期ではなく安定期に行い、タイミングとしては、COPDと診断されたとき、増悪の入院で急性期から回復したとき、LTOT/HOT・NPPVの導入時、合併症の発生時、終末期を意識する場合（増悪を繰り返す、呼吸困難の悪化、体重減少、ADLの低下、要介護度の悪化など）、さらにオピオイドの開始を考えるときなどに行う[1]。

d. 緩和ケアと呼吸リハビリテーションの導入

緩和ケアとは、生命を脅かす病に関連する問題に直面している患者とその家族において、痛みやその他の身体的・心理社会的・スピリチュアルな問題を早期に見出して的確に評価を行い対応することで、苦痛を予防し和らげることを通し、QOLを向上させるアプローチである[1]。緩和ケアは、終末期に限らず、症状や苦痛が出現した時点で提供されるべきである（図8）。

呼吸リハビリテーションは、運動療法、セルフマネジメント教育や行動変容のみでなく、身体的・心理的な状況を改善し、長期の健康増進に対する行動のアドヒアランスを促進するための包括的な介入である。呼吸リハビリテーションは、緩和ケアの一部であり、回復ケアのみと捉えるべきではない。トータルペインや呼吸困難の軽減などのように、呼吸リハビリテーションと緩和ケアの目的は同一線上にある。終末期医療に関する情報不足は、患者の孤立につながるため、呼吸リハビリテーションの介入を勧めるとともに、積極的に適切な情報を提供する必要がある[1]。

COPD管理のどの段階においても、①標準的な治療を行って病態を安定させ、増悪を防止すること、②栄養や運動を軸とした呼吸リハビリテーションで機能を維持・向上させること、③苦痛を評価し緩和することが必要で、継続的なコミュニケーションとACPが全経過を通して貫かれていなければならない（図8）[1]。

e. 終末期COPDの呼吸困難への対処

終末期では積極的な運動療法は困難であり、患者ごとに要望を考慮した目標を設定しながら息切れや低酸素症をコントロールし、呼吸補助などのコンディショニングを行ったうえで運動療法を行う。食事や排泄の自立を維持し、姿勢や食事形態の工夫などの支援により食事を管理する。呼吸困難が生じた場合、患者自身で呼吸や息切れをコントロールするようなパニックコントロールの体得も必要となる[1]。運動療法の実施が困難な場合に、NMESが進行したCOPD患者の筋力低下に有効であったと報告されており[4]、今後の普及が望まれる。

気管支拡張薬の吸入・呼吸リハビリテーションなどの標準的治療が完全に行われていても、呼吸困難が持続、悪化する場合には、症状緩和のための非薬物療法を上乗せする。

終末期には、呼吸仕事量の増大や低栄養に伴う呼吸筋力低下、夜間低換気から終日低換気となり慢性II型呼吸不全が進行する。NPPVは終末期にも呼吸仕事量の軽減、内因性PEEPの解除による症状緩和が可能である。さらに、HFNCは侵襲性の低いインターフェイスにて、解剖学的死腔を洗い流し、より少ない一回換気量、呼吸数と呼吸仕事量で、肺胞換気量と$PaCO_2$を維持できる[1]。

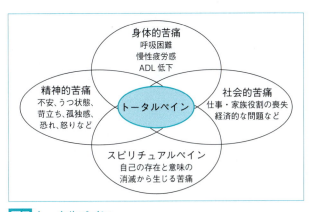

図7 トータルペイン

第Ⅲ章　治療と管理

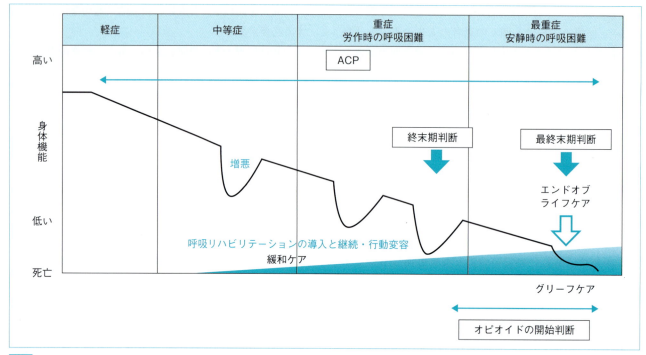

図8 COPDの疾患軌道とACP、緩和ケア

　呼吸困難がさまざまな薬物療法や非薬物療法でも改善されない場合には、オピオイド（モルヒネ、コデイン）や抗不安薬（ベンゾジアゼピン系薬）の使用が考慮される[5]。この場合、患者、家族から十分なインフォームド・コンセントを得るとともに、複数の医療スタッフ間での討議を経て導入するのが望ましい[1]。

　オピオイドは、経口薬、注射薬ともにモルヒネのみが「激しい咳嗽」に対して保険適用である。経口薬の場合、作用時間が短く頻回に服用する必要があるため、全身状態が悪化した患者に対しては注射薬を持続皮下投与するほうが負担が少ない。オピオイド投与前に、標準治療が十分になされていること、禁忌の有無、投与量に影響する因子の有無、患者や家族の同意を得ていることを確認する。オピオイド開始後は副作用のチェックを定期的に行う[1]。オピオイドは、低用量であれば一般に死亡リスクに影響しないが、ベンゾジアゼピン系薬は用量依存性に死亡リスクを増大させるため注意が必要である[6]。オピオイドを十分量使用しても効果がなければすみやかに中止する。

　本邦においても、安静時呼吸困難を有する日本人COPD患者を対象にモルヒネ散1回3mg、1日4回（腎機能障害もしくは低体重患者では2mg、1日4回）の呼吸困難に対する有効性を検討する前後比較試験を行い、2日後の呼吸困難NRSがベースラインに比べて有意に低下したという報告がある[7]。経口モルヒネの開始量は10mg/日以下が妥当と考えられている。

　少数例の検討であるが鍼治療の効果[8]や、L-メンソールが上気道の冷感刺激を介して呼吸困難を軽減することが報告され[9]、非がん性呼吸器疾患における呼吸困難に対する非薬物治療の発展が期待される[10]。

　終末期は栄養状態が不良の場合も多く、栄養療法の併用も考慮する（**第Ⅲ章 C-3-d. 栄養管理**を参照）。

C. 安定期の管理

8. 災害時の対応

POINTS

◉ 災害時に起こりうる状況を想定して、平常時から対策を準備しておく。
◉ 日頃からの身体活動性の向上と維持、口すぼめ呼吸などの呼吸トレーニング教育が有用である。
◉ 災害時行動の重要項目に関し、アクションプランを明らかにしておく。
◉ 地域システムの整備として医療機器業者との災害時の連携を確認しておく。

a. 災害時の特徴

過去の本邦の災害では、住宅の損壊、停電、避難、居住区の孤立、ライフラインや物資の供給の途絶、環境悪化などが経験された。2018年9月6日午前3時8分に北海道胆振東部地震が発生し、3時25分には北海道全域において295万戸が停電した。北海道内34ヵ所の災害拠点病院すべてと最大376の医療機関は停電に陥り、復旧までに24時間以上を要した医療機関は40%にも達した[1]。これらは今後も、さまざまな程度と広がりで、国内のどこでも起こりうるという想定が必要である。また、災害時には、直接的な受傷を免れても、災害による特殊な環境や安全確保のための避難行動が待ち構えており、COPD患者では健常者よりも大きな困難がもたらされる。COPDの主な災害時特殊事情としては、①停電や酸素ボンベの消費によるLTOT/HOTの中断、避難行動時の酸素ボンベの携行、②息切れによる避難行動および支援供給途絶状況下でのサバイバル行動の制限、③吸入薬などの薬剤不足、④身体活動性低下による廃用のより早い進行（特に避難生活遷延時）、がある[2,3]。また、停電時には電力が必要なLTOT/HOTやNPPV、ネブライザーなどの機器が使用できなくなることから停電に伴う増悪のリスクが示されている[4]。

b. 平常時からの対策

1) 身体活動性の向上と維持

身体活動能力は、災害時避難およびサバイバル行動の成否にかかわる。平常時から身体活動性の向上と維持を図っておく。

2) 呼吸トレーニング

口すぼめ呼吸は、息切れ時の呼吸調整、酸素供給途絶に対する不安緩和や低酸素血症への対応などの点で有用

である。東日本大震災時、ライフライン途絶による酸素供給の制限が生じた際、LTOT/HOT患者のなかで口すぼめ呼吸でしのいだ例が報告されている[5]。口すぼめ呼吸を習得し、必要なときに行えるように教育しておくことが重要である。

3) 災害発生時の行動計画書（アクションプラン）

災害時の行動指針を行動計画（アクションプラン）として準備する[2]。LTOT/HOTやNPPVなどの在宅機器を使用する患者では、避難中の酸素流量の切り替え指示（酸素が使用不能となった場合の指示も含む）が必要である。酸素流量が3L/分以上の酸素依存度が高い患者については、補助バッテリーや自家発電などについても考慮する。このほか、ボンベとの切り替えのタイミングや動作、酸素なしで許容される時間、口すぼめ呼吸、パルスオキシメータの使用と評価法、酸素吸入量遡減などの調節の許可、病院や医療機器業者への緊急連絡の方法、避難先、薬剤が切れた場合の対処などが挙げられる（**第Ⅲ章-C-3-e-4)-③導入時の教育**を参照）。これらの教育には、訪問医療スタッフや医療機器業者の果たす役割も大きい。患者本人のみならず、同居者や家族またはヘルパーなどへの教育を行う。また、災害時に必要となる物品の平常時の備蓄を行う。日頃から増悪治療薬、呼吸同調式デマンド使用者における電池、夜間の接続のための懐中電灯、情報収集のためのラジオ、備蓄食料や水、衣類、毛布などを準備しておく。

4) 居宅の地震対策

家具の固定や高所の物品の落下防止などの地震対策を可能な限り行う。屋内からの避難路を2経路以上確保できているか確認しておく。通路に家具や物品が落下して脱出不能にならないか確認し、想定できる限り、危険箇

第Ⅲ章　治療と管理

所をなくしておく。

5）メンタルトレーニング

災害時には精神的にも大きな負荷がかかり、ストレスによる身体疾患の悪化が起こりうる。平常時より、災害が起きた際の心構えをシミュレーションしておき、過度のパニックに陥らないようにする。

c．地域システムの整備

災害時に何らかの要援護者の避難を救助する制度が地域にある場合、患者がその対象になっているか確認する。東日本大震災では、多数のLTOT/HOT患者が酸素を求めて病院や市役所に避難したため[2]、基幹病院が医療機器業者と連携し、「酸素センター」を用意して対応した。この教訓から、①LTOT/HOTや人工呼吸器を使用している患者を地域で把握する、②災害時にはこれらの機器の使用を提供できる拠点を整備する、③患者側にこのシステムを十分に周知しておくことが必要である。

d．医療機器業者との連携

医療者側は、医療機器業者との災害時連携を確認しておく。停電時の行動や酸素ボンベの接続手順については、医療者側からの説明のみならず、医療機器業者からも繰り返し説明してもらう。患者個人の特殊事情は、医療者側と情報を共有しておく。複数の業者が関与している地域では、あらかじめ医療者がそれぞれの業者の役割分担や連携のあり方について協議しておく必要がある。災害時には、医療者が事前の取り決めに従ってそれぞれの業者に依頼することで混乱を防ぐよう努める。あくまでも目の前の患者の援助が優先されるべきである。

e．災害の遷延化

東日本大震災では被害が甚大であり、災害対応が長期にわたった。この際、身体活動性の低下によって患者のADLは低下し、肺塞栓症や肺炎などを起こすリスクを高めた。これは、特に高齢者で顕著であった[6]。また、被災地における健康支援や被災地外への二次避難などもあり、震災から3週間以内の対応が必要である[2,6]。

References

Ⅲ-C．安定期の管理

1) 日本循環器学会，日本肺癌学会，日本癌学会，日本呼吸器学会．禁煙治療のための標準手順書 第8版．2021. http://j-circ.or.jp/kinen/anti_smoke_std/pdf/anti_smoke_std_rev8_.pdf（accessed 2021-12-11）［Ⅵ］

2) Celli BR, Anderson JA, Cowans NJ, et al. Pharmacotherapy and lung function decline in patients with chronic obstructive pulmonary disease. A systematic review. Am J Respir Crit Care Med. 2021；203：689-98.［Ⅰ］

3) Lipson DA, Crim C, Criner GJ, et al. Reduction in all-cause mortality with Fluticasone Furoate/Umeclidinium/Vilanterol in patients with chronic obstructive pulmonary disease. Am J Respir Crit Care Med. 2020；201：1508-16.［Ⅱ］

4) Martinez FJ, Rabe KF, Ferguson GT, et al. Reduced all-cause mortality in the ETHOS trial of Budesonide/Glycopyrrolate/Formoterol for chronic obstructive pulmonary disease. A randomized, double-blind, multicenter, parallel-group study. Am J Respir Crit Care Med. 2021；203：553-64.［Ⅱ］

5) Buhl R, de la Hoz A, Xue W, et al. Efficacy of Tiotropium/Olodaterol Compared with Tiotropium as a first-line maintenance treatment in patients with COPD who are naive to LAMA, LABA and ICS: Pooled analysis of four clinical trials. Adv Ther. 2020；37：4175-89.［Ⅰ］

6) Muro S, Yoshisue H, Kostikas K, et al. Indacaterol/glycopyrronium versus tiotropium or glycopyrronium in long-acting bronchodilator-naive COPD patients：A pooled analysis. Respirology. 2020；25：393-400.［Ⅰ］

7) Martinez FJ, Fabbri LM, Ferguson GT, et al. Baseline symptom score impact on benefits of Glycopyrrolate/Formoterol metered dose inhaler in COPD. Chest 2017；152：1169-78.［Ⅱ］

8) Mahler DA, Decramer M, D'Urzo AD, et al. Dual bronchodilation with QVA149 reduces patient-reported dyspnoea in COPD: the BLAZE study. Eur Respir J 2014；43：1599-1609.［Ⅱ］

9) Takahashi K, Uchida M, Kato G, et al. First-line treatment with Tiotropium/Olodaterol improves physical activity in patients with treatment-naïve chronic obstructive pulmonary disease. Int J Chron Obstruct Pulmon Dis. 2020；15：2115-26.［Ⅱ］

10) 日本呼吸器学会喘息とCOPDのオーバーラップ（Asthma and COPD Overlap；ACO）診断と治療の手引き2018作成委員会（編）．喘息とCOPDのオーバーラップ診断と治療の手引き2018．東京：メディカルレビュー社：2017．［Ⅵ］

11) Lipson DA, Barnhart F, Brealey N, et al. Once-daily single-inhaler triple versus dual therapy in patients with COPD. N Engl J Med. 2018；378：1671-80.［Ⅱ］

12) Ferguson GT, Rabe KF, Martinez FJ, et al. Triple therapy with budesonide/glycopyrrolate/formoterol fumarate with co-suspension delivery technology versus dual therapies in chronic obstructive pulmonary disease（KRONOS）：a double-blind, parallel-group, multicentre, phase 3 randomised controlled trial. Lancet Respir Med. 2018；6：747-58.［Ⅱ］

13) Ichinose M, Fukushima Y, Inoue Y, et al. Long-Term Safety and Efficacy of Budesonide/Glycopyrrolate/Formoterol fumarate metered dose inhaler formulated using co-suspension delivery technology in Japanese patients with COPD. Int J Chron Obstruct Pulmon Dis. 2019；14：2993-3002．[Ⅲ]

14) Kato M, Tomii K, Hashimoto K, et al. The IMPACT Study - single inhaler triple therapy（FF/UMEC/VI）versus FF/VI and UMEC/VI in patients with COPD：Efficacy and safety in a Japanese population. Int J Chron Obstruct Pulmon Dis 2019；14：2849-61．[Ⅲ]

15) Rabe KF, Martinez FJ, Ferguson GT, et al. Triple inhaled therapy at two glucocorticoid doses in moderate-to-very-severe COPD. N Engl J Med. 2020；383：35-48．[Ⅱ]

16) Cazzola M, Rogliani P, Calzetta L, et al. Triple therapy versus single and dual long-acting bronchodilator therapy in COPD：a systematic review and meta-analysis. Eur Respir J. 2018；52：1801586．[Ⅰ]

17) Zheng Y, Zhu J, Liu Y, et al. Triple therapy in the management of chronic obstructive pulmonary disease：systematic review and meta-analysis. BMJ. 2018；363：k4388．[Ⅰ]

18) Koarai A, Yamada M, Ichikawa T, et al. Triple versus LAMA/LABA combination therapy for patients with COPD：a systematic review and meta-analysis. Respir Res. 2021；22：183．[Ⅰ]

19) Koarai A, Yamada M, Ichikawa T, et al. Triple versus LAMA/LABA combination therapy for Japanese patients with COPD：A systematic review and meta-analysis. Respir Investig. 2022；60：90-8．[Ⅰ]

20) Horita N, Goto A, Shibata Y, et al. Long-acting muscarinic antagonist（LAMA）plus long-acting beta-agonist（LABA）versus LABA plus inhaled corticosteroid（ICS）for stable chronic obstructive pulmonary disease（COPD）. Cochrane Database Syst Rev. 2017；2：CD012066．[Ⅰ]

Ⅲ-C-1. ワクチン

1) Kopsaftis Z, Wood-Baker RW, Poole PJ, et al. Influenza vaccine for chronic obstructive pulmonary disease（COPD）. Cochrane Database Syst Rev. 2018；6：CD002733．[Ⅰ]

2) Nichol KL, Nordin JD, Nelson DB, et al. Effectiveness of influenza vaccine in the community-dwelling elderly. N Engl J Med. 2007；357：1373-81．[Ⅳa]

3) Kiyohara K, Kojimahara N, Sato Y, et al. Changes in COPD mortality rate after amendments to the Preventive Vaccination Law in Japan. Eur J Public Health. 2013；23：133-9．[Ⅳa]

4) Walters JA, Tang JN, Poole P, et al. Pneumococcal vaccines for preventing pneumonia in chronic obstructive pulmonary disease. Cochrane Database Syst Rev. 2017；1：CD001390．[Ⅰ]

5) Bonten MJ, Huijts SM, Bolkenbaas M, et al. Polysaccharide conjugate vaccine against pneumococcal pneumonia in adults. N Engl J Med. 2015；372：1114-25．[Ⅱ]

6) Dransfield MT, Harnden S, Burton RL, et al. Long-term comparative immunogenicity of protein conjugate and free polysaccharide pneumococcal vaccines in chronic obstructive pulmonary disease. Clin Infect Dis. 2012；55（5）：e35-44．[Ⅱ]

7) 厚生労働省．定期の予防接種実施者数．https://www.mhlw.go.jp/topics/bcg/other/5.html（accessed 2021-12-11）[Ⅵ]

8) 日本呼吸器学会呼吸器ワクチン検討 WG 委員会／日本感染症学会ワクチン委員会・合同委員会．65歳以上の成人に対する肺炎球菌ワクチン接種に関する考え方（第3版 2019-10-30）．https://www.jrs.or.jp/activities/guidelines/file/haien_kangae2019.pdf（accessed 2022-04-01）[Ⅵ]

9) Furumoto A, Ohkusa Y, Chen M, et al. Additive effect of pneumococcal vaccine and influenza vaccine on acute exacerbation in patients with chronic lung disease. Vaccine. 2008；26：4284-9．[Ⅱ]

Ⅲ-C-2. 薬物療法

1) O'Donnell DE, Flüge T, Gerken F, et al. Effects of tiotropium on lung hyperinflation, dyspnoea and exercise tolerance in COPD. Eur Respir J. 2004；23：832-40．[Ⅱ]

2) O'Donnell DE, Sciurba F, Celli B, et al. Effect of fluticasone propionate/salmeterol on lung hyperinflation and exercise endurance in COPD. Chest. 2006；130：647-56．[Ⅱ]

3) Belman MJ, Botnick WC, Shin JW. Inhaled bronchodilators reduce dynamic hyperinflation during exercise in patients with chronic obstructive pulmonary disease. Am J Respir Crit Care Med. 1996；153：967-75．[Ⅱ]

4) Berger R, Smith D. Effect of inhaled metaproterenol on exercise performance in patients with stable"fixed"airway obstruction. Am Rev Respir Dis. 1988；138：624-9．[Ⅱ]

5) Hay JG, Stone P, Carter J, et al. Bronchodilator reversibility, exercise performance and breathlessness in stable chronic obstructive pulmonary disease. Eur Respir J. 1992；5：659-64．[Ⅱ]

6) O'Donnell DE, Lam M, Webb KA. Spirometric correlates of improvement in exercise performance after anticholinergic therapy in chronic obstructive pulmonary disease. Am J Respir Crit Care Med. 1999；160：542-9．[Ⅱ]

7) Barnes PJ. Chronic obstructive pulmonary disease. N Engl J Med. 2000；343：269-80．[Ⅵ]

8) Singh D, Brooks J, Hagan G, et al. Superiority of"triple"therapy with salmeterol/fluticasone propionate and tiotropium bromide versus individual components in moderate to severe COPD. Thorax. 2008；63：592-8．[Ⅱ]

9) Welte T, Miravitlles M, Hernandez P, et al. Efficacy and tolerability of budesonide/formoterol added to tiotropium in patients with chronic obstructive pulmonary disease. Am J Respir Crit Care Med. 2009；180：741-50．[Ⅱ]

10) Mahler DA, D'Urzo A, Bateman ED, et al. Concurrent use of indacaterol plus tiotropium in patients with COPD provides

superior bronchodilation compared with tiotropium alone : a randomised, double-blind comparison. Thorax. 2012 ; 67 : 781-8. [Ⅱ]

11) Akamatsu K, Yamagata T, Takahashi T, et al. Improvement of pulmonary function and dyspnea by tiotropium in COPD patients using a transdermal beta (2) -agonist. Pulm Pharmacol Ther. 2007 ; 20 : 701-7. [Ⅱ]

12) Ofir D, Laveneziana P, Webb KA, et al. Mechanisms of dyspnea during cycle exercise in symptomatic patients with GOLD stage I chronic obstructive pulmonary disease. Am J Respir Crit Care Med. 2008 ; 177 : 622-9. [Ⅲ]

13) O'Donnell DE, Laveneziana P, Ora J, et al. Evaluation of acute bronchodilator reversibility in patients with symptoms of GOLD stage I COPD. Thorax. 2009 ; 64 : 216-23. [Ⅱ]

14) Tashkin DP, Celli B, Senn S, et al. A 4-year trial of tiotropium in chronic obstructive pulmonary disease. N Engl J Med. 2008 ; 359 : 1543-54. [Ⅱ]

15) Karner C, Chong J, Poole P. Tiotropium versus placebo for chronic obstructive pulmonary disease. Cochrane Database Syst Rev. 2014 ; CD009285. [Ⅰ]

16) Melani AS. Long-acting muscarinic antagonists. Expert Rev Clin Pharmacol. 2015 ; 8 : 479-501. [Ⅰ]

17) D'Urzo A, Ferguson GT, van Noord JA, et al. Efficacy and safety of once-daily NVA237 in patients with moderate-to-severe COPD : the GLOW1 trial. Respir Res. 2011 ; 12 : 156. [Ⅱ]

18) Kerwin E, Hébert J, Gallagher N, et al. Efficacy and safety of NVA237 versus placebo and tiotropium in patients with COPD : the GLOW2 study. Eur Respir J. 2012 ; 40 : 1106-14. [Ⅱ]

19) Beeh KM, Singh D, Di Scala L, et al. Once-daily NVA237 improves exercise tolerance from the first dose in patients with COPD : the GLOW3 trial. Int J Chron Obstruct Pulmon Dis. 2012 ; 7 : 503-13. [Ⅱ]

20) Trivedi R, Richard N, Mehta R, et al. Umeclidinium in patients with COPD : a randomised, placebo-controlled study. Eur Respir J. 2014 ; 43 : 72-81. [Ⅱ]

21) Beeh KM, Watz H, Puente-Maestu L, et al. Aclidinium improves exercise endurance, dyspnea, lung hyperinflation, and physical activity in patients with COPD : a randomized, placebo-controlled, crossover trial. BMC Pulm Med. 2014 ; 14 : 209. [Ⅱ]

22) Casaburi R, Kukafka D, Cooper CB, et al. Improvement in exercise tolerance with the combination of tiotropium and pulmonary rehabilitation in patients with COPD. Chest. 2005 ; 127 : 809-17. [Ⅱ]

23) Kesten S, Casaburi R, Kukafka D, et al. Improvement in self-reported exercise participation with the combination of tiotropium and rehabilitative exercise training in COPD patients. Int J Chron Obstruct Pulmon Dis. 2008; 3 : 127-36.[Ⅱ]

24) Gavaldà A, Miralpeix M, Ramos I, et al. Characterization of aclidinium bromide, a novel inhaled muscarinic antagonist, with long duration of action and a favorable pharmacological profile. J Pharmacol Exp Ther. 2009 ; 331 : 740-51. [Ⅵ]

25) Beier J, Mroz R, Kirsten AM, et al. Improvement in 24-hour bronchodilation and symptom control with aclidinium bromide versus tiotropium and placebo in symptomatic patients with COPD: post hoc analysis of a Phase IIIb study. Int J Chron Obstruct Pulmon Dis. 2017 ; 12 : 1731-40. [Ⅵ]

26) Casarosa P, Bouyssou T, Germeyer S, et al. Preclinical evaluation of long-acting muscarinic antagonists: comparison of tiotropium and investigational drugs. J Pharmacol Exp Ther. 2009 ; 330 : 660-8. [Ⅵ]

27) Kamei T, Nakamura H, Nanki N, et al. Clinical benefit of two-times-per-day aclidinium bromide compared with once-a-day tiotropium bromide hydrate in COPD : a multicentre, open-label, randomised study. BMJ Open. 2019 ; 9 : e024114. [Ⅱ]

28) Decramer M, Celli B, Kesten S, et al. Effect of tiotropium on outcomes in patients with moderate chronic obstructive pulmonary disease (UPLIFT) : a prespecified subgroup analysis of a randomised controlled trial. Lancet. 2009 ; 374 : 1171-8. [Ⅲ]

29) Troosters T, Celli B, Lystig T, et al. Tiotropium as a first maintenance drug in COPD : secondary analysis of the UPLIFT trial. Eur Respir J. 2010 ; 36 : 65-73. [Ⅲ]

30) Tashkin DP, Celli BR, Decramer M, et al. Efficacy of tiotropium in COPD patients with FEV1 ≧ 60% participating in the UPLIFT® trial. COPD. 2012 ; 9 : 289-96. [Ⅲ]

31) Singh S, Loke YK, Enright PL, et al. Mortality associated with tiotropium mist inhaler in patients with chronic obstructive pulmonary disease : systematic review and meta-analysis of randomised controlled trials. BMJ. 2011 ; 342 : d3215. [Ⅰ]

32) Wise RA, Anzueto A, Cotton D, et al. Tiotropium Respimat inhaler and the risk of death in COPD. N Engl J Med. 2013 ; 369 : 1491-501. [Ⅱ]

33) Ichinose M, Fujimoto T, Fukuchi Y. Tiotropium 5microg via Respimat and 18microg via HandiHaler ; efficacy and safety in Japanese COPD patients. Respir Med. 2010 ; 104 : 228-36. [Ⅱ]

34) Rennard SI, Anderson W, ZuWallack R, et al. Use of a long-acting inhaled beta2-adrenergic agonist, salmeterol xinafoate, in patients with chronic obstructive pulmonary disease. Am J Respir Crit Care Med. 2001 ; 163 : 1087-92. [Ⅱ]

35) Minakata Y, Iijima H, Takahashi T, et al. Efficacy and safety of formoterol in Japanese patients with COPD. Intern Med. 2008 ; 47 : 217-23. [Ⅱ]

36) Bogdan MA, Aizawa H, Fukuchi Y, et al. Efficacy and safety of inhaled formoterol 4.5 and 9 μ g twice daily in Japanese and European COPD patients : phase Ⅲ study results. BMC Pulm Med. 2011 ; 11 : 51. [Ⅱ]

37) Decramer ML, Chapman KR, Dahl R, et al. Once-daily inda-

caterol versus tiotropium for patients with severe chronic obstructive pulmonary disease（INVIGORATE）：a randomised, blinded, parallel-group study. Lancet Respir Med. 2013；1：524-33.［Ⅱ］

38）Donohue JF, Fogarty C, Lötvall J, et al. Once-daily bronchodilators for chronic obstructive pulmonary disease：indacaterol versus tiotropium. Am J Respir Crit Care Med. 2010；182：155-62.［Ⅱ］

39）Buhl R, Dunn LJ, Disdier C, et al. Blinded 12-week comparison of once-daily indacaterol and tiotropium in COPD. Eur Respir J. 2011；38：797-803.［Ⅱ］

40）Matera MG, Cazzola M, Vinciguerra A, et al. A comparison of the bronchodilating effects of salmeterol, salbutamol and ipratropium bromide in patients with chronic obstructive pulmonary disease. Pulm Pharmacol. 1995；8：267-71.［Ⅱ］

41）Rossi A, Kristufek P, Levine BE, et al. Comparison of the efficacy, tolerability, and safety of formoterol dry powder and oral, slow-release theophylline in the treatment of COPD. Chest. 2002；121：1058-69.［Ⅱ］

42）Man WD, Mustfa N, Nikoletou D, et al. Effect of salmeterol on respiratory muscle activity during exercise in poorly reversible COPD. Thorax. 2004；59：471-6.［Ⅱ］

43）O'Donnell DE, Voduc N, Fitzpatrick M, et al. Effect of salmeterol on the ventilatory response to exercise in chronic obstructive pulmonary disease. Eur Respir J. 2004；24：86-94. ［Ⅱ］

44）Watz H, Krippner F, Kirsten A, et al. Indacaterol improves lung hyperinflation and physical activity in patients with moderate chronic obstructive pulmonary disease-a randomized, multicenter, double-blind, placebo-controlled study. BMC Pulm Med. 2014；14：158.［Ⅱ］

45）Yamagata T, Hirano T, Sugiura H, et al. Comparison of bronchodilatory properties of transdermal and inhaled long-acting beta 2-agonists. Pulm Pharmacol Ther. 2008；21：160-5. ［Ⅱ］

46）Fukuchi Y, Nagai A, Seyama K, et al. Clinical efficacy and safety of transdermal tulobuterol in the treatment of stable COPD：an open-label comparison with inhaled salmeterol. Treat Respir Med. 2005；4：447-55.［Ⅱ］

47）Ichinose M, Seyama K, Nishimura M, et al. Additive effects of transdermal tulobuterol to inhaled tiotropium in patients with COPD. Respir Med. 2010；104：267-74.［Ⅱ］

48）Lipworth BJ, McDevitt DG, Struthers AD. Hypokalemic and ECG sequelae of combined beta-agonist/diuretic therapy. Protection by conventional doses of spironolactone but not triamterene. Chest. 1990；98：811-5.［Ⅱ］

49）Khoukaz G, Gross NJ. Effects of salmeterol on arterial blood gases in patients with stable chronic obstructive pulmonary disease. Comparison with albuterol and ipratropium. Am J Respir Crit Care Med. 1999；160：1028-30.［Ⅱ］

50）Ferguson GT, Funck-Brentano C, Fischer T, et al. Cardiovascular safety of salmeterol in COPD. Chest. 2003；123：1817-24.［Ⅱ］

51）Bateman ED, Ferguson GT, Barnes N, et al. Dual bronchodilation with QVA149 versus single bronchodilator therapy:the SHINE study. Eur Respir J. 2013；42：1484-94.［Ⅱ］

52）Decramer M, Anzueto A, Kerwin E, et al. Efficacy and safety of umeclidinium plus vilanterol versus tiotropium, vilanterol, or umeclidinium monotherapies over 24 weeks in patients with chronic obstructive pulmonary disease：results from two multicentre, blinded, randomised controlled trials. Lancet Respir Med. 2014；2：472-86.［Ⅱ］

53）Beeh KM, Westerman J, Kirsten AM, et al. The 24-h lung-function profile of once-daily tiotropium and olodaterol fixed-dose combination in chronic obstructive pulmonary disease. Pulm Pharmacol Ther. 2015；32：53-9.［Ⅱ］

54）Mahler DA, Decramer M, D'Urzo A, et al. Dual bronchodilation with QVA149 reduces patient-reported dyspnoea in COPD：the BLAZE study. Eur Respir J. 2014；43：1599-609. ［Ⅱ］

55）Mahler DA, Kerwin E, Ayers T, et al. FLIGHT1 and FLIGHT2：Efficacy and Safety of QVA149（Indacaterol/Glycopyrrolate）versus Its Monocomponents and Placebo in Patients with Chronic Obstructive Pulmonary Disease. Am J Respir Crit Care Med. 2015；192：1068-79.［Ⅱ］

56）Ichinose M, Taniguchi H, Takizawa A, et al. The efficacy and safety of combined tiotropium and olodaterol via the Respimat（®）inhaler in patients with COPD：results from the Japanese sub-population of the Tonado（®）studies. Int J Chron Obstruct Pulmon Dis. 2016；11：2017-27.［Ⅲ］

57）Beeh KM, Korn S, Beier J, et al. Effect of QVA149 on lung volumes and exercise tolerance in COPD patients：the BRIGHT study. Respir Med. 2014；108：584-92.［Ⅱ］

58）O'Donnell DE, Casaburi R, Frith P, et al. Effects of combined tiotropium/olodaterol on inspiratory capacity and exercise endurance in COPD. Eur Respir J. 2017；49：1601348.［Ⅲ］

59）Ichinose M, Minakata Y, Motegi T, et al. Efficacy of tiotropium/olodaterol on lung volume, exercise capacity, and physical activity. Int J Chron Obstruct Pulmon Dis. 2018；13：1407-19.［Ⅱ］

60）Takahashi K, Uchida M, Kato G, et al. First-Line Treatment with Tiotropium/Olodaterol Improves Physical Activity in Patients with Treatment-Naive Chronic Obstructive Pulmonary Disease. Int J Chron Obstruct Pulmon Dis. 2020；15：2115-26.［Ⅱ］

61）Minakata Y, Motegi T, Ueki J, et al. Effect of tiotropium/olodaterol on sedentary and active time in patients with COPD：post hoc analysis of the VESUTO® study. Int J Chron Obstruct Pulmon Dis. 2019；14：1789-801.［Ⅱ］

62）Wedzicha JA, Decramer M, Ficker JH, et al. Analysis of chronic obstructive pulmonary disease exacerbations with the dual bronchodilator QVA149 compared with glycopyrro-

第Ⅲ章 治療と管理

nium and tiotropium (SPARK) : a randomised, double-blind, parallel-group study. Lancet Respir Med. 2013 ; 1 : 199-209. [Ⅱ]

63) Wedzicha JA, Banerji D, Chapman KR, et al. Indacaterol-Glycopyrronium versus Salmeterol-Fluticasone for COPD. N Engl J Med. 2016 ; 374 : 2222-34. [Ⅱ]

64) Wedzicha JA, Zhong N, Ichinose M, et al. Indacaterol/glyco-pyrronium versus salmeterol/fluticasone in Asian patients with COPD at a high risk of exacerbations : results from the FLAME study. Int J Chron Obstruct Pulmon Dis. 2017 ; 12 : 339-49. [Ⅲ]

65) Cazzola M, Molimard M. The scientific rationale for combining long-acting beta2-agonists and muscarinic antagonists in COPD. Pulm Pharmacol Ther. 2010 ; 23 : 257-67. [Ⅵ]

66) Ram FS, Jones PW, Castro AA, et al. Oral theophylline for chronic obstructive pulmonary disease. Cochrane Database Syst Rev. 2002 ; CD003902. [Ⅰ]

67) McKay SE, Howie CA, Thomson AH, et al. Value of theophylline treatment in patients handicapped by chronic obstructive lung disease. Thorax. 1993 ; 48 : 227-32. [Ⅱ]

68) ZuWallack RL, Mahler DA, Reilly D, et al. Salmeterol plus theophylline combination therapy in the treatment of COPD. Chest. 2001 ; 119 : 1661-70. [Ⅱ]

69) Zacarias EC, Castro AA, Cendon S. Effect of theophylline associated with short-acting or long-acting inhaled beta2-agonists in patients with stable chronic obstructive pulmonary disease : a systematic review. J Bras Pneumol. 2007 ; 33 : 152-60. [Ⅰ]

70) Cazzola M, Gabriella Matera M. The additive effect of theophylline on a combination of formoterol and tiotropium in stable COPD : a pilot study. Respir Med. 2007 ; 101 : 957-62. [Ⅱ]

71) Voduc N, Alvarez GG, Amjadi K, et al. Effect of theophylline on exercise capacity in COPD patients treated with combination long-acting bronchodilator therapy : a pilot study. Int J Chron Obstruct Pulmon Dis. 2012 ; 7 : 245-52. [Ⅱ]

72) Cazzola M, Di Lorenzo G, Di Perna F, et al. Additive effects of salmeterol and fluticasone or theophylline in COPD. Chest. 2000 ; 118 : 1576-81. [Ⅱ]

73) Culpitt SV, de Matos C, Russell RE, et al. Effect of theophylline on induced sputum inflammatory indices and neutrophil chemotaxis in chronic obstructive pulmonary disease. Am J Respir Crit Care Med. 2002 ; 165 : 1371-6. [Ⅱ]

74) Kobayashi M, Nasuhara Y, Betsuyaku T, et al. Effect of low-dose theophylline on airway inflammation in COPD. Respirology. 2004 ; 9 : 249-54. [Ⅱ]

75) Hirano T, Yamagata T, Gohda M, et al. Inhibition of reactive nitrogen species production in COPD airways : comparison of inhaled corticosteroid and oral theophylline. Thorax. 2006 ; 61 : 761-6. [Ⅱ]

76) Nannini LJ, Lasserson TJ, Poole P. Combined corticosteroid and long-acting beta (2) -agonist in one inhaler versus long-

acting beta (2) -agonists for chronic obstructive pulmonary disease. Cochrane Database Syst Rev. 2012 ; 2012 : Cd006829. [Ⅰ]

77) Nannini LJ, Poole P, Milan SJ, et al. Combined corticosteroid and long-acting beta (2) -agonist in one inhaler versus inhaled corticosteroids alone for chronic obstructive pulmonary disease. Cochrane Database Syst Rev. 2013 ; 2013 : Cd006826. [Ⅰ]

78) Calverley PM, Anderson JA, Celli B, et al. Salmeterol and fluticasone propionate and survival in chronic obstructive pulmonary disease. N Engl J Med. 2007 ; 356 : 775-89. [Ⅱ]

79) Vestbo J, Anderson JA, Brook RD, et al. Fluticasone furoate and vilanterol and survival in chronic obstructive pulmonary disease with heightened cardiovascular risk (SUMMIT) : a double-blind randomised controlled trial. Lancet. 2016 ; 387 : 1817-26. [Ⅱ]

80) Beeh KM, Derom E, Echave-Sustaeta J, et al. The lung function profile of once-daily tiotropium and olodaterol via Respimat (®) is superior to that of twice-daily salmeterol and fluticasone propionate via Accuhaler (®) (ENERGITO (®) study). Int J Chron Obstruct Pulmon Dis. 2016 ; 11 : 193-205. [Ⅱ]

81) Vogelmeier C, Paggiaro PL, Dorca J, et al. Efficacy and safety of aclidinium/formoterol versus salmeterol/fluticasone : a phase 3 COPD study. Eur Respir J. 2016 ; 48 : 1030-9. [Ⅱ]

82) Horita N, Nagashima A, Kaneko T. Long-acting β -agonists (LABA) combined with long-acting muscarinic antagonists or LABA combined with inhaled corticosteroids for patients with stable COPD. JAMA. 2017 ; 318 : 1274-5. [Ⅰ]

83) Lipson DA, Barnhart F, Brealey N, et al. Once-daily single-inhaler triple versus dual therapy in patients with COPD. N Engl J Med. 2018 ; 378 : 1671-80. [Ⅱ]

84) Ferguson GT, Rabe KF, Martinez FJ, et al. Triple therapy with budesonide/glycopyrrolate/formoterol fumarate with co-suspension delivery technology versus dual therapies in chronic obstructive pulmonary disease (KRONOS) : a double-blind, parallel-group, multicentre, phase 3 randomised controlled trial. Lancet Respir Med. 2018 ; 6 : 747-58. [Ⅱ]

85) Rabe KF, Martinez FJ, Ferguson GT, et al. Triple Inhaled Therapy at Two Glucocorticoid Doses in Moderate-to-Very-Severe COPD. N Engl J Med. 2020 ; 383 : 35-48. [Ⅱ]

86) Pascoe S, Barnes N, Brusselle G, et al. Blood eosinophils and treatment response with triple and dual combination therapy in chronic obstructive pulmonary disease : analysis of the IMPACT trial. Lancet Respir Med. 2019 ; 7 : 745-56. [Ⅱ]

87) Bafadhel M, Peterson S, De Blas MA, et al. Predictors of exacerbation risk and response to budesonide in patients with chronic obstructive pulmonary disease : a post-hoc analysis of three randomised trials. Lancet Respir Med. 2018 ; 6 : 117-26. [Ⅲ]

88) Siddiqui SH, Guasconi A, Vestbo J, et al. Blood eosinophils: A

biomarker of response to extrafine Beclomethasone/Formoterol in chronic obstructive pulmonary disease. Am J Respir Crit Care Med. 2015；192：523-5.［Ⅱ］

89) Papi A, Vestbo J, Fabbri L, et al. Extrafine inhaled triple therapy versus dual bronchodilator therapy in chronic obstructive pulmonary disease (TRIBUTE)：a double-blind, parallel group, randomised controlled trial. Lancet. 2018；391：1076-84.［Ⅱ］

90) Pascoe S, Locantore N, Dransfield MT, et al. Blood eosinophil counts, exacerbations, and response to the addition of inhaled fluticasone furoate to vilanterol in patients with chronic obstructive pulmonary disease：a secondary analysis of data from two parallel randomised controlled trials. Lancet Respir Med. 2015；3：435-42.［Ⅲ］

91) Vestbo J, Papi A, Corradi M, et al. Single inhaler extrafine triple therapy versus long-acting muscarinic antagonist therapy for chronic obstructive pulmonary disease (TRINITY)：a double-blind, parallel group, randomised controlled trial. Lancet. 2017；389：1919-29.［Ⅱ］

92) Crim C, Dransfield MT, Bourbeau J, et al. Pneumonia risk with inhaled fluticasone furoate and vilanterol compared with vilanterol alone in patients with COPD. Ann Am Thorac Soc. 2015；12：27-34.［Ⅱ］

93) Crim C, Calverley PMA, Anderson JA, et al. Pneumonia risk with inhaled fluticasone furoate and vilanterol in COPD patients with moderate airflow limitation：The SUMMIT trial. Respir Med. 2017；131：27-34.［Ⅱ］

94) Magnussen H, Disse B, Rodriguez-Roisin R, et al. Withdrawal of inhaled glucocorticoids and exacerbations of COPD. N Engl J Med. 2014；371：1285-94.［Ⅱ］

95) Watz H, Tetzlaff K, Wouters EF, et al. Blood eosinophil count and exacerbations in severe chronic obstructive pulmonary disease after withdrawal of inhaled corticosteroids：a post-hoc analysis of the WISDOM trial. Lancet Respir Med. 2016；4：390-8.［Ⅲ］

96) Chapman KR, Hurst JR, Frent SM, et al. Long-term triple therapy de-escalation to Indacaterol/Glycopyrronium in patients with chronic obstructive pulmonary disease (SUNSET)：A randomized, double-blind, triple-dummy clinical trial. Am J Respir Crit Care Med. 2018；198：329-39.［Ⅱ］

97) Burge PS, Calverley PM, Jones PW, et al. Randomised, double blind, placebo controlled study of fluticasone propionate in patients with moderate to severe chronic obstructive pulmonary disease：the ISOLDE trial. BMJ. 2000；320：1297-303.［Ⅱ］

98) Burge PS, Calverley PM, Jones PW, et al. Prednisolone response in patients with chronic obstructive pulmonary disease：results from the ISOLDE study. Thorax. 2003；58：654-8.［Ⅲ］

99) Hanania NA, Crater GD, Morris AN, et al：Benefits of adding fluticasone propionate/salmeterol to tiotropium in moderate to severe COPD. Respir Med. 2012；106：91-101.［Ⅱ］

100) Frith PA, Thompson PJ, Ratnavadivel R, et al：Glycopyrronium once-daily significantly improves lung function and health status when combined with salmeterol/fluticasone in patients with COPD：the GLISTEN study, a randomised controlled trial. Thorax. 2015；70：519-27.［Ⅱ］

101) Lipson DA, Barnacle H, Birk R, et al：FULFIL Trial：Once-daily triple therapy for patients with chronic obstructive pulmonary disease. Am J Respir Crit Care Med. 2017；196：438-46.［Ⅱ］

102) Siler TM, Kerwin E, Singletary K, et al：Efficacy and safety of umeclidinium added to fluticasone propionate/salmeterol in patients with COPD：results of two randomized, double-blind studies. COPD. 2016；13：1-10.［Ⅱ］

103) Singh D, Papi A, Corradi M, et al：Single inhaler triple therapy versus inhaled corticosteroid plus long-acting beta2-agonist therapy for chronic obstructive pulmonary disease (TRILOGY)：a double-blind, parallel group, randomised controlled trial. Lancet. 2016；388：963-73.［Ⅱ］

104) Koarai A, Yamada M, Ichikawa T, et al. Triple versus LAMA/LABA combination therapy for Japanese patients with COPD：A systematic review and meta-analysis. Respir Investig. 2022；60：90-8.［Ⅰ］

105) Ichinose M, Fukushima Y, Inoue Y, et al. Long-term safety and efficacy of Budesonide/Glycopyrrolate/Formoterol fumarate metered dose inhaler formulated using co-suspension delivery technology in Japanese patients with COPD. Int J Chron Obstruct Pulmon Dis. 2019；14：2993-3002.［Ⅲ］

106) Kato M, Tomii K, Hashimoto K, et al. The IMPACT Study - single inhaler triple therapy (FF/UMEC/VI) versus FF/VI and UMEC/VI in patients with COPD：Efficacy and safety in a Japanese population. Int J Chron Obstruct Pulmon Dis. 2019；14：2849-2861.［Ⅲ］

107) Lipson DA, Crim C, Criner GJ, et al：Reduction in all-cause mortality with fluticasone furoate/umeclidinium/vilanterol in patients with chronic obstructive pulmonary disease. Am J Respir Crit Care Med. 2020；201：1508-16.［Ⅲ］

108) Muro S, Sugiura H, Darken P, et al. Efficacy of budesonide/glycopyrronium/formoterol metered dose inhaler inpatients with COPD：post-hoc analysis from the KRONOS study excluding patients with airway reversibility and high eosinophil counts. Respir Res. 2021；22：187.［Ⅲ］

109) Zheng Y, Zhu J, Liu Y, et al：Triple therapy in the management of chronic obstructive pulmonary disease：systematic review and meta-analysis. BMJ. 2018；363：k4388.［Ⅰ］

110) Mammen MJ, Lloyd DR, Kumar S, et al：Triple therapy versus dual or monotherapy with long-acting bronchodilators for COPD：a systematic review and meta-analysis. Ann Am Thorac Soc. 2020；17：1308-18.［Ⅰ］

111) Nici L, Mammen MJ, Charbek E, et al. Pharmacologic management of chronic obstructive pulmonary disease. An offi-

第Ⅲ章　治療と管理

cial American Thoracic Society clinical practice guideline. Am J Respir Crit Care Med. 2020；201：e56-e69. ［Ⅵ］

112) 日本呼吸器学会喘息とCOPDのオーバーラップ（Asthma and COPD：ACO）診断と治療の手引き2018作成委員会（編）. 喘息とCOPDのオーバーラップ（Asthma and COPD Overlap：ACO）診断と治療の手引き2018. 東京；メディカルレビュー社：2017. ［Ⅵ］

113) Poole P, Sathananthan K, Fortescue R. Mucolytic agents versus placebo for chronic bronchitis or chronic obstructive pulmonary disease. Cochrane Database Syst Rev. 2019；5：CD001287. ［Ⅰ］

114) Bachh AA, Shah NN, Bhargava R, et al. Effect of oral N-acetylcysteine in COPD - a randomised controlled trial. JK-Practitioner. 2007；14：12-6. ［Ⅱ］

115) Calverley PM, Page C, Dal Negro RW, et al. Effect of erdosteine on COPD exacerbations in COPD patients with moderate airflow limitation. Int J Chron Obstruct Pulmon Dis. 2019；14：2733-44. ［Ⅱ］

116) Pela R, Calcagni AM, Subiaco S, et al. N-acetylcysteine reduces the exacerbation rate in patients with moderate to severe COPD. Respiration. 1999；66：495-500. ［Ⅱ］

117) Tatsumi K, Fukuchi Y. Carbocisteine improves quality of life in patients with chronic obstructive pulmonary disease. J Am Geriatr Soc. 2007；55：1884-6. ［Ⅱ］

118) Worth H, Schacher C, Dethlefsen U. Concomitant therapy with Cineole (Eucalyptole) reduces exacerbations in COPD：a placebo-controlled double-blind trial. Respir Res. 2009；10：69. ［Ⅱ］

119) Zheng JP, Kang J, Huang SG, et al. Effect of carbocisteine on acute exacerbation of chronic obstructive pulmonary disease (PEACE Study)：a randomised placebo-controlled study. Lancet. 2008；371：2013-8. ［Ⅱ］

120) Suzuki T, Yanai M, Yamaya M, et al. Erythromycin and common cold in COPD. Chest. 2001；120：730-3. ［Ⅱ］

121) Banerjee D, Khair OA, Honeybourne D. The effect of oral clarithromycin on health status and sputum bacteriology in stable COPD. Respir Med. 2005；99：208-215. ［Ⅱ］

122) Yamaya M, Azuma A, Tanaka H, et al. Inhibitory effects of macrolide antibiotics on exacerbations and hospitalization in chronic obstructive pulmonary disease in Japan：a retrospective multicenter analysis. J Am Geriatr Soc. 2008；56：1358-60. ［Ⅳb］

123) Seemungal TA, Wilkinson TM, Hurst JR, et al. Long-term erythromycin therapy is associated with decreased chronic obstructive pulmonary disease exacerbations. Am J Respir Crit Care Med. 2008；178：1139-47. ［Ⅱ］

124) He ZY, Ou LM, Zhang JQ, et al. Effect of 6 months of erythromycin treatment on inflammatory cells in induced sputum and exacerbations in chronic obstructive pulmonary disease. Respiration. 2010；80：445-52. ［Ⅱ］

125) Albert RK, Connett J, Bailey WC, et al. Azithromycin for pre-

vention of exacerbations of COPD. N Engl J Med. 2011；365：689-98. ［Ⅱ］

126) Yamaya M, Azuma A, Takizawa H, et al. Macrolide effects on the prevention of COPD exacerbations. Eur Respir J. 2012；40：485-94. ［Ⅵ］

127) Berkhof FF, Doornewaard-Ten Hertog NE, Uil SM, et al. Azithromycin and cough-specific health status in patients with chronic obstructive pulmonary disease and chronic cough：a randomised controlled trial. Respir Res. 2013；14：125. ［Ⅱ］

128) Han MK, Tayob N, Murray S, et al. Predictors of chronic obstructive pulmonary disease exacerbation reduction in response to daily azithromycin therapy. Am J Respir Crit Care Med. 2014；189：1503-8. ［Ⅱ］

129) Uzun S, Djamin RS, Kluytmas JA, et al. Azithromycin maintenance treatment in patients with frequent exacerbations of chronic obstructive pulmonary disease (COLUMBUS)：a randomized, double-blind, placebo-controlled trial. Lancet Respir Med. 2014；2：361-8. ［Ⅱ］

130) Simpson JL, Powell H, Baines KJ, et al. The effect of azithromycin in adults with stable neutrophilic COPD：a double blind randomised, placebo controlled trial. PLoS One. 2014；9：e105609. ［Ⅱ］

131) Ni W, Shao X, Cai X, et al. Prophylactic use of macrolide antibiotics for the prevention of chronic obstructive pulmonary disease exacerbation：a meta-analysis. PLoS One. 2015；10：e0121257. ［Ⅰ］

132) Cao Y, Xuan S, Wu Y, et al. Effects of long-term macrolide therapy at low doses in stable COPD. Int J Chron Obstruct Pulmon Dis. 2019 14：1289-98. ［Ⅰ］

133) 日本呼吸器学会咳嗽・喀痰の診療ガイドライン2019作成委員会（編）. 咳嗽・喀痰の診療ガイドライン2019. 東京：メディカルビュー社；2019. ［Ⅵ］

134) Miravitlles M, Soler-Cataluña JJ, Alcázar B, et al. Factors affecting the selection of an inhaler device for COPD and the ideal device for different patient profiles. Results of EPOCA Delphi consensus. Pulm Pharmacol Ther. 2018；48：97-103. ［Ⅳa］

135) George M, Bender B. New insights to improve treatment adherence in asthma and COPD. Patient Prefer Adherence. 2019；13：1325-34. ［Ⅵ］

136) Yu AP, Guérin A, Ponce de Leon D, et al. Therapy persistence and adherence in patients with chronic obstructive pulmonary disease：multiple versus single long-acting maintenance inhalers. J Med Econ. 2011；14：486-96. ［Ⅳa］

137) Molimard M, Raherison C, Lignot S, et al. Chronic obstructive pulmonary disease exacerbation and inhaler device handling：real-life assessment of 2935 patients. Eur Respir J. 2017；49：1601794. ［Ⅳa］

138) 大道光秀, 大林浩幸, 沖 和彦, 他. COPD患者における吸気流速調査について. 日呼吸会誌. 2011；49：479-87. ［Ⅳb］

C. 安定期の管理

139) Jarvis S, Ind PW, Shiner RJ. Inhaled therapy in elderly COPD patients；time for re-evaluation? Age Ageing. 2007；36：213-8.［Ⅳb］

140) Hira D, Koide H, Nakamura S, et al. Assessment of inhalation flow patterns of soft mist inhaler co-prescribed with dry powder inhaler using inspiratory flow meter for multi inhalation devices. PLoS One. 2018；13：e0193082.［Ⅳb］

141) Mahler DA, Ludwig-Sengpiel A, Ferguson GT, et al. TRONARTO：A randomized, placebo-controlled study of tiotropium/olodaterol delivered via soft mist inhaler in COPD patients stratified by peak inspiratory flow. Int J Chron Obstruct Pulmon Dis. 2021；16 2455-65.［Ⅱ］

142) Price D, Keininger DL, Viswanad B, et al. Factors associated with appropriate inhaler use in patients with COPD‐lessons from the REAL survey. Int J Chron Obstruct Pulmon Dis. 2018；13：695-702.［Ⅳb］

143) 厚生労働省保険局医療課. 令和2年度診療報酬改定の概要. https://www.mhlw.go.jp/content/12400000/000608537.pdf （accessed 2021-12-11）［Ⅵ］

144) Takaku Y, Kurashima K, Ohta C, et al. How many instructions are required to correct inhalation errors in patients with asthma and chronic obstructive pulmonary disease? Respir Med. 2017；123：110-5.［Ⅳb］

Ⅲ-C-3. 非薬物療法

1) 日本呼吸ケア・リハビリテーション学会，日本呼吸理学療法学会，日本呼吸器学会. 呼吸リハビリテーションに関するステートメント. 日本呼吸ケア・リハビリテーション学会誌. 2018；27：95-114.［Ⅵ］

2) Spruit MA, Singh SJ, Garvey C, et al. An official American Thoracic Society/European Respiratory Society statement：key concepts and advances in pulmonary rehabilitation. Am J Respir Crit Care Med. 2013；188：e13-64.［Ⅵ］

3) Nici L, ZuWallack R；American Thoracic Society subcommittee on integrated care of the COPD patient. An official American Thoracic Society workshop report：the Integrated Care of The COPD Patient. Proc Am Thorac Soc. 2012；9：9-18.［Ⅵ］

4) Global Initiative for Chronic Obstructive Lung Disease （GOLD）. Global Strategy for the Diagnosis, Management and Prevention of COPD 2021 Report. 2020. http://goldcopd.org/（accessed 2021-12-13）［Ⅵ］

5) Higashimoto Y, Ando M, Sano A, et al. Effect of pulmonary rehabilitation programs including lower limb endurance training on dyspnea in stable COPD：a systematic review and meta-analysis. Respir Investig. 2020；58：355-66.［Ⅰ］

6) Troosters T, van der Molen T, Polkey M, et al. Improving physical activity in COPD：towards a new paradigm. Respir Res. 2013；14：115.［Ⅵ］

7) Rochester CL, Vogiatzis I, Holland AE, et al. An official American Thoracic Society/European Thoracic Society policy statement：enhancing implementation, use, and delivery of pulmonary rehabilitation. Am J Respir Crit Care Med. 2015；192：1373-86.［Ⅵ］

8) McCarthy B, Casey D, Devane D, et al. Pulmonary rehabilitation for chronic obstructive pulmonary disease. Cochrane Database Syst Rev. 2015：CD003793.［Ⅰ］

9) Evans RA, Singh SJ, Collier R, et al. Pulmonary rehabilitation is successful to COPD irrespective of MRC dyspnea grade. Respir Med. 2009；103：1070-5.［Ⅳa］

10) Berry MJ, Rejeski WJ, Adair NE, et al. Exercise rehabilitation and chronic obstructive pulmonary disease stage. Am J Respir Crit Care Med. 1999；160：1248-53.［Ⅳa］

11) Parshall MB, Schwartzstein RM, Adams L, et al. An official American Thoracic Society statement：update on the mechanism, assessment and management of dyspnea. Am J Respir Crit Care Med. 2012；185：435-52.［Ⅵ］

12) Imamura S, Inagaki T, Terada J, et al. Long-term efficacy of pulmonary rehabilitation with home-based or low frequent maintenance programs in patients with chronic obstructive pulmonary disease：a meta-analysis. Ann Palliat Med. 2020；9：2606-15.［Ⅰ］

13) Katsura H, Kanemaru A, Yamada K, et al. Long-term effectiveness of an inpatient pulmonary rehabilitation program for elderly COPD patients：comparison between young-elderly and old-elderly group. Respirology. 2004；9：230-6.［Ⅳa］

14) 日本呼吸ケア・リハビリテーション学会呼吸リハビリテーション委員会ワーキンググループ（編）. 呼吸リハビリテーションマニュアル―運動療法. 第2版. 東京；照林社：2012.［Ⅵ］

15) Waschki B, Kirsten A, Holz O, et al. Physical activity is the strongest predictor of all-cause mortality in patients with COPD：a prospective cohort study. Chest. 2011；140：331-42.［Ⅳa］

16) Caspersen CJ, Powell KE, Christenson GM. Physical activity, exercise, and physical fitness；definitions and distinctions for health-related research. Public Health Rep. 1985；100：126-31.［Ⅵ］

17) 厚生労働省. 運動基準・運動指針の改定に関する検討会. 2013. http://www.mhlw.go.jp/stf/houdou/2r9852000002xple-att/2r9852000002xpqt.pdf（accessed 2021-12-13）［Ⅵ］

18) Garcia-Aymerich J, Lange P, Serra I, et al. Time-dependent confounding in the study of the effects of regular physical activity in chronic obstructive pulmonary disease：an application of the marginal structural model. Ann Epidemiol. 2008；18：775-83.［Ⅳa］

19) Garcia-Aymerich J, Lange P, Benet M, et al. Regular physical activity modifies smoking-related lung function decline and reduces risk of chronic obstructive pulmonary disease：a population-based cohort study. Am J Respir Crit Care Med. 2007；175：458-63.［Ⅳa］

20) Garcia-Aymerich J, Lange P, Benet M, et al. Regular physical

activity reduces hospital admission and mortality in chronic obstructive pulmonary disease : a population based cohort study. Thorax. 2006 ; 61 : 772-8. [IVa]

21) Yohannes AM, Baldwin RC, Connolly M. Mortality predictors in disabling chronic obstructive pulmonary disease in old age. Age Ageing. 2002 ; 31 : 137-40. [IVb]

22) Vaes AW, Garcia-Aymerich J, Marott JL, et al. Changes in physical activity and all-cause mortality in COPD. Eur Respir J. 2014 ; 44 : 1199-209. [IVa]

23) Fiuza-Luces C, Garatachea N, Berger NA, et al A. Exercise is the real polypill. Physiology (Bethesda). 2013 ; 28 : 330-58. [VI]

24) 日本呼吸器学会 COPD ガイドライン第5版作成委員会（編）. COPD（慢性閉塞性肺疾患）診断と治療のためのガイドライン. 第5版. 東京：メディカルレビュー社：2018. [VI]

25) Watz H, Pitta F, Rochester CL, et al. An official European Respiratory Society statement on physical activity in COPD. Eur Respir J. 2014 ; 44 : 1521-37. [VI]

26) Mantoani LC, Rubio N, McKinstry B, et al. Interventions to modify physical activity in patients with COPD : a systematic review. Eur Respir J. 2016 ; 48 : 69-81. [I]

27) Mendoza L, Horta P, Espinoza J, et al. Pedometers to enhance physical activity in COPD : a randomised controlled trial. Eur Respir J. 2015 ; 45 : 347-54. [II]

28) Pleguezuelos E, Pérez ME, Guirao L, et al. Improving physical activity in patients with COPD with urban walking circuits. Respir Med. 2013 ; 107 : 1948-56. [II]

29) Wan ES, Kantorowski A, Polak M, et al. Long-term effects of web-based pedometer-mediated intervention on COPD exacerbations. Respir Med. 2020 ; 162 : 105878. [II]

30) 日本呼吸ケア・リハビリテーション学会呼吸リハビリテーション委員会、日本呼吸器学会ガイドライン施行管理委員会、日本リハビリテーション医学会診療ガイドライン委員会・呼吸リハビリテーションガイドライン策定委員会、日本理学療法士協会呼吸リハビリテーションガイドライン作成委員会（編）. 呼吸リハビリテーションマニュアル―患者教育の考え方と実践―. 東京：照林社：2007. [VI]

31) Bourbeau J, Julien M, Maltais F, et al. Reduction of hospital utilization in patients with chronic obstructive pulmonary disease : a disease-specific self-management intervention. Arch Intern Med. 2003 ; 163 : 585-91. [IVa]

32) Bourbeau J, Collet JP, Schwartzman K, et al. Economic benefits of self-management education in COPD. Chest. 2006 ; 130 : 1704-11. [IVa]

33) Lenferink A, Brusse-Keizer M, van der Valk PD, et al. Self-management interventions including action plans for exacerbations versus usual care in patients with chronicobstructive pulmonary disease (Review). Cochrane Database Syst Rev. 2017 ; 8 : CD011682. [I]

34) Troosters T, Maltais F, Leidy N, et al. Effect of bronchodilation, exercise training, and behavior modification on symptoms and physical activity in chronic obstructive pulmonary disease. Am J Respir Crit Care Med. 2018 ; 198 : 1021-32. [II]

35) Janjua S, Banchoff E, Threapleton CJ, et al. Digital interventions for the management of chronic obstructive pulmonary disease. Cochrane Database Syst Rev. 2021 ; 4 : CD013246. [I]

36) Holland AE, Narelle SC, Houchen-Wolloff L, et al. Defining modern pulmonary rehabilitation. An Official American Thoracic Society Workshop Report. Ann Am Thorac Soc. 2021 ; 18 : e12-e29. [VI]

37) 吉川雅則, 木村 弘. 栄養障害. 日本内科学会雑誌. 2012 ; 101 : 1562-70. [VI]

38) Ogawa E, Nakano Y, Ohara T, et al. Body mass index in male patients with COPD : correlation with low attenuation areas on CT. Thorax. 2009 ; 64 : 20-5. [IVb]

39) 吉川雅則. 慢性閉塞性肺疾患における栄養障害の病態と対策. 日本呼吸ケア・リハビリテーション学会誌. 2012 ; 22 : 258-70. [VI]

40) Chen LK, Woo J, Assantachai P, et al : Asian Working Group for Sarcopenia : 2019 Consensus update on sarcopenia diagnosis and treatment. J Am Med Dir Assoc. 2020 ; 21 : 300-7. [VI]

41) Jones SE, Maddocks M, Kon SS, et al. Sarcopenia in COPD : prevalence, clinical correlates and response to pulmonary rehabilitation. Thorax. 2015 ; 70 : 213-8. [IVb]

42) Benz E, Trajanoska K, Lahousse L, et al. Sarcopenia in COPD : a systematic review and meta-analysis. Eur Respir Rev. 2019 ; 28 : 190049. [I]

43) Chen YW, Ramsook AH, Coxson HO, et al. Prevalence and risk factors for osteoporosis in individuals with COPD. A systematic review and meta-analysis. Chest. 2019 ; 156 : 1092-110. [I]

44) Wagner PD. Possible mechanisms underlying the development of cachexia in COPD. Eur Respir J. 2008 ; 31 : 492-501. [VI]

45) Wouters EFM, Schols AMWJ. Nutrition and metabolism in chronic respiratory disease. Leeds : Maney Pub ; 2003. [VI]

46) Eagan TM, Aukrust P, Ueland T, et al. Body composition and plasma levels of inflammatory biomarkers in COPD. Eur Respir J. 2010 ; 36 : 1027-33. [IVb]

47) Takabatake N, Nakamura H, Abe S, et al. Circulating leptin in patients with chronic obstructive pulmonary disease. Am J Respir Crit Care Med. 1999 ; 159 : 1215-9. [IVb]

48) Itoh T, Nagaya N, Yoshikawa M, et al. Elevated plasma ghrelin level in underweight patients with chronic obstructive pulmonary disease. Am J Respir Crit Care Med. 2004 ; 170 : 879-82. [IVb]

49) Yoshikawa M, Yoneda T, Kobayashi A, et al. Body composition analysis by dual energy X-ray absorptiometry and exercise performance in underweight patients with COPD. Chest. 1999 ; 115 : 371-5. [IVb]

50）Pouw EM, Ten Velde GP, Croonen BH, et al. Early nonelective readmission for chronic obstructive pulmonary disease is associated with weight loss. Clin Nutr. 2000；19：95-9.［Ⅳb］

51）Cao C, Wang R, Wang J, et al. Body mass index and mortality in chronic obstructive pulmonary disease：a meta-analysis. PLoS one. 2012；7：e43892.［Ⅰ］

52）Vestbo J, Prescott E, Almdal T, et al. Body mass, fat-free body mass, and prognosis in patients with chronic obstructive pulmonary disease from a random population sample：findings from the Copenhagen City Heart Study. Am J Respir Crit Care Med. 2006；173：79-83.［Ⅳa］

53）Schols AM, Ferreira IM, Franssen FM, et al. Nutritional assessment and therapy in COPD：a European Respiratory Society statement. Eur Respir J. 2014；44：1504-20.［Ⅵ］

54）ASPEN Board of Directors and the Clinical Guidelines Task Force. Guidelines for the use of parenteral and enteral nutrition in adult and pediatric patients. JPEN J Parenter Enteral Nutr. 2002；26：63SA-5SA.［Ⅵ］

55）Janssens W, Bouillon R, Claes B, et al. Vitamin D deficiency is highly prevalent in COPD and correlates with variants in the vitamin D-binding gene. Thorax. 2010；65：215-20.［Ⅳb］

56）Romme EA, Rutten EP, Smeenk FW, et al. Vitamin D status is associated with bone mineral density and functional exercise capacity in patients with chronic obstructive pulmonary disease. Ann Med. 2013；45：91-6.［Ⅳb］

57）Angelillo VA, Bedi S, Durfee D, et al. Effects of low and high carbohydrate feedings in ambulatory patients with chronic obstructive pulmonary disease and chronic hypercapnia. Ann Intern Med. 1985；103：883-5.［Ⅱ］

58）Anker SD, John M, Pedersen PU, et al. ESPEN Guidelines on enteral nutrition：cardiology and pulmonology. Clin Nutr. 2006；25：311-8.［Ⅵ］

59）富田 学，副島万祐子，佐藤宏美，他．慢性閉塞性肺疾患患者における Late Evening Snack の効果についての検討．日静脈経腸栄会誌．2017；32：1522-5.［Ⅳb］

60）Ferreira IM, Brooks D, White J, et al. Nutritional supplementation for stable chronic obstructive pulmonary disease. Cochrane Database Syst Rev. 2012；12：CD000998.［Ⅰ］

61）van de Bool C, Rutten EPA, van Helvoort A, et al. A randomized clinical trial investigating the efficacy of targeted nutrition as adjunct to exercise training in COPD. J Cachexia, Sarcopenia Muscle 2017；8：748-58.［Ⅱ］

62）Dal Negro RW, Testa A, Aquilani R, et al. Essential amino acid supplementation in patients with severe COPD：a step towards home rehabilitation Monaldi Arch Chest Dis. 2012；77：67-75.［Ⅱ］

63）de Batlle J, Sauleda J, Balcells E, et al. Association between Omega3 and Omega6 fatty acid intakes and serum inflammatory markers in COPD. J Nutr Biochem. 2012；23：817-21.［Ⅳb］

64）Sugawara K, Takahashi H, Kashiwagura T, et al. Effect of anti-inflammatory supplementation with whey peptide and exercise therapy in patients with COPD. Respir Med. 2012；106：1526-34.［Ⅳb］

65）Deutz NE, Matheson EM, Matarese LE, et al. Readmission and mortality in malnourished, older, hospitalized adults treated with a specialized oral nutritional supplement：A randomized clinical trial. Clin Nutr. 2016；35：18-26.［Ⅱ］

66）日本呼吸器学会，肺生理専門委員会，在宅呼吸ケア白書ワーキンググループ（編）．在宅呼吸ケア白書2010．東京；メディカルレビュー社：2010.［Ⅳb］．

67）Long term domiciliary oxygen therapy in chronic hypoxic cor pulmonale complicating chronic bronchitis and emphysema. Report of the Medical Research Council Working Party. Lancet. 1981；1：681-6.［Ⅱ］

68）Continuous or nocturnal oxygen therapy in hypoxemic chronic obstructive lung disease：a clinical trial. Nocturnal Oxygen Therapy Trial Group. Ann Intern Med. 1980；93：391-8.［Ⅱ］

69）Calverley PM, Brezinova V, Douglas NJ, et al. The effect of oxygenation on sleep quality in chronic bronchitis and emphysema. Am Rev Respir Dis. 1982；126：206-10.［Ⅳb］

70）吉良枝郎，饗庭三代治，鈴木 勉．在宅酸素療法実施症例（全国）の調査結果について．厚生省特定疾患呼吸不全調査研究班平成3年度報告書．1992；11-7.［Ⅳa］

71）日本呼吸ケア・リハビリテーション学会，酸素療法マニュアル作成委員会，日本呼吸器学会 肺生理専門委員会（編）．酸素療法マニュアル．東京：メディカルレビュー社；2017.［Ⅵ］

72）Vestbo J, Hurd SS, Agustí AG, et al. Global strategy for the diagnosis, management, and prevention of chronic obstructive pulmonary disease：GOLD excutive summary. Am J Respir Crit Care Med. 2013；187：347-65.［Ⅵ］

73）Celli BR, MacNee W；ATS/ERS Task Force. Standards for the diagnosis and treatment of patients with COPD：a summary of the ATS/ERS position paper. Eur Respir J. 2004；23：932-46.［Ⅵ］

74）McDonald CF, Crockett AJ, Young IH. Adult domiciliary oxygen therapy. Position statement of the Thoracic Society of Australia and New Zealand. Med J Aust. 2005；182：621-6.［Ⅵ］

75）Górecka D, Gorzelak K, Sliwiński P, et al. Effect of long-term oxygen therapy on survival in patients with chronic obstructive pulmonary disease with moderate hypoxaemia. Thorax. 1997；52：674-9.［Ⅱ］

76）Moore RP, Berlowitz DJ, Denehy L, et al. A randomised trial of domiciliary, ambulatory oxygen in patients with COPD and dyspnoea but without resting hypoxaemia. Thorax. 2011；66：32-7.［Ⅱ］

77）The Long-Term Oxygen Treatment Trial Research Group, Albert RK, Au DH, et al. A randomized trial of long-term oxygen for COPD with moderate desaturation. N Engl J Med. 2016；375：1617-27.［Ⅱ］

78）Bradley JM, O'Neill B. Short-term ambulatory oxygen for

chronic obstructive pulmonary disease. Cochrane Database Syst Rev. 2005；CD004356. ［Ⅰ］

79）Ameer F, Carson KV, Usmani ZA, et al. Ambulatory oxygen for people with chronic obstructive pulmonary disease who are not hypoxarmic at rest （Review）. Cochrane Database Syst Rev. 2014；CD000238. ［Ⅰ］

80）Dyer F, Callaghan J, Cheema K, et al. Ambulatory oxygen improves the effectiveness of pulmonary rehabilitation in selected patients with chronic obstructive pulmonary disease. Chron Respir Dis. 2012；9：83-91. ［Ⅱ］

81）Liu Y, Gong F. Determination of whether supplemental oxygen therapy is beneficial during exercise training in patients with COPD：A systematic review and meta analysis. Exp Ther Med 2019；18：4081-9. ［Ⅰ］

82）McNicholas WT, Verbraecken J, Marin JM. Sleep disorders in COPD：the forgotten dimension. Eur Respir Rev. 2013；22：365-75. ［Ⅵ］

83）Budhiraja R, Siddiqi TA, Quan SF. Sleep disorders in chronic obstructive pulmonary disease：etiology, impact, and management. J Clin Sleep Med. 2015；11：259-70. ［Ⅵ］

84）Fletcher EC, Donner CF, Midgren B, et al. Survival in COPD patients with a daytime PaO₂ greater than 60 mm Hg with and without nocturnal oxyhemoglobin desaturation. Chest. 1992；101：649-55. ［Ⅳb］

85）Fletcher EC, Luckett RA, Goodnight-White S, et al. A double-blind trial of nocturnal supplemental oxygen for sleep desaturation in patients with chronic obstructive pulmonary disease and a daytime PaO₂ above 60 mmHg. Am Rev Respir Dis. 1992；145：1070-6. ［Ⅱ］

86）Chaouat A, Weitzenblum E, Kessler R, et al. A randomized trial of nocturnal oxygen therapy in chronic obstructive pulmonary disease patients. Eur Respir J. 1999；14：1002-8.［Ⅱ］

87）McKeon JL, Murree-Allen K, Saunders NA. Supplemental oxygen and quality of sleep in patients with chronic obstructive lung disease. Thorax. 1989；44：184-8. ［Ⅳb］

88）Chaouat A, Weitzenblum E, Krieger J, et al. Association of chronic obstructive pulmonary disease and sleep apnea syndrome. Am J Respir Crit Care Med. 1995；151：82-6. ［Ⅳa］

89）Marin JM, Soriano JB, Carrizo SJ, et al. Outcomes in patients with chronic obstructive pulmonary disease and obstructive sleep apnea：the overlap syndrome. Am J Respir Crit Care Med. 2010；182：325-31. ［Ⅳa］

90）Cottin V, Nunes H, Brillet PY, et al. Combined pulmonary fibrosis and emphysema：a distinct underrecognised entity. Eur Respir J. 2005；26：586-93. ［Ⅳa］

91）Hardinge M, Annandale J, Bourne S, et al. British Thoracic Society guidelines for home oxygen use in adults. Thorax. 2015；70：i1-43. ［Ⅵ］

92）Global Initiative for Chronic Obstructive Lung Disease （GOLD）. GOLD 2017 Global Strategy for the Diagnosis, Management and Prevention of COPD. 2017. http://goldcopd. org/gold-2017-global-strategy-diagnosis-management-prevention-copd/ （accessed 2021-12-13） ［Ⅵ］

93）日本呼吸器学会 NPPV ガイドライン作成委員会 （編）. NPPV（非侵襲的陽圧換気療法）ガイドライン 改訂第2版. 東京：南江堂；2015. ［Ⅵ］

94）Köhnlein T, Windisch W, Köhler D, et al. Non-invasive positive pressure ventilation for the treatment of severe stable chronic obstructive pulmonary disease：a prospective, multicenter, randomized, controlled clinical trial. Lancet Respir Med. 2014；2：698-705. ［Ⅱ］

95）伊藤 史, 阿部友美, 加藤奈保子, 他. 低流量酸素吸入における酸素加湿の有無と自覚症状の比較. 日呼吸管理会誌. 2003；13：315-9. ［Ⅳb］

96）宮本顕二, 加藤勇人, 福家 聡. 経鼻的酸素吸入における酸素加湿の必要性の有無に関する研究. 日本医師会雑誌. 2005；133：673-7. ［Ⅳb］

97）Palwai A, Skowronski M, Coreno A, et al. Critical comparisons of the clinical performance of oxygen-conserving devices. Am J Respir Crit Care Med. 2010；181：1061-71. ［Ⅱ］

98）Lobato SD, Alises SM. Mobility Profiles of patients with home oxygen therapy. Arch Bronconeumol. 2012；48：55-60. ［Ⅵ］

99）在宅酸素療法における火気の取扱いについて. http://www. mhlw.go.jp/stf/houdou/2r98520000003m15_1.html （accessed 2021-12-13） ［Ⅵ］

100）Eaton TE, Grey C, Garrett JE. An evaluation of short-term oxygen therapy. The prescription of oxygen to patients with chronic lung disease hypoxic at discharge from hospital. Respir Med. 2001；95：582-7. ［Ⅳb］

101）Garcia-Aymerich J, Monsó E, Marrades RM, et al. Risk factors for hospitalization for a chronic obstructive pulmonary disease exacerbation. EFRAM study. Am J Respir Crit Care Med. 2001；164：1002-7. ［Ⅳb］

102）Petty TL, Bliss PL. Ambulatory oxygen therapy, exercise, and survival with advanced chronic obstructive pulmonary disease （the Nocturnal Oxygen Therapy Trial revisited）. Respir Care. 2000；45：204-11. ［Ⅳb］

103）Selinger SR, Kennedy TP, Buescher P, et al. Effects of removing oxygen from patients with chronic obstructive pulmonary disease. Am Rev Respir Dis. 1987；136：85-91. ［Ⅲ］

104）Rice KL, Dewan N, Bloomfield HE, et al. Disease management program for chronic obstructive pulmonary disease：a randomized controlled trial. Am J Respir Crit Care Med. 2010；182：890-6. ［Ⅱ］

105）Wilson ME, Dobler CC, Morrow AS, et al. Association of home noninvasive positive pressure ventilation with clinical outcomes in chronic obstructive pulmonary disease：A systematic review and meta-analysis. JAMA. 2020；323：455-65. ［Ⅰ］

106）Raveling T, Vonk J, Struik FM, et al. Chronic non-invasive ventilation for chronic obstructive pulmonary disease. Cochrane Database Syst Rev. 2021；8：CD002878. ［Ⅰ］

107) Ergan B, Oczkowski S, Rochwerg B, et al. European Respiratory Society guidelines on long-term home non-invasive ventilation for management of COPD. Eur Respir J. 2019；54：1901003. [Ⅵ]

108) Macrea M, Oczkowski S, Rochwerg B, et al. Long-term non-invasive ventilation in chronic stable hypercapnic chronic obstructive pulmonary disease. An official American Thoracic Society clinical practice guideline. Am J Respir Crit Care Med. 2020；202：e74-e87. [Ⅵ]

109) He X, Luo L, Ma Y, et al. Efficacy of domiciliary noninvasive ventilation on clinical outcomes in post-hospital chronic obstructive pulmonary disease patients：a meta-analysis of randomized controlled trials. Ann Palliat Med. 2021；10：5137-45. [Ⅰ]

110) Xiang G, Wu Q, Wu X, et al. Non-invasive ventilation intervention during exercise training in individuals with chronic obstructive pulmonary disease：a systematic review and meta-analysis. Ann Phys Rehabil Med. 2021；64：101460. [Ⅰ]

111) National Emphysema Treatment Trial Research Group：Patients at high risk of death after lung-volume-reduction surgery. N Engl J Med. 2001；345：1075-83. [Ⅱ]

112) Fishman A, Martinez F, Naunheim K, et al：A randomized trial comparing lung-volume-reduction surgery with medical therapy for severe emphysema. N Engl J Med. 2003；348：2059-73. [Ⅱ]

113) Committee for Scientific Affairs, The Japanese Association for Thoracic Surgery, Shimizu H, Okada M, Tangoku A, et al：Thoracic and cardiovascular surgeries in Japan during 2017：Annual report by the Japanese Association for Thoracic Surgery. Gen Thorac Cardiovasc Surg. 2021；69：179-212. [Ⅵ]

114) 日本呼吸器学会COPD ガイドライン第4版作成委員会（編）. COPD（慢性閉塞性肺疾患）診断と治療のためのガイドライン第4版. 東京；メディカルレビュー社：2013. [Ⅵ]

115) 白日高歩. COPD の外科治療（LVRS）. Mebio. 2006；23：82-9. [Ⅵ]

116) 吉永康照，岩崎昭憲，白日高歩，Ⅲ COPD の治療 8. COPD の外科治療 -NETT 研究の評価 -. 化学療法の領域. 2005；21：165-70. [Ⅵ]

117) Kösek V, Thiel B, Nikolova K, et al. Lung volume reduction surgery：from National Emphysema Treatment Trial to non-intubated awake video-assisted thoracoscopic surgery. Ann Transl Med. 2020；8：1468. [Ⅱ]

118) Pompeo E, Rogliani P, Tacconi F, et al. Awake Thoracic Surgery Research Group. Randomized comparison of awake nonresectional versus nonawake resectional lung volume reduction surgery. J Thorac Cardiovasc Surg. 2012；143：47-54. [Ⅱ]

119) Berger RL, Wood KA, Cabral HJ, et al：Lung volume reduction surgery：a meta-analysis of randomized clinical trials.

Treat Respir Med. 2005；4：201-9. [Ⅰ]

120) Kaplan RM, Sun Q, Ries AL：Quality of well-being outcomes in the National Emphysema Treatment Trial. Chest. 2015；147：377-87. [Ⅱ]

121) Sciurba FC, Ernst A, Herth FJ, et al.A randomized study of endobronchial valves for advanced emphysema. N Engl J Med. 2010；363：1233-44. [Ⅱ]

122) Shah PL, Slebos DJ, Cardoso PF, et al. Bronchoscopic lung volume reduction with a exhale airway stents for emphysema（EASE trial）：randomised, sham-controlled, multicentre trial. Lancet. 2011；378：997-1005. [Ⅱ]

123) Klooster K, ten Hacken NH, Hartman JE, et al：Endobronchial valves for emphysema without interlobar collateral ventilation. N Engl J Med. 2015；373：2325-35. [Ⅱ]

124) Davey C, Zoumot Z, Jordan S, et al：Bronchoscopic lung volume reduction with endobronchial valves for patients with heterogeneous emphysema and intact interlobar fissures（the BeLieVeR-HIFi study）：a randomised controlled trial. Lancet. 2015；386：1066-73. [Ⅱ]

125) Klooster K, Slebos DJ. Endobronchial valves for the treatment of advanced emphysema. Chest. 2021；159：1833-42. [Ⅱ]

126) 日本肺および心肺移植研究会. http://www2.idac.tohoku.ac.jp/dep/surg/shinpai/index.html（accessed 2021-12-13）[Ⅵ]

127) the International Society of Heart and Lung Transplantation. https://ishlt.org/research-data/registries/ttx-registry（accessed 2021-12-13）[Ⅵ]

128) Weill D, Benden C, Corris PA, et al. A consensus document for the selection of lung transplant candidates：2014—An update from the Pulmonary Transplantation Council of the International Society for Heart and Lung Transplantation. J Heart Lung Transplant. 2015；34：1-15. [Ⅵ]

129) Young RP, Hopkins RJ, Christmas T, et al：COPD prevalence is increased in lung cancer, independent of age, sex and smoking history. Eur Respir J. 2009；34：380-6. [Ⅳb]

130) Kobayashi S, Suzuki S, Niikawa H, et al：Preoperative use of inhaled tiotropium in lung cancer patients with untreated COPD. Respirology. 2009；14：675-9. [Ⅳa]

131) Bölükbas S, Eberlein M, Eckhoff J, et al. Short-term effects of inhalative tiotropium/formoterol/budenoside versus tiotropium/formoterol in patients with newly diagnosed chronic obstructive pulmonary disease requiring surgery for lung cancer：a prospective randomized trial. Eur J Cardiothorac Surg. 2011；39：995-1000. [Ⅱ]

132) Møller AM, Villebro N, Pedersen T, et al. Effect of preoperative smoking intervention on postoperative complications：a randomised clinical trial. Lancet. 2002；359：114-7. [Ⅱ]

133) Benzo R, Wigle D, Novotny P, et al. Preoperative pulmonary rehabilitation before lung cancer resection：results from two randomized studies. Lung Cancer. 2011；74：441-5. [Ⅱ]

134) Brunelli A, Kim AW, Berger KI, et al. Physiologic evaluation

of the patient with lung cancer being considered for resectional surgery：Diagnosis and management of lung cancer, 3rd ed：American College of Chest Physicians evidence-based clinical practice guidelines. Chest. 2013；143：e166S-e190s.［Ⅵ］

Ⅲ-C-4. 喘息合併 COPD の管理

1) 日本アレルギー学会喘息ガイドライン専門部会（編）. 喘息予防・管理ガイドライン2021. 東京：協和企画；2021.［Ⅵ］
2) 日本呼吸器学会（編）. 呼気一酸化窒素（NO）測定ハンドブック. 東京：メディカルレビュー社；2018.［Ⅵ］
3) Greening AP, Ind PW, Northfield M, et al. Added salmeterol versus higher-dose corticosteroid in asthma patients with symptoms on existing inhaled corticosteroid. Allen & Hanburys Limited UK Study Group. Lancet. 1994；344：219-24.［Ⅱ］
4) Lemanske RF, Jr., Sorkness CA, Mauger EA, et al. Inhaled corticosteroid reduction and elimination in patients with persistent asthma receiving salmeterol：a randomized control trial. JAMA. 2001；285：2594-603.［Ⅱ］
5) Nelson HS, Busse WW, Kerwin E, et al. Fluticasone propionate/salmeterol combination provides more effective asthma control than low-dose inhaled corticosteroid plus montelukast. J Allergy Clin Immuol. 2000；106：1088-95.［Ⅱ］
6) Bjermer L, Bisgaard H, Bousquet J, et al. Montelukast and fluticasone compared with salmeterol and fluticasone in protecting against asthma exacerbation in adults：one year, double blind, randomized, comparative trial. BMJ. 2003；327：891.［Ⅱ］
7) Kerstjens HA, Casale TB, Bleeker ER, et al. Tiotropium or salmeterol as add-on therapy to inhaled corticosteroids for patients with moderate symptomatic asthma：two replicate, double-blind, placebo-controlled, parallel-group, active-comparator, randomized trials. Lancet Respir Med. 2015；3：367-76.［Ⅱ］
8) Ohta K, Ichinose M, Tohda Y, et al. Long-term once-daily tiotropium respimat is well tolerated and maintains efficacy over 52 weeks in patients with symptomatic asthma in Japan：a randomized, placebo-controlled study. PLoS One. 2015；10：e0124109.［Ⅲ］
9) Humbert M, Beasley R, Ayres J, et al. Benefits of omalizumab as add-on therapy in patients with severe persistent asthma who are inadequately controlled despite best available therapy (GINA 2002 step 4 treatment)：INNOVATE. Allergy. 2005；60：309-16.［Ⅱ］
10) Bousquet J, Wenzel SE, Holgate S, et al. Predicting response to omalizumab, an anti-IgE, antibody, in patients with allergic asthma. Chest. 2004；125：1378-86.［Ⅱ］
11) Pavord ID, Kom S, Howarth P, et al. Mepolizumab for severe eosinophilic asthma (DREAM)：a multicenter, double-blind, placebo-controlled trial. Lancet. 2012；380：651-9.［Ⅱ］

12) Bel EH, Wenzel SE, Thompson PJ, et al. Oral glucocorticoid-sparing effect of mepolizumab in eosinophilic asthma. N Engl J Med. 2014；371：1189-97.［Ⅱ］
13) Bleecker ER, FitzGerald JM, Chanez P, et al. Efficacy and safety of benralizumab for patients with severe asthma uncontrolled with high-dosage inhaled corticosteroids and long-acting beta2-agonists (SIROCCO)：a randomized, multicenter, placebo-controlled phase 3 trial. Lancet. 2016；388：2115-27.［Ⅱ］
14) FitzGerald JM, Bleecker ER, Nair P, et al. Benralizumab, an anti-interleukin-5 receptor alpha monoclonal antibody, as add-on treatment for patients with severe, uncontrolled, eosinophilic asthma (CALIMA)：a randomized, double-blind, placebo-controlled phase 3 trial. Lancet. 2016；388：2128-41.［Ⅱ］
15) Castro M, Corren J, Pavord ID, et al. Dupilumab efficacy and safety in moderate-to-severe uncontrolled asthma. N Engl J Med. 2018；378：2486-96.［Ⅱ］
16) Rabe KF, Nair P, Brusselle G, et al. Efficacy and safety of dupilumab in glucocorticoid-dependent severe asthma. N Engl J Med. 2018；378：2475-85.［Ⅱ］
17) 日本呼吸器学会 喘息とCOPDのオーバーラップ診断と治療の手引き2018作成委員会（編）. 喘息とCOPDのオーバーラップの診断と治療の手引き2018. 東京：メディカルレビュー社；2017.［Ⅵ］

Ⅲ-C-5. 全身併存症および肺合併症への対応

1) Le Jemtel TH, Padeletti M, Jelic S. Diagnostic and therapeutic challenges in patients with coexistent chronic obstructive pulmonary disease and chronic heart failure. J Am Coll Cardiol. 2007；49：171-80.［Ⅵ］
2) 日本循環器学会, 日本心不全学会, 日本胸部外科学会, 他；厚生労働省 難治性疾患政策研究事業「特発性心筋症に関する調査研究」研究班, 日本医療研究開発機構 難治性疾患実用化研究事業「拡張相肥大型心筋症を対象とした多施設登録観察研究」研究班. 急性・慢性心不全診療ガイドライン（2017年改訂版）（2018年6月25日更新）. https://www.j-circ.or.jp/guideline/（accessed 2021-05-12）.［Ⅵ］
3) Gulea C, Zakeri R, Alderman V, et al. Beta-blocker therapy in patients with COPD：a systematic literature review and meta-analysis with multiple treatment comparison. Respir Res. 2021；22：64.［Ⅰ］
4) Ekstrom MP, Hermansson AB, Strom KE. Effects of cardiovascular drugs on mortality in severe chronic obstructive pulmonary disease. Am J Respir Crit Care Med. 2013；187：715-20.［Ⅳa］
5) Girodet PO, Jasnot JY, Le Gros V, et al. Efficacy and safety of indacaterol in patients with chronic obstructive pulmonary disease aged over 65 years：A pooled analysis. Respir Med. 2017；128：92-101.［Ⅲ］
6) Rogliani P, Calzetta L, Matera MG, et al. Inhaled therapies

and cardiovascular risk in patients with chronic obstructive pulmonary disease. Expert Opin Pharmacother. 2019；20：737-50. [Ⅵ]

7) Calverley PM, Anderson JA, Celli B, et al. Salmeterol and fluticasone propionate and survival in chronic obstructive pulmonary disease. N Engl J Med. 2007；356：775-89. [Ⅱ]

8) Tashkin DP, Celli B, Senn S, et al. A 4-year trial of tiotropium in chronic obstructive pulmonary disease. N Engl J Med. 2008；359：1543-54. [Ⅱ]

9) Vestbo J, Anderson JA, Brook RD, et al. Fluticasone furoate and vilanterol and survival in chronic obstructive pulmonary disease with heightened cardiovascular risk (SUMMIT)：a double-blind randomised controlled trial. Lancet. 2016；387：1817-26. [Ⅱ]

10) Stone IS, Barnes NC, James WY, et al. Lung deflation and cardiovascular structure and function in chronic obstructive pulmonary disease. A randomized controlled trial. Am J Respir Crit Care Med. 2016；193：717-26. [Ⅱ]

11) Kato M, Komamura K, Kitakaze M, et al. The impact of bronchodilator therapy on systolic heart failure with concomitant mild to moderate COPD. Diseases. 2017；6. [Ⅱ]

12) Hohlfeld JM, Vogel-Claussen J, Biller H, et al. Effect of lung deflation with indacaterol plus glycopyrronium on ventricular filling in patients with hyperinflation and COPD (CLAIM)：a double-blind, randomised, crossover, placebo-controlled, single-centre trial. Lancet Respir Med. 2018；6：368-78. [Ⅱ]

13) Vogel-Claussen J, Schonfeld CO, Kaireit TF, et al. Effect of Indacaterol/Glycopyrronium on pulmonary perfusion and ventilation in hyperinflated patients with chronic obstructive pulmonary disease (CLAIM). A double-blind, randomized, crossover trial. Am J Respir Crit Care Med. 2019；199：1086-96. [Ⅱ]

14) 日本循環器学会, 日本冠疾患学会, 日本胸部外科学会, 他. 急性冠症候群ガイドライン（2018年改訂版）（2019年6月1日更新）. https://www.j-circ.or.jp/guideline/（accessed 2021-05-12）. [Ⅵ]

15) Li C, Cheng W, Guo J, et al. Relationship of inhaled long-acting bronchodilators with cardiovascular outcomes among patients with stable COPD：a meta-analysis and systematic review of 43 randomized trials. Int J Chron Obstruct Pulmon Dis. 2019；14：799-808. [Ⅰ]

16) Lipson DA, Barnhart F, Brealey N, et al. Once-daily single-inhaler triple versus dual therapy in patients with COPD. N Engl J Med. 2018；378：1671-80. [Ⅱ]

17) Rabe KF, Martinez FJ, Ferguson GT, et al. Triple inhaled therapy at two glucocorticoid doses in moderate-to-very-severe COPD. N Engl J Med. 2020；383：35-48. [Ⅱ]

18) Salpeter SR, Ormiston TM, Salpeter EE. Cardiovascular effects of beta-agonists in patients with asthma and COPD：a meta-analysis. Chest. 2004；125：2309-21. [Ⅰ]

19) Tricco AC, Strifler L, Veroniki AA, et al. Comparative safety and effectiveness of long-acting inhaled agents for treating chronic obstructive pulmonary disease：a systematic review and network meta-analysis. BMJ Open. 2015；5：e009183. [Ⅰ]

20) Hanrahan JP, Grogan DR, Baumgartner RA, et al. Arrhythmias in patients with chronic obstructive pulmonary disease (COPD)：occurrence frequency and the effect of treatment with the inhaled long-acting beta2-agonists arformoterol and salmeterol. Medicine (Baltimore). 2008；87：319-28. [Ⅱ]

21) Corrao S, Brunori G, Lupo U, et al. Effectiveness and safety of concurrent beta-blockers and inhaled bronchodilators in COPD with cardiovascular comorbidities. Eur Respir Rev. 2017；26：160123. [Ⅵ]

22) Cazzola M, Imperatore F, Salzillo A, et al. Cardiac effects of formoterol and salmeterol in patients suffering from COPD with preexisting cardiac arrhythmias and hypoxemia. Chest. 1998；114：411-5. [Ⅲ]

23) 日本高血圧学会高血圧治療ガイドライン作成委員会（編）. 高血圧治療ガイドライン2019. 東京：ライフサイエンス出版；2019. [Ⅵ]

24) Loke YK, Cavallazzi R, Singh S. Risk of fractures with inhaled corticosteroids in COPD：systematic review and meta-analysis of randomised controlled trials and observational studies. Thorax. 2011；66：699-708. [Ⅰ]

25) 日本骨粗鬆症学会、日本骨代謝学会、骨粗鬆症財団（編）. 骨粗鬆症の予防と治療ガイドライン2015年版. 第1版. 東京：ライフサイエンス出版；2015. [Ⅵ]

26) Jolliffe DA, Greenberg L, Hooper RL, et al. Vitamin D to prevent exacerbations of COPD：systematic review and meta-analysis of individual participant data from randomised controlled trials. Thorax. 2019；74：337-45. [Ⅰ]

27) van Wetering CR, Hoogendoorn M, Broekhuizen R, et al. Efficacy and costs of nutritional rehabilitation in muscle-wasted patients with chronic obstructive pulmonary disease in a community-based setting：a prespecified subgroup analysis of the INTERCOM trial. J Am Med Dir Assoc. 2010；11：179-87. [Ⅲ]

28) Jones SE, Maddocks M, Kon SS, et al. Sarcopenia in COPD：prevalence, clinical correlates and response to pulmonary rehabilitation. Thorax. 2015；70：213-8. [Ⅳb]

29) 日本消化器病学会（編）. 胃食道逆流症（GERD）診療ガイドライン2021. 改訂第3版. 東京：南江堂；2021. [Ⅵ]

30) 日本消化器病学会（編）. 消化性潰瘍診療ガイドライン2020. 改訂第3版. 東京：南江堂；2020. [Ⅵ]

31) McDonnell MJ, Hunt EB, Ward C, et al. Current therapies for gastro-oesophageal reflux in the setting of chronic lung disease：state of the art review. ERJ Open Res. 2020；6：00190-2019. [Ⅵ]

32) Ito K, Kawayama T, Shoji Y, et al. Depression, but not sleep disorder, is an independent factor affecting exacerbations

and hospitalization in patients with chronic obstructive pulmonary disease. Respirology. 2012；17：940-9.［Ⅳb］

33）Yohannes AM, Alexopoulos GS. Depression and anxiety in patients with COPD. Eur Respir Rev. 2014；23：345-9.［Ⅵ］

34）von Leupoldt A, Taube K, Lehmann K, et al. The impact of anxiety and depression on outcomes of pulmonary rehabilitation in patients with COPD. Chest. 2011；140：730-6.［Ⅳa］

35）Alexopoulos GS, Sirey JA, Raue PJ, et al. Outcomes of depressed patients undergoing inpatient pulmonary rehabilitation. Am J Geriatr Psychiatry. 2006；14：466-75.［Ⅳa］

36）Glaser S, Kruger S, Merkel M, et al. Chronic obstructive pulmonary disease and diabetes mellitus：a systematic review of the literature. Respiration. 2015；89：253-64.［Ⅰ］

37）Upadhyay J, Trivedi N, Lal A. Risk of future type 2 diabetes mellitus in patients developing steroid-induced hyperglycemia during hospitalization for chronic obstructive pulmonary disease exacerbation. Lung. 2020；198：525-33.［Ⅳa］

38）Price DB, Voorham J, Brusselle G, et al. Inhaled corticosteroids in COPD and onset of type 2 diabetes and osteoporosis：matched cohort study. NPJ Prim Care Respir Med. 2019；29：38.［Ⅳb］

39）日本糖尿病学会（編）. 糖尿病診療ガイドライン2019. 東京：南江堂；2019.［Ⅵ］

40）睡眠時無呼吸症候群（SAS）の診療ガイドライン作成委員会（編）. 睡眠時無呼吸症候群（SAS）の診療ガイドライン2020. 東京：南江堂；2020.［Ⅵ］

41）Rizzi M, Palma P, Andreoli A, et al. Prevalence and clinical feature of the "overlap syndrome", obstructive sleep apnea（OSA）and chronic obstructive pulmonary disease（COPD）, in OSA population. Sleep Breath. 1997；2：68-72.［Ⅳb］

42）Stanchina ML, Welicky LM, Donat W, et al. Impact of CPAP use and age on mortality in patients with combined COPD and obstructive sleep apnea：the overlap syndrome. J Clin Sleep Med. 2013；9：767-72.［Ⅳb］

43）Zulueta JJ, Wisnivesky JP, Henschke CI, et al. Emphysema scores predict death from COPD and lung cancer. Chest. 2012；141：1216-23.［Ⅳa］

44）Tan LE, A MR, Lim CS. Association of chronic obstructive pulmonary disease and postresection lung cancer survival：a systematic review and meta-analysis. J Investig Med. 2017；65：342-52.［Ⅰ］

45）Shirvani SM, Jiang J, Chang JY, et al. Lobectomy, sublobar resection, and stereotactic ablative radiotherapy for early-stage non-small cell lung cancers in the elderly. JAMA Surg. 2014；149：1244-53.［Ⅳa］

46）Takeda A, Kunieda E, Ohashi T, et al. Severe COPD is correlated with mild radiation pneumonitis following stereotactic body radiotherapy. Chest. 2012；141：858-66.［Ⅳb］

47）Hara Y, Takeda A, Eriguchi T, et al. Stereotactic body radiotherapy for chronic obstructive pulmonary disease patients undergoing or eligible for long-term domiciliary oxygen therapy. J Radiat Res. 2016；57：62-7.［Ⅳb］

48）Kim H, Yoo H, Pyo H, et al. Impact of underlying pulmonary diseases on treatment outcomes in early-stage non-small cell lung cancer treated with definitive radiotherapy. Int J Chron Obstruct Pulmon Dis. 2019；14：2273-81.［Ⅳb］

49）日本肺癌学会（編）. 肺癌診療ガイドライン―悪性胸膜中皮腫・胸腺腫瘍含む―2020年版. 第6版. 東京：金原出版；2020.［Ⅵ］

50）Weitzenblum E, Sautegeau A, Ehrhart M, et al. Long-term oxygen therapy can reverse the progression of pulmonary hypertension in patients with chronic obstructive pulmonary disease. Am Rev Respir Dis. 1985；131：493-8.［Ⅳb］

51）日本循環器学会，日本肺高血圧・肺循環学会，日本呼吸器学会，他；厚生労働省難治性疾患等政策研究事業「難治性呼吸器疾患・肺高血圧症に関する調査研究」班，厚生労働省難治性疾患等政策研究事業「自己免疫疾患に関する調査研究」班. 肺高血圧症治療ガイドライン（2017年改訂版）（2019年6月6日更新）. http://www.j-circ.or.jp/guideline/, （accessed 2021-05-12）.［Ⅵ］

52）日本呼吸器学会NPPVガイドライン作成委員会（編）. NPPV（非侵襲的陽圧換気療法）ガイドライン 改訂第2版. 東京：南江堂；2015.［Ⅵ］

53）Bonten MJ, Huijts SM, Bolkenbaas M, et al. Polysaccharide conjugate vaccine against pneumococcal pneumonia in adults. N Engl J Med. 2015；372：1114-25.［Ⅱ］

54）Walters JA, Tang JN, Poole P, et al. Pneumococcal vaccines for preventing pneumonia in chronic obstructive pulmonary disease. Cochrane Database Syst Rev. 2017；1：Cd001390.［Ⅰ］

55）Suissa S, Dell'Aniello S, Ernst P. Comparative Effects of LAMA-LABA-ICS vs LAMA-LABA for COPD：Cohort Study in Real-World Clinical Practice. Chest. 2020；157：846-55.［Ⅳb］

56）Agusti A, Fabbri LM, Singh D, et al. Inhaled corticosteroids in COPD：friend or foe？ Eur Respir J. 2018；52：1801219.

57）Musher DM, Thorner AR. Community-acquired pneumonia. N Engl J Med. 2014；371：1619-28.［Ⅵ］

58）日本呼吸器学会（編）. 成人肺炎診療ガイドライン2017. 東京：メディカルレビュー社；2017.［Ⅵ］

59）Ni S, Fu Z, Zhao J, et al. Inhaled corticosteroids（ICS）and risk of mycobacterium in patients with chronic respiratory diseases：a meta-analysis. J Thorac Dis. 2014；6：971-8.［Ⅰ］

60）Castellana G, Castellana M, Castellana C, et al. Inhaled corticosteroids and risk of tuberculosis in patients with obstructive lung diseases：A systematic review and meta-analysis of non-randomized studies. Int J Chron Obstruct Pulmon Dis. 2019；14：2219-27.［Ⅰ］

61）Lin S, Ji B, Shih Y, et al. Comorbid pulmonary disease and risk of community-acquired pneumonia in COPD patients. Int J Tuberc Lung Dis. 2013；17：1638-44.［Ⅳb］

62）Andrejak C, Nielsen R, Thomsen VO, et al. Chronic respiratory disease, inhaled corticosteroids and risk of non-tuberculous mycobacteriosis. Thorax. 2013；68：256-62.［Ⅳb］

63) Rhee CK, Chau NQ, Yunus F, et al. Management of COPD in Asia：A position statement of the Asian Pacific Society of Respirology. Respirology. 2019；24：1018-25.［Ⅵ］

64) Baumann MH, Strange C. The clinician's perspective on pneumothorax management. Chest. 1997；112：822-8.［Ⅲ］

65) Shen KR, Cerfolio RJ. Decision making in the management of secondary spontaneous pneumothorax in patients with severe emphysema. Thorac Surg Clin. 2009；19：233-8.［Ⅵ］

66) 日本呼吸器学会（編）．特発性間質性肺炎診断と治療の手引き（改訂第3版）．東京：南江堂；2016.［Ⅵ］

Ⅲ-C-6. 在宅管理

1) 日本呼吸器学会肺生理専門委員会在宅呼吸ケア白書ワーキンググループ（編）．在宅呼吸ケア白書2010．東京；日本呼吸器学会：2010.［Ⅵ］

2) 日本呼吸ケア・リハビリテーション学会呼吸リハビリテーション委員会，日本呼吸器学会ガイドライン施行管理委員会，日本リハビリテーション医学会診療ガイドライン委員会・呼吸リハビリテーションガイドライン策定委員会，日本理学療法士協会呼吸リハビリテーションガイドライン作成委員会（編）．福祉サービスの活用．呼吸リハビリテーションマニュアル―患者教育の考え方と実践―．東京；照林社：2007, pp.141-8.［Ⅵ］

3) Holland AE, Mahal A, Hill CJ, et al. Home-based rehabilitation for COPD using minimal resources：a randomized, controlled equivalence trial. Thorax. 2017；72：57-65.［Ⅲ］

4) Horton EJ, Mitchell KE, Johnson-Warrington V, et al. Comparison of a structured home-based rehabilitation programme with conventional supervised pulmonary rehabilitation：a randomised non-inferiority trial. Thorax. 2018；73：29-36.［Ⅲ］

5) Taylor SJ, Candy B, Bryar RM, et al. Effectiveness of innovations in nurse led chronic disease management for patients with chronic obstructive pulmonary disease：systematic review of evidence. BMJ. 2005；331：485.［Ⅰ］

6) Sridhar M, Taylor R, Dawson S, et al. A nurse-led intermediate care package in patients who have been hospitalized with an acute exacerbation of chronic obstructive pulmonary disease. Thorax. 2008；63：194-200.［Ⅲ］

7) Wong CX, Carson KV, Smith B. Home care by outreach nursing for chronic obstructive pulmonary disease. Cochrane Database Syst Rev. 2012；CD000994.［Ⅰ］

8) Vianello A, Fusello M, Gubian L, et al. Home telemonitoring for patients with acute exacerbation of chronic obstructive pulmonary disease：a randomized controlled trial. BMC Pulm Med. 2016；16：157.［Ⅲ］

9) Ancochea J, Garcia-Rio F, Vazquez-Espinosa E, et al. Efficacy and costs of telehealth for the management of COPD：the PROMETE Ⅱ trial. Eur Respir J. 2018；51：1800354.［Ⅲ］

10) Walker PP, Pompilio PP, Zanaboni P, et al. Telemonitoring in chronic obstructive pulmonary disease (CHROMED). A ran-

domized clinical trial. Am J Respir Crit Care Med. 2018；198：620-8.［Ⅲ］

11) Howcroft M, Walters EH, Wood-Baker R, Walters JA. Action plans with brief patient education for exacerbations in chronic obstructive pulmonary disease. Cochrane Database Syst Rev. 2016；CD005074.［Ⅰ］

12) Jeppesen E, Brurberg KG, Vist GE, et al. Hospital at home for acute exacerbations of chronic obstructive pulmonary disease. Cochrane Database Syst Rev. 2012；CD003573.［Ⅰ］

13) Ho TW, Huang CT, Chiu HC, et al. Effectiveness of telemonitoring in patients with chronic obstructive pulmonary disease in Taiwan-a randomized controlled trial. Sci Rep. 2016；6：23797.［Ⅲ］

14) Mínguez Clemente P, Pascual-Carrasco M, Mata Hernández C, et al. Follow-up with telemedicine in early discharge for COPD exacerbations：randomized clinical trial (TELEMED-COPD-Trial). COPD. 2021；18：62-9.［Ⅲ］

Ⅲ-C-7. 終末期 COPD への対応

1) 日本呼吸器学会・日本呼吸ケア・リハビリテーション学会合同 非がん性呼吸器疾患緩和ケア指針2021作成委員会（編）．非がん性呼吸器疾患緩和ケア指針．東京：メディカルレビュー社：2021．https://www.jrs.or.jp/publication/jrs_guidelines/20210519110650.html（accessed 2022-04-01）［Ⅵ］

2) Marsaa K, Gundestrup S, Jensen JU, et al. Danish respiratory society position paper：palliative care in patients with chronic progressive non-malignant lung diseases. Eur Clin Respir J. 2018；5：1530029.［Ⅵ］

3) Lynn J, Ely EW, Zhong Z, et al. Living and dying with chronic obstructive pulmonary disease. J Am Geriatr Soc. 2000；48：S91-100.［Ⅳa］

4) Hill K, Cavalheri V, Mathur S, et al. Neuromuscular electrostimulation for adults with chronic obstructive pulmonary disease. Cochrane Database Syst Rev. 2018；5：CD010821.［Ⅰ］

5) Rocker G, Horton R, Currow D, et al. Palliation of dyspnea in advanced COPD：revisiting a role for opioids. Thorax. 2009；64：910-5.［Ⅵ］

6) Ekström MP, Bornefalk-Hermansson A, Abernethy AP, et al. Safety of benzodiazepines and opioids in very severe respiratory disease：national prospective study. BMJ. 2014；348：g445.［Ⅳa］

7) Matsuda Y, Morita T, Matsumoto H, et al. Morphine for dyspnea in chronic obstructive pulmonary disease：a beforeafter efficacy study. BMJ Support Palliat Care.2021；11：427-32.［Ⅳa］

8) Suzuki M, Muro S, Ando Y, et al. A randomized, placebo-controlled trial of acupuncture in patients with chronic obstructive pulmonary disease (COPD)：the COPD-acupuncture trial (CAT). Arch Intern Med. 2012；172：878-86.［Ⅱ］

9) Kanezaki M, Terada K, Ebihara S. Effect of Olfactory Stimulation by L-Menthol on Laboratory-Induced Dyspnea in

COPD. Chest. 2020；157：1455-65.［Ⅲ］

10）Bausewein C, Booth S, Gysels M, et al. Non-pharmacological interventions for breathlessness in advanced stages of malignant and non-malignant diseases. Cochrane Database Syst Rev. 2008；CD005623.［Ⅰ］

Ⅲ-C-8. 災害時の対応

1）千葉弘文，森 勇樹，福家 聡，他．北海道胆振東部地震による大規模停電（ブラックアウト）から呼吸器科医が学んだ教訓 日本呼吸器学会北海道支部からの報告．日本呼吸器学会誌．2019：8：87.［Ⅴ］

2）木田厚瑞，茂木 孝（編）．慢性呼吸器疾患患者の大災害対策—チーム・アプローチのための情報．東京：メディカルレビュー社：2016.［Ⅵ］

3）Casey JA, Fukurai M, Hernández D, et al. Power outages and community health：A narrative review. Curr Environ Health Rep. 2020；7：371-83.［Ⅵ］

4）Zhang W, Sheridan SC, Birkhead GS, et al. Power outage：an ignored risk factor for COPD exacerbations. Chest. 2020；158：2346-57.［Ⅵ］

5）高橋 昭，大友 良．被災地における呼吸器疾患患者の実際．Lung Perspect. 2011：19：412-5.［Ⅵ］

6）矢内 勝．【東日本大震災と呼吸器疾患】被災地基幹病院（宮城県）からみた呼吸器疾患．日本胸部臨床．2012：71：206-15.［Ⅵ］

D. 増悪期の管理

1. 増悪の定義・診断・原因

POINTS

◉ 増悪とは、息切れの増加、咳や痰の増加、胸部不快感・違和感の出現あるいは増強などを認め、安定期の治療の変更が必要となる状態をいう。ただし、他疾患（肺炎、心不全、気胸、肺血栓塞栓症など）が先行する場合を除く。症状の出現は急激のみならず緩徐の場合もある。

◉ 増悪は患者の QOL や呼吸機能を低下させ、生命予後を悪化させる。

◉ 増悪の原因は多様であり、患者ごとの病態を踏まえた予防、治療を考えることが重要である。

a. 定 義

増悪とは、「息切れの増加、咳や痰の増加、胸部不快感・違和感の出現あるいは増強などを認め、安定期の治療の変更が必要となる状態をいう。ただし、他疾患（肺炎、心不全、気胸、肺血栓塞栓症など）が先行する場合を除く。症状の出現は急激のみならず緩徐の場合もある」と定義する。増悪は患者の QOL や呼吸機能を低下させる[1,2]。また、生命予後を悪化させる[1]。特に増悪期に高二酸化炭素血症を伴う患者[3]や換気補助療法を必要とする増悪患者[4]では、死亡リスクが増加する。増悪は医療経済にも悪影響を与える[5]。二次的に他疾患（肺炎、心不全、気胸、肺血栓塞栓症など）が続発しうるが、他疾患が一次的な症状悪化の原因の場合は除く。一方、患者あるいは医師が認識していない増悪の存在があり[6]、患者あるいは医師が認識する増悪と比べ、息切れ、喀痰量、痰の色調変化などの症状が同時に出現することが少なく、持続期間も比較的短いため増悪と診断されにくい。

b. 病 態

気道および全身性の炎症の増悪、気流閉塞の悪化、気道粘液産生の増加、換気血流比不均等の悪化や有効な換気量の低下による低酸素血症などによって症状が生じる。病態はきわめて多様であり、喀痰炎症細胞の検討からは、細菌性、ウイルス性、好酸球性、そして炎症プロファイルの変化に乏しい乏炎症性に分類される[7]。喀痰 IL-1β は細菌性増悪に、血清 CXCL10 はウイルス性増悪に、末梢血好酸球数は好酸球性増悪に、それぞれ高い感度を示すことが報告されている[7]。ウイルス感染は二次的な細菌性増悪を引き起こすことがあるが、安定期から気道にコロニー形成していた細菌が関与する[8]。一方、好酸球性増悪を繰り返す患者では、安定期から血中好酸球レベルが高い傾向にある。好酸球性増悪に比べ、増悪時に末梢血好酸球増加を伴わない非好酸球性増悪では、入院の長期化や 1 年生存率の低下が報告されている[9]。細菌性および好酸球性の増悪は、それぞれ同一患者で繰り返す傾向にある[10]。

c. 診 断

診断は定義に基づいて行われるが、肺炎、心不全、気胸、肺血栓塞栓症などの他の急性事象との鑑別が必要となる。胸部 X 線写真による肺炎や気胸の除外、D-ダイマーあるいは造影 CT による肺塞栓症の除外、心電図、さらにはトロポニンや BNP の値による心疾患の除外が有用である[11]。呼吸困難などの症状の増悪に加え、低酸素血症、末梢血好中球増加、CRP 上昇が診断に有用である[12]。

d. 原 因

呼吸器感染症と大気汚染が多いが、約 30 ％の症例では原因が特定できない[13]。原因となる細菌感染症では、インフルエンザ菌、モラクセラ・カタラーリス、肺炎球菌が多い。一方、ウイルス感染では、インフルエンザウイルス、パラインフルエンザウイルス、アデノウイル

第Ⅲ章 治療と管理

ス、ライノウイルスなどが原因となる。なお、増悪の症状とCOVID-19を見分けることは困難であり、COPD患者のSARS-CoV-2感染が増悪と診断される可能性がある。ウイルスの検出に加え、胸部CTが鑑別の参考となる。その他、マイコプラズマやクラミドフィラなどの非定型病原体による感染も増悪の原因となる。大気汚染物質としては、オゾン、窒素酸化物、大気中の浮遊粒子状物質（特に直径10μm以下のもの）などの吸入が原因となることが報告されている[14]。2,138例のCOPD患者を3年間追跡調査したECLIPSE研究では、過去の増悪回数、GERDの既往、FEV_1の低下、QOLの低下が将来の増悪リスクを予測する最も重要な因子であった[15]。一方、末梢血好酸球の増加が将来の増悪、特に好酸球性増悪のリスク増加と関連する[10,16]。

2. 増悪の重症度判定・入院の適応

POINTS

- ◉ 増悪の重症度判定は、症状、病歴、徴候・身体所見（呼吸状態）、臨床検査所見（パルスオキシメトリー、動脈血ガス分析）に基づいて総合的に評価する。
- ◉ 増悪時には治療方針、入院適応の決定や他疾患合併の鑑別のための臨床検査が必要である。
- ◉ 症状が強い患者、呼吸不全を呈している患者や重篤な併存症をもつ患者では、入院加療が奨められる。

a. 増悪の重症度判定

重症度を示す病歴としては、安定期に比して出現・悪化した症状（呼吸困難、咳・痰の増加、痰の膿性化など）の詳細やその期間、安定期の閉塞性換気障害の程度、年間増悪回数の既往歴、肺合併症や全身併存症の有無、現在の治療内容、人工呼吸器の使用歴などの病歴を確認する（表1-左）。増悪の症状として息切れ（呼吸困難）は重要であり、しばしば喘鳴や胸部絞扼感、咳や痰の増加、痰の膿性化や切れにくさ、発熱などを伴う。チアノーゼなどの低酸素血症の悪化や、不眠、頭痛などの高二酸化炭素血症による症状にも注意する必要がある。また、倦怠感、疲労感などの非特異的な愁訴や不眠、眠気、抑うつ、錯乱などの精神的愁訴を伴うこともある。

重症度を示す徴候・身体所見としては、チアノーゼ、胸鎖乳突筋や斜角筋などの呼吸補助筋の使用や、横隔膜が筋疲労に陥ると吸気時に腹壁が逆に陥凹する奇異性呼吸（abdominal paradox）などの呼吸運動と胸郭の異常、踝や下肢の浮腫、頸静脈拡張、肝腫大などの右心不全徴候や血行動態の不安定などの心不全徴候がある。意識レベルの低下などの精神状態の徴候にも注意を要し、ただちに病院を受診させる必要がある（表1-右）。

通常、増悪の重症度を治療の強度から、軽度増悪（SABDsのみで対応可能な場合）、中等度増悪（SABDsに加え、抗菌薬あるいは全身性ステロイド薬投与が必要な場合）、重度増悪（入院[1,2]あるいは救急外来受診を必要とする場合[1]）の3つに分類する（表2）。

b. 増悪時に必要な検査

増悪時に必要な臨床検査としては、治療方針と入院適応の決定や、鑑別すべき肺炎、気胸、胸水貯留、肺塞栓

表1 COPD増悪時の重症度を示す病歴と徴候・身体所見

重症度を示す病歴	重症度を示す徴候・身体所見
●安定期に比して悪化した症状の強さやその期間 ●安定期の気流閉塞の程度 ●年間の増悪回数の既往歴 ●肺合併症や全身併存症 ●現在の治療内容 ●人工呼吸器の使用歴	●チアノーゼ ●呼吸補助筋の使用や奇異性呼吸 ●右心不全徴候や血行動態の不安定などの心不全徴候 ●意識レベルの低下などの精神状態の徴候

症、心不全、不整脈など[2]の他疾患の合併の有無確認のために、表3の検査が行われる。検査として、増悪の重症度判定に動脈血ガス分析による低酸素血症および高二酸化炭素血症の確認は不可欠であり、酸素療法や換気補助療法の必要性や調整などに有用である。一般的には動脈血ガス分析より非侵襲的なパルスオキシメトリーが用いられる。しかし、Ⅱ型呼吸不全の評価では動脈血ガス分析が重要である。一方、呼吸機能検査の実施は増悪時には困難であり、測定値の不十分さなどから推奨されない。胸部単純X線写真は、肺炎、気胸、心不全などの鑑別診断に有用であるが、胸部CTでは気管支肺炎などの微細な評価も可能となる。心電図は右心肥大、不整脈、虚血性心疾患の診断に有用であるが、心臓超音波検査は心不全、肺高血圧などの心機能の評価には心電図より鋭敏である。COPDに合併した肺塞栓症ではD-ダイマーの測定、心不全では脳性ナトリウム利尿ペプチド（BNP、NT-proBNP）測定も有用である。血液・生化学

的検査などを行い、喀痰が膿性であれば喀痰塗抹・培養、薬剤感受性検査を行う。発熱が続き細菌感染症が疑われる場合は血液培養も必要となる。血液・生化学的検査により、出血、脱水や電解質異常（低ナトリウム血症や高カリウム血症など）、耐糖能異常、低栄養（低蛋白血症）などの増悪要因も明らかとなり、細菌感染から敗血症が疑われる場合はCRPのほか血中プロカルシトニン測定も有用である[3]。

c. 入院の適応

増悪患者の80％以上は薬物治療にて外来で加療可能である[4]。入院の目的は呼吸不全の急速な悪化や合併する病態を適切に管理し、それ以上の悪化を防止することや、増悪前の状態に改善させることにある[5]。入院の適応については、安静時呼吸困難の増加、頻呼吸、低酸素血症の悪化、錯乱、傾眠などの精神症状などの著明な症状、急性呼吸不全、チアノーゼ、浮腫などの新規徴候の出現、初期治療に反応しない場合、重篤な併存症（左・右心不全、肺塞栓症、肺炎、気胸、胸水、治療を要する不整脈など）の存在などから総合的に判断する。その他、高齢者、Ⅲ期以上の気流閉塞では原則として入院を考え、在宅サポートが不十分な場合も入院が必要となる（表4-左）[2]。また、初期治療に対して不応性の重症の呼

表2 増悪の重症度

軽度増悪	SABDsのみで対応可能な場合
中等度増悪	SABDsに加え、抗菌薬あるいは全身性ステロイド薬投与が必要な場合
重度増悪	救急外来受診あるいは入院を必要とする場合

表3 COPD増悪時に行われる検査

原則としてすべての患者に推奨される検査	必要に応じて行う検査
●パルスオキシメトリーと動脈血ガス分析 ●胸部単純X線写真 ●心電図 ●血液検査（血算、CRP、電解質濃度、肝腎機能など）	●胸部CT ●血液培養、喀痰グラム染色と培養、肺炎球菌尿・喀痰中抗原＊、プロカルシトニン＊＊などの感染症検査 ●心臓超音波検査、血清BNP（NT-proBNP）濃度検査、凝固能検査（D-ダイマーなど）

＊：保険診療請求は尿または喀痰の一方しか認められない。
＊＊：保険診療請求は敗血症を疑う場合しか認められない。

表4 COPD増悪時の入院適応と集中治療室（ICU）への入院適応

入院適応	集中治療室（ICU）への入院適応＊
●安静時呼吸困難の増加、頻呼吸、低酸素血症の悪化、錯乱、傾眠などの著明な症状 ●急性呼吸不全 ●チアノーゼ、浮腫などの新規徴候の出現 ●初期治療に反応しない場合 ●重篤な併存症（左・右心不全、肺塞栓症、肺炎、気胸、胸水、治療を要する不整脈など）の存在 ●不十分な在宅サポート ●高齢者 ●安定期の病期がⅢ期（高度の気流閉塞）以上	●初期治療に対して不応性の重症の呼吸困難 ●錯乱、傾眠、昏睡などの不安定な精神状態 ●酸素投与やNHFC、NPPVにより低酸素血症が改善しない場合（$PaO_2 < 40Torr$） 　または/かつⅡ型呼吸不全増悪や呼吸性アシドーシス増悪（pH <7.25） ●IPPVが必要な場合 ●血行動態が不安定で昇圧薬が必要な場合

＊：利用可能な医療資源の考慮が必要。

（文献2より改変引用）

第Ⅲ章　治療と管理

吸困難、錯乱、傾眠、昏睡などの不安定な精神状態、酸素投与やHFNC、NPPVにより低酸素血症が改善しない場合（PaO$_2$＜40 Torr）、または/かつⅡ型呼吸不全増悪や呼吸性アシドーシス増悪（pH＜7.25）、IPPVが必要な場合、血行動態が不安定で昇圧薬が必要な場合などではICUへの入院の適応となる（**表4-右**）[2]。

3. 増悪期の薬物療法（気道分泌への対応を含む）

POINTS

- 増悪時の薬物療法の基本はABCアプローチで、A（antibiotics）：抗菌薬、B（bronchodilators）：気管支拡張薬、C（corticosteroids）：ステロイド薬である。
- 増悪時の第一選択薬はSABAの吸入である（エビデンスA）。
- 高度の気流閉塞や入院を要する増悪では、禁忌となる合併病態がなければ全身性ステロイド薬が推奨される（エビデンスA）。プレドニゾロン換算30〜40 mg/日程度（エビデンスD）を通常5〜7日間投与する（エビデンスA）。比較的軽症例の外来治療においても呼吸機能改善促進の観点からステロイド薬投与は推奨される（エビデンスB）。
- 喀痰の膿性化やCRP上昇があれば抗菌薬の投与が推奨され（エビデンスB）、人工呼吸（NPPVまたはIPPV）管理症例ではより強く推奨される（エビデンスA）。

増悪時の薬物療法の基本はABCアプローチで、A（antibiotics）：抗菌薬、B（bronchodilators）：気管支拡張薬、C（corticosteroids）：ステロイド薬である。このアプローチで増悪患者の80％以上が外来管理可能と報告されている[1,2]。ただし増悪様式には多様性があり[3]、後述のとおりステロイド薬に反応が期待できる場合と、抗菌薬を優先的に考慮すべき状況が存在しうる。したがって時間的余裕があり、必要な検査が施行できれば対応は個別化されてよい。

a. 気管支拡張薬

対照比較試験はないが、増悪時の第一選択薬はSABAの吸入で、症状に応じて1〜数時間ごとに反復投与する（エビデンスA）[4,5]。気道攣縮が強く、心循環系の問題がなければ30分から60分ごとの投与も可能である。SABAのみで十分な効果が得られなければ、SAMAの併用も可能である（エビデンスC）。併用のほうがそれぞれの単剤よりも効果がよいという証拠は得られていない[6]。MDIを使用する場合は吸入補助器具（スペーサー）の使用を考慮したり、吸入手技を確認する必要がある。LABAやLAMAについては増悪時の有用性を示す臨床研究は現在のところないが、安定期に受けていた維持治療はできる限り継続する（エビデンスD）[7]。

MDI（スペーサーの有無を問わず）とネブライザーのFEV$_1$の改善効果に有意差はみられないが、重症例ではネブライザーがより利便性が高く、入院例では吸入手技が容易なネブライザーが好まれることが多い。呼吸性アシドーシスを示している患者では高二酸化炭素血症の悪化を防ぐため、ネブライザーは酸素ではなく圧縮空気で駆動したほうが安全である[7]。気管支拡張薬の吸入で奏効しないときにはキサンチン製剤（主にアミノフィリン持続静注）を併用することができるが、有用性は確立されていない[8]。副作用に注意が必要で、使用の際は血中濃度モニタリングが望ましい。COVID-19流行下では、可能であればネブライザーの使用は避け、pMDIを使用する。

b. グルココルチコイド

安定期の気流閉塞が高度の患者や、入院を要する増悪時における短期間のステロイド薬の全身投与（経口ないし経静脈投与）は呼吸機能（FEV$_1$）や低酸素血症（PaO$_2$）をより早く改善させ、回復までの期間を短縮する（エビデンスA）[9-11]。さらに早期再発リスクの低下、治療失敗頻度の減少、入院期間短縮も期待できる。外来治療可能な程度の増悪であってもステロイド薬の全身投与は呼吸機能を改善させ、入院頻度も減らす傾向がみら

D. 増悪期の管理

れるが、治療失敗率や死亡率の改善効果は確認されておらず、明らかな QOL の改善も証明されていない[12]。プレドニゾロン換算で1日量30〜40mg 程度が使用される（エビデンス D）。投与期間として従来10〜14日間の投与が行われることもあったが、5日間程度の短期投与でも効果が変わらないことが近年明らかとなった（エビデンス A）[13-15]。14日を超える長期投与は副作用の懸念から推奨されない。経口投与と経静脈投与には効果の差はない。末梢血好酸球が多い患者のほうが、よりステロイド薬投与に対する反応が期待できる[16]。全身投与が困難な患者には高用量ブデソニドのネブライザーによる投与を検討することも可能である[17]。

c. 抗菌薬

増悪の原因としてウイルスや細菌感染の重要性が指摘されている[18]が、増悪時の抗菌薬使用に関しては現在もなお議論がある[19,20]。

喀痰の膿性化があれば細菌感染の可能性が高く、抗菌薬の投与が推奨される（エビデンス B）[21-23]。また、CRP陽性例に抗菌薬投与を限定しても治療成功率には影響を与えず、CRP 陰性例には投与しないことで、抗菌薬の過剰投与を回避できる可能性がある（エビデンス B）[24]。人工呼吸管理（NPPV、IPPV のいずれも）使用例では抗菌薬の投与が推奨される（エビデンス A）[25]。増悪時の起炎菌としてインフルエンザ菌、肺炎球菌、モラクセラ・カタラーリスなどの頻度が高いと報告されている[26,27]。

d. その他の薬剤

ドキサプラムなどの呼吸中枢刺激薬の使用は推奨されない[28]。体液バランスや栄養状態の管理、併存症の治療は重要である。心不全併存例では非選択性 β 遮断薬よりも選択性 β_1 遮断薬のほうが好ましく、重症例では有用性が報告されている[29]。入院患者では深部静脈血栓、肺血栓塞栓症のリスクが増加することが知られており、予防策を講じるべきである[30,31]。

e. 気道分泌への対処

増悪時には気道感染の有無にかかわらず喀痰量が増加する。重症の気流閉塞を示す患者では痰の喀出能力が低下して、気道内に貯留した分泌物が気流閉塞のさらなる悪化や無気肺の原因になる可能性がある。多量の気道分泌物は NPPV 施行の際に支障となることもあり、去痰の促進は重要である。

増悪時に増加した気道分泌物への対処として、薬物療法と非薬物療法が考えられる。気管支拡張薬、細菌感染合併時の抗菌薬、ステロイド薬はいずれも気道分泌物を減少させる方向に働くことが期待できる。増悪時における喀痰調整薬（去痰薬）の投与に関するエビデンスは乏しい。

非薬物療法にはネブライザー吸入（ただし、SABA を加えないと過度の気道刺激による気道攣縮の危険性があることに留意すべきである）が去痰を促す。理学療法としてはハフィング、タッピング、体位ドレナージの効果が期待され[32]、呼気に陽圧を加えることがさらに去痰を促す可能性がある[33,34]。フラッター®、アカペラ® などの呼気に振動と陽圧を加える器具が有用なこともある。自己排痰ができない場合や気管挿管、気管切開患者ではカテーテル吸引や気管支鏡による除去も行われるが、できる限り清潔操作を心がける必要がある。

4. 酸素療法

POINTS

● 酸素療法の適応は、PaO_2 < 60 Torr、あるいは SpO_2 < 90 %の場合である。
● 酸素療法の目標は、PaO_2 ≧ 60 Torr、あるいは SpO_2 ≧ 90 %である。
● Ⅱ型呼吸不全の場合には、CO_2 ナルコーシスのリスクがあるため、低濃度の酸素投与から開始する。
● HFNC はⅡ型呼吸不全を呈する増悪患者において、NPPV 忍容性がない場合の選択肢となる。
● $PaCO_2$ > 45 Torr、かつ pH < 7.35 の場合には、換気補助療法を検討する。

第Ⅲ章　治療と管理

a. 酸素療法の適応

酸素療法は、酸素吸入により吸入気酸素濃度を上げ、肺胞気酸素分圧、PaO_2 を上昇させ、組織の酸素化を維持するために実施する。室内空気下で、$PaO_2 < 60$ Torr、あるいは $SpO_2 < 90\%$ の場合には酸素療法の適応となる[1]。

b. 酸素療法の目標

一般的には、$PaO_2 \geq 60 \sim 80$ Torr、あるいは $SpO_2 \geq 90 \sim 95\%$ を目標に酸素流量を設定する。Ⅱ型呼吸不全の場合には、酸素化とともに換気状態の改善・維持が必要であるため、SpO_2 $88 \sim 92\%$ を目標とし、$pH \geq 7.35$ を維持する。慢性Ⅱ型呼吸不全のある患者においては、$PaCO_2$ の絶対値よりも pH がより重要である。$pH \geq 7.35$ であれば、$PaCO_2$ が高値であっても代謝性に代償された状態と判断することができる。

c. 酸素療法のモニタリング

酸素療法を開始した後、動脈血ガス分析による酸素化、高二酸化炭素血症の有無、pH のモニタリングが必須である。パルスオキシメータでは、二酸化炭素・アシドーシスのモニタリングができないことに留意する。CO_2 ナルコーシスの主症状として、意識障害、自発呼吸の減弱、高度の呼吸性アシドーシスの3つが挙げられる。CO_2 ナルコーシスの初期症状には、呼吸促拍、頻脈、発汗、頭痛、羽ばたき振戦などの神経症状を示すことがある。二酸化炭素の評価には、経皮的二酸化炭素（$PtcCO_2$）モニタを用いて経時的な変化を連続的に評価する機器も用いることが可能である[2]。酸素療法だけでは呼吸状態の改善が得られない場合は、すみやかに換気補助療法の適応を検討する。

d. 酸素療法の実際

増悪時における酸素療法の方針決定手順を、図1に示す[3]。まず、高二酸化炭素血症（Ⅱ型呼吸不全）の有無

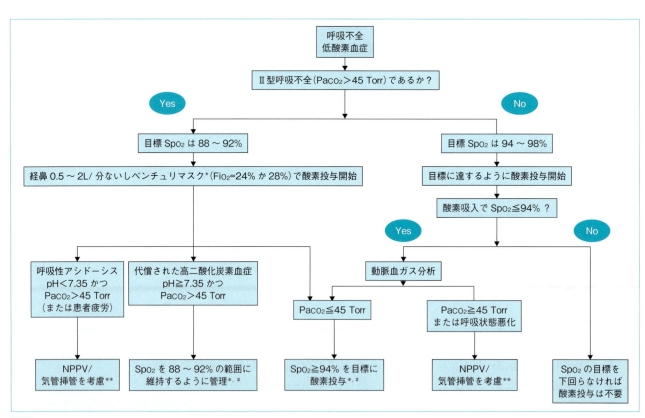

図1 COPD 増悪期における呼吸管理
＊　：HFNC を含む。
＊＊：NPPV 忍容性がない、かつ IPPV の適応がない場合に、HFNC を考慮する。
＃　：30分以内に動脈血ガス分析を実施する。

（文献3より改変引用）

により初期の酸素投与法を決定する。高二酸化炭素血症がない場合は、SpO_2 は 94 ～ 98 ％を目標に酸素投与する。高二酸化炭素血症がある場合は、SpO_2 は 88 ～ 92 ％を目標に酸素 0.5 ～ 2L/分の低流量から開始する。酸素療法開始後は動脈血ガス分析を再度実施し、呼吸性アシドーシス（pH < 7.35、かつ $PaCO_2$ > 45 Torr）がある場合には、換気補助療法を検討する。$PaCO_2$ > 45 Torr であるが、pH ≧ 7.35 の場合には、SpO_2 を 88 ～ 92 ％に保つように酸素投与量を管理し、動脈血ガス分析を再度実施する。初期の動脈血ガス分析で高二酸化炭素血症がない場合でも、低酸素血症が改善しなければ動脈血ガス分析の再度を実施し、方針を決定する。

e. 酸素投与システム

酸素療法は、鼻カニュラや簡易酸素マスクを用いて、酸素 0.5 ～ 5L/分で開始する。酸素流量が 1L/分増加すると FiO_2 は 4 ％ずつ増加するとされているが、鼻カニュラや簡易酸素マスクの場合、患者の呼吸状態によって、同じ酸素濃度でも FiO_2 が変化する可能性がある。Ⅱ型呼吸不全の場合、患者の V_T に左右されず、FiO_2 が 24 ～ 50 ％の酸素吸入ができるベンチュリーマスクを用いる。

HFNC は、患者の V_T や呼吸数の影響をほとんど受けず FiO_2 100 ％の高濃度まで設定できる高流量システムである[4]。高二酸化炭素血症を伴わない急性呼吸不全の治療において、HFNC は NPPV と比較し、気管挿管への移行率に差はなく、90 日死亡率が低下したと報告され[5]、本邦でも広く普及してきた。

増悪時の HFNC に関しては、以下の研究結果が報告されている。高二酸化炭素血症とアシドーシスを伴う増悪患者を対象とし、初期治療として 4 時間以上の HFNC 治療と NPPV 治療を比較した後ろ向き観察研究において、28 日間の気管挿管率と致死率は 2 群間で差がなかった[6]。HFNC 群は、NPPV 群に比較し忍容性が高く、マスク装着部位の皮膚障害頻度が低かった。さらに、同様の患者を対象とした前向き観察研究において、平均 7 日間の治療が実施された HFNC 群と NPPV 群では、30 日間の気管挿管率と致死率に差がなかった[7]。増悪の初期治療として、NPPV を実施したが忍容性の問題で継続できなかった患者を対象に HFNC を実施した観察研究において、pH および $PaCO_2$ の改善が認められた[8]。以上より、HFNC はⅡ型呼吸不全を呈する増悪患者において、NPPV 忍容性がない（かつ IPPV の適応がない）場合の選択肢となりうる。

5. 換気補助療法

POINTS

- ◉ 十分な薬物療法・酸素療法などを行っているにもかかわらずⅡ型呼吸不全状態が改善しない場合には、換気補助療法の適応となる。
- ◉ 増悪時における換気補助療法の第一選択は NPPV である。
- ◉ 気道確保が必要な場合には IPPV を選択する。
- ◉ 換気補助療法の実施には、十分なインフォームド・コンセントが必要である。

増悪に対して十分な薬物療法・酸素療法を行っているにもかかわらずⅡ型呼吸不全状態が改善しない場合には、換気補助療法の適応となる。気道の攣縮や分泌物の増加により空気とらえこみ現象（air trapping）が増大するため、内因性 PEEP が増加する[1]。内因性 PEEP の増加は吸気筋の負担となり、呼吸筋疲労を来し換気量低下を招く。内因性 PEEP に相当する PEEP（NPPV の場合は EPAP）を加えることで呼吸仕事量を軽減し[2]、さらに陽圧換気補助を行うことで換気量を増大させることができる。

a. 換気補助療法の選択と適応

増悪時の換気補助療法としては、マスクを用いる NPPV と気管挿管下に行う IPPV がある。NPPV には導入が容易で装着が簡便なことや、患者への侵襲度が低いなどの利点がある（表 5）。一方で、気管挿管のように気

道確保ができず気道内の吸引処置が困難になることから、誤嚥がある場合や気道分泌物の喀出が困難で気道確保が優先される場合には、IPPV を行う（表6）。また、NPPV で用いられる Bi-level タイプの人工呼吸器では、設計上ある程度の空気漏れ（リーク）を許容しているため、一定の換気量確保が必要な場合には IPPV のほうが適している。気胸の合併時には、胸腔ドレナージを行ったうえで換気補助療法を実施する。

　増悪時の換気補助療法の適応は、患者や家族の希望、これまでの治療経過、増悪原因の改善の見込みなどを考慮して総合的に判断する。また、NPPV が成功しなかった場合に IPPV を実施するのか、あるいは NPPV を最大限度の治療にするのかについても、事前に患者や家族と相談しておく必要がある。NPPV の適応は、表7のように動脈血ガス分析、呼吸状態、酸素化能改善の有無などから判断する。一方、呼吸が微弱で生命の危機が迫っている場合や気道確保が必要な場合には IPPV を選択する[3]。

b. NPPV

　NPPV は増悪時の換気補助療法の第一選択である（エビデンス A）[4-11]。その成功率は 80 〜 85 % であり、頻呼吸や呼吸困難の改善、動脈血ガス所見の改善、入院期間の短縮や気管挿管率の低下、死亡率の改善効果などが報告されている。また、NPPV では IPPV と比較して、VAP などの IPPV に伴う合併症が少ないことも利点である[12-14]。

c. IPPV

　表8のように、NPPV が不成功の場合などには IPPV が行われるが、特に NPPV 不成功例での IPPV 症例は、入院期間の延長や死亡率の悪化などが報告されている。IPPV では通常経口挿管が行われるが、人工呼吸からの離脱が困難になった場合には気管切開が考慮される。しかし、COPD 患者ではいったん気管切開を行うと、気道分泌物吸引の確実性などの利点から、気管切開孔の閉鎖がしにくくなる懸念があり、適応については、事前に患者・家族と相談しておく必要がある。COPD 患者では、人工呼吸からの離脱が困難になることがある。IPPV からの離脱時に NPPV を使用すると、IPPV の PSV モードと比べて人工呼吸器からの離脱が容易になり、ICU の滞在日数や死亡率にも改善が認められたという成績が報告されている[15]。一方で、NPPV は IPPV からの離脱を容易にはするが、再挿管率・死亡率には影響しなかったという報告もある[16-18]。さらに、IPPV が行われた COPD 患者の救命率は 82 % と高いが、離脱後の 50 % 生存期間は 24 ヵ月と短いことや、2回目以降の IPPV では救命率への寄与は同程度であるが、IPPV から離脱できない症例が倍増することも報告されている[19]。以上のことから、増悪に対する IPPV の適応については、安定期の状態、増悪原因およびその可逆性、人工呼吸による救命の可能性と救命後の長期予後について総合的に判断し、患者および家族と十分に相談して決定する必要がある。

表5 NPPV の利点

1. 導入が容易で簡便
2. 会話が可能
3. 食事摂取が可能
4. 気管挿管に伴う合併症の軽減
5. 状況に応じて中断も可能
6. 体位変換が容易（沈下性肺炎のリスク軽減）

表7 NPPV の適応基準（1項目以上）

1. 呼吸性アシドーシスを伴う高二酸化炭素血症
　（pH ≦7.35 かつ $PaCO_2$ ≧45 Torr）
2. 呼吸補助筋の使用、腹部の奇異性動作、肋間筋の陥没などの呼吸筋疲労 and/or 呼吸仕事量増加を示唆する重度の呼吸困難
3. 酸素療法で改善しない持続性の低酸素血症

表6 NPPV の欠点

1. 患者の協力が不可欠
2. 気道と食道が分離できない
3. 気管内吸引が困難
4. マスクの不適合、マスクによる障害
5. 高い気道内圧を確保するのが困難
6. 医療スタッフの習熟と慣れが必要

表8 IPPV の適応基準

1. NPPV が忍容できない、または NPPV に失敗
2. 呼吸停止・心停止
3. 意識レベル低下、鎮静剤によるコントロール困難な不穏
4. 大量の誤嚥、持続する嘔吐
5. 気道分泌物を持続的に除去不能
6. 血行動態が不安定で、輸液と血管作動薬に反応不良
7. 重度の不整脈
8. NPPV が忍容できない患者で、生命を脅かす低酸素血症を認める

6. 増悪の予防

POINTS

- 増悪は、QOL や呼吸機能を低下させ、生命予後を悪化させるため、増悪の予防がきわめて重要である。
- 安定期に、増悪の予防と対処の方法について教育する。
- 増悪の予防には、禁煙、ワクチン、呼吸リハビリテーション、LABDs などが有効である。
- 増悪予防を目的に ICS を使用する場合、ACO 症例と末梢血好酸球が高く増悪を繰り返す患者に対して、LABDs との併用で用いる。

増悪は患者の QOL や呼吸機能を低下させ、さらには生命予後を悪化させるため、安定期に増悪の予防に努めることがきわめて重要となる。増悪予防を目指した管理を効率的に実践するためには、増悪を繰り返すフェノタイプである患者を選定することが重要である。したがって、増悪期においては、増悪の原因を分析するとともに、これまでの増悪歴を調べ、頻回の増悪の有無を確認する。そして、頻回の増悪歴が確認された場合は、増悪予防を念頭に置いたより重点的な管理を行う。増悪の予防には、非薬物療法と薬物療法がある。

a. 非薬物療法

1) 患者教育

今回の増悪の原因を分析し、原因に基づいた増悪予防について指導を行うことが重要である。そして、次の増悪に備えて、増悪が疑われる症候や病態、対処の方法（アクションプラン）、および、予防の意義と方法について教育しておく必要がある。増悪の際のアクションプランとして、呼吸困難の悪化に対する SABDs の追加、痰の量の増加や膿性化がみられた場合の抗菌薬の内服などを指導する。増悪時の症状が高度な場合、アクションプランにより改善がみられない場合などについては、医療機関への連絡、または受診するタイミングを指導しておく。安定期における、体温、痰の量や性状、体重、脈拍数、SpO2 などを把握しておくことで、早期の増悪を捉えることができる。そのためには療養日誌の活用も有効である。

2) 禁煙

喫煙者では、禁煙者に比べて増悪頻度が高い。禁煙により増悪が 1/3 に減少する（エビデンス A）[1]。禁煙には、禁煙補助薬による薬物療法と行動療法の併用が有効である（エビデンス A）[2]。

3) ワクチン

増悪原因としては、気道感染が最も重要である。気道感染の予防策としては、手洗いの励行とともにワクチンの接種が有効である。肺炎球菌ワクチンには、PPSV23 と PCV13 の 2 種類がある。65 歳以上のすべての COPD 患者には肺炎球菌ワクチン接種が推奨され、65 歳未満の重症 COPD 患者には PPSV23 接種が推奨される（エビデンス B）（詳細は、**第Ⅲ章-C-1. ワクチンを参照**）。インフルエンザワクチンは COPD の増悪頻度を有意に減少させ[3]、すべての COPD 患者にインフルエンザワクチン接種が奨められる（エビデンス A）。また、インフルエンザワクチンと肺炎球菌ワクチン（PPSV23）の併用により、インフルエンザワクチン単独と比較して COPD の感染性増悪の頻度が減少する[4]（詳細は、**第Ⅲ章-C-1. ワクチンを参照**）。

4) 身体活動性の維持と呼吸リハビリテーション

身体活動性の低下は増悪の増加や生命予後不良につながるため、身体活動性の維持に努めることが重要である[5,6]。増悪後の呼吸リハビリテーションは、QOL と運動耐容能を改善し、さらに再入院を減少させる可能性が示唆されている（エビデンス A）[7]。

5) 併存症の管理

併存症のなかで、GERD、抑うつ、メタボリックシンドローム、OSA は増悪との関連が報告されており、慎重

第Ⅲ章　治療と管理

に管理が求められる（**第Ⅰ章-G. 全身の併存症**を参照）。

b. 薬物療法

　薬物療法は、増悪の予防に有効である。しかし、薬物療法による増悪の予防効果を示した臨床研究の多くは、中等症から重症患者を対象にしたものであるため、すべてのCOPD患者に適用できるものではない。呼吸機能に基づいた重症度、自覚症状の程度と過去の増悪頻度に基づいた増悪リスクを考慮する必要がある[8,9]。

1）吸入薬

　メタ解析の成績では、LAMA[10]とLABA[11]が単独で増悪を減少させることが報告されている（エビデンスA）。LAMA（チオトロピウム）がLABA（サルメテロールまたはインダカテロール）に比べて、予防効果が大きいとの報告がある（エビデンスA）[12,13]。LAMA/LABA配合薬（グリコピロニウム/インダカテロール）は、LAMA単剤（グリコピロニウムあるいはチオトロピウム）よりも増悪に対する予防効果が大きい（エビデンスB）[14]。ICSは単独で用いられることはない。喘息を比較的厳しく除外したCOPDにおいては、LAMA/LABA配合薬の増悪抑制効果はLABA/ICS配合薬より高い（エビデンスB）[15]。LAMAとLABAとの3剤併用からICSだけを中止する場合、末梢血好酸球が多く、かつ増悪の頻度が高い患者において増悪の頻度が上昇する（エビデンスB）[16]。さらに、LAMA/LABA配合薬とLABA/ICS配合薬に対するLAMA/LABA/ICS配合薬の増悪抑制効果は、末梢血好酸球が多い患者において強く認められる（エビデンスA）[17,18]。以上より、増悪予防の観点から、ICSは、ACOの患者と末梢血好酸球が多く増悪を繰り返す患者に対して、気流閉塞の程度に応じて、LABDsとの2剤または3剤併用の形で用いられる。ただし、ICSの長期使用により肺炎のリスクが増加することに留意する（エビデンスA）[19]。

2）内服薬

　テオフィリンは増悪の頻度を低下させる可能性がある（エビデンスC）（**第Ⅳ章-CQ07**を参照）。ただし、低用量テオフィリン持続投与（200mg/日）については、小規模なRCTで増悪を抑制したという報告[20]がある一方で、LABA/ICS配合薬に低用量テオフィリンを追加しても増悪頻度は変わらなかったとの報告もある[21]。喀痰調整薬が増悪を抑制するというRCTのメタ解析の結果がある（エビデンスA）[22]。N-アセチルシステイン（本邦では未発売）[23]や、カルボシステイン（1,500mg/日）（エビデンスB）[24-26]、アンブロキソールについて増悪抑制効果が報告されている（エビデンスB）[27]。増悪予防目的のマクロライド系抗菌薬を主とした抗菌薬投与は、増悪を有意に減少させる（エビデンスA）[28-30]。その他、本邦では発売されていないが、PDE4阻害薬のロフルミラストの予防効果が示されている（エビデンスA）[31]。

References

Ⅲ-D-1. 増悪の定義・診断・原因

1) Donaldson GC, Seemungal TA, Bhowmik A, et al. Relationship between exacerbation frequency and lung function decline in chronic obstructive pulmonary disease. Thorax. 2002；57：847-52.［Ⅳa］
2) Spencer S, Calverley PM, Burge PS, et al. Impact of preventing exacerbations on deterioration of health status in COPD. Eur Respir J. 2004；23：698-702.［Ⅱ］
3) Connors AF Jr, Dawson NV, Thomas C, et al. Outcomes following acute exacerbation of severe chronic obstructive lung disease. The SUPPORT investigators（Study to Understand Prognoses and Preferences for Outcomes and Risks of Treatments）. Am J Respir Crit Care Med. 1996；154：959-67.［Ⅳa］
4) Gunen H, Hacievliyagil SS, Kosar F, et al. Factors affecting survival of hospitalised patients with COPD. Eur Respir J. 2005；26：234-41.［Ⅳa］
5) Wouters EF. The burden of COPD in The Netherlands：results from the Confronting COPD survey. Respir Med. 2003；97 Suppl C：S51-9.［Ⅳb］
6) Langsetmo L, Platt RW, Ernst P, et al. Underreporting exacerbation of chronic obstructive pulmonary disease in a longitudinal cohort. Am J Respir Crit Care Med. 2008；177：396-401.［Ⅳa］
7) Bafadhel M, McKenna S, Terry S, et al. Acute exacerbations of chronic obstructive pulmonary disease：identification of biologic clusters and their biomarkers. Am J Respir Crit Care Med. 2011；184：662-71.［Ⅳb］
8) Mallia P, Footitt J, Sotero R, et al. Rhinovirus infection induces degradation of antimicrobial peptides and secondary bacterial infection in chronic obstructive pulmonary disease. Am J Respir Crit Care Med. 2012；186：1117-24.［Ⅳb］
9) MacDonald MI, Osadnik CR, Bulfin L, et al. Low and High Blood Eosinophil Counts as Biomarkers in Hospitalized Acute Exacerbations of COPD Chest. 2019；156：92-100.［Ⅳa］
10) Mayhew D, Devos N, Lambert C, et al. AERIS Study Group.

Longitudinal profiling of the lung microbiome in the AERIS study demonstrates repeatability of bacterial and eosinophilic COPD exacerbations. Thorax. 2018；73：422-30. ［IVa］

11) Bartolome R. Celli Dissecting COPD exacerbations：time to rethink our definition. Eur Respir J. 2017；50：1701432. ［VI］

12) Noell G, Cosío BG, Faner R, et al. Multi-level differential network analysis of COPD exacerbations. Eur Respir J. 2017；50：1700075. ［IVa］

13) Sapey E, Stockley RA. COPD exacerbations. 2：aetiology. Thorax. 2006；61：250-8. ［VI］

14) Viegi G, Maio S, Pistelli F, et al. Epidemiology of chronic obstructive pulmonary disease：health effects of air pollution. Respirology. 2006；11：523-32. ［VI］

15) Hurst JR, Vestbo J, Anzueto A, et al. Susceptibility to exacerbation in chronic obstructive pulmonary disease. N Engl J Med. 2010；363：1128-38. ［IVa］

16) Vedel-Krogh S, Nielsen SF, Lange P, et al. Blood eosinophils and exacerbations in chronic obstructive pulmonary disease. The Copenhagen general population study. Am J Respir Crit Care Med. 2016；193：965-74. ［IVa］

III-D-2. 増悪の重症度判定・入院の適応

1) Wedzicha JA, Seemungal TA. COPD exacerbations：defining their cause and prevention. Lancet. 2007；370：786-96. ［VI］

2) Global Initiative for Chronic Obstructive Lung Disease (GOLD). Global Strategy for the Diagnosis, Management, and Prevention of Chronic Obstructive Pulmonary Disease. 2021 report. 2020. https://goldcopd.org/wp-content/uploads/2020/11/GOLD-REPORT-2021-v1.1-25Nov20_WMV. pdf（accessed 2021-04-29）［VI］

3) Christ-Crain M, Jaccard-Stolz D, Bingisser R, et al. Effect of procalcitonin-guided treatment on antibiotic use and outcome in lower respiratory tract infections：cluster-randomised, single-blinded intervention trial. Lancet. 2004；363：600-7. ［III］

4) Donaldson GC, Müllerova H, Locantore N, et al. Factors associated with change in exacerbation frequency in COPD. Respir Res. 2013；30；14：79. ［IVa］

5) Martinez FJ, Han MK, Flaherty K, Curtis J. Role of infection and antimicrobial therapy in acute exacerbations of chronic obstructive pulmonary disease. Expert Rev Anti Infect Ther. 2006；4：101-24. ［VI］

III-D-3. 増悪期の薬物療法（気道分泌への対応を含む）

1) Hurst JR, Vestbo J, Anzueto A, et al. Susceptibility to exacerbation in chronic obstructive pulmonary disease. N Engl J Med. 2010；363：1128-38. ［IVa］

2) Celli BR, Barnes PJ. Exacerbations of chronic obstructive pulmonary disease. Eur Respir J 2007；29：1224-38. ［II］

3) Jones TPW, Brown J, Hurst JR, et al. COPD exacerbation phenotypes in a real-world five year hospitalization cohort.

Respiratory Med. 2020；167：105979 ［IVa］

4) National Institute for Health and Care Excellence. Chronic obstructive pulmonary disease in over 16s：diagnosis and management. 2019. https://www.nice.org.uk/guidance/NG115（accessed 2021-12-13）［VI］

5) Celli BR, MacNee W, ATS ERS Task Force. Standards for the diagnosis and treatment of patients with COPD：a summary of the ATS/ERS position paper. Eur Respir J. 2004；23：932-46. ［VI］

6) McCrory DC, Brown CD. Anticholinergic bronchodilators versus beta2-sympathomimetic agents for acute exacerbations of chronic obstructive pulmonary disease. Cochrane Database Syst Rev. 2003；10：CD003900 ［I］

7) Global Initiative for Chronic Obstructive Lung Disease (GOLD). Global Strategy for Prevention, Diagnosis and Management of Chronic Obstructive Pulmonary Disease 2021 Report. 2020. https://goldcopd.org/wp-content/uploads/2020/11/GOLD-REPORT-2021-v1.1-25Nov20_WMV. pdf（accessed 2022-04-22）［VI］

8) Barr RG, Rowe BH, Camargo CA Jr. Methylxanthines for exacerbations of chronic obstructive pulmonary disease：meta-analysis of randomised trials. BMJ. 2003；327：643. ［I］

9) Davies L, Angus RM, Calverley PM. Oral corticosteroids in patients admitted to hospital with exacerbations of chronic obstructive pulmonary disease：a prospective randomised controlled trial. Lancet. 1999；354：456-60. ［IVa］

10) Niewoehner DE, Erbland ML, Deupree RH, et al. Effect of systemic glucocorticoids on exacerbations of chronic obstructive pulmonary disease. Department of Veterans Affairs Cooperative Study Group. N Engl J Med. 1999；340：1941-7. ［II］

11) Thompson WH, Nielson CP, Carvalho P et al. Controlled trial of oral prednisone in outpatients with acute COPD exacerbation. Am J Respir Crit Care Med. 1996；154：407-12. ［II］

12) Wedzicha JA, Miravitlles M, Hurst JR, et al. Management of COPD exacerbations：a European Respiratory Society/American Thoracic Society guideline. Eur Respir J. 2017；49：1600791. ［I］

13) Leuppi JD, Schuetz P, Bingisser R, et al. Short-term vs conventional glucocorticoid therapy in acute exacerbations of chronic obstructive pulmonary disease：the REDUCE randomized clinical trial. JAMA. 2013；309：2223-31. ［II］

14) Walters JA, Tan DJ, White CJ, et al. Different durations of corticosteroid therapy for exacerbations of chronic obstructive pulmonary disease. Cochrane Database Syst Rev. 2014；12：CD006897. ［I］

15) Sivapalan P, Ingebrigtsen TS, Rasmussen DB et al. COPD exacerbations：the impact of long versus short courses of oral corticosteroids on mortality and pneumonia：nationwide data on 67000 patients with COPD followed 12 months. BMJ

第Ⅲ章　治療と管理

Open Respir Res. 2019；6：e000407.［Ⅳb］

16）Sivapalan P, Lapperre TS, Janner J, et al. Eosinophil-guided corticosteroid therapy in patients admitted to hospital with COPD exacerbation（CORTICO-COP）：a multicentre, randomized, controlled, open-label, non-inferiority trial. Lancet Respir Med. 2019；7：699-709.［Ⅳa］

17）Gunen H, Hacievliyagil SS, Yetkin O, et al. The role of nebulised budesonide in the treatment of exacerbations of COPD. Eur Respir J. 2007；29：660-7.［Ⅱ］

18）Seemungal T, Harper-Owen R, Bhowmik A, et al. Respiratory viruses, symptoms, and inflammatory markers in acute exacerbations and stable chronic obstructive pulmonary disease. Am J Respir Crit Care Med. 2001；164：1618-23.［Ⅳb］

19）Vollenweider DJ, Frei A, Steurer-Stey CA, et al. Antibiotics for exacerbations of chronic obstructive pulmonary disease. Cochrane Database Syst Rev. 2018；10：CD010257.［Ⅰ］

20）Rohde GG, Koch A, Welte T；ABACOPD study group. Randomized double blind placebo-controlled study to demonstrate that antibiotics are not needed in moderate acute exacerbations of COPD - The ABACOPD Study. BMC Pulm Med. 2015；15：5.［Ⅱ］

21）Stockley RA, O'Brien C, Pye A, et al. Relationship of sputum color to nature and outpatient management of acute exacerbations of COPD. Chest. 2000；117：1638-45.［Ⅳa］

22）Ram FS, Rodriguez-Roisin R, Granados-Navarrete A, et al. Antibiotics for exacerbations of chronic obstructive pulmonary disease. Cochrane Database Syst Rev. 2006；（2）：CD004403.［Ⅰ］

23）Quon BS, Gan WQ, Sin DD. Contemporary management of acute exacerbations of COPD：a systematic review and metaanalysis. Chest. 2008；133：756-66.［Ⅰ］

24）Xing AM, Chuantao Z, Xiangwen W, et al. C-reactive protein testing to guide antibiotic prescribing for COPD exacerbation. Medicine. 2020；99：29（e21152）［Ⅳa］

25）Woodhead M, Blasi F, Ewig S, et al. Guidelines for the management of adult lower respiratory tract infections. Eur Respir J. 2005；26：1138-80.［Ⅵ］

26）東山康仁，渡辺 彰，青木信樹，他．慢性閉塞性肺疾患症例の急性増悪に対するニューキノロン系抗菌薬とβ-ラクタム系抗菌薬の有用性．日本化学療法学会雑誌．2008；56：33-48.［Ⅳb］

27）Shimizu K, Yoshii Y, Morozumi M, et al. Pathogens in COPD exacerbations identified by comprehensive real-time PCR plus older methods. Int J Chron Obstruct Pulmon Dis. 2015；10：2009-16.［Ⅳb］

28）Greenstone M：Doxapram for ventilatory failure due to exacerbations of chronic obstructive pulmonary disease. Cochrane Database Syst Rev. 2000；（2）：CD000223.［Ⅰ］

29）Hawkins NM. MacDonald MR, Petrie MC. et al. Bisoprolol in patients with heart failure and moderate to severe chronic obstructive pulmonary disease：a randomized controlled tri-

al. Eur J Heart Fail. 2009；11：684-90.［Ⅱ］

30）Gunen H, Gulbas G, In E, et al. Venous thromboemboli and exacerbations of COPD. Eur Respir J. 2010；35：1243-8.［Ⅳb］

31）Bertoletti L, Quenet S, Laporte S, et al. Pulmonary embolism and 3-month outcomes in 4036 patients with venous thromboembolism and chronic obstructive pulmonary disease：data from the RIETE registry. Respir Res. 2013；14：75.［Ⅳb］

32）Westerdahl E, Osadnik C, Emtner M. Airway clearance techniques for patients with acute exacerbations of chronic obstructive pulmonary disease：Physical therapy practice in Sweden. Chron Respir Dis. 2019；16：1479973119855868.［Ⅳb］

33）Hill K, Patman S, Brooks D. Effect of airway clearance techniques in patients experiencing an acute exacerbation of chronic obstructive pulmonary disease：a systematic review. Chron Respir Dis. 2010；7：9-17.［Ⅰ］

34）Bellone A, Spagnolatti L, Massobrio M, et al. Short-term effects of expiration under positive pressure in patients with acute exacerbation of chronic obstructive pulmonary disease and mild acidosis requiring non-invasive positive pressure ventilation. Intensive Care Med. 2002；28：581-5.［Ⅱ］

Ⅲ-D-4. 酸素療法

1）日本呼吸ケア・リハビリテーション学会酸素療法マニュアル作成委員会，日本呼吸器学会肺生理専門委員会（編）．酸素療法マニュアル．東京；メディカルレビュー社．2017［Ⅵ］

2）Fuke S, Miyamoto K, Ohira H, et al. Evaluation of transcutaneous CO2 responses following acute changes in $PaCO_2$ in healthy subjects. Respirology. 2009；14：436-42.［Ⅲ］

3）O'Driscoll B R, Howard L S, Earis J, et al. BTS guideline for oxygen use in adults in healthcare and emergency settings. Thorax. 2017；72：i1-i90.［Ⅵ］

4）Nishimura M. High-flow nasal cannula oxygen therapy in adults. J Intensive care. 2015；3：15.［Ⅵ］

5）Frat JP, Thille A W, Mercat A, et al. High-flow oxygen through nasal cannula in acute hypoxemic respiratory failure. N Engl J Med. 2015；372：2185-96.［Ⅲ］

6）Sun J, Li Y, Ling B, et al. High flow nasal cannula oxygen therapy versus non-invasive ventilation for chronic obstructive pulmonary disease with acute-moderate hypercapnic respiratory failure：an observational cohort study. Int J Chronic Obstruct Pulmon Dis. 2019；14：1229-37.［Ⅳa］

7）Lee MK, Choi J, Park B, et al. High flow nasal cannulae oxygen therapy in acute-moderate hypercapnic respiratory failure. Clin Respir J. 2018；12：2046-56.［Ⅳa］

8）Braunlich J, Wirtz H. Nasal high-flow in acute hypercapnic exacerbation of COPD. Int J Chronic Obstruct Pulmon Dis. 2018；13：3895-97.［Ⅳa］

D. 増悪期の管理

Ⅲ-D-5. 換気補助療法

1) Rossi A, Gottfried SB, Higgs BD, et al. Respiratory mechanics in mechanically ventilated patients with respiratory failure. J Appl Physiol (1985). 1985；58：1849-58. [Ⅳb]

2) Appendini L, Patessio A, Zanaboni S, et al. Physiologic effects of positive end-expiratory pressure and mask pressure support during exacerbations of chronic obstructive pulmonary disease. Am J Respir Crit Care Med. 1994；149：1069-76. [Ⅳb]

3) Pauwels RA, Buist AS, Calverley PM, et al. Global strategy for the diagnosis, management, and prevention of chronic obstructive pulmonary disease. NHLBI/WHO Global Initiative for Chronic Obstructive Lung disease (GOLD 2017 report). 2017；106-7. [Ⅵ]

4) Meyer TJ, Hill NS. Noninvasive positive pressure ventilation to treat respiratory failure. Ann Intern Med. 1994；120：760-70. [Ⅰ]

5) Clinical indications for noninvasive positive pressure ventilation in chronic respiratory failure due to restrictive lung disease, COPD, and nocturnal hypoventilation-a consensus conference report. Chest. 1999；116：521-34. [Ⅵ]

6) British Thoracic Society Standards of Care Committee. Noninvasive ventilation in acute respiratory failure. Thorax. 2002；57：192-211. [Ⅵ]

7) Bott J, Carroll MP, Moxham J, et al. A randomised controlled study of nasal inermittent positive pressure ventilation in acute exacerbations of chronic obstructive airways disease. Lancet. 1993；341：1555-7. [Ⅱ]

8) Brochard L, Mancebo J, Wysocki M, et al. Noninvasive ventilation for acute exacerbations of chronic obstructive pulmonary disease. N Engl J Med. 1995；333：817-22. [Ⅱ]

9) Kramer N, Meyer TJ, Hill NS, et al. Randomised prospective trial of noninvasive positive pressure ventilation in acute respiratory failure. Am J Respir Crit Care Med. 1995；151：1799-806. [Ⅱ]

10) Plant PK, Elliott MW. Chronic obstructive pulmonary disease ＊9：management of ventilatory failure in COPD. Thorax. 2003；58：537-42. [Ⅵ]

11) Plant PK, Owen JL, Elliott MW. Early use of non-invasive ventilation for acute exacerbations of chronic obstructive pulmonary disease on general respiratory wards：a multicentre randomized controlled trial. Lancet. 2000；355：1931-5. [Ⅱ]

12) Guerin C, Girard R, Chemorin C, et al. Facial mask non-invasive mechanical ventilation reduces the incidence of nosocominal pneumonia. A prospective epidemiological survey from a single ICU. Intensive Care Med. 1997；23：1024-32. [Ⅳa]

13) Nourdine K, Combes P, Carton MJ, et al. Dose noninvasive ventilation reduce the ICU nosocomial infection risk? A prospective clinical survey. Intensive Care Med. 1999；25：567-73. [Ⅳa]

14) Girou E, Schortgen F, Delclaux C, et al. Association of noninvasive ventilation with nosocomial infection and survival in critically ill patients. JAMA. 2000；284：2361-7. [Ⅳb]

15) Hilbert G, Gruson D, Portel L, et al. Noninvasive pressure support ventilation in COPD patients with postextubation hypercapnic respiratory insufficiency. Eur Respir J. 1998；11：1349-53. [Ⅳb]

16) Estban A, Frutos-Vivar F, Ferguson ND, et al. Noninvasive positive-pressure ventilation for respiratory failure after extubation. N Engl J Med. 2004；350：2452-60. [Ⅱ]

17) Celli BR. Pulmonary rehabilitation in patients with COPD. Am J Respir Crit Care Med. 1995；152：861-4. [Ⅵ]

18) Heffner JE, Fahy B, Hilling L, Barbieri C. Outcomes of advance directive education of pulmonary rehabilitation patients. Am J Respir Crit Care Med. 1997；155：1055-9. [Ⅲ]

19) 川幡誠一. 人工呼吸管理（conventional）―COPD急性増悪時の人工呼吸適応を中心に―. 日呼管誌. 1998；8：123-8. [Ⅵ]

Ⅲ-D-6. 増悪の予防

1) Kanner RE, Anthonisen NR, Connett JE, et al. Lower respiratory illnesses promote FEV (1) decline in current smokers but not ex-smokers with mild chronic obstructive pulmonary disease：results from the lung health study. Am J Respir Crit Care Med. 2001；164：358-64. [Ⅱ]

2) van Eerd EA, van der Meer RM, van Schayck OC, et al. Smoking cessation for people with chronic obstructive pulmonary disease. Cochrane Database Syst Rev. 2016；8：CD010744. [Ⅰ]

3) Kopsaftis Z, Wood-Baker R, Poole P. Influenza vaccine for chronic obstructive pulmonary disease (COPD). Cochrane Database Syst Rev. 2018；6：CD002733. [Ⅰ]

4) Furumoto A, Ohkusa Y, Chen M, et al. Additive effect of pneumococcal vaccine and influenza vaccine on acute exacerbation in patients with chronic lung disease. Vaccine. 2008；26：4284-9. [Ⅱ]

5) Waschki B, Kirsten A, Holz O, et al. Physical activity is the strongest predictor of all-cause mortality in patients with COPD：a prospective cohort study. Chest. 2011；140：331-42. [Ⅳa]

6) Gimeno-Santos E, Frei A, Steurer-Stey C, et al. Determinants and outcomes of physical activity in patients with COPD：a systematic review. Thorax. 2014；69：731-9. [Ⅰ]

7) Puhan MA, Gimeno-Santos E, Cates CJ, et al. Pulmonary rehabilitation following exacerbations of chronic obstructive pulmonary disease. Cochrane Database Syst Rev. 2016；12：CD005305. [Ⅰ]

8) Hurst JR, Vestbo J, Anzueto A, et al. Susceptibility to exacerbation in chronic obstructive pulmonary disease. N Engl J Med. 2010；363：1128-38. [Ⅳa]

9) Global Initiative for Chronic Obstructive Lung Disease

(GOLD). Global Strategy for Prevention, Diagnosis and Management of Chronic Obstructive Pulmonary Disease 2021 Report. 2020. https://goldcopd.org/wp-content/uploads/2020/11/GOLD-REPORT-2021-v1.1-25Nov20_WMV.pdf（accessed 2022-04-22）[Ⅵ]

10）Rodrigo GJ, Nannini LJ. Tiotropium for the treatment of stable chronic obstructive pulmonary disease：a systematic review with meta-analysis. Pulm Pharmacol Ther. 2007；20：495-502.［Ⅰ］

11）Appleton S, Poole P, Smith B, et al. Long-acting beta2-agonists for poorly reversible chronic obstructive pulmonary disease. Cochrane Database Syst Rev. 2006；3：CD001104.［Ⅰ］

12）Vogelmeier C, Hederer B, Glaab T, et al. Tiotropium versus salmeterol for the prevention of exacerbations of COPD. N Engl J Med. 2011；364：1093-103.［Ⅱ］

13）Decramer ML, Chapman KR, Dahl R, et al. Once-daily indacaterol versus tiotropium for patients with severe chronic obstructive pulmonary disease（INVIGORATE）：a randomised, blinded, parallel-group study.Lancet Respir Med. 2013；1：524-33.［Ⅱ］

14）Wedzicha JA, Decramer M, Ficker JH, et al. Analysis of chronic obstructive pulmonary disease exacerbations with the dual bronchodilator QVA149 compared with glycopyrronium and tiotropium（SPARK）：a randomised, double-blind, parallel-group study. Lancet Respir Med. 2013；1：199-209.［Ⅱ］

15）Wedzicha JA, Banerji D, Chapman KR, et al. Indacaterol-Glycopyrronium versus Salmeterol-Fluticasone for COPD. N Engl J Med. 2016；374：2222-34.［Ⅱ］

16）Watz H, Tetzlaff K, Wouters EFM, et al. Blood eosinophil count and exacerbations in severe chronic obstructive pulmonary disease after withdrawal of inhaled corticosteroids：a post-hoc analysis of the WISDOM trial. Lancet Respir Med. 2016；4：390-8.［Ⅲ］

17）Lipson DA, Barnhart F, Brealey N, et al. Once-daily single-inhaler triple versus dual therapy in patients with COPD. N Engl J Med. 2018；378：1671-80.［Ⅰ］

18）Rabe KF, Martinez FJ, Ferguson GT, et al. Triple inhaled therapy at two glucocorticoid doses in moderate-to-very-severe COPD. N Engl J Med. 2020；383：35-48.［Ⅰ］

19）Yang IA, Clarke MS, Sim EH, et al. Inhaled corticosteroids for stable chronic obstructive pulmonary disease. Cochrane Database Syst Rev. 2012；7：CD002991.［Ⅰ］

20）Zhou Y, Wang X, Zeng X, et al. Positive benefits of theophylline in a randomized, double-blind, parallel-group, placebo-controlled study of low-dose, slow-release theophylline in the treatment of COPD for 1 year. Respirology. 2006；11：603-10.［Ⅱ］

21）Cosío BG, Shafiek H, Iglesias A, et al. Oral low-dose theophylline on top of inhaled Fluticasone-Salmeterol does not reduce exacerbations in patients with severe COPD：A Pilot Clinical Trial. Chest. 2016；150：123-30.［Ⅱ］

22）Poole P, Sathananthan K, Fortescue R. Mucolytic agents versus placebo for chronic bronchitis or chronic obstructive pulmonary disease.Cochrane Database Syst Rev. 2019；5：CD001287.［Ⅰ］

23）Sutherland ER, Crapo JD, Bowler RP. N-acetylcysteine and exacerbations of chronic obstructive pulmonary disease. COPD. 2006；3：195-202.［Ⅰ］

24）Zheng JP, Kang J, Huang SG, et al. Effect of carbocisteine on acute exacerbation of chronic obstructive pulmonary disease（PEACE Study）：a randomised placebo-controlled study. Lancet. 2008；371：2013-8.［Ⅱ］

25）Yasuda H, Yamaya M, Sasaki T, et al. Carbocisteine reduces frequency of common colds and exacerbations in patients with chronic obstructive pulmonary disease. J Am Geriatr Soc. 2006；54：378-80.［Ⅱ］

26）Tatsumi K, Fukuchi Y. PEACE Study Group.：Carbocisteine improves quality of life in patients with chronic obstructive pulmonary disease. J Am Geriatr Soc. 2007；55：1884-6.［Ⅱ］

27）Malerba M, Ponticiello A, Radaeli A, et al. Effect of twelve-months therapy with oral ambroxol in preventing exacerbations in patients with COPD. Double-blind, randomized, multicenter, placebo-controlled study（the AMETHIST Trial）. Pulm Pharmacol Ther. 2004；17：27-34.［Ⅱ］

28）Herath SC, Normansell R, Maisey S, et al. Prophylactic antibiotic therapy for chronic obstructive pulmonary disease（COPD）. Cochrane Database Syst Rev. 2018；10：CD009764.［Ⅰ］

29）Donath E, Chaudhry A, Hernandez-Aya LF, et al. A meta-analysis on the prophylactic use of macrolide antibiotics for the prevention of disease exacerbations in patients with Chronic Obstructive Pulmonary Disease. Respir Med. 2013；107：1385-92.［Ⅰ］

30）Ni W, Shao X, Cai X, et al. Prophylactic use of macrolide antibiotics for the prevention of chronic obstructive pulmonary disease exacerbation：a meta-analysis. PLoS One. 2015；10：e0121257.［Ⅰ］

31）Fabbri LM, Calverley PM, Izquierdo-Alonso JL, et al. Roflumilast in moderate-to-severe chronic obstructive pulmonary disease treated with longacting bronchodilators：two randomised clinical trials. Lancet. 2009；374：695-703.［Ⅰ］

E. 予後

E. 予 後

POINTS

● 病状の進行により生命予後は悪化するが、適切な管理を行えば予後の改善が期待できる。
● 予後因子には、年齢、性別、喫煙、呼吸困難の程度、FEV₁、気腫性病変の程度、低酸素血症、肺高血圧症、運動耐容能、身体活動性、増悪の頻度、全身併存症と肺合併症などがある。
● 禁煙（エビデンス A）、インフルエンザワクチン（エビデンス A）、LTOT/HOT（エビデンス A）は生命予後を改善する。LAMA を含めた気管支拡張薬の吸入治療は、生命予後を改善する可能性がある。

欧米の調査では、COPD の死亡率は気流閉塞分類の I 期では対照者の 1.2 倍、II 期で 1.6 倍、III 期で 2.7 倍と病期の進行とともに増加することが示されている[1]。また、低酸素血症のない COPD 患者では、3 年間の死亡率は 23 ％と報告されている[2]。一方、本邦の調査では、1993 年までの LTOT/HOT 登録患者の 5 年生存率は 40 ％と報告されている[3,4]。

COPD の有病率や死亡率は世界的に高いレベルにある。2020 年の WHO の報告では、COPD は虚血性心疾患や脳卒中に次ぎ 3 番目に多い死因とされる[5]。病状の進行に伴い生命予後は悪化するが、適切な長期管理を行えば生命予後の改善が期待できる[3,4]。増悪を繰り返す患者では、予後不良である[6]。COPD には、心血管疾患、肺がん、糖尿病などの他疾患が併発することが多く、こうした全身併存症や肺合併症は予後に大きな影響を及ぼす可能性がある[7-9]。

1. COPD の生命予後因子 （表 1）

①年齢：高齢者ほど生命予後は悪い[1-3]。
②性差：さまざまな報告があるが、女性のほうが男性よ

表1 COPD の生命予後因子

①年齢　②性差　③喫煙　④呼吸困難の程度　⑤FEV₁
⑥気道過敏性　⑦気道可逆性　⑧肺過膨張　⑨気腫性病変
⑩低酸素血症　⑪高二酸化炭素血症
⑫肺高血圧症または肺性心　⑬運動耐容能と身体活動性
⑭栄養状態　⑮増悪　⑯全身併存症
⑰多因子による複合的評価

りも FEV₁ の低下速度が大きく、生命予後が悪い可能性が指摘されている[4,5]。しかし、本邦の LTOT/HOT 施行患者の調査成績では、女性のほうが予後がよい[6]。
③喫煙：喫煙指数の高い患者ほど生命予後が不良である[2,3]。
④呼吸困難の程度：呼吸困難が強いほど生命予後不良である[1,7]。
⑤FEV₁：FEV₁ が低いほど予後不良である[2,3]。本邦の調査成績では、5 年生存率は I 期で 90 ％、II 期で 80 ％、III 期で 60 ％程度とされる[3]。
⑥気道過敏性：気道過敏性は FEV₁ の低下速度と生命予後を悪化させるという報告がある[8,9]。
⑦気道可逆性：気道可逆性が FEV₁ の低下速度や生命予後に影響するかについては、一定の成績はない[1,2,10]。
⑧肺過膨張：肺過膨張の指標である IC/TLC 比が低下している（＜ 25 ％）患者では生命予後不良とされている[11]。
⑨気腫性病変：肺気腫の程度（LAA%）は、体重や FEV₁ を凌駕する生命予後因子とされている[12]。
⑩低酸素血症：PaO₂ や混合静脈血酸素分圧（PvO₂ ＜ 35 Torr）の低下は生命予後不良因子である[7,13-15]。
⑪高二酸化炭素血症：一般には高二酸化炭素血症があると肺高血圧の合併頻度が高く、予後不良と考えられている[13,16]。しかし、本邦の LTOT/HOT 施行患者の調査では、高二酸化炭素血症と生命予後との関連性は認められなかった[17]。
⑫肺高血圧症または肺性心：肺高血圧症や肺性心を合併した患者では生命予後不良である[18]。

第Ⅲ章　治療と管理

⑬運動耐容能と身体活動性：最大酸素摂取量（$\dot{V}O_2$ peak）[3]、6MWD の低下[19] は生命予後不良因子である。運動耐容能の評価よりも、加速度計などを搭載した機器による身体活動性のモニタリングのほうが生命予後に関連性が高いことも報告されており[20]、身体活動性は重要な予後因子である[21]。

⑭栄養状態：低栄養状態や体重（BMI）減少は生命予後不良因子である[3,22,23]。

⑮増悪：増悪を繰り返す患者では生命予後不良である[24]。増悪で入院した場合、呼吸困難、好酸球増多、肺炎、酸塩基平衡障害、不整脈の程度や有無などが生命予後に影響する[25,26]。

⑯全身併存症：心血管疾患や肺がん、高血圧、糖尿病、不安や抑うつなどの併存症は生命予後不良因子である[27-30]。

⑰多因子による複合的評価：単一因子による生命予後評価よりも、複数の生命予後因子の複合スコアが生存率の予測に有用であると考えられる。体重（BMI）、気流閉塞（airflow obstruction）、呼吸困難指数（dyspnea index）、運動耐容能（exercise capacity）を組み合わせた BODE index が予後の推定によく用いられており[31]、さらに簡便な方法も提案されている[32-34]。

2. COPD 患者の生命予後に対する治療の影響

①禁煙：禁煙により FEV_1 の経年低下を抑制し、増悪を減少させ死亡率を減少させることが報告されている（エビデンス A）[1-3]。本ガイドラインにおけるメタ解析では、現喫煙群は過去喫煙群と比べて有意な FEV_1 の経年低下が認められたが、死亡率には差を認めなかった（エビデンス D）（第Ⅳ章-CQ10 を参照）。

②ワクチン：インフルエンザワクチンは増悪頻度と死亡率を低下させる（エビデンス A）[4,5]。本ガイドラインにおけるメタ解析では、肺炎球菌ワクチン（PPSV23）は非接種群と比べて死亡率には差が認められなかったが、肺炎の発症と増悪頻度の低下を認めた（エビデンス B）（第Ⅳ章-CQ11 を参照）。

③ICS：中等度の気流閉塞、または、それ以上の重度のCOPD 患者を対象とした大規模 RCT である TORCH試験では、ICS（フルチカゾン）単剤による生命予後の改善効果はなかった（エビデンス A）[6]。また、心血管疾患の既往あるいはそのリスクが高い COPD 患者を対象とした SUMMIT 試験でも、ICS（フルチカゾン）とプラセボとの比較で死亡率に有意差は認められなかった[7]。

④LABA/ICS 配合薬：上述の TORCH 試験でのサルメテロール/フルチカゾンや、SUMMIT 試験におけるビランテロール/フルチカゾンは、主要評価項目である全死因死亡率を低下する成績は得られなかった[6,7]。本ガイドラインにおける中等症から重症の COPD を対象としたメタ解析では、LABA/ICS 配合薬は LAMA/LABA 配合薬に比べて死亡率を低下させることが認められており、末梢血中好酸球数が多い患者や中等症から重症で増悪を繰り返す患者においては、生命予後を改善させる可能性もある（第Ⅳ章-CQ05 を参照）。

⑤LAMA：大規模 RCT である UPLIFT 試験では、チオトロピウムの吸入はプラセボ群に比べて QOL の改善や増悪頻度の低下を認め、死亡率を低下させる可能性がある（エビデンス B）[8]。本ガイドラインにおけるメタ解析でも、同様の結果が得られている（エビデンスA）（第Ⅳ章-CQ02 を参照）。

⑥LAMA/LABA 配合薬：本ガイドラインにおけるメタ解析では、LAMA/LABA 配合薬は LAMA 単剤と比べて死亡率には差が認められなかったが、増悪頻度の低下や FEV_1 の改善、QOL の改善が認められている（第Ⅳ章-CQ04 を参照）[9]。

⑦LAMA/LABA/ICS 配合薬：大規模 RCT である IM-PACT 試験、および、ETHOS 試験では、中等症から重症で増悪を繰り返す患者を対象に LAMA/LABA/ICS 配合薬の吸入が LAMA/LABA 配合薬と比較して、死亡率を低下させることが認められた[10,11]。本ガイドラインにおけるメタ解析でも、同様の結果が得られている（第Ⅳ章-CQ06 を参照）。

⑧LTOT/HOT：本邦や海外の研究成績において、慢性呼吸不全の患者に対して長期間にわたる 1 日 15 時間以上の酸素投与は、重度の安静時低酸素血症を呈する患者の生存率を高めることが示されている（エビデンス A）[12]。しかし、軽度から中等度の安静時酸素飽和度低下を呈する患者や、中等度の運動時酸素飽和度低下を呈する患者への生命予後改善効果は認めていない[13]。本ガイドラインにおけるメタ解析でも同様に、LTOT/HOT は中等度低酸素血症の患者においては死亡率の改善は認められなかったが、重度低酸素血症の

患者において死亡率を低下させることが認められている（第Ⅳ章-CQ14を参照）。

⑨換気補助：高二酸化炭素血症を伴う患者に対するNPPVは、高いIPAPを用いた研究で生存率を高めることや[14]、増悪から2〜4週後に高二酸化炭素血症を伴う患者を対象としたRCTでは、LTOT/HOTにNPPVを併用した群において、LTOT/HOT単独群と比較し有意に死亡率が低下することが報告されている[15]。また、SASを合併した患者には、CPAPが生存率を改善する[16]。本ガイドラインにおけるメタ解析では、高二酸化炭素血症を伴う患者においてNPPV使用群は対照群と比較して、死亡率には差が認められなかったが、COPDの症状、$PaCO_2$、PaO_2、運動耐容能の改善が認められた（第Ⅳ章-CQ15を参照）[17]。

⑩呼吸リハビリテーション：呼吸リハビリテーションが死亡率を低下させる可能性が示唆されているが、一定の結論が出ていない[18-20]。

⑪栄養療法：栄養療法が生命予後を改善するエビデンスはない[21]。

⑫β遮断薬：海外での後ろ向き試験のメタ解析では、心血管疾患併存の有無にかかわらずβ遮断薬による生命予後の改善効果が報告されているが[22]、RCTの結果はなく、β遮断薬使用を積極的に奨めるものではない。喘息を合併しない患者に対しては選択的$β_1$遮断薬の使用は禁忌ではなく、虚血性心疾患や心不全の併存など、選択的$β_1$遮断薬の服用が有益となる患者が存在するものと考えられる。

⑬外科療法：LVRSについては、気腫性病変が上葉に偏在し、運動能力の低い患者では薬物治療よりも生命予後がよいとする報告がある[23]。

References

Ⅲ-E. 予後

1) Mannino DM, Buist AS, Petty TL, et al. Lung function and mortality in the United States：data from the First National Health and Nutrition Examination Survey follow up study. Thorax. 2003；58：388-93.［Ⅳa］

2) Anthonisen NR, Wright EC, Hodgkin JE. Prognosis in chronic obstructive pulmonary disease. Am Rev Respir Dis. 1986；133：14-20.［Ⅳa］

3) Aida A, Miyamoto K, Nishimura M, et al. Prognostic value of hypercapnia in patients with chronic respiratory failure during long-term oxygen therapy. Am J Respir Crit Care Med.

1998；158：188-93.［Ⅳa］

4) Miyamoto K, Aida A, Nishimura M, et al. Gender effect on prognosis of patients receiving long-term home oxygen therapy. The Respiratory Failure Research Group in Japan. Am J Respir Crit Care Med. 1995；152：972-6.［Ⅳa］

5) World Health Organization. The top 10 causes of death. 2020. https://www.who.int/news-room/fact-sheets/detail/the-top-10-causes-of-death（accessed 2022-04-14）［Ⅵ］

6) Soler-Cataluña JJ, Martínez-García MA, Román Sánchez P, et al. Severe acute exacerbations and mortality in patients with chronic obstructive pulmonary disease. Thorax. 2005；60：925-31.［Ⅳa］

7) Barnes PJ, Celli BR. Systemic manifestations and comorbidities of COPD. Eur Respir J. 2009；33：1165-85.［Ⅵ］

8) Mannino DM, Thorn D, Swensen A, et al. Prevalence and outcomes of diabetes, hypertension and cardiovascular disease in COPD. Eur Respir J. 2008；32：962-9.［Ⅳa］

9) Soriano JB, Visick GT, Muellerova H, et al. Patterns of comorbidities in newly diagnosed COPD and asthma in primary care. Chest. 2005；128：2099-107.［Ⅳa］

Ⅲ-E-1. COPDの生命予後因子

1) Anthonisen NR, Wright EC, Hodgkin JE. Prognosis in chronic obstructive pulmonary disease. Am Rev Respir Dis. 1986；133：14-20.［Ⅳa］

2) Hansen EF, Phanareth K, Laursen LC, et al. Reversible and irreversible airflow obstruction as predictor of overall mortality in asthma and chronic obstructive pulmonary disease. Am J Respir Crit Care Med. 1999；159：1267-71.［Ⅳb］

3) Oga T, Nishimura K, Tsukino M, et al. Analysis of the factors related to mortality in chronic obstructive pulmonary disease：role of exercise capacity and health status. Am J Respir Crit Care Med. 2003；167：544-9.［Ⅳa］

4) Gan WQ, Man SF, Postma DS, et al. Female smokers beyond the perimenopausal period are at increased risk of chronic obstructive pulmonary disease：a systematic review and meta-analysis. Respir Res. 2006；7：52.［Ⅰ］

5) Ringbaek T, Seersholm N, Viskum K. Standardised mortality rates in females and males with COPD and asthma. Eur Respir J. 2005；25：891-5.［Ⅳa］

6) Miyamoto K, Aida A, Nishimura M, et al. Gender effect on prognosis of patients receiving long-term home oxygen therapy. The Respiratory Failure Research Group in Japan. Am J Respir Crit Care Med. 1995；152：972-6.［Ⅳa］

7) Nishimura K, Izumi T, Tsukino M, et al. Dyspnea is a better predictor of 5-year survival than airway obstruction in patients with COPD. Chest. 2002；121：1434-40.［Ⅳa］

8) Hospers JJ, Postma DS, Rijcken B, et al. Histamine airway hyper-responsiveness and mortality from chronic obstructive pulmonary disease：a cohort study. Lancet. 2000；356：1313-7.［Ⅳa］

第Ⅲ章　治療と管理

9) Tashkin DP, Altose MD, Connett JE, et al. Methacholine reactivity predicts changes in lung function over time in smokers with early chronic obstructive pulmonary disease. The Lung Health Study Research Group. Am J Respir Crit Care Med. 1996；153：1802-11. [Ⅱ]

10) Kawakami Y, Kishi F, Dohsaka K, et al. Reversibility of airway obstruction in relation to prognosis in chronic obstructive pulmonary disease. Chest. 1988；93：49-53. [Ⅲ]

11) Casanova C, Cote C, de Torres JP, et al. Inspiratory-to-total lung capacity ratio predicts mortality in patients with chronic obstructive pulmonary disease. Am J Respir Crit Care Med. 2005；171：591-7. [Ⅳa]

12) Haruna A, Muro S, Nakano Y, et al. CT scan findings of emphysema predict mortality in COPD. Chest. 2010；138：635-40. [Ⅳa]

13) Kawakami Y, Kishi F, Yamamoto H, et al. Relation of oxygen delivery, mixed venous oxygenation, and pulmonary hemodynamics to prognosis in chronic obstructive pulmonary disease. N Engl J Med. 1983；308：1045-9. [Ⅳa]

14) Long term domiciliary oxygen therapy in chronic hypoxic cor pulmonale complicating chronic bronchitis and emphysema. Report of the Medical Research Council Working Party. Lancet. 1981；1：681-6. [Ⅱ]

15) Continuous or nocturnal oxygen therapy in hypoxemic chronic obstructive lung disease：a clinical trial. Nocturnal Oxygen Therapy Trial Group. Ann Intern Med. 1980；93：391-8. [Ⅱ]

16) Burrows B, Earle RH. Prediction of survival in patients with chronic airway obstruction. Am Rev Respir Dis. 1969；99：865-71. [Ⅳa]

17) Aida A, Miyamoto K, Nishimura M, et al. Prognostic value of hypercapnia in patients with chronic respiratory failure during long-term oxygen therapy. Am J Respir Crit Care Med. 1998；158：188-93. [Ⅳa]

18) Oswald-Mammosser M, Weitzenblum E, Quoix E, et al. Prognostic factors in COPD patients receiving long-term oxygen therapy. Importance of pulmonary artery pressure. Chest. 1995；107：1193-8. [Ⅳb]

19) Pinto-Plata VM, Cote C, Cabral H, et al. The 6-min walk distance：change over time and value as a predictor of survival in severe COPD. Eur Respir J. 2004；23：28-33. [Ⅲ]

20) Waschki B, Kirsten A, Holz O, et al. Physical activity is the strongest predictor of all-cause mortality in patients with COPD：a prospective cohort study. Chest. 2011；140：331-42. [Ⅳa]

21) Watz H, Pitta F, Rochester CL, et al, et al. An official European Respiratory Society statement on physical activity in COPD. Eur Respir J. 2014；44：1521-37. [Ⅰ]

22) Landbo C, Prescott E, Lange P, et al. Prognostic value of nutritional status in chronic obstructive pulmonary disease. Am J Respir Crit Care Med. 1999；160：1856-61. [Ⅳa]

23) Wilson DO, Rogers RM, Wright EC, et al. Body weight in chronic obstructive pulmonary disease. The National Institutes of Health Intermittent Positive-Pressure Breathing Trial. Am Rev Respir Dis. 1989；139：1435-8. [Ⅳa]

24) Soler-Cataluña JJ, Martínez-García MA, Román Sánchez P, et al. Severe acute exacerbations and mortality in patients with chronic obstructive pulmonary disease. Thorax. 2005；60：925-31. [Ⅳa]

25) Steer J, Gibson J, Bourke SC. The DECAF Score：predicting hospital mortality in exacerbations of chronic obstructive pulmonary disease. Thorax. 2012；67：970-6. [Ⅳa]

26) Steer J, Norman EM, Afolabi OA, et al. Dyspnoea severity and pneumonia as predictors of in-hospital mortality and early readmission in acute exacerbations of COPD. Thorax. 2012；67：117-21. [Ⅳb]

27) Mannino DM, Thorn D, Swensen A, et al. Prevalence and outcomes of diabetes, hypertension and cardiovascular disease in COPD. Eur Respir J. 2008；32：962-9. [Ⅳa]

28) Sin DD, Anthonisen NR, Soriano JB, et al. Mortality in COPD：Role of comorbidities. Eur Respir J. 2006；28：1245-57. [Ⅵ]

29) Fabbri LM, Luppi F, Beghé B, et al. Complex chronic comorbidities of COPD. Eur Respir J. 2008；31：204-12. [Ⅵ]

30) Eisner MD, Blanc PD, Yelin EH, et al. Influence of anxiety on health outcomes in COPD. Thorax. 2010；65：229-34. [Ⅳa]

31) Celli BR, Cote CG, Marin JM, et al. The body-mass index, airflow obstruction, dyspnea, and exercise capacity index in chronic obstructive pulmonary disease. N Engl J Med. 2004；350：1005-12. [Ⅳa]

32) Jones RC, Donaldson GC, Chavannes NH, et al. Derivation and validation of a composite index of severity in chronic obstructive pulmonary disease：the DOSE Index. Am J Respir Crit Care Med. 2009；180：1189-95. [Ⅳb]

33) Puhan MA, Garcia-Aymerich J, Frey M, et al. Expansion of the prognostic assessment of patients with chronic obstructive pulmonary disease：the updated BODE index and the ADO index. Lancet. 2009；374：704-11. [Ⅳa]

34) Boeck L, Soriano JB, Brusse-Keizer M, et al. Prognostic assessment in COPD without lung function：the B-AE-D indices. Eur Respir J. 2016；47：1635-44. [Ⅳa]

Ⅲ-E-2. COPD 患者の生命予後に対する治療の影響

1) Anthonisen NR, Connett JE, Kiley JP, et al. Effects of smoking intervention and the use of an inhaled anticholinergic bronchodilator on the rate of decline of FEV1. The Lung Health Study. JAMA. 1994；272：1497-505. [Ⅱ]

2) Anthonisen NR, Skeans MA, Wise RA, et al. The effects of a smoking cessation intervention on 14.5-year mortality：a randomized clinical trial. Ann Intern Med. 2005；142：233-9. [Ⅳa]

3) Kanner RE, Anthonisen NR, Connett JE. Lower respiratory illnesses promote FEV(1)decline in current smokers but not

ex-smokers with mild chronic obstructive pulmonary disease : results from the lung health study. Am J Respir Crit Care Med. 2001 ; 164 : 358-64. [Ⅱ]

4) Bekkat-Berkani R, Wilkinson T, Buchy P, et al. Seasonal influenza vaccination in patients with COPD : a systematic literature review. BMC Pulm Med. 2017 ; 17 : 79. [Ⅰ]

5) Nichol KL, Margolis KL, Wuorenma J, et al. The efficacy and cost effectiveness of vaccination against influenza among elderly persons living in the community. N Engl J Med. 1994 ; 331 : 778-84. [Ⅳa]

6) Calverley PM, Anderson JA, Celli B, et al. Salmeterol and fluticasone propionate and survival in chronic obstructive pulmonary disease. N Engl J Med. 2007 ; 356 : 775-89. [Ⅱ]

7) Vestbo J, Anderson JA, Brook RD, et al. Fluticasone furoate and vilanterol and survival in chronic obstructive pulmonary disease with heightened cardiovascular risk (SUMMIT) : a double-blind randomised controlled trial. Lancet. 2016 ; 387 : 1817-26. [Ⅱ]

8) Tashkin DP, Celli B, Senn S, et al. A 4-year trial of tiotropium in chronic obstructive pulmonary disease. N Engl J Med. 2008 ; 359 : 1543-54. [Ⅱ]

9) Mammen MJ, Pai V, Aaron SD, et al. Dual LABA/LAMA Therapy versus LABA or LAMA Monotherapy for Chronic Obstructive Pulmonary Disease. A Systematic Review and Meta-analysis in Support of the American Thoracic Society Clinical Practice Guideline. Ann Am Thorac Soc. 2020 ; 17 : 1133-43. [Ⅰ]

10) Lipson DA, Barnhart F, Brealey N, et al. Once-Daily Single-Inhaler Triple versus Dual Therapy in Patients with COPD. N Engl J Med. 2018 ; 378 : 1671-80. [Ⅱ]

11) Rabe KF, Martinez FJ, Ferguson GT, et al. Triple Inhaled Therapy at Two Glucocorticoid Doses in Moderate-to-Very-Severe COPD. N Engl J Med. 2020 ; 383 : 35-48. [Ⅱ]

12) Cranston JM, Crockett AJ, Moss JR, et al. Domiciliary oxygen for chronic obstructive pulmonary disease. Cochrane Database Syst Rev. 2005 ; 2005 : Cd001744. [Ⅰ]

13) Albert RK, Au DH, Blackford AL, et al. A Randomized Trial of Long-Term Oxygen for COPD with Moderate Desaturation. N Engl J Med. 2016 ; 375 : 1617-27. [Ⅱ]

14) Köhnlein T, Windisch W, Köhler D, et al. Non-invasive positive pressure ventilation for the treatment of severe stable chronic obstructive pulmonary disease : a prospective, multi-centre, randomised, controlled clinical trial. Lancet Respir Med. 2014 ; 2 : 698-705. [Ⅱ]

15) Murphy PB, Rehal S, Arbane G, et al. Effect of Home Noninvasive Ventilation With Oxygen Therapy vs Oxygen Therapy Alone on Hospital Readmission or Death After an Acute COPD Exacerbation : A Randomized Clinical Trial. JAMA. 2017 ; 317 : 2177-86. [Ⅱ]

16) Marin JM, Soriano JB, Carrizo SJ, et al. Outcomes in patients with chronic obstructive pulmonary disease and obstructive sleep apnea : the overlap syndrome. Am J Respir Crit Care Med. 2010 ; 182 : 325-31. [Ⅳa]

17) Macrea M, Oczkowski S, Rochwerg B, et al. Long-term non-invasive ventilation in chronic stable hypercapnic chronic obstructive pulmonary disease. An official American Thoracic Society clinical practice guideline. Am J Respir Crit Care Med. 2020 ; 202 : e74-e87. [Ⅵ]

18) Ries AL, Bauldoff GS, Carlin BW, et al. Pulmonary Rehabilitation:Joint ACCP/AACVPR Evidence-Based Clinical Practice Guidelines. Chest. 2007 ; 131 : 4s-42s. [Ⅵ]

19) Puhan MA, Gimeno-Santos E, Cates CJ, et al. Pulmonary rehabilitation following exacerbations of chronic obstructive pulmonary disease. Cochrane Database Syst Rev. 2016 ; 12 : Cd005305. [Ⅰ]

20) Greening NJ, Williams JE, Hussain SF, et al. An early rehabilitation intervention to enhance recovery during hospital admission for an exacerbation of chronic respiratory disease : randomised controlled trial. BMJ. 2014 ; 349 : g4315. [Ⅱ]

21) King DA, Cordova F, Scharf SM. Nutritional aspects of chronic obstructive pulmonary disease. Proc Am Thorac Soc. 2008 ; 5 : 519-23. [Ⅵ]

22) Du Q, Sun Y, Ding N, et al. Beta-blockers reduced the risk of mortality and exacerbation in patients with COPD : a meta-analysis of observational studies. PLoS One. 2014 ; 9 : e113048. [Ⅰ]

23) Fishman A, Martinez F, Naunheim K, et al. A randomized trial comparing lung-volume-reduction surgery with medical therapy for severe emphysema. N Engl J Med. 2003 ; 348 : 2059-73. [Ⅱ]

第Ⅲ章　治療と管理

F. COPD の病診連携

POINTS

- 病診連携は COPD 診療の質向上の基軸である。プライマリケア医は診断、薬物療法の導入、禁煙、日常生活指導、ワクチン接種、併存疾患管理などについて総合的に幅広くかかわる一方で、呼吸器専門医は治療の最適化、呼吸リハビリテーションの導入、増悪管理、LTOT/HOT・換気補助療法の導入など、専門性の高い領域を担う。地域の特性を踏まえて双方が適宜補完しながら個々の患者に最適な医療を継続的に提供する。
- プライマリケア医においては潜在的な COPD 患者が数多く受診しており、質問票によるスクリーニングやスパイロメトリー、病診連携を活用して円滑な診断と治療を行う。
- 呼吸器専門医は連携システムの構築だけでなく地域医療者の呼吸ケアの技術を高め、増悪の予防と早期対応、呼吸リハビリテーションなどについて多職種によるチーム医療の実践を目指す。
- 吸入薬をはじめとする薬剤の適正使用とアドヒアランス維持・向上のために保険薬局などとの連携を推進する。

1. COPD における医療連携システムの必要性

本邦では、COPD の認知度は低いだけでなく、症状の訴えの乏しい疾患特性から診断されにくい。呼吸器以外の疾患で診療所に通院中の患者を対象とした COPD の有病率は、一般人を対象とした NICE study よりも高く[1-3]、すでに呼吸器専門医に通院中の患者は3割にも満たず、プライマリケア医を受診する患者が4割で最も多く、潜在的な患者もプライマリケア医を受診していることが多いことが報告されている[4]。

さらに社会構造の変化が医療提供体制のあり方を変えてきた。"安定期はプライマリケア医、急性期は病院専門医"といった機能分化と、在宅医療の強化が進められている。

一方で、慢性疾患の増加が世界的な課題となり、これに対処すべく新たな疾患管理モデル（IDM）が提唱されている。IDM は多職種からなる医療チームと患者とが良好な関係を保ち、必要な情報を共有し、計画されたケアや自己管理教育が実施されるもので、COPD においても QOL や運動耐容能の改善、増悪入院の回数や期間の抑制が示されている[5,6]。

以上のことから、管理目標を達成し、早期発見・治療（二次予防）、リハビリテーション、増悪の予防と早期対応（三次予防）を可能にするためには、地域で必要な技術や患者情報を共有し、円滑に連携できるような新たな医療体制システムの構築が必要である。

2. プライマリケア医と呼吸器専門医との連携

プライマリケア医と呼吸器専門医のそれぞれの役割と立場を図1に示した[1]。プライマリケア医は、それぞれの地域の患者の生活習慣、健康状態、家族背景などに関するさまざまな情報を有しており、総合的に患者とかかわる立場にある。プライマリケア医は、呼吸器専門医より COPD 患者の初期診療を担う可能性が高く、暫定診断または確定診断、初期治療の導入などに深く関与する。また、確定診断や鑑別診断のため、診断や治療方針についてアドバイスを得るために呼吸器専門医にコンサルトを行う。一方、呼吸器専門医は、プライマリケア医との連携を介して、確定診断や重症度判定、治療・管理の適正化、LTOT/HOT、NPPV や呼吸リハビリテーション、および患者教育などの専門性の高い診療を提供する。た

168

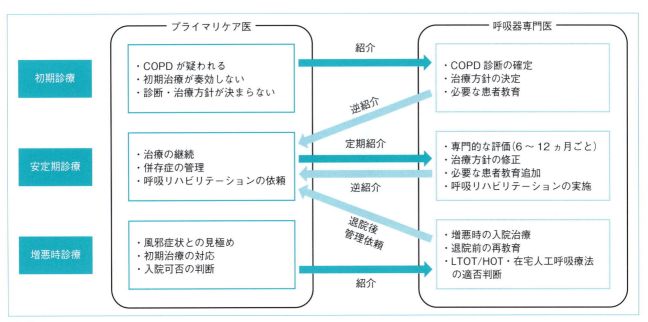

図1 COPDにおけるプライマリケア医と呼吸器専門医の病診連携の例
プライマリケア医は主に診断、薬物療法の導入、禁煙、日常生活指導、ワクチン接種、併存疾患管理など幅広くかかわる一方で、呼吸器専門医は治療の最適化、呼吸リハビリテーションの導入、増悪管理、LTOT/HOT・人工呼吸療法の導入等の専門性の高い領域を担う。地域の特性を踏まえて双方が適宜補完しながら個々の患者に最適な医療を継続的に提供する。

(文献1より改変引用)

だし、ガイドラインの実践においては、地域ごとの医療資源の実情を鑑みる必要がある。そのためには、日本COPD対策推進会議などの関連団体による協議の場を活用し、診療に必要とされる技術、地域の医療資源、医療者の役割分担について、あらかじめ十分な話し合いを行うことが前提となる。

3. プライマリケア医の役割

a. 早期発見および診断率向上

COPD患者は、潜在的にプライマリケア医を受診している可能性が高い。早期発見および診断率向上には、プライマリケア医の役割は非常に大きい。疾患特性から特異的な症状がなく、本疾患をいかに疑うかが重要である。咳、痰、喘鳴、呼吸困難や胸部違和感など一般的な呼吸器症状が遷延する、あるいは反復される場合は本疾患を疑う。また、本邦の患者は高齢者が多く、症状を訴えない、あるいは自覚していないこともあることに注意を要する。

スクリーニングとしてCOPD-Q、COPD-PSなどの質問票を活用する[1,2]［第Ⅱ章-D-1. 問診（医療面接）、質問票を参照］。確定診断［第Ⅱ章-A. 診断（診断基準）

を参照］にはスパイロメトリー検査や気管支拡張薬の吸入が必須であるが、プライマリケア医の多くはスパイロメトリーを保有あるいは活用していないことが知られている[1,3]。スパイロメトリーには技術的な習熟が必要なものの、プライマリケア医においても検査手順を学ぶことで適切に実施することが可能である[3]。FEV_1などの説明で患者の理解が得にくい場合は、実年齢との乖離で示す「肺年齢」(http://www.hainenrei.net)を用いるとよい。

JRSは、COVID-19流行期におけるCOPD診療に関して「COVID-19流行期日常診療における慢性閉塞性肺疾患（COPD）の作業診断と管理手順」（図2）[4]を推奨している。プライマリケア医によるスパイロメトリー実施の普及が望まれるが、COVID-19流行にかかわらず、スパイロメトリーが困難な場合には実践的に本作業診断と管理手順の活用が可能である。

b. 呼吸器専門医へのコンサルトのタイミング

プライマリケア医ではスパイロメトリーなどの検査の実施が困難な場合がある。その場合には、呼吸器専門医へのコンサルトを検討すべきである。①確定診断や重症度判定、他疾患との鑑別あるいは治療や管理に苦慮する場合［第Ⅱ章-A. 診断（診断基準）を参照］、②プライ

第Ⅲ章 治療と管理

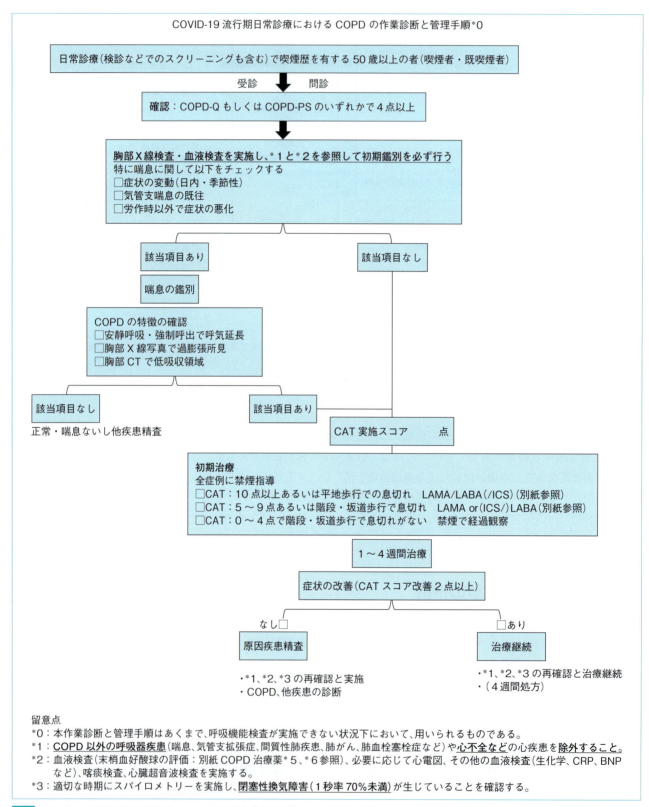

図2 COVID-19流行期日常診療における慢性閉塞性肺疾患（COPD）の作業診断と管理手順

JRSはCOVID-19流行下でスパイロメトリーが困難な場合を想定したCOPDの作業診断および管理手順を示している（https://www.jrs.or.jp/covid19/file/OLD_20210108_att.pdf）。本手順はスパイロメトリーが困難な医療機関でのCOPD診療にも応用できる。

（文献4より引用）

マリケア医では実施困難な検査を必要とする場合（確定診断にかかわる検査では、気管支拡張薬使用後のスパイロメトリーや胸部HRCT、残気量やDLCOなどの特殊肺機能検査は、実施の可否についても呼吸器専門医にコンサルトする）、③治療や管理で難渋する場合［安定期における治療選択や管理方針の適正化、呼吸リハビリテーション、LTOT/HOTやHMV管理の導入や継続（**第Ⅲ章-C-6. 在宅管理を参照**）、または増悪時の重症度判定や治療の選択］、④入院やICU管理を要する場合（**第Ⅲ章-D-2. 増悪の重症度判定・入院の適応を参照**）である。

　鑑別においては、日常で診療する可能性が高く、COPDの臨床症状に酷似する喘息や心疾患は重要である。喘息の鑑別や合併については、ACO診断基準における喘息の特徴を参考にするとよい（**第Ⅲ章-C. 安定期の管理-表1を参照**）。心疾患において、肺気腫の影響や駆出率が保たれている心不全などは、しばしば心エコー図での評価が困難とされ、血中BNPまたは血清pro-BNP測定が有用とされる[5,6]。

　症状が強く（CAT ≧ 10点）、増悪を頻回に繰り返す（過去1年間に中等度の増悪が2回以上、または重度の増悪が1回以上ある）患者は診断や治療を見直す必要がある。また、低酸素血症や高二酸化炭素血症が合併している患者では、LTOT/HOT・NPPVの導入について呼吸器専門医にコンサルトする。プライマリケア医でもLTOT/HOTの導入に際してはパルスオキシメータを用いた判定が可能であるが、初めてLTOT/HOT・NPPV導入を考慮する際には、高二酸化炭素血症の有無のチェックなどのため、動脈血ガス分析が可能な施設が望ましい。

　増悪期では、意識障害や呼吸状態の悪化で重度の増悪と診断した際は、入院あるいはICU管理などの判断を含めて、呼吸器専門医あるいは基幹病院への紹介を考慮する（**第Ⅲ章-D. 増悪期の管理を参照**）。軽度（セルフマネジメントを含めて）や中等度の増悪に対する初期治療介入を行って改善がみられないときも紹介を考慮する。

　さらに、COPD患者は多種多彩な全身併存症（**第Ⅰ章-G. 全身の併存症を参照**）や、肺合併症（**第Ⅰ章-H. 肺の合併症を参照**）を有する。全身麻酔を必要とする手術から眼科などの小手術まで、麻酔法や術式、周術期合併症も含めて呼吸器専門医の意見を求める[7]。

c. 治療・管理（第Ⅲ章の各項を参照）

　プライマリケア医は、患者の最も身近な存在として、禁煙指導、感冒や過労の予防、適度の運動、栄養指導などの具体的な療養相談、肺炎球菌ワクチン、インフルエンザワクチン、COVID-19ワクチンなどの予防接種・相談に対応する。また、薬物療法、LTOT/HOT・NPPVや全身併存症の管理や維持を担う。普段のADLや生活環境を把握し、その変化に応じて往診や訪問看護などの在宅医療を提供し、介護サービスの調整を担う。

　安定期の重症度は、日ごろの症状やQOLと過去の増悪歴で総合的に評価する（**第Ⅲ章-C. 安定期の管理を参照**）。症状やQOLは、mMRC息切れスケールやCATを用いて具体的に点数化するとよい（**図2**）[4]。また、日々の健康状態や行動を可視化するために、息切れの程度や痰の有無、1日あたりの歩数などを療養日誌に記載し、受診の際に確認し助言を行うとよい。

　増悪の早期診断、初期対応も重要な役割である。増悪の特異的なバイオマーカーはなく、感冒様症状や倦怠感を訴えて来院した際は、息切れの悪化や咳・痰の増加、痰の色調の変化がないか丁寧な問診を行う。これらの症状がなくても今後増悪に至る可能性を考慮し、あらかじめ対処法（セルフマネジメントとしてSABAの頓用吸入や呼吸器専門医への受診など）を指導する。

1）禁煙

　禁煙はすべての重症度で行うべき重要な介入である。禁煙治療は、行動療法や薬物療法の組み合わせが有効である[8]。日々の診療においても、喫煙者に対して禁煙するための助言を行い、禁煙外来と円滑な連携ができるようにしておく。

2）運動と栄養療法

　運動療法はCOPD治療の根幹をなすもののひとつで、薬物療法との上乗せ効果が期待できる。家庭でできる口すぼめ呼吸や腹式呼吸で息切れをコントロールしながら、呼吸筋ストレッチ、歩行を中心とする下肢筋トレーニングや上肢筋・呼吸筋の筋力トレーニングを組み合わせ、身体活動の向上を目指す。プライマリケア医での包括的呼吸リハビリテーションの介入・継続が困難な場合は、呼吸器専門医にコンサルトする。プライマリケア医は、望ましいライフスタイルへの行動の変容をもたらすよう、呼吸リハビリテーションプログラムを提供で

第Ⅲ章　治療と管理

きる施設と連携し、プログラム終了後も身体活動レベル
が維持できるよう適宜評価と動機づけを行う。

　栄養指導においては、低栄養状態にあると医師が認め
る患者に対して栄養指導管理料が算定できるようになっ
たことから、実施可能な医療機関との連携を推進する。

3）薬物療法

　長期の薬物療法、とりわけ吸入療法はアドヒアランス
が低いことが問題となっている。薬効を最大限に得るた
めには、吸入器の操作を患者が正しく実施できることが
前提となるが、そのためには吸入手技を医療者が繰り返
し評価・指導することが必要である。看護師やかかりつ
け薬局との円滑な連携を図り、家族や介護者を巻き込ん
だ支援体制を築く。

4）LTOT/HOT・NPPV の維持

　患者・家族が LTOT/HOT の意義を理解し、機器の取
り扱いができるよう、繰り返し指導を行う。トラブル時
の対応や、喫煙・火気のリスク回避など、在宅で安全か
つ適正に LTOT/HOT を行えるよう、訪問看護師や医療
機器業者などと連携する。また、停電・災害時において
は、どのように行動すべきかあらかじめ患者・家族への
説明を行い、必要に応じて呼吸器専門医や専門（基幹）
施設と連携する。

　NPPV の導入は高二酸化炭素血症（$PaCO_2 \geq 45Torr$）
で検討する。そのため、導入後も少なくとも年 1 回は、
動脈血ガス分析が可能である施設に限定される。適用判
定、導入、導入後の調整については、プライマリケア医
と呼吸器専門医双方が情報を十分共有したうえで、訪問
看護師や医療機器業者などの関係者と密な連携を進めて
いく。

5）全身併存症の管理

　高齢者では複数の慢性疾患を併存しており、予後に影
響することからも、必要に応じて個々の専門医と連携し
ながら総合的に管理する。ポリファーマシー（polyphar-
macy：多剤服用）についてもかかりつけ薬局と連携し、
適宜見直しと調整を行う。

6）終末期在宅ケア

　慢性呼吸不全における終末期の在宅ケアをプライマリ
ケア医が中心に行う場合、倫理的配慮と十分なインフ

オームド・コンセントに基づき、訪問看護ステーショ
ン、呼吸器専門医、入院可能な施設などと緊密な連携を
行う（**第Ⅲ章-C-7．終末期 COPD への対応**を参照）。

4．呼吸器専門医の役割

a．連携推進とシステム構築

　呼吸器専門医は、プライマリケア医の診療を補完すべ
く、地域特性を踏まえたうえで COPD 患者の疾患特性に
合わせた連携推進とシステム構築に努める。さらに専門
的な立場で、プライマリケア医や他職種の医療者ととも
に、地域での問題点を具体化し（計画 = P：plan）、早期
診断のための連携推進、吸入指導の連携推進、地域連携
パスを作成し（実施 = D：do）、活用したパスを定期的
に評価することで（評価 = C：check）、地域に合わせた
システムに変更していく（見直し = A：act）（PDCA サ
イクル）。高齢者においては訪問看護との連携を推進
し、在宅呼吸ケアの質向上を図る。緊急時・災害時の対
応についてもあらかじめ十分協議し、情報を共有する。

b．診療の標準化

　呼吸器専門医は、プライマリケア医やその他の医療者
あるいは地域全体的に、専門家の立場として診療の標準
化を推進する。クリティカルパスの作成と実施や定期的
な勉強会を介して、常に新しい情報を地域で共有するよ
うに努める。

c．呼吸ケアを担う医療者の育成

　地域呼吸ケアの質向上を目指すべく、地域の吸入指
導・運動療法・自己管理教育の担い手であるプライマリ
ケア医や医療者に対して勉強会を通じて技術指導を行
う。さらに、プライマリケア医や慢性呼吸器疾患認定看
護師・呼吸ケア指導士らと協働し、より重症な患者、増
悪を繰り返す患者などを対象に地域レベルでのチーム医
療を実践し、増悪や入院を回避できるよう努める。

d．自己管理教育の推進

　増悪を繰り返す重症患者に対しては、増悪による影響
を最小限にし、入院を減らすために増悪の症状と具体的
な対処法を書面にしたアクションプランを作成する。医
療者の指導・支援のもとでアクションプランを実施し、
在宅で増悪への早期対応を促すことで増悪による入院の

減少が得られることが報告されている[1]。

5. 医療連携の今後のあり方

地域包括ケアシステムの構築が推進されるなかで、COPD 患者が地域社会とのつながりを保ち、身体活動性の低下や増悪を最小限にしながら暮らしを維持するためには、呼吸器専門医やプライマリケア医を含む医療者間の疾患連携にとどまらず、介護サービスや保健所・行政などとの長期的展望を見据えた議論が必要である。

また、二次予防についても「健康日本 21（第二次）」で示された COPD 認知度向上（令和 4 年度目標 80 ％）を目的とした疾患啓発活動や、早期発見のための行政や医師会と協働した検診などへの取り組みが求められる。

References

Ⅲ-F-1. COPD における医療連携システムの必要性

1) 岩永知秋, 川山智隆, 澤田昌典, 他. COPD 疫学調査後のプライマリケア医診療の追跡調査と診療上の問題点. 呼吸. 2008；27：71-7.［Ⅳb］

2) 古賀丈晴, 津田 徹, 大森久光, 他. 肺機能検査実施の動機が異なる3集団を対象とした潜在的 COPD の疫学調査 人間ドック、プライマリケア、術前評価での比較. 呼吸. 2006；25：801-6.［Ⅳb］

3) 大林浩幸, 加藤達雄, 渡邊 篤, 他. COPD 早期診断のためのプライマリー・ケア領域におけるスパイロキャラバンの成果. 日本呼吸器学会雑誌. 2014；3：372-9.［Ⅳb］

4) 一ノ瀬正和, 相澤久道, 石坂彰敏, 他. 日本における慢性閉塞性肺疾患（COPD）患者の大規模電話実態調査 Confronting COPD Japan Survey. 日呼吸会誌. 2007；45：927-35.［Ⅳb］

5) Nici L, ZuWallack R; American Thoracic Society Subcommittee on Integrated Care of the COPD Patient. An official American Thoracic Society workshop report: the Integrated Care of The COPD Patient. Proc Am Thorac Soc. 2012；9：9-18.［Ⅵ］

6) Kruis AL, Smidt N, Assendelft WJ, et al. Integrated disease management interventions for patients with chronic obstructive pulmonary disease. Cochrane Database Syst Rev. 2013；(10)：CD009437.［Ⅰ］

Ⅲ-F-2. プライマリケア医と呼吸器専門医との連携

1) 日本医師会. 禁煙推進活動. 日本 COPD 対策推進会議（編）. COPD 診療のエッセンス2014年版. 2014. https://www.med.or.jp/index.htm（accessed 2021-08-30）［Ⅵ］

Ⅲ-F-3. プライマリケア医における COPD 診療

1) Kawayama T, Minakata Y, Matsunaga K, et al. Validation of symptom-based COPD questionnaires in Japanese subjects. Respirology. 2008；13：420-6.［Ⅳb］

2) Tsukuya G, Matsumoto K, Fukuyama S, et al. Validation of a COPD screening questionnaire and establishment of diagnostic cut-points in a Japanese general population: The Hisayama study. Allergol Int. 2015；64：49-53.［Ⅳa］

3) Schermer TR, Jacobs JE, Chavannes NH, et al. Validity of spirometric testing in a general practice population of patients with chronic obstructive pulmonary disease (COPD). Thorax. 2003；58：861-6.［Ⅳb］

4) 日本呼吸器学会. COVID-19 流行期日常診療における慢性閉塞性肺疾患（COPD）の作業診断と管理手順. 2021. https://www.jrs.or.jp/covid19/file/OLD_20210108_att.pdf（accessed 2022-04-26）［Ⅵ］

5) Brunner-La Rocca HP, Eurlings L, et al. Which heart failure patients profit from natriuretic peptide guided therapy? A meta-analysis from individual patient data of randomized trials. Eur J Heart Fail. 2015；17：1252-61.［Ⅳ］

6) Paulus WJ, Tschöpe C. A novel paradigm for heart failure with preserved ejection fraction: comorbidities drive myocardial dysfunction and remodeling through coronary microvascular endothelial inflammation. J Am Coll Cardiol. 2013；62：263-71.［Ⅳ］

7) Kroenke K, Lawrence VA, Theroux JF, et al. Postoperative complications after thoracic and major abdominal surgery in patients with and without obstructive lung disease. Chest 1993；104：1445-51.［Ⅱ］

8) van Eerd EA, van der Meer RM, van Schayck OC, et al. Smoking cessation for people with chronic obstructive pulmonary disease. Cochrane Database Syst Rev. 2016；2016：CD010744.［Ⅰ］

Ⅲ-F-4. 呼吸器専門医の役割

1) Howcroft M, Walters EH, Wood-Baker R, et al. Action plans with brief patient education for exacerbations in chronic obstructive pulmonary disease. Cochrane Database Syst Rev. 2016；12：CD005074.［Ⅰ］

第 IV 章

Clinical Question

第Ⅳ章　Clinical Question

CQ 01 安定期COPDに対するLABA使用下のSAMAの併用を推奨するか？

CQ01の推奨	安定期COPDに対するLABA使用下のSAMAの併用を弱く推奨する（提案する）
エビデンスの確実性	Ⓐ 強い

解説文

アウトカム指標

アウトカムとして「呼吸機能（初回吸入時のベースラインからのFEV$_1$の最大変化量）」「呼吸困難（TDI）」「HRQOL：SGRQの変化量」「運動耐容能：6MWDの変化量」「身体活動性（PAL）の変化」「観察期間中の増悪」「長期使用時の有害事象：重篤な有害事象、心血管系有害事象、排尿障害」を評価した。

メタ解析にはランダム効果モデルによるMantel-Haenszel methodとInverse Variance method（Review Manager 5.4.1）を用い、連続変数はMD、二値変数はORを効果の指標とした。

採用論文

40歳以上の安定期COPDを対象に、LABA使用下のSAMA併用について比較を行った介入研究、観察研究を検索した。検索にあたっては英文ならびに和文を対象とし、英文報告については公開されている未刊行データも対象とした。データベースで検出された1,891編から最終的にRCT 7編（未刊行データ2編を含む論文8編）を選択した[1-8]。

結果

1) 呼吸機能：初回吸入時のベースラインからのFEV$_1$の最大変化量（重要度9点）（図1）

RCT 7編すべてにおいて評価項目にFEV$_1$は含まれていたが、そのうち初回吸入時のベースラインからのFEV$_1$の最大変化量が記載されていたものは3編[4-6]で、軽度の非直接性ありと判断した。これら3編（877例）でメタ解析を行い、LABA+SAMA群はLABA群と比較してMD 98.70mL（95％ CI 63.13 to 134.26mL、p＜0.00001）と有意なFEV$_1$改善を認めた。また、この改善はMCID 100mLと同等と考えた。I^{2}統計量は22％と非一貫性は軽度であった。以上よりエビデンスの確実性はAと判断した。

2) 呼吸困難：TDI（重要度9点）（図2）

RCT 2編（761例）[5,6]でメタ解析を行った。LABA+SAMA群はLABA群と比較してMD 0.85（95％ CI 0.16 to 1.54、p＝0.02）と有意な呼吸困難改善がみられたが、MCIDである1点には達しなかった。I^{2}統計量は68％と中等度の非一貫性を認めた。以上よりエビデ

試験またはサブグループ	LABA+SAMA 群 平均(mL)	SD(mL)	合計	LABA 群 平均(mL)	SD(mL)	合計	比重	MD Ⅳ, Random, 95% CI
Sichletidis 1999	335.2	127.8	27	282.6	134.6	27	22.0%	52.60 [−17.41 to 122.61]
SMS40314 2005	340	285.7	204	220	142.5	203	45.6%	120.00 [76.17 to 163.83]
SMS40315 2005	320	285.7	208	220	288.4	208	32.5%	100.00 [44.83 to 155.17]
合計 [95% CI]			439			438	100.0%	98.70 [63.13 to 134.26]

異質性：Tau²=222.44；Chi²=2.56, df=2 (p=0.28)；I²=22%
全体の効果に対する検定：Z=5.44 (p<0.00001)

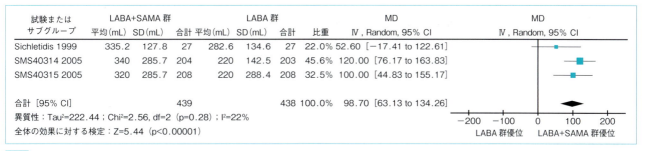

図1 初回吸入時のベースラインからの FEV_1 の最大変化量

試験またはサブグループ	LABA+SAMA 群 平均	SD	合計	LABA 群 平均	SD	合計	比重	MD Ⅳ, Random, 95% CI
SMS40314 2005	2.5	2.8	194	1.3	2.7	189	50.1%	1.20 [0.62 to 1.75]
SMS40315 2005	1.7	2.8	190	1.2	2.7	188	49.9%	0.50 [−0.05 to 1.05]
合計 [95% CI]			384			377	100.0%	0.85 [0.16 to 1.54]

異質性：Tau²=0.17；Chi²=3.08, df=1 (p=0.08)；I²=68%
全体の効果に対する検定：Z=2.43 (p=0.02)

図2 TDI スコア

試験またはサブグループ	LABA+SAMA 群 平均	SD	合計	LABA 群 平均	SD	合計	比重	MD Ⅳ, Random, 95% CI
SMS40314 2005	−7.8	11	190	−6.1	10.9	186	45.2%	−1.70 [−3.91 to 0.51]
SMS40315 2005	−7	12.3	188	−4.8	10.9	185	39.9%	−2.20 [−4.56 to 0.16]
van Noord 2000	−2.4	11	45	−0.01	7.1	43	14.9%	−2.39 [−6.24 to 1.46]
合計 [95% CI]			423			414	100.0%	−2.00 [−3.49 to −0.51]

異質性：Tau²=0.00；Chi²=0.14, df=2 (p=0.93)；I²=0%
全体の効果に対する検定：Z=2.64 (p=0.008)

図3 SGRQ の変化量

ンスの確実性は B と判断した。

3〉HRQOL：SGRQ の変化量（重要度 9 点）(図 3)

RCT 3 編（837 例）[5-7] でメタ解析を行った。LABA+SAMA 群は LABA 群と比較して MD −2.00（95 % CI −3.49 to −0.51、p = 0.008）と SGRQ の有意な改善を認めたが、MCID である 4 点には達しなかった。I^2 統計量は 0 % で非一貫性を認めなかった。以上よりエビデンスの確実性は A と判断した。

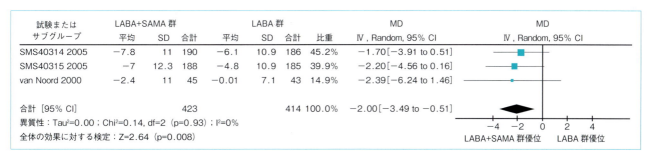

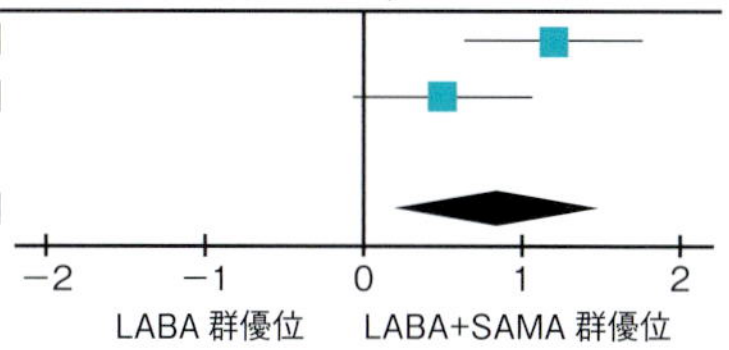

4〉運動耐容能：6MWD の変化量（重要度 9 点）

該当論文は認めなかった。

5〉身体活動性：PAL の変化（重要度 9 点）

該当論文は認めなかった。

6〉観察期間中の増悪（重要度 6 点）（図 4）

RCT 3 編（936 例）[5-7] でメタ解析を行った。LABA+SAMA 群は LABA 群と比較して OR 0.65（95 % CI 0.33 to 1.27、p = 0.20）と増悪回数には有意な差を認めなかった。I^2 統計量は 34 % と軽度の非一貫性を認め、イベント数（LABA+SAMA 群：26 例/473 例、LABA 群：37 例/463 例）と信頼区間から不精確性ありと判断した。以上よりエビデンスの確実性は B と判断した。

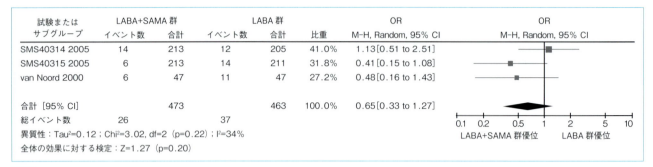

図4 増悪

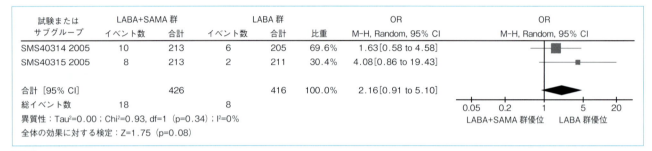

図5 重篤な有害事象

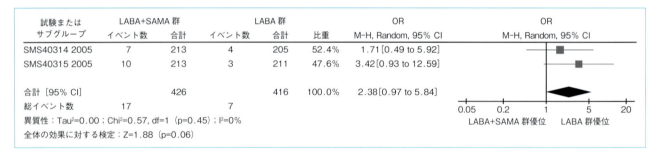

図6 心血管系有害事象

7） 長期使用時の有害事象：重篤な有害事象（重要度8点）（図5）

　有害事象を評価項目に含むRCT 3編[5-7]のうち、重篤な有害事象について言及されている2編（842例）[5,6]でメタ解析を行った。LABA+SAMA群はLABA群と比較してOR 2.16（95％ CI 0.91 to 5.10、p＝0.08）と重篤な有害事象が多い傾向を認めた。I^2統計量は0％と非一貫性を認めなかった。イベント数（LABA+SAMA群：18例/426例、LABA群：8例/416例）と信頼区間から不精確性ありと判断した。以上よりエビデンスの確実性はBと判断した。

8） 長期使用時の有害事象：心血管系有害事象（重要度7点）（図6）

　有害事象を評価項目に含むRCT 3編[5-7]のうち、心血管系有害事象について言及されている2編（842例）[5,6]でメタ解析を行った。LABA+SAMA群はOR 2.38（95％ CI 0.97 to 5.84、p＝0.06）とLABA群と比較して心血管系有害事象が多い傾向を認めた。I^2統計量は0％と非一貫性を認めなかった。イベント数（LABA+SAMA群：17例/426例、LABA群：7例/416例）と信頼区間から不精確性ありと判断した。以上よりエビデンスの確実性はBと判断した。

9）長期使用時の有害事象：排尿障害（重要度7点）

有害事象を評価項目に含むRCT 3編[5-7]のうち、泌尿器系有害事象について言及されているものは2編（842例）[5,6]あったが、排尿障害はLABA+SAMA群で1例報告されているのみでメタ解析は実施できなかった。サンプル数、イベント数に限りがあり、不精確ありと判断した。以上よりエビデンスの確実性はCと判断した。

システマティックレビューのまとめ

安定期COPD患者に対するLABA+SAMA群は、LABA群と比較して有意に呼吸機能（初回吸入時のベースラインからのFEV$_1$の最大変化量）を改善し（エビデンスの確実性A）、呼吸困難症状（TDI）（エビデンスの確実性B）、HRQOL（SGRQの変化量）をわずかに改善した（エビデンスの確実性A）。増悪の頻度には差を認めなかった（エビデンスの確実性B）。重篤な有害事象や心血管系有害事象は多い傾向を認めた（エビデンスの確実性B）が、臨床的に問題になる排尿障害はみられなかった。運動耐容能、身体活動性への効果についてのエビデンスは乏しい。

推奨の強さを決定するための評価項目

1）アウトカム全般に関する全体的なエビデンスの強さ：**強い**

重要度の高いアウトカムである呼吸機能、呼吸困難症状、HRQOLについて2編以上のRCTによる評価で有意な改善がみられている。それらのエビデンスの質から判断した。

2）益と害のバランスは確実か：**確実**

副作用についてはLABA+SAMA群において重篤な有害事象、心血管系有害事象が多い傾向を認めたが、重要度の高いアウトカムで有意な改善がみられていることを踏まえ、LABA+SAMA群の有益性が支持される。

3）患者の価値観や好みを反映しているか：**反映している**

自覚症状の改善、HRQOLの改善を多くの患者は好むと推測される。

4）負担の確実さ（あるいは相違）正味の利益がコストや資源に十分見合っているか：**見合っている**

吸入薬の増加に伴う経済的負担や吸入回数の増加、有害事象に対するリスクはあるものの、重要度の高いアウトカムにおいて有意な改善がみられており、負担に見合った利益が得られると考えられる。

委員会における検討内容と結果

当初はLABDs使用下でのSABDsの併用効果全般についての評価を検討したが、メタ解析に耐えうる組み合わせはLABA+SAMAのみであった。一方、本邦の実臨床でのLABDsとSABDsの併用は、LAMA+SABAの組み合わせが多く処方される。これを踏まえ、委員会では推奨度を下げる必要があるのではないかとの意見があった。一方で、設定したCQに対してのみ推奨度を決定することがよいのではないかとの意見も得られた。

COIのあるガイドライン委員を除く50名で投票を行った。17名/50名（34％）が「行うことを強く推奨する」、30名/50名（60％）が「行うことを弱く推奨する（提案する）」、2名/50名（4％）が「判定不能」、1名/50名（2％）が「行わないことを弱く推奨する（提案する）」に投票した。1つのカテゴリーへの2/3以上の得票はなされなかったが、推奨の方向性が一致していることを踏まえ、「安定期COPDに対するLABA使用下のSAMAの併用を弱く推奨する（提案する）」と決定した。

References

1) Cazzola M, Di Perna F, Centanni S, et al. Acute effect of pretreatment with single conventional dose of salmeterol on dose-response curve to oxitropium bromide in chronic obstructive pulmonary disease. Thorax. 1999；54：1083-6. ［Ⅲ］
2) Cazzola M, Matera MG, Di Perna E, et al. Influence of higher than conventional doses of oxitropium bromide on formoterol-induced bronchodilation in COPD. Respir Med. 1999；93：909-11. ［Ⅲ］

第Ⅳ章 Clinical Question

3) Matera MG, Caputi M, Cazzola M. A combination with clinical recommended dosages of salmeterol and ipratropium is not more effective than salmeterol alone in patients with chronic obstructive pulmonary disease. Respir Med. 1996 ; 90 : 497-9. [Ⅱ]

4) Sichletidis L, Kottakis J, Marcou S, et al. Bronchodilatory responses to formoterol, ipratropium, and their combination in patients with stable COPD. Int J Clin Pract. 1999 ; 53 : 185-8. [Ⅱ]

5) GlaxoSmithKline. A multi-center, randomized, double-blind, double-dummy, parallel-group 8-week comparison of salmeterol xinafoate versus ipratropium bromide versus salmeterolxinafoate plus ipratropium bromide versus placebo in subjects with chronic obstructive pulmonary disease, SMS40314. GlaxoSmithKline clinical study register. 2005 [unpublished data].

6) GlaxoSmithKline. A multi-center, randomized, double-blind, double-dummy, parallel-group 8-week comparison of salmeterol xinafoate versus ipratropium bromide versus salmeterolxinafoate plus ipratropium bromide versus placebo in subjects with chronic obstructive pulmonary disease, SMS40315. GlaxoSmithKline clinical study register. 2005 [unpublished data].

7) van Noord JA, de Munck DR, Bantje TA, et al. Long-term treatment of chronic obstructive pulmonary disease with salmeterol and the additive effect of ipratropium. Eur Respir J. 2000 ; 15 : 878-85. [Ⅱ]

8) Rutten-van Molken M, Roos B, Van Noord JA. An empirical comparison of the St George's Respiratory Questionnaire (SGRQ) and the Chronic Respiratory Disease Questionnaire (CRQ) in a clinical trial setting. Thorax. 1999 ; 54 : 995-1003. [Ⅱ]

CQ02 安定期COPDに対して、LAMAによる治療を推奨するか？

安定期COPDに対して、LAMAによる治療を推奨するか？

CQ02の推奨	安定期COPDに対して、LAMAによる治療を行うことを強く推奨する
エビデンスの確実性	Ⓐ 強い

解説文

アウトカム指標

安定期COPD患者を対象に、LAMAによる治療の有無の2群で、下記のアウトカムについて評価を行った。アウトカムは、「増悪」「QOL（SGRQスコア）」「症状（TDIスコア）」「呼吸機能（トラフFEV_1）」「有害事象による治療中止」「重篤な有害事象（死亡）」とした。

メタ解析にはランダム効果モデルによるMantel-Haenszel methodとInverse Variance method（Review Manager 5.3）を用い、二値変数はOR、連続変数はLSMの変化量を効果の指標とした。

採用論文

MEDLINE、The Cochrane Central Register of Controlled Trials（CENTRAL）、PubMed、EMBASEを用いて2019年12月までに発表された英文の論文を検索した。GOLDの診断基準により診断された、40歳以上の安定期COPD患者に対するLAMAとプラセボを比較したRCTを対象とした。観察期間が12週間に満たない試験、オープンラベルや盲検化されていない試験、SAMAとLAMAを比較する試験は解析から除外された。LAMAについては、チオトロピウム、グリコピロニウム、アクリジニウム、そしてウメクリジニウムの4剤を

対象とした。検索により241編の論文が選択されたが、論文内容から155編は除外された。その後上記条件により選択を行い、最終的に33編の論文が解析対象として選択された[1-33]。すべての論文において製薬会社からの資金提供があった。

結果

1） 増悪（重要度9点）（図1）

16編の論文で15,825例の患者が対象となった。12～96週間の観察期間で1回以上の増悪を起こした患者は、LAMA群で42.0％（3,459例/8,229例）と、プラセボ群の47.3％（3,593例/7,596例）と比較して有意に少なかった（OR 0.75、95％CI 0.66 to 0.85、$p<0.00001$、$I^2 = 54$％）。I^2統計量より非一貫性のバイアスリスクがあると判断された（エビデンスの確実性はⒷ）[1-16]。

2） SGRQスコア（重要度9点）（図2）

11編の論文で5,756例の患者が対象となった[5,7,9,10,12,14,17-21]。12～96週間の観察期間でLAMA群とプラセボ群間のSGRQの差は、平均−3.61（95％CI −4.27 to −2.95、

第Ⅳ章　Clinical Question

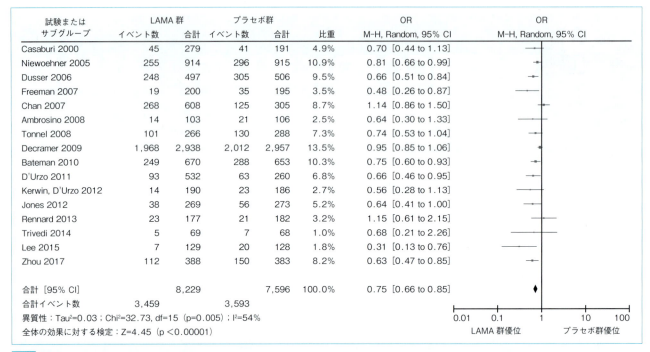

図1　増悪

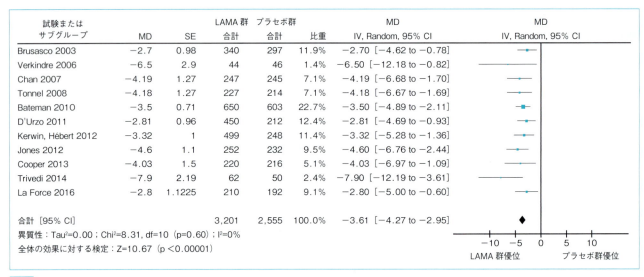

図2　SGRQ スコア

p<0.00001、$I^2=0$％）と有意な差を認めた。この差はMCIDである4に近い値であった。非一貫性のバイアスリスクはなかった（エビデンスの確実性はA）。

3　TDI スコア（重要度9点）（図3）

9編の論文で5,059例の患者が対象となった[9,10,12,14,17-19,21,22]。12〜48週間の観察期間でLAMA群とプラセボ群のベースラインからのTDIスコアの差は、平均1.00（95

％ CI 0.83 to 1.17、p<0.00001、$I^2=0$％）と有意な差を認めた。この差はMCIDである1と同等な値であった。非一貫性のバイアスリスクはなかった（エビデンスの確実性はA）。

4　トラフ FEV₁（重要度9点）（図4）

23編の論文で13,969例の患者が対象となった[1,2,4,5,7,9,10,12-19,23-30]。12〜96週間の観察期間で、LAMA

試験またはサブグループ	MD	SE	LAMA群 合計	プラセボ群 合計	比重	MD IV, Random, 95% CI
Casaburi 2002	1.1	0.2	325	507	19.4%	1.10 [0.71 to 1.49]
Brusasco 2003	1.1	0.3	297	340	8.6%	1.10 [0.51 to 1.69]
Verkindre 2006	1.28	0.89	44	43	1.0%	1.28 [−0.46 to 3.02]
Bateman 2010	1.05	0.17	603	650	26.9%	1.05 [0.72 to 1.38]
D'Urzo 2011	1.04	0.235	212	450	14.1%	1.04 [0.58 to 1.50]
Jones 2012	1	0.3	232	252	8.6%	1.00 [0.41 to 1.59]
Kerwin, Hébert 2012	0.57	0.276	193	411	10.2%	0.57 [0.03 to 1.11]
Trivedi 2014	1	0.5102	50	62	3.0%	1.00 [0.00 to 2.00]
La Force 2016	0.92	0.3061	188	200	8.3%	0.92 [0.32 to 1.52]
合計［95% CI］			2,144	2,915	100.0%	1.00 [0.83 to 1.17]

異質性：Tau²=0.00；Chi²=3.07, df=8（p=0.93）；I²=0%
全体の効果に対する検定：Z=11.34（p＜0.00001）

図3 TDIスコア

試験またはサブグループ	MD	SE	LAMA群 合計	プラセボ群 合計	比重	MD IV, Random, 95% CI
Casaburi 2000	0.15	0.02	276	188	4.6%	0.15 [0.11 to 0.19]
Donohue 2002	0.137	0.02	209	201	4.6%	0.14 [0.10 to 0.18]
Brusasco 2003	0.12	0.1	386	362	0.3%	0.12 [−0.08 to 0.32]
Covelli 2005	0.184	0.037	94	84	1.7%	0.18 [0.11 to 0.26]
Niewoehner 2005	0.1	0.0102	914	915	9.4%	0.10 [0.08 to 0.12]
Verkindre 2006	0.11	0.04	45	46	1.5%	0.11 [0.03 to 0.19]
Freeman 2007	0.06	0.0255	200	195	3.2%	0.06 [0.01 to 0.11]
Chan 2007	0.1	0.02	608	305	4.6%	0.10 [0.06 to 0.14]
Moita 2008	0.102	0.0311	147	164	2.3%	0.10 [0.04 to 0.16]
Johansson 2008	0.118	0.031	107	117	2.4%	0.12 [0.06 to 0.18]
Tonnel 2008	0.1	0.03	266	288	2.5%	0.10 [0.04 to 0.16]
Voshaar 2008	0.118	0.023	180	181	3.8%	0.12 [0.07 to 0.16]
Bateman 2010	0.127	0.013	670	653	7.7%	0.13 [0.10 to 0.15]
D'Urzo 2011	0.107	0.0173	552	270	5.6%	0.11 [0.07 to 0.14]
Kerwin, Hébert 2012	0.097	0.0165	513	245	5.9%	0.10 [0.06 to 0.13]
Jones 2012	0.128	0.022	272	276	4.0%	0.13 [0.08 to 0.17]
Rennard 2013	0.072	0.0219	178	182	4.1%	0.07 [0.03 to 0.11]
D'Urzo 2014	0.125	0.0126	912	436	7.9%	0.13 [0.10 to 0.15]
Troosters 2014	0.14	0.0255	238	219	3.2%	0.14 [0.09 to 0.19]
Trivedi 2014	0.134	0.023	167	167	3.8%	0.13 [0.09 to 0.18]
Lee 2015	0.126	0.0204	129	128	4.5%	0.13 [0.09 to 0.17]
Wang 2015	0.14	0.0148	296	147	6.7%	0.14 [0.11 to 0.17]
Zhou 2017	0.157	0.0173	419	422	5.6%	0.16 [0.12 to 0.19]
合計［95% CI］			7,778	6,191	100.0%	0.12 [0.11 to 0.13]

異質性：Tau²=0.00；Chi²=32.47, df=22（p=0.07）；I²=32%
全体の効果に対する検定：Z=23.05（p＜0.00001）

図4 トラフFEV_1

群のトラフFEV_1はプラセボ群と比較して平均0.12L（95％CI 0.11 to 0.13、p<0.00001、I^2 = 32％）と有意に増加していた。この差はMCIDである0.10Lを上回った。I^2統計量より非一貫性のバイアスリスクがあると判断された（**エビデンスの確実性はB**）。

5〉有害事象による治療中止（重要度6点）（図5）

29編の論文で20,929例の患者が対象となった[1,3-8,10-23,25-32]。12～144週間の観察期間で、LAMA群では7.30％（831例/11,384例）、プラセボ群では8.93％（852例/9,545例）が有害事象により治療薬が中止された。LAMA群で

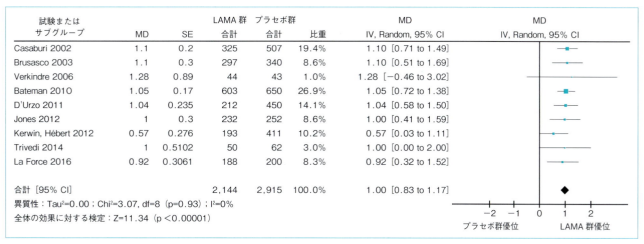

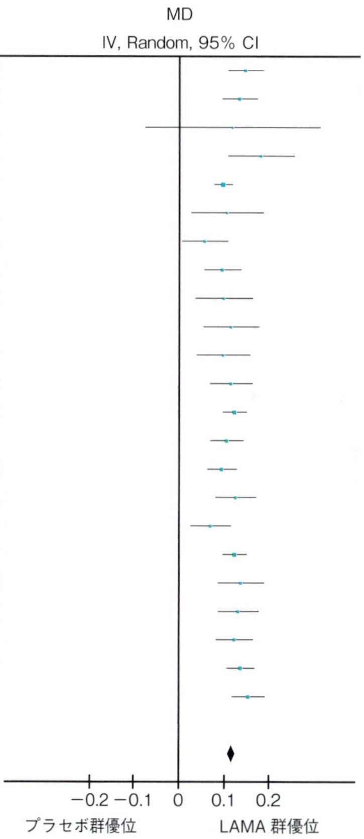

第Ⅳ章 Clinical Question

試験またはサブグループ	LAMA群 イベント数	合計	プラセボ群 イベント数	合計	比重	RD M-H, Random, 95% CI
Casaburi 2000	7	279	12	191	3.4%	−0.04 [−0.08 to 0.00]
Casaburi 2002	53	550	51	371	3.1%	−0.04 [−0.08 to 0.00]
Donohue 2002	12	209	39	201	2.0%	−0.14 [−0.20 to −0.07]
Brusasco 2003	29	402	64	400	3.1%	−0.09 [−0.13 to −0.04]
Adams 2006	7	130	13	88	1.3%	−0.09 [−0.18 to −0.01]
Verkindre 2006	1	46	6	54	1.1%	−0.09 [−0.18 to 0.00]
Dusser 2006	15	500	18	510	4.9%	−0.01 [−0.03 to 0.02]
Chan 2007	73	608	39	305	2.9%	−0.01 [−0.05 to 0.04]
Freeman 2007	11	200	22	195	2.4%	−0.06 [−0.11 to −0.00]
Voshaar 2008	13	180	16	181	2.3%	−0.02 [−0.07 to 0.04]
Ambrosino 2008	9	117	7	117	1.9%	0.02 [−0.05 to 0.08]
Tonnel 2008	13	266	31	288	3.0%	−0.06 [−0.10 to −0.01]
Johansson 2008	0	107	2	117	4.3%	−0.02 [−0.05 to 0.01]
Moita 2008	5	147	4	164	3.5%	0.01 [−0.03 to 0.05]
Decramer 2009	235	1,384	241	1,355	4.3%	−0.01 [−0.04 to 0.02]
D'Urzo 2011	30	552	16	270	3.8%	−0.00 [−0.04 to 0.03]
Kerwin, Hébert 2012	40	529	29	269	3.1%	−0.03 [−0.08 to 0.01]
Jones 2012	8	272	11	276	4.1%	−0.01 [−0.04 to 0.02]
Kerwin, D'Urzo 2012	7	190	7	186	3.5%	−0.00 [−0.04 to 0.04]
Cooper 2013	28	260	48	259	2.1%	−0.08 [−0.14 to −0.02]
Rennard 2013	8	178	4	182	3.6%	0.02 [−0.01 to 0.06]
Troosters 2014	1	238	1	219	5.7%	−0.00 [−0.01 to 0.01]
Trivedi 2014	1	69	0	68	3.4%	0.01 [−0.02 to 0.05]
D'Urzo 2014	70	1,081	45	539	4.4%	−0.02 [−0.05 to 0.01]
Wang 2015	8	305	3	154	4.3%	0.01 [−0.02 to 0.04]
Lee 2015	0	134	2	129	4.6%	−0.02 [−0.04 to 0.01]
La Force 2016	6	222	8	219	3.9%	−0.01 [−0.04 to 0.02]
Zhou 2017	23	419	17	422	4.3%	0.01 [−0.01 to 0.04]
Wise 2019	118	1,810	96	1,816	5.5%	0.01 [−0.00 to 0.03]
合計 [95% CI]		11,384		9,545	100.0%	−0.02 [−0.03 to −0.01]
合計イベント数	831		852			

異質性：$Tau^2=0.00$；$Chi^2=82.49$, df=28 (p＜0.00001)；$I^2=66\%$
全体の効果に対する検定：Z=3.07（p=0.002）

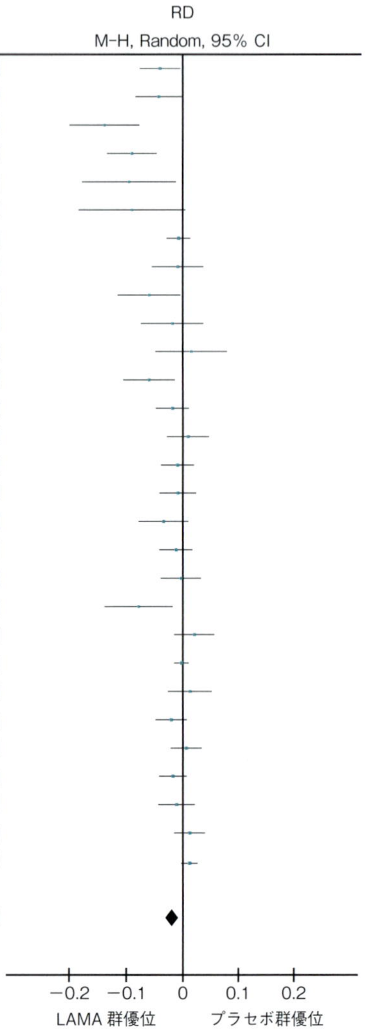

図5 有害事象による治療中止

はプラセボ群と比較して有害事象による治療中止が2％少なかった（95％ CI −0.03 to −0.01、p = 0.002、I^2 = 66％）。I^2統計量より非一貫性のバイアスリスクがあると判断された（エビデンスの確実性はB）。

6 重篤な有害事象（死亡）（重要度6点）（図6）

25編の論文で18,782例の患者が対象となった[1,2,5,7-13,15-17,19-25,27,28-30,33]。12〜96週間の観察期間でLAMA群では1.98％（204例/10,309例）、プラセボ群では2.47％（209例/8,473例）に重篤な有害事象による死亡があり、両群間に有意差は認めなかった（OR −0.00、95％ CI −0.00 to 0.00、p = 0.26、I^2 = 0％）非一貫性のバイアスリスクはなかった（エビデンスの確実性はA）。

システマティックレビューのまとめ

慢性安定期のCOPD患者に対するLAMAによる治療はプラセボと比較して、増悪を減らし、QOLを改善し、息切れ症状を改善する。呼吸機能検査でトラフFEV_1の改善を認める。そして、全有害事象による治療の中断率が少なく、重篤な有害事象による死亡の発現頻度には差がないことが示された。

CQ02 安定期COPDに対して、LAMAによる治療を推奨するか？

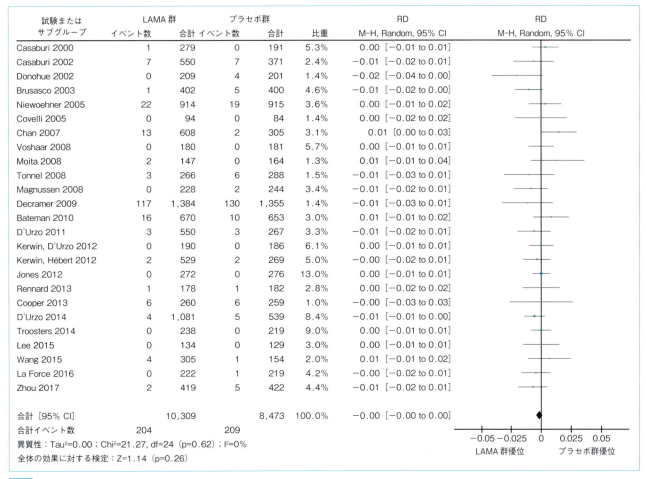

図6 重篤な有害事象（死亡）

推奨の強さを決定するための評価項目

1） アウトカム全般に関する全体的なエビデンスの強さ：**強い**

LAMAは重大なアウトカムで害を増やさず、SGRQ、TDIをMCIDと同等かそれ以上に改善することが確実（A）である。

2） 益と害のバランスは確実か：**確実**

LAMAは増悪、QOL、呼吸困難、FEV_1を改善し、投与中止に至る副作用がほとんどみられない。

3） 患者の価値観や好みを反映しているか：**反映している**

多くの患者はQOL・呼吸困難の改善を好むと思われる。

4） 負担の確実さ（あるいは相違）正味の利益がコストや資源に十分見合っているか：**見合っている**

薬価は許容範囲内である。

委員会における討論内容と結果

推奨度決定に関し、学術的COIを有する委員を除くガイドライン委員51名で投票を行った。初回投票で50名/51名（98％）が「実施することを強く推奨する」に

第IV章　Clinical Question

投票し、1名/51名（2％）が「実施することを弱く推奨する（提案する）」に投票した。「実施しないことを弱く推奨する（提案する）」、「実施しないことを強く推奨する」への投票はなかった。初回投票で2/3を超える同意率を得たため採用となった。

References

1) Casaburi R, Briggs DD Jr, Donohue JF, et al. The spirometric efficacy of once-daily dosing with tiotropium in stable COPD：a 13-week multicenter trial. The US Tiotropium Study Group. Chest. 2000；118：1294-302.［Ⅱ］

2) Niewoehner DE, Rice K, Cote C, et al. Prevention of exacerbations of chronic obstructive pulmonary disease with tiotropium, a once-daily inhaled anticholinergic bronchodilator：a randomized trial. Ann Intern Med. 2005；143：317-26.［Ⅱ］

3) Dusser D, Bravo ML, Iacono P. The effect of tiotropium on exacerbations and airflow in patients with COPD. Eur Respir J. 2006；27：547-55.［Ⅱ］

4) Freeman D, Lee A, Price D. Efficacy and safety of tiotropium in COPD patients in primary care--the SPiRiva Usual CarE (SPRUCE) study. Respir Res. 2007；8：45.［Ⅱ］

5) Chan CK, Maltais F, Sigouin C, et al. A randomized controlled trial to assess the efficacy of tiotropium in Canadian patients with chronic obstructive pulmonary disease. Can Respir J. 2007；14：465-72.［Ⅱ］

6) Ambrosino N, Foglio K, Balzano G, et al；Tiotropium Multicentric Italian Study Group. Tiotropium and exercise training in COPD patients：effects on dyspnea and exercise tolerance. Int J Chron Obstruct Pulmon Dis. 2008；3：771-80.［Ⅱ］

7) Tonnel AB, Perez T, Grosbois JM, et al；TIPHON study group. Effect of tiotropium on health-related quality of life as a primary efficacy endpoint in COPD. Int J Chron Obstruct Pulmon Dis. 2008；3：301-10.［Ⅱ］

8) Decramer M, Celli B, Kesten S, et al；UPLIFT investigators. Effect of tiotropium on outcomes in patients with moderate chronic obstructive pulmonary disease (UPLIFT)：a prespecified subgroup analysis of a randomised controlled trial. Lancet. 2009；374：1171-8.［Ⅱ］

9) Bateman E, Singh D, Smith D, et al. Efficacy and safety of tiotropium Respimat SMI in COPD in two 1-year randomized studies. Int J Chron Obstruct Pulmon Dis. 2010；5：197-208.［Ⅱ］

10) D'Urzo A, Ferguson GT, van Noord JA, et al. Efficacy and safety of once-daily NVA237 in patients with moderate-to-severe COPD：the GLOW1 trial. Respir Res. 2011；12：156.［Ⅱ］

11) Kerwin EM, D'Urzo AD, Gelb AF, et al；ACCORD I study investigators. Efficacy and safety of a 12-week treatment with twice-daily aclidinium bromide in COPD patients (AC-CORD COPD I). COPD. 2012；9：90-101.［Ⅱ］

12) Jones PW, Singh D, Bateman ED, et al. Efficacy and safety of twice-daily aclidinium bromide in COPD patients：the AT-TAIN study. Eur Respir J. 2012；40：830-6.［Ⅱ］

13) Rennard SI, Scanlon PD, Ferguson GT, et al. ACCORD COPD II：a randomized clinical trial to evaluate the 12-week efficacy and safety of twice-daily aclidinium bromide in chronic obstructive pulmonary disease patients. Clin Drug Investig. 2013；33：893-904.［Ⅱ］

14) Trivedi R, Richard N, Mehta R, et al. Umeclidinium in patients with COPD：a randomised, placebo-controlled study. Eur Respir J. 2014；43：72-81.［Ⅱ］

15) Lee SH, Lee J, Yoo KH, et al. E Efficacy and safety of aclidinium bromide in patients with COPD：A phase 3 randomized clinical trial in a Korean population. Respirology. 2015；20：1222-8.［Ⅱ］

16) Zhou Y, Zhong NS, Li X, et al. Tiotropium in Early-Stage Chronic Obstructive Pulmonary Disease. N Engl J Med. 2017；377：923-35.［Ⅱ］

17) Brusasco V, Hodder R, Miravitlles M, et al. Health outcomes following treatment for six months with once daily tiotropium compared with twice daily salmeterol in patients with COPD. Thorax. 2003；58：399-404.［Ⅱ］

18) Verkindre C, Bart F, Aguilaniu B, et al. The effect of tiotropium on hyperinflation and exercise capacity in chronic obstructive pulmonary disease. Respiration. 2006；73：420-7.［Ⅱ］

19) Kerwin E, Hébert J, Gallagher N, et al. Efficacy and safety of NVA237 versus placebo and tiotropium in patients with COPD：the GLOW2 study. Eur Respir J. 2012；40：1106-14.［Ⅱ］

20) Cooper CB, Celli BR, Jardim JR, et al. Treadmill endurance during 2-year treatment with tiotropium in patients with COPD：a randomized trial. Chest. 2013；144：490-7.［Ⅱ］

21) LaForce C, Feldman G, Spangenthal S, et al. Efficacy and safety of twice-daily glycopyrrolate in patients with stable, symptomatic COPD with moderate-to-severe airflow limitation：the GEM1 study. Int J Chron Obstruct Pulmon Dis. 2016；11：1233-43.［Ⅱ］

22) Casaburi R, Mahler DA, Jones PW, et al. A long-term evaluation of once-daily inhaled tiotropium in chronic obstructive pulmonary disease. Eur Respir J. 2002；19：217-24.［Ⅱ］

23) Donohue JF, van Noord JA, Bateman ED, et al. A 6-month, placebo-controlled study comparing lung function and health status changes in COPD patients treated with tiotropium or salmeterol. Chest. 2002；122：47-55.［Ⅱ］

24) Covelli H, Bhattacharya S, Cassino C, et al. Absence of electrocardiographic findings and improved function with once-daily tiotropium in patients with chronic obstructive pulmonary disease. Pharmacotherapy. 2005；25：1708-18.［Ⅱ］

25) Moita J, Bárbara C, Cardoso J, et al. Tiotropium improves

FEV1 in patients with COPD irrespective of smoking status. Pulm Pharmacol Ther. 2008；21：146-51.［Ⅱ］

26）Johansson G, Lindberg A, Romberg K, et al. Bronchodilator efficacy of tiotropium in patients with mild to moderate COPD. Prim Care Respir J. 2008；17：169-75.［Ⅱ］

27）Voshaar T, Lapidus R, Maleki-Yazdi R, et al. A randomized study of tiotropium Respimat Soft Mist inhaler vs. ipratropium pMDI in COPD. Respir Med. 2008；102：32-41.［Ⅱ］

28）D'Urzo A, Kerwin E, Overend T, et al. Once daily glycopyrronium for the treatment of COPD：pooled analysis of the GLOW1 and GLOW2 studies. Curr Med Res Opin. 2014；30：493-508.［Ⅱ］

29）Troosters T, Sciurba FC, Decramer M, et al. Tiotropium in patients with moderate COPD naive to maintenance therapy：a randomised placebo-controlled trial. NPJ Prim Care Respir Med. 2014；24：14003.［Ⅱ］

30）Wang C, Sun T, Huang Y, et al. Efficacy and safety of once-daily glycopyrronium in predominantly Chinese patients with moderate-to-severe chronic obstructive pulmonary disease：the GLOW7 study. Int J Chron Obstruct Pulmon Dis. 2015；10：57-68.［Ⅱ］

31）Adams SG, Anzueto A, Briggs DD Jr, et al. Tiotropium in COPD patients not previously receiving maintenance respiratory medications. Respir Med. 2006；100：1495-503.［Ⅱ］

32）Wise RA, Chapman KR, Scirica BM, et al. Effect of Aclidinium Bromide on Major Cardiovascular Events and Exacerbations in High-Risk Patients With Chronic Obstructive Pulmonary Disease：The ASCENT-COPD Randomized Clinical Trial. JAMA. 2019；321：1693-701.［Ⅱ］

33）Magnussen H, Bugnas B, van Noord J, et al. Improvements with tiotropium in COPD patients with concomitant asthma. Respir Med. 2008；102：50-6.［Ⅱ］

第Ⅳ章 Clinical Question

安定期COPDに対して、LAMAとLABAのいずれを推奨するか？

CQ03の推奨	安定期COPDに対して、LAMAを弱く推奨する（提案する）
エビデンスの確実性	Ⓑ 中程度

解説文

アウトカム指標

　LAMA（チオトロピウム、グリコピロニウム、ウメクリジニウム、アクリジニウム）群とLABA（インダカテロール、ホルモテロール、サルメテロール、ビランテロール、オロダテロール）群との2群間比較で、アウトカムとして、「増悪」「SGRQスコア」「TDIスコア」「トラフFEV_1」「全有害事象」「重篤な有害事象」を評価した。

採用論文

　40歳以上の安定期COPDを対象に、12週間以上の観察期間を設定したRCTを検索し、配合薬での単剤群での比較データを含めて検討した。RCT 19編を選択したが[1-19]、％$FEV_1＞80$％以上の軽症COPDを対象とした検討はなかった。メタ解析にはランダム効果モデルによるMantel-Haenszel methodとInverse Variance method（Review Manager 5.3）を用い、二値変数はOR、連続変数はMDを効果の指標とした。

結果

1》増悪（重要度7点）（図1）

　12編（19,821例）のRCTによるメタ解析を行った[2,3,5-7,9-11,13,15-17]。1回以上の増悪を経験した人数はLAMA群で31.9％（3,169例/9,935例）、LABA群で36.0％（3,560例/9,886例）であった。OR 0.85（95％CI 0.74 to 0.98、$p＝0.02$）でLAMA群では増悪を経験した人数がLABA群と比較して有意に少なかった。増悪既往のある患者を対象としたRCTはチオトロピウムとサルメテロール、チオトロピウムとインダカテロールの2編であり、ともにLAMAで増悪の頻度が有意に低値であった。また、I^2統計量が71％と大きく非一貫性に問題があり、エビデンスの確実性はBとする。

2》SGRQスコア（重要度7点）（図2）

　13編（14,610例）のRCTによるメタ解析を行った[2,4,6-14,18,19]。ベースラインからのSGRQスコアの変化量はLAMA群で$-4.2±15.5$（SD）、LABA群で$-4.3±15.7$（SD）であり、いずれもMCIDである-4点と同等の改善を示した。MD 0.23（95％CI -0.45 to 0.92、$p＝0.50$）と両薬剤ではHRQOLに対する改善効果には差がなかっ

CQ03 安定期COPDに対して、LAMAとLABAのいずれを推奨するか？

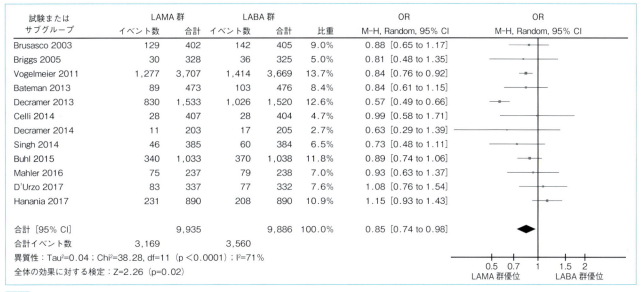

図1 増悪

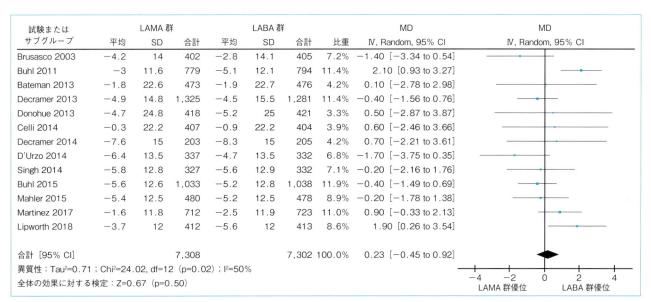

図2 SGRQスコア

た。I²統計量が大きく（50％）非一貫性に問題があり、また、一部の薬剤による比較検討結果であることからエビデンスの確実性はBとする。

3 TDIスコア（重要度7点）（図3）

13編（15,911例）のRCTによるメタ解析を行った[2,4,6-14,17,19]。ベースラインからのTDIスコアの変化量はLAMA群で1.4±3.8（SD）、LABA群で1.5±3.9（SD）であり、いずれもMCIDである1点と同等以上の改善を示し

た。MD −0.03（95％CI −0.15 to 0.08、p＝0.56）と両薬剤では息切れ症状に対する改善効果には差がなかった。I²統計量は軽度であり、非一貫性の問題は小さいが、一部の薬剤による比較検討結果であることからエビデンスの確実性はBとする。

4 トラフFEV₁（重要度7点）（図4）

15編（14,904例）のRCTによるメタ解析を行った[1-3,6-15,18,19]。ベースラインからのトラフFEV₁の変化量（mL）は

第Ⅳ章 Clinical Question

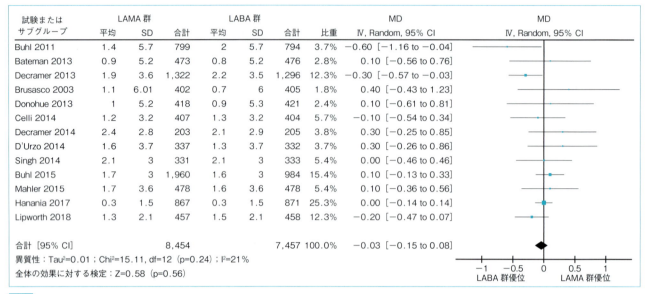

図3 TDIスコア

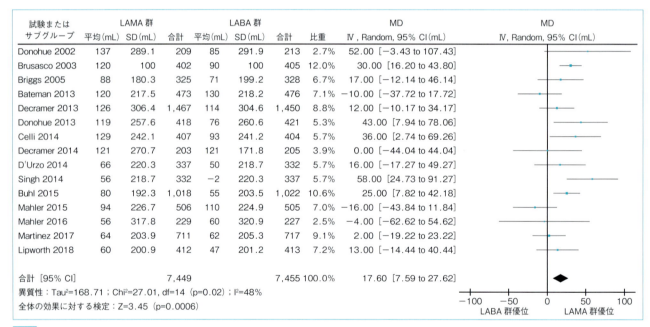

図4 トラフ FEV₁

LAMA群で98±240（SD）、LABA群で81±240（SD）であった。いずれもMCIDである50〜100 mLと同等の改善効果を示した。MD 17.60（95% CI 7.59 to 27.62、p=0.0006）とLAMA群ではLABA群と比べて有意に改善したが、その差は17.60 mL（7.59 to 27.62 mL）とMCID値の半分よりも小さい値であった。I²統計量は中等度と非一貫性に問題があり、また一部の薬剤による比較検討結果であることから、エビデンスの確実性はBとする。

5　全有害事象（重要度6点）（図5）

15編（24,600例）のRCTによるメタ解析を行った[3-11,13-17,19]。全有害事象件数はLAMA群で479（462〜495）件/1,000人、LABA群で500件/1,000人であった。OR 0.92（95% CI 0.86 to 0.98、p=0.02）とLAMA群では全有害事象の件数がLABA群と比べて有意に少なかった。I²統計量は軽度であり、非一貫性の問題は小さいが、一部の薬剤による比較検討結果であることから

CQ03 安定期COPDに対して、LAMAとLABAのいずれを推奨するか？

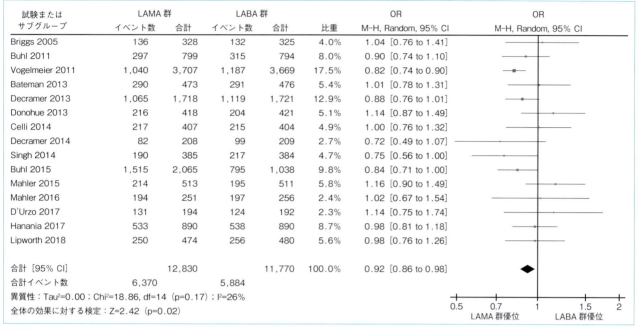

図5 全有害事象

エビデンスの確実性はBとする。

6) 重篤な有害事象（重要度8点）

17編（25,829例）のRCTによるメタ解析を行った[1-11,13-17,19]。重篤な有害事象の件数はLAMA群で105（97〜113）件/1,000人、LABA群で112件/1,000人であった。OR 0.93（95% CI 0.86 to 1.01、p=0.08）と両治療群では重篤な有害事象の件数に差がなかった。I^2統計量は0%と非一貫性に問題はないが、一部の薬剤による比較検討結果であることからエビデンスの確実性はBとする。

 システマティックレビューのまとめ

中等症以上の安定期COPD患者において、LAMA群ではLABA群と比べて増悪および全有害事象が有意に少なく、また17.60 mLとMCIDの半分以下ではあるが、トラフFEV₁の有意な改善を認めた（エビデンスの確実性はB）。以上より、安定期COPD患者における初期単剤治療としては、LABAよりもLAMAが推奨される。

推奨の強さを決定するための評価項目

1) アウトカム全般に関する全体的なエビデンスの強さ：中等度

重大なアウトカムのエビデンスの確実性はすべてBであり、中程度と判断する。

2) 益と害のバランスは確実か（コスト含まず）：確実

19編のRCTで増悪および呼吸機能への改善効果と有害事象頻度の低下について、LAMAのLABAに対する優位性が示されている。

3) 患者の価値観や好みを反映しているか：十分には反映してはいない

多くの患者は増悪や有害事象の減少を好むと思われる。ただし、今回の解析ではデバイスの違いを評価していない。

第Ⅳ章　Clinical Question

4⟩ 負担の確実さ（あるいは相違）正味の利益がコストや資源に十分に見合っているか：見合っている

今回、医療コストに関する検討を行っていないが、LAMAとLABAにかかる薬剤費用の差は小さく、LAMAによる増悪抑制効果は医療コスト上の利益につながる可能性が予想される。

委員会における討論内容と結果

推奨決定のため、COIのある委員を除く52名で投票を行い、51名（98％）がLAMAの推奨を支持した。うち38名（73％）が「LAMAを弱く推奨する（提案する）」を支持し、同意率が2/3以上のため採用が決定した。

なお、本邦では配合薬のみに使用され、単剤使用が認められていないLABAが今回のLAMAとの比較に含まれていることから、解析結果の解釈には注意する必要がある。

References

1) Donohue JF, Van Noord JA, Bateman ED, et al. A 6-month, placebo-controlled study comparing lung function and health status changes in COPD patients treated with tiotropium or salmeterol. Chest. 2002；122：47-55.［Ⅱ］

2) Brusasco V, Hodder R, Miravitlles M, et al. Health outcomes following treatment for six months with once daily tiotropium compared with twice daily salmeterol in patients with COPD. Thorax. 2003；58：399-404.［Ⅱ］

3) Briggs DD, Jr., Covelli H, Lapidus R, et al. Improved daytime spirometric efficacy of tiotropium compared with salmeterol in patients with COPD. Pulm Pharmacol Ther. 2005；18：397-404.［Ⅱ］

4) Buhl R, Dunn LJ, Disdier C, et al. Blinded 12-week comparison of once-daily indacaterol and tiotropium in COPD. Eur Respir J. 2011；38：797-803.［Ⅱ］

5) Vogelmeier C, Hederer B, Glaab T, et al. Tiotropium versus salmeterol for the prevention of exacerbations of COPD. N Engl J Med. 2011；364：1093-103.［Ⅱ］

6) Bateman ED, Ferguson GT, Barnes N, et al. Dual bronchodilation with QVA149 versus single bronchodilator therapy：the SHINE study. Eur Respir J. 2013；42：1484-94.［Ⅱ］

7) Decramer ML, Chapman KR, Dahl R, et al. Once-daily indacaterol versus tiotropium for patients with severe chronic obstructive pulmonary disease（INVIGORATE）：a ran-

domised, blinded, parallel-group study. Lancet Respir Med. 2013；1：524-33.［Ⅱ］

8) Donohue JF, Maleki-Yazdi MR, Kilbride S, et al. Efficacy and safety of once-daily umeclidinium/vilanterol 62.5/25 mcg in COPD. Respir Med. 2013；107：1538-46.［Ⅱ］

9) Celli B, Crater G, Kilbride S, et al. Once-daily umeclidinium/vilanterol 125/25 mcg in COPD：a randomized, controlled study. Chest. 2014；145：981-91.［Ⅱ］

10) Decramer M, Anzueto A, Kerwin E, et al. Efficacy and safety of umeclidinium plus vilanterol versus tiotropium, vilanterol, or umeclidinium monotherapies over 24 weeks in patients with chronic obstructive pulmonary disease：results from two multicentre, blinded, randomised controlled trials. Lancet Respir Med. 2014；2：472-86.［Ⅱ］

11) Singh D, Jones PW, Bateman ED, et al. Efficacy and safety of aclidinium bromide/formoterol fumarate fixed-dose combinations compared with individual components and placebo in patients with COPD（ACLIFORM-COPD）：a multicentre, randomised study. BMC Pulm Med. 2014；14：178.［Ⅱ］

12) D'urzo AD, Rennard SI, Kerwin EM, et al. Efficacy and safety of fixed-dose combinations of aclidinium bromide/formoterol fumarate：the 24-week, randomized, placebo-controlled AUGMENT COPD study. Respir Res. 2014；15：123.［Ⅱ］

13) Buhl R, Maltais F, Abrahams R, et al. Tiotropium and olodaterol fixed-dose combination versus mono-components in COPD（GOLD 2-4）. Eur Respir J. 2015；45：969-79.［Ⅱ］

14) Mahler DA, Kerwin E, Ayers T, et al. FLIGHT1 and FLIGHT2：Efficacy and Safety of QVA149（Indacaterol/Glycopyrrolate）versus Its Monocomponents and Placebo in Patients with Chronic Obstructive Pulmonary Disease. Am J Respir Crit Care Med. 2015；192：1068-79.［Ⅱ］

15) Mahler DA, Gifford AH, Satti A, et al. Long-term safety of glycopyrrolate：A randomized study in patients with moderate-to-severe COPD（GEM3）. Respir Med. 2016；115：39-45.［Ⅱ］

16) D'Urzo A, Rennard S, Kerwin E, et al. A randomised double-blind, placebo-controlled, long-term extension study of the efficacy, safety and tolerability of fixed-dose combinations of aclidinium/formoterol or monotherapy in the treatment of chronic obstructive pulmonary disease. Respir Med. 2017；125：39-48.［Ⅱ］

17) Hanania NA, Tashkin DP, Kerwin EM, et al. Long-term safety and efficacy of glycopyrrolate/formoterol metered dose inhaler using novel Co-SuspensionTM Delivery Technology in patients with chronic obstructive pulmonary disease. Respir Med. 2017；126：105-15.［Ⅱ］

18) Martinez FJ, Rabe KF, Ferguson GT, et al. Efficacy and Safety of Glycopyrrolate/Formoterol Metered Dose Inhaler Formulated Using Co-Suspension Delivery Technology in Patients With COPD. Chest. 2017；151：340-57.［Ⅱ］

19) Lipworth BJ, Collier DJ, Gon Y, et al. Improved lung function

and patient-reported outcomes with co-suspension delivery technology glycopyrrolate/formoterol fumarate metered dose inhaler in COPD : a randomized Phase III study conducted in Asia, Europe, and the USA. Int J Chron Obstruct Pulmon Dis. 2018 ; 13 : 2969-84.［Ⅱ］

第Ⅳ章　Clinical Question

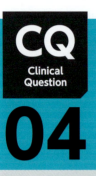

CQ 04 呼吸困難や運動耐容能低下を呈する安定期COPDに対して、LAMA+LABAとLABAあるいはLAMAのいずれを推奨するか？

CQ04の推奨　呼吸困難や運動耐容能低下を呈する安定期COPDに対して、LABAあるいはLAMAよりもLAMA+LABAを弱く推奨する（提案する）

エビデンスの確実性　Ⓐ 強い

解説文

アウトカム指標

Critical outcomes：「呼吸困難」「入院」「増悪」「HRQOLの改善」「重篤な有害事象」。

Important outcomes：「肺炎の頻度」「全死亡率」「FEV_1」。

呼吸困難、HRQOL は論文により指標が異なるため SMD にて統合した。

採用論文

本CQについては、2020年にATSの主導により報告された質の高いSR「Dual LABA/LAMA Therapy versus LABA or LAMA Monotherapy for COPD：A Systematic Review and Meta-analysis in Support of the American Thoracic Society Clinical Practice Guideline1」[1]を採用した。本SRでは24編のRCT[2-25]をもとに検討が行われた。

結果

● Critical outcomes

1） 呼吸困難（重要度8点）

11編のRCT[2,3,5,6,8,9,13,19-22]によるメタ解析の結果、呼吸困難スコアは、単剤療法群と比較してLAMA+LABA群で改善が認められた。SMD 0.10（95% CI 0.07 to 0.13、$p<0.00001$、$I^2 = 0\%$）であった。SMDは0.2〜0.3に達しておらず、エビデンスの確実性はBとする。

サブグループ相互作用の検定は $p = 0.45$ であり、LAMA+LABA vs. LABA と LAMA+LABA vs. LAMA のプールされた推定値に差はないことを示した。

解析対象にアクリジニウム/ホルモテロール[20]、アルホルモテロール[21]を含む。

2） 入院（重要度8点）（図1）[1]

3編のRCT[2,5,20]によるメタ解析の結果、入院リスクは、単剤療法群と比較してLAMA+LABA群でリスクが減少した。RR 0.89（95% CI 0.82 to 0.97、$p=0.009$、$I^2=0\%$）であった。ダウングレード要因がないため、エビデンスの確実性はAとする。

CQ04 呼吸困難や運動耐容能低下を呈する安定期COPDに対して、LAMA+LABAとLABAあるいはLAMAのいずれを推奨するか？

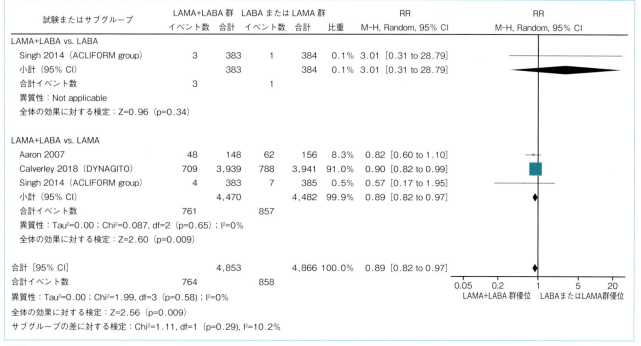

図1 入院

Reprinted with permission of the American Thoracic Society. Copyright © 2021 American Thoracic Society. All rights reserved. Cite: Mammen MJ et.al. /2020/ Dual LABA/LAMA Therapy versus LABA or LAMA Monotherapy for Chronic Obstructive Pulmonary Disease. A Systematic Review and Meta-analysis in Support of the American Thoracic Society Clinical Practice Guideline. / Ann Am Thorac Soc./ PMID：32530702. Annals of the American Thoracic Society is an official journal of the American Thoracic Society.

（文献1より引用）

サブグループ相互作用の検定は$p=0.29$であり、LAMA+LABA vs. LABAとLAMA+LABA vs. LAMAのプールされた推定値に差はないことを示した。

解析対象にアクリジニウム/ホルモテロール[20]を含む。

3〉増悪（重要度9点）（図2）[1]

15編のRCT[2,3,5-13,16,20,21,23]によるメタ解析の結果、LAMA+LABA群と単剤療法群との比較で、RR 0.80（95% CI 0.69 to 0.92、$p=0.002$、$I^2=88\%$）のリスク低下が認められた。I^2統計量が大きく一貫性に問題があり、エビデンスの確実性はBとする。

サブグループ相互作用の検定は$p=0.46$であり、LAMA+LABA vs. LABAとLAMA+LABA vs. LAMAのプールされた推定値に差はないことを示した。

解析対象にアクリジニウム/ホルモテロール[7,10,20]、アルホルモテロール[21]を含む。

4〉HRQOLの改善（重要度9点）

11編のRCT[3,4,6,9,16,18-20,22,24,25]によるメタ解析の結果、HRQOLスコアは、単剤療法群と比較してLAMA+LABA群がスコアの減少（HRQOLの改善）を示した。SMD -0.13（95% CI -0.16 to 0.10、$p<0.00001$、$I^2=0\%$）であり、$0.2〜0.3$に達しておらず、エビデンスの確実性はBとする。サブグループ相互作用の検定は$p=0.55$であり、LAMA+LABA vs. LABAとLAMA+LABA vs. LAMAのプールされた推定値に差はないことが示された。

解析対象研究にアクリジニウム/ホルモテロール[20]を含む。

5〉重篤な有害事象（重要度7点）

23編のRCT[2-23,25]によるメタ解析の結果、LAMA+LABA群と単剤療法群ではリスクに有意差はなく、RR 0.99（95% CI 0.97 to 1.01、$p=0.34$、$I^2=0\%$）であり、イベント数はOISを満たしている。したがって、ダ

第Ⅳ章 Clinical Question

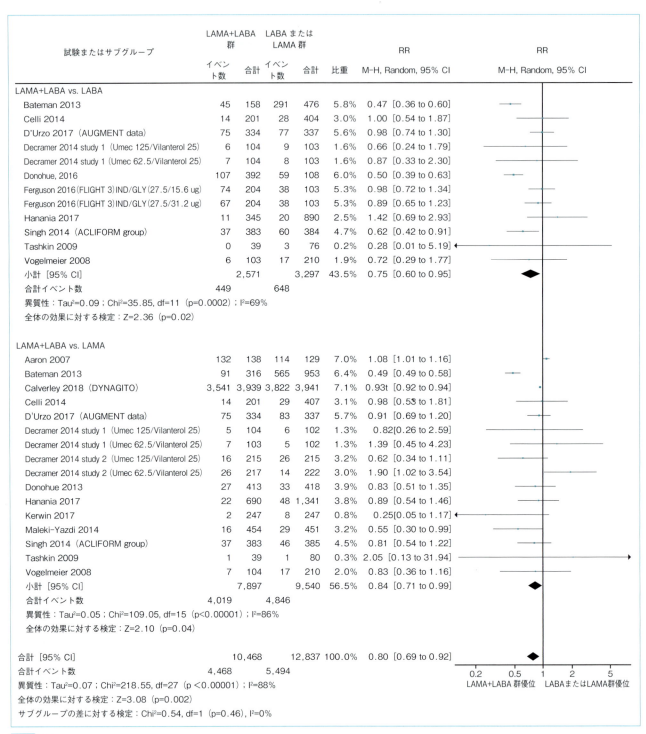

図2 増悪

Reprinted with permission of the American Thoracic Society. Copyright © 2021 American Thoracic Society. All rights reserved. Cite：Mammen MJ et.al. /2020/ Dual LABA/LAMA Therapy versus LABA or LAMA Monotherapy for Chronic Obstructive Pulmonary Disease. A Systematic Review and Meta-analysis in Support of the American Thoracic Society Clinical Practice Guideline. / Ann Am Thorac Soc./ PMID：32530702. Annals of the American Thoracic Society is an official journal of the American Thoracic Society.

（文献1より引用）

ウングレード要因がなく、エビデンスの確実性はAとする。

サブグループ相互作用の検定はp＝0.09であり、LAMA+LABA vs. LABAとLAMA+LABA vs. LAMAのプールされた推定値に差はないことが示された。

解析対象にアクリジニウム/ホルモテロール[7,10,20]、アルホルモテロール[21]を含む。

● Important outcomes

1 肺炎の頻度（重要度5点）

18編のRCT[2-5,7-14,16,19-21,23,25]によるメタ解析の結果、LAMA+LABA群は単剤療法群と比較してリスクに有意差はなく、RR 1.07（95％ CI 0.93 to 1.23、p＝0.36、$I^2 = 0\%$）であり、イベント数はOISを満たしている。したがって、ダウングレード要因がないため、エビデンスの確実性はAとする。

サブグループ相互作用の検定はp＝0.94であり、LAMA+LABA vs. LABAとLAMA+LABA vs. LAMAのプールされた推定値に差はないことを示した。

解析対象にアクリジニウム/ホルモテロール[7,10,20]、アルホルモテロール[21]を含む。

2 全死亡率（重要度6点）

19編のRCT[2,3,5-18,20-24]によるメタ解析の結果、死亡リスクはLAMA+LABA群と単剤療法群で有意差はなく、RR 0.92（95％ CI 0.75 to 1.12、p＝0.38、$I^2 = 0\%$）であり、イベント数はOISを満たしている。したがって、ダウングレード要因がないため、エビデンスの確実性はAとする。

サブグループ相互作用の検定はp＝0.93であり、LAMA+LABA vs. LABAとLAMA+LABA vs. LAMAのプールされた推定値に差はないことを示した。

解析対象にアクリジニウム/ホルモテロール[7]、アルホルモテロール[21]を含む。

3 FEV_1（重要度4点）

14編のRCT[3-9,12-14,16,18,20,21]によるメタ解析の結果、単剤療法群と比較してLAMA+LABA群でFEV_1の増加が認められ、80 mL（95％ CI 60 to 90、p＜0.00001、$I^2 = 98\%$）であった。MD 80 mLは、MCIDである100 mLよりも小さい値であった。I^2統計量が大きく一貫性に問題があり、エビデンスの確実性はBとする。

サブグループ相互作用の検定はp＝0.38であり、LAMA+LABA vs. LABAとLAMA+LABA vs. LAMAのプールされた推定値に差はないことを示した。

システマティックレビューのまとめ

LAMA+LABAが有意に不利になる項目が存在せず、アウトカムのなかで、呼吸困難の改善、入院および増悪の減少、HRQOLの改善が認められ、エビデンスの確実性はAとする。

推奨の強さを決定するための評価項目

1 アウトカム全般に関する全体的なエビデンスの強さ：強い

24編のRCTをもとにした検討であり、入院、重篤な有害事象、肺炎のリスク、全死亡のエビデンスの確実性がA、呼吸困難の改善、増悪、HRQOL、FEV_1のエビデンスの確実性がBである。増悪とFEV_1においては一貫性においてダウングレード要因が存在するため、エビデンスの確実性はBとする。

2 益と害のバランスは確実か：確実

24編のRCTに基づいたSRの全アウトカムにおいて、併用療法が害となるアウトカムを認めず、益と害のバランスは確実である。

3 患者の価値観や好みを反映しているか：反映している

入院、肺炎、全死亡、FEV_1においてLAMA+LABAは単剤療法より優れている。加えて、薬価にて極端な差異を認めず、有害事象も増加はしないうえ、吸入器はワンデバイスであるため吸入負担も増えず、患者はLAMA+LABAを好む。

第Ⅳ章　Clinical Question

4 負担の確実さ（あるいは相違）正味の利益がコストや資源に十分に見合っているか：**見合っている**

LAMA+LABA においても、単剤療法同様、ワンデバイスであり、資源面でも同等であるため、薬価においても著明な差は認めない。

▶ 委員会における討論内容と結果

53 名の委員による投票が行われた。初回投票において 32 名/53 名（60 %）が「行うことを強く推奨する」に、21 名/53 名（40 %）が「行うことを弱く推奨する（提案する）」に投票した。初回投票における同意が 2/3 に達さなかったため、2 度目の投票が行われた。23 名/52 名（44 %）が「行うことを強く推奨する」に、28 名/52 名（54 %）が「行うことを弱く推奨する（提案する）」に、1 名/52 名（2 %）が「単剤療法を弱く推奨する」に投票した。2 回の結果が一致せず、結果「行うことを弱く推奨する（提案する）」に推奨決定となった。

References

1) Mammen MJ, Pai V, Aaron SD, et al. Dual LABA/LAMA Therapy versus LABA or LAMA Monotherapy for Chronic Obstructive Pulmonary Disease. A Systematic Review and Meta-analysis in Support of the American Thoracic Society Clinical Practice Guideline. Ann Am Thorac Soc. 2020；17：1133-43.［Ⅰ］

2) Aaron SD, Vandemheen KL, Fergusson D, et al.；Canadian Thoracic Society/Canadian Respiratory Clinical Research Consortium. Tiotropium in combination with placebo, salmeterol, or fluticasone-salmeterol for treatment of chronic obstructive pulmonary disease：a randomized trial. Ann Intern Med. 2007；146：545-55.［Ⅱ］

3) Bateman ED, Ferguson GT, Barnes N, et al. Dual bronchodilation with QVA149 versus single bronchodilator therapy: the SHINE study. Eur Respir J. 2013；42：1484-94.［Ⅱ］

4) Buhl R, Maltais F, Abrahams R, et al. Tiotropium and olodaterol fixed-dose combination versus mono-components in COPD（GOLD 2-4）. Eur Respir J. 2015；45：969-79.［Ⅱ］

5) Calverley PMA, Anzueto AR, Carter K, et al. Tiotropium and olodaterol in the prevention of chronic obstructive pulmonary disease exacerbations（DYNAGITO）：a doubleblind, randomised, parallel-group, active-controlled trial. Lancet Respir Med. 2018；6：337-44.［Ⅱ］

6) Celli B, Crater G, Kilbride S, et al. Once-daily umeclidinium/ vilanterol 125/25 mcg in COPD：a randomized, controlled study. Chest. 2014；145：981-91.［Ⅱ］

7) D'Urzo A, Rennard S, Kerwin E, et al. A randomised double-blind, placebo-controlled, long-term extension study of the efficacy, safety and tolerability of fixed-dose combinations of aclidinium/formoterol or monotherapy in the treatment of chronic obstructive pulmonary disease. Respir Med. 2017；125：39-48.［Ⅱ］

8) Decramer M, Anzueto A, Kerwin E, et al. Efficacy and safety of umeclidinium plus vilanterol versus tiotropium, vilanterol, or umeclidinium monotherapies over 24 weeks in patients with chronic obstructive pulmonary disease: results from two multicentre, blinded, randomised controlled trials. Lancet Respir Med. 2014；2：472-86.［Ⅱ］

9) Donohue JF, Maleki-Yazdi MR, Kilbride S, et al. Efficacy and safety of once-daily umeclidinium/vilanterol 62.5/25 mcg in COPD. Respir Med. 2013；107：1538-46.［Ⅱ］

10) Donohue JF, Soong W, Wu X, et al. Long-term safety of aclidinium bromide/formoterol fumarate fixed-dose combination: results of a randomized 1-year trial in patients with COPD. Respir Med. 2016；116：41-8.［Ⅱ］

11) Ferguson GT, Taylor AF, Thach C, et al. Long-term maintenance bronchodilation with indacaterol/glycopyrrolate versus indacaterol in moderate-to-severe. COPD patients：the FLIGHT 3 study. Chronic Obstr Pulm Dis（Miami）. 2016；3：716-28.［Ⅱ］

12) Hanania NA, Tashkin DP, Kerwin EM, et al. Long-term safety and efficacy of glycopyrrolate/ formoterol metered dose inhaler using novel Co-Suspension™ Delivery Technology in patients with chronic obstructive pulmonary disease. Respir Med. 2017；126：105-15.［Ⅱ］

13) Kerwin EM, Kalberg CJ, Galkin DV, et al. Umeclidinium/ vilanterol as step-up therapy from tiotropium in patients with moderate COPD：a randomized, parallel-group, 12-week study. Int J Chron Obstruct Pulmon Dis. 2017；12：745-55.［Ⅱ］

14) Mahler DA, D'Urzo A, Bateman ED, et al.：INTRUST-1 and INTRUST-2 Study Investigators. Concurrent use of indacaterol plus tiotropium in patients with COPD provides superior bronchodilation compared with tiotropium alone：a randomised, double-blind comparison. Thorax. 2012；67：781-8.［Ⅱ］

15) Mahler DA, Kerwin E, Ayers T, et al. FLIGHT1 and FLIGHT2：efficacy and safety of QVA149（Indacaterol/ Glycopyrrolate）versus its monocomponents and placebo in patients with chronic obstructive pulmonary disease. Am J Respir Crit Care Med. 2015；192：1068-79.［Ⅱ］

16) Maleki-Yazdi MR, Kaelin T, Richard N, et al. Efficacy and safety of umeclidinium/vilanterol 62.5/25 mcg and tiotropium 18 mcg in chronic obstructive pulmonary disease：results of a 24-week, randomized, controlled trial. Respir Med.

CQ04　呼吸困難や運動耐容能低下を呈する安定期 COPD に対して、LAMA+LABA と LABA あるいは LAMA のいずれを推奨するか？

2014 ; 108 : 1752-60. ［Ⅱ］

17) Maltais F, Singh S, Donald AC, et al. Effects of a combination of umeclidinium/vilanterol on exercise endurance in patients with chronic obstructive pulmonary disease : two randomized, double-blind clinical trials. Ther Adv Respir Dis. 2014 ; 8 : 169-81. ［Ⅱ］

18) Martinez FJ, Rabe KF, Ferguson GT, et al. Efficacy and safety of glycopyrrolate/formoterol metered dose inhaler formulated using co-suspension delivery technology in patients with COPD. Chest. 2017 ; 151 : 340-57. ［Ⅱ］

19) Singh D, Ferguson GT, Bolitschek J, et al. Tiotropium 1 olodaterol shows clinically meaningful improvements in quality of life. Respir Med. 2015 ; 109 : 1312-9. ［Ⅱ］

20) Singh D, Jones PW, Bateman ED, et al. Efficacy and safety of aclidinium bromide/formoterol fumarate fixeddose combinations compared with individual components and placebo in patients with COPD （ACLIFORM-COPD） : a multicentre, randomised study. BMC Pulm Med. 2014 ; 14 : 178. ［Ⅱ］

21) Tashkin DP, Donohue JF, Mahler DA, et al. Effects of arformoterol twice daily, tiotropium once daily, and their combination in patients with COPD. Respir Med. 2009 ; 103 : 516-

24. ［Ⅱ］

22) Vincken W, Aumann J, Chen H, et al. Efficacy and safety of coadministration of once-daily indacaterol and glycopyrronium versus indacaterol alone in COPD patients: the GLOW6 study. Int J Chron Obstruct Pulmon Dis. 2014 ; 9: 215-28.［Ⅱ］

23) Vogelmeier C, Kardos P, Harari S, et al. Formoterol mono- and combination therapy with tiotropium in patients with COPD: a 6-month study. Respir Med. 2008 ; 102 : 1511-20. ［Ⅱ］

24) Wedzicha JA, Decramer M, Ficker JH, et al. Analysis of chronic obstructive pulmonary disease exacerbations with the dual bronchodilator QVA149 compared with glycopyrronium and tiotropium （SPARK） : a randomised, double-blind, parallel-group study. Lancet Respir Med. 2013 ; 1 : 199-209. ［Ⅱ］

25) ZuWallack R, Allen L, Hernandez G, et al. Efficacy and safety of combining olodaterol Respimat （®） and tiotropium Handi-Haler （®） in patients with COPD : results of two randomized, double-blind, active-controlled studies. Int J Chron Obstruct Pulmon Dis. 2014 ; 9 : 1133-44. ［Ⅱ］

第Ⅳ章　Clinical Question

第Ⅳ章　Clinical Question

安定期COPDに対して、LABA+ICSとLAMA+LABAのいずれを推奨するか？

CQ05の推奨	安定期COPDに対して、LAMA+LABAを弱く推奨する（提案する）
エビデンスの確実性	Ⓑ 中程度

解説文

アウトカム指標

アウトカムとして、「増悪」「呼吸機能（ベースラインからのFEV₁の変化量）」「HRQOL（ベースラインからのSGRQの変化量）」「呼吸困難の変化量（TDIスコア）」「重篤な有害事象」「肺炎の合併」「死亡頻度」を評価した。40歳以上の安定期COPDを対象にRCT研究を検索した。評価にあたり、介入群をLABA+ICS群、対照群をLAMA+LABA群とした。

採用論文

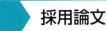

2018年にObaらが報告したCOPDに対する吸入治療についてのメタ解析[1]でLABA+ICS vs. LAMA+LABAの採用RCT 9編[2-9]に、2018年から2020年にかけて報告されたRCTから4編[10-13]を抽出追加し、計RCT 13編を採用した。すべてのRCTにおいて中等症から重症のCOPDが対象とされていた。メタ解析にはランダム効果モデルによるMantel-Haenszel methodとInverse Variance method（Review Manager 5.4.1）を用い、連続変数はMD、二値変数はORを効果の指標とした。

結果

今回の検索結果では、全検討において10 pack-years以上の喫煙歴を有し、対象年齢は40歳以上であった。閉塞性障害の程度として%FEV₁が80％以上の軽症COPDを対象とした検討はなく、中等症から重症を対象としていた。増悪歴については、全症例数のうち約半数を占めるIMPACT試験[10]とETHOS試験[13]の2編で前年の1回以上の増悪歴を有するものを対象としていた。また、喘息の合併に関しては、現在の喘息合併のみでなく喘息既往も含めて除外した検討は4編[2,12,9]のみであり、喘息症例が潜在的に含まれる可能性がある。

1 増悪（重要度7点）（図1）

RCT 11編[2,4-6,8-13]を採用し、メタ解析を行った（19,565例）。OR 1.11（95％CI 1.02 to 1.20、p = 0.01、I² = 17％）と、LAMA+LABA群と比較しLABA+ICS群で有意にCOPD急性増悪の頻度が増加した。I²統計量は17％で非一貫性は軽度であるため、エビデンスの確実性はAとする。

CQ05 安定期COPDに対して、LABA+ICSとLAMA+LABAのいずれを推奨するか？

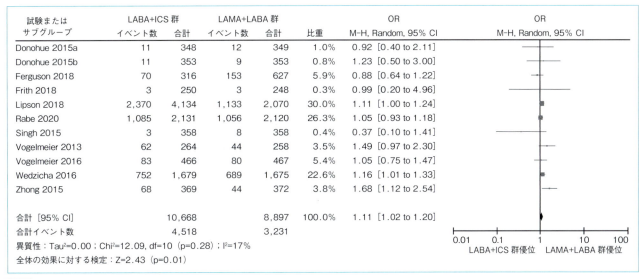

図1 増悪

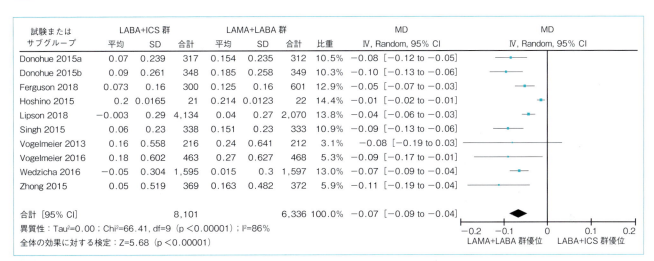

図2 呼吸機能（ベースラインからのFEV₁の変化量）

2) 呼吸機能（ベースラインからのFEV₁の変化量）（重要度5点）（図2）

RCT 10編[2-6,8-11]を採用し、メタ解析を行った（14,437例）。LAMA+LABA群に対するLABA+ICS群のMDは−0.07L（95％CI −0.09 to −0.04、p＜0.00001、I²＝86％）であり、MCIDである0.10Lを満たさないが、有意にLAMA+LABA群でFEV₁改善を認めた。I²統計量は86％で高度の非一貫性はあるが、1つの試験を除きLAMA+LABA群がLABA+ICS群と比較し有意にFEV₁を改善する傾向があり、エビデンスの確実性はBとする。

3) HRQOL（ベースラインからのSGRQの変化量）（重要度7点）（図3）

RCT 9編[2,4,5,8-11,13]を採用し、メタ解析を行った（17,724例）。LAMA+LABA群に対するLABA+ICS群のMDは0.07（95％CI −0.45 to 0.58、p＝0.80、I²＝16％）であり、両群間でSGRQの変化量に有意な差は認めなかった。I²統計量は16％で非一貫性は軽度であるため、エビデンスの確実性はAとする。

第Ⅳ章　Clinical Question

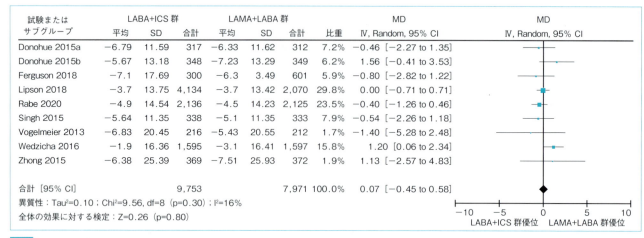

図3 HRQOL（ベースラインからの SGRQ の変化量）

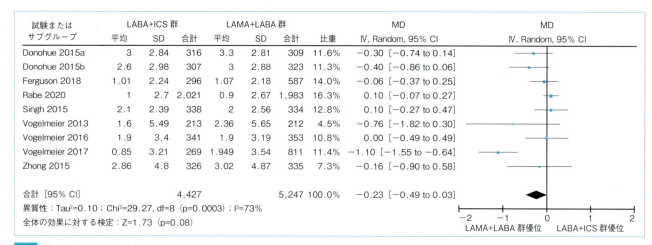

図4 呼吸困難の変化量（TDI スコア）

4〉呼吸困難の変化量（TDI スコア）（重要度7点）（図4）

RCT 9編[2,4-7,9,11,13]を採用し、メタ解析を行った（9,674例）。LAMA+LABA 群に対する LABA+ICS 群の MD は −0.23（95％ CI −0.49 to 0.03、p=0.08、I^2=73％）であり、両群間で TDI スコアに有意な差は認めなかった。I^2 統計量は73％で中等度の非一貫性があるため、エビデンスの確実性は B とする。

5〉重篤な有害事象（重要度6点）（図5）

RCT 12編[2,4-13]を採用し、メタ解析を行った（20,657例）。OR 1.00（95％ CI 0.86 to 1.15、p=0.95、I^2=40％）であり、LABA+ICS 群と LAMA+LABA 群との両群間で重篤な有害事象に有意な差は認めなかった。I^2 統計量

は40％で中等度の非一貫性があるため、エビデンスの確実性は B とする。

6〉肺炎の合併（重要度6点）（図6）

RCT 10編[2,4-6,8-11,13]を採用し、メタ解析を行った（19,077例）。OR 1.65（95％ CI 1.40 to 1.94、p<0.00001、I^2=0％）であり、LAMA+LABA 群と比較し、LABA+ICS 群で有意に肺炎の発症率が高かった。I^2 統計量は0％で非一貫性がないため、エビデンスの確実性は A とする。

7〉死亡頻度（重要度9点）（図7）

RCT 13編[2-13]を採用し、メタ解析を行った（20,698例）。OR 0.76（95％ CI 0.58 to 0.99、p=0.04、I^2=0％）であり、LAMA+LABA 群と比較し、LABA+ICS 群で有

CQ05 安定期COPDに対して、LABA+ICSとLAMA+LABAのいずれを推奨するか？

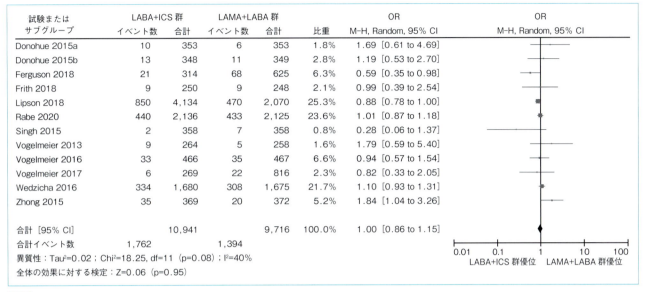

図5 重篤な有害事象

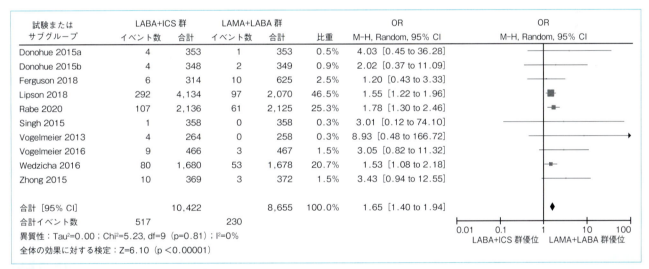

図6 肺炎の合併

意に死亡率が低かった。I^2統計量は0％と非一貫性はなかったが、発生頻度が低く症例数が少ないため、不精確性ありと判断し、エビデンスの確実性はBとする。

システマティックレビューのまとめ

すべてのRCTにおいて中等症から重症のCOPDが対象とされており、中等症から重症のCOPDに対するLABA+ICSの有効性をLAMA+LABAと比較した。LABA+ICS群はLAMA+LABA群と比較して有意に増悪の増加（エビデンスの確実性A）、肺炎発症の増加（エビデンスの確実性A）を認め、LAMA+LABA群と比較して有意に呼吸機能（ベースラインからのFEV₁の変化量）の改善が少なかった（エビデンスの確実性B）が、この差は70mLでありMCIDには至らなかった。両群間で、HRQOL（ベースラインからのSGRQの変化量）と呼吸器症状の変化（TDIスコア）、重篤な有害事象は有意な差は認めなかったが、LABA+ICS群はLAMA+LABA群と比較して有意に死亡頻度が低かった（エビデンスの確実性B）。死亡頻度については発生数が少なく不精確性ありと判断した。以上から、中等症から重症の患者に対するLABA+ICSは、標準治療であるLAMA+LABAと比較した場合に死亡頻度の抑制効果を認めたが、増悪や肺炎発症のリスクを増加させる。死亡

第Ⅳ章　Clinical Question

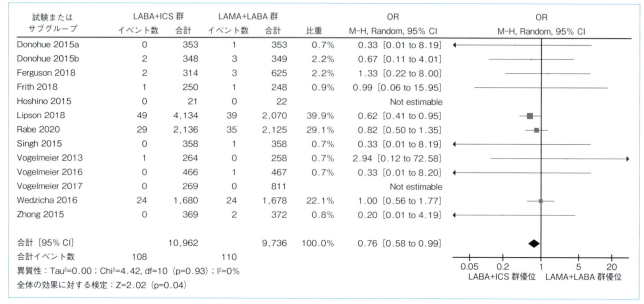

図7 死亡頻度

は最重要アウトカムであるが、LAMA+LABA群と比較してLABA+ICS群での死亡減少は1,000人当たり1人である。一方、相対的に重要度の下がる肺炎は1,000人当たり23人増加し、増悪は1,000人当たり61人増加する。なお、今回の解析では前年に1回以上の増悪歴を有するものを対象とし、かつ喘息既往を除外していない試験の症例が全症例数に占める割合が高く、喘息症例が潜在的に含まれる可能性があることに留意するべきである。

推奨の強さを決定するための評価項目

1） アウトカム全般に関する全体的なエビデンスの強さ：**中程度**

重要度の高いアウトカムについて、死亡頻度以外のアウトカム（増悪、呼吸機能、肺炎の合併）は同じ方向を示しており、全体的なエビデンスの確実性はB（中程度）とした。

2） 益と害のバランスは確実か：**確実ではない**

LAMA+LABAと比較してLABA+ICSは、重要度の高い死亡頻度を減少させて益を示した一方、重要度の高い他のアウトカム（増悪、肺炎の合併）に害をなした。

3） 患者の価値観や好みを反映しているか：**反映している**

増悪と肺炎の合併により予定外の外来受診や入院を要することが多いため、LAMA+LABAによりそれぞれの頻度が減少することは多くの患者が望むと推測される。

4） 負担の確実さ（あるいは相違）正味の利益がコストや資源に十分見合っているか：**見合っている**

増悪と肺炎の合併により予定外の外来受診や入院を要することで経済的負担や医療資源の消費につながるため、LAMA+LABAによりそれぞれの頻度が減少することは大きな利益となる。

委員会における討論内容と結果

討論では、LAMA+LABAと比べてLABA+ICSでCOPD増悪や肺炎の合併が有意に増加するにもかかわらず、LAMA+LABAで死亡頻度が増加したことについて要因を明確にするべきであるとの意見があった。この要因として、今回の解析では喘息既往を除外していない試

CQ05 安定期 COPD に対して、LABA+ICS と LAMA+LABA のいずれを推奨するか？

験の症例が全症例数に占める割合が高く、喘息症例が潜在的に含まれる可能性があり、FLAME 試験までの RCT を用いて行った 2018 年以前のメタ解析[1,14]と患者背景が異なる点を留意するべきであるとの意見や、海外において LABA/ICS 配合薬と比べて LAMA/LABA 配合薬では心血管死の頻度が高いことがあげられ、本邦の現状と異なる点があることに留意すべきであるとの意見があった。実際に、今回のメタ解析での全症例数に占める割合の多い IMPACT 試験のサブ解析では、末梢血中好酸球数の低い群では LAMA+LABA の治療効果が高かったが、末梢血中好酸球数が高くなるに従い LABA+ICS の治療効果が高くなることが報告されている[15]。

COI のあるガイドライン委員を除く 53 名で投票を行った。1 名/53 名（2 ％）が「LABA+ICS を弱く推奨する（提案する）」に、50 名/53 名（94 ％）が「LAMA+LABA を弱く推奨する（提案する）」に、2 名/53 名（4 ％）が「LAMA+LABA を強く推奨する」に投票した。以上より、「安定期 COPD に対して、LABA+ICS 併用療法より LAMA+LABA 併用療法を弱く推奨する（提案する）」と決定した。

References

1) Oba Y, Keeney E, Ghatehorde N, et al. Dual combination therapy versus long-acting bronchodilators alone for chronic obstructive pulmonary disease(COPD)：a systematic review and network meta-analysis. Cochrane Database Syst Rev. 2018；12：CD012620.［Ⅰ］

2) Donohue JF, Worsley S, Zhu CQ, et al. Improvements in lung function with umeclidinium/vilanterol versus fluticasone propionate/salmeterol in patients with moderate-to-severe COPD and infrequent exacerbations. Respir Med. 2015；109：870-81.［Ⅱ］

3) Hoshino M, Ohtawa J, Akitsu K. Comparison of airway dimensions with once daily tiotropium plus indacaterol versus twice daily Advair（Ⓡ）in chronic obstructive pulmonary disease. Pulm Pharmacol Ther. 2015；30：128-33.［Ⅱ］

4) Singh D, Worsley S, Zhu CQ, et al. Umeclidinium/vilanterol versus fluticasone propionate/salmeterol in COPD：a randomised trial. BMC Pulm Med. 2015；15：91.［Ⅱ］

5) Vogelmeier CF, Bateman ED, Pallante J, et al. Efficacy and

safety of once-daily QVA149 compared with twice-daily salmeterol-fluticasone in patients with chronic obstructive pulmonary disease （ILLUMINATE）：a randomised, double-blind, parallel group study. Lancet Respir Med. 2013；1：51-60.［Ⅱ］

6) Vogelmeier C, Paggiaro PL, Dorca J, et al. Efficacy and safety of aclidinium/formoterol versus salmeterol/fluticasone：a phase 3 COPD study. Eur Respir J. 2016；48：1030-9.［Ⅱ］

7) Vogelmeier CF, Gaga M, Aalamian-Mattheis M, et al. Efficacy and safety of direct switch to indacaterol/glycopyrronium in patients with moderate COPD：the CRYSTAL open-label randomised trial. Respir Res. 2017；18：140.［Ⅱ］

8) Wedzicha JA, Banerji D, Chapman KR, et al. Indacaterol-Glycopyrronium versus Salmeterol-Fluticasone for COPD. N Engl J Med. 2016；374：2222-34.［Ⅱ］

9) Zhong N, Wang C, Zhou X, et al. LANTERN：a randomized study of QVA149 versus salmeterol/fluticasone combination in patients with COPD. Int J Chron Obstruct Pulmon Dis. 2015；10：1015-26.［Ⅱ］

10) Lipson DA, Barnhart F, Brealey N, et al. Once-Daily Single-Inhaler Triple versus Dual Therapy in Patients with COPD. N Engl J Med. 2018；378：1671-80.［Ⅱ］

11) Ferguson GT, Rabe KF, Martinez FJ, et al. Triple therapy with budesonide/glycopyrrolate/formoterol fumarate with co-suspension delivery technology versus dual therapies in chronic obstructive pulmonary disease （KRONOS）：a double-blind, parallel-group, multicentre, phase 3 randomised controlled trial. Lancet Respir Med. 2018；6：747-58.［Ⅱ］

12) Frith PA, Ashmawi S, Krishnamurthy S, et al. Efficacy and safety of the direct switch to indacaterol/glycopyrronium from salmeterol/fluticasone in non-frequently exacerbating COPD patients：The FLASH randomized controlled trial. Respirology. 2018；23：1152-9.［Ⅱ］

13) Rabe KF, Martinez FJ, Ferguson GT, et al. Triple Inhaled Therapy at Two Glucocorticoid Doses in Moderate-to-Very-Severe COPD. N Engl J Med. 2020；383：35-48.［Ⅱ］

14) Horita N, Goto A, Shibata Y, et al. Long-acting muscarinic antagonist （LAMA） plus long-acting beta-agonist （LABA） versus LABA plus inhaled corticosteroid （ICS） for stable chronic obstructive pulmonary disease （COPD）. Cochrane Database Syst Rev. 2017；2：CD012066.［Ⅰ］

15) Pascoe S, Barnes N, Brusselle G, et al. Blood eosinophils and treatment response with triple and dual combination therapy in chronic obstructive pulmonary disease：analysis of the IMPACT trial. Lancet Respir Med. 2019；7：745-56.［Ⅱ］

第Ⅳ章 Clinical Question

第Ⅳ章　Clinical Question

CQ 06 LAMA+LABAでコントロール不良のCOPDに対して、LAMA+LABAにICSの追加を推奨するか？

CQ06の推奨	増悪を繰り返す患者に対して、LAMA+LABAにICSの追加を行うことを弱く推奨する（提案する）
エビデンスの確実性	Ⓐ 強い

解説文

アウトカム指標

LAMA+LABA+ICS群とLAMA+LABA群の2群間比較で、アウトカムとして、「増悪」「SGRQスコア」「TDIスコア」「トラフFEV_1」「全有害事象」「重篤な有害事象」「肺炎の合併」「死亡の頻度」を評価した。

採用論文

COPD患者を対象に、12週間以上の観察期間を設定したRCTを検索し、検討した。RCT 6編を選択し[1-6]、また、日本人に関するRCTのサブ解析3編を選択した[7-9]。メタ解析にはランダム効果モデルによるMantel-Haenszel methodとInverse Variance method（Review Manager 5.3）を用い、増悪についてはRRを、その他、二値変数はOR、連続変数はMDを効果の指標とした。

結果

今回の検索結果では、全検討において10 pack-years以上の喫煙歴を有し、対象年齢は35歳以上であった。閉塞性障害の程度としては%FEV_1が80％以上の軽症COPDを対象とした検討はなく、中等症から重症を対象としていた。増悪歴に関しては、KRONOS試験とその延長試験の2編以外の4編で、前年に1回以上の増悪歴を有する患者を対象としていた[2,5]。また、現在の喘息の合併に関しては、全検討で除外されていたが、喘息既往の除外に関してはOPTIMAL試験が40歳以前の喘息既往を除外したのみであった[1]。また、スクリーニング時点で参加者の65〜80％（日本国内でのサブ解析では32〜40％）がICS治療を受けていた。またOPTIMAL試験以外の5編では、CAT≧10の有症状症例を対象としていた。以上より、本検討での主な対象は、喫煙歴およびCAT≧10の症状を有し、過去1年間に増悪歴を有する中等症から重症のCOPDで、現在、喘息を合併していない症例と考えられた。

1 増悪（重要度7点）（図1）

4編（13,267例）のRCTによるメタ解析を行った[2-4,6]。RRは0.73（LAMA+LABA治療時の増悪頻度に対する比：95％CI 0.64 to 0.83、p＜0.00001）とLAMA+LABA+ICSはLAMA+LABAと比較して、年間の増悪回数を有意に減少させた。また、I^2統計量が78％と高度であったが、すべてのRCTで効果の向きが同一であったため、非一貫性による結果への影響は深刻ではなく、エビデンスの確実性はAとする。

CQ06 LAMA+LABA でコントロール不良の COPD に対して、LAMA+LABA に ICS の追加を推奨するか？

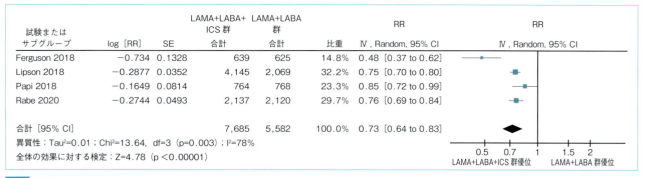

図1 増悪

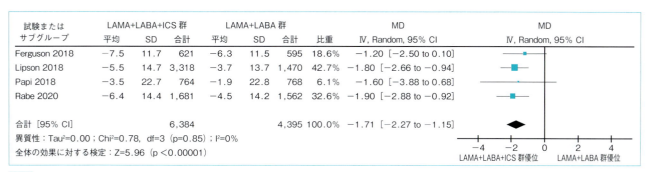

図2 SGRQ スコア

図3 TDI スコア

2) SGRQ スコア（重要度 7 点）（図2）

4編（13,267例）のRCTによるメタ解析を行った[2-4,6]。MD −1.71（95% CI −2.27 to −1.15, p＜0.00001）とLAMA+LABA+ICS はLAMA+LABA と比べ、HRQOL を有意に改善したが、その差は−1.7点（−2.3 to −0.9点）と MCID である−4点よりも小さい値であった。I^2統計量は0％と非一貫性は認められないことから、エビデンスの確実性はAとする。

3) TDI スコア（重要度 7 点）（図3）

3編（5,521例）のRCTによるメタ解析を行った[1,2,6]。MD 0.33（95% CI 0.18 to 0.48、p＜0.00001）とLAMA+LABA+ICS はLAMA+LABA と比べ、息切れ症状を有意に改善したが、その差は0.33点と MCID である1点よりも小さい値であった。I^2統計量は6％と非一貫性は小さく、その他ダウングレード要因がないため、エビデンスの確実性はAとする。

4) トラフ FEV₁（重要度 7 点）（図4）

2編（6,079例）のRCTによるメタ解析を行った[2,3]。MD 0.04（95% CI 0.01 to 0.07、p＝0.02）とLAMA+LABA+ICS はLAMA+LABA に比較して有意にトラフ FEV₁ を改善したが、その差は0.04 L と MCID である 0.05〜0.1 L よりも小さい値であった。また、I^2統計量は86％と高度に非一貫性に問題があることから、エビ

第Ⅳ章　Clinical Question

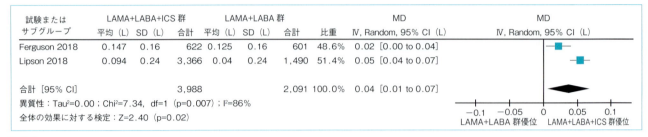

図4 トラフFEV₁

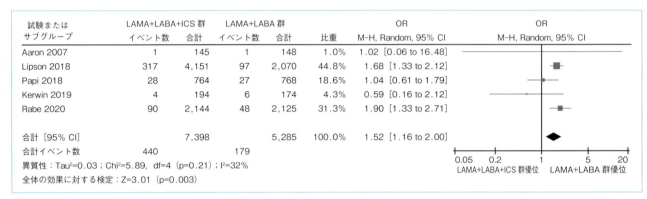

図5 肺炎の合併

デンスの確実性はBとする。

5〉全有害事象（重要度6点）

5編（12,683例）のRCTによるメタ解析を行った[1,3-6]。全有害事象の件数はLAMA+LABA+ICS群で654（631〜679）件/1,000人、LAMA+LABA群で647件/1,000人であった。OR 1.03（95 % CI 0.93 to 1.15、p=0.58）と両治療群では全有害事象の件数に差がなかった。I^2統計量は34％と非一貫性は深刻ではないことから、エビデンスの確実性はAとする。

6〉重篤な有害事象（重要度8点）

5編（12,683例）のRCTによるメタ解析を行った[1,3-6]。重篤な有害事象の件数はLAMA+LABA+ICS群で193（180〜208）件/1,000人、LAMA+LABA群で201件/1,000人であった。OR 0.95（95 % CI 0.87 to 1.04、p=0.28）と両治療群では重篤な有害事象の件数に差がなかった。I^2統計量は0％と非一貫性に問題はないことから、エビデンスの確実性はAとする。

7〉肺炎の合併（重要度8点）（図5）

5編（12,683例）のRCTによるメタ解析を行った[1,3-6]。肺炎を合併した件数はLAMA+LABA+ICS群で51（39〜66）件/1,000人、LAMA+LABA群で34件/1,000人であった。OR 1.52（95 % CI 1.16 to 2.00、p=0.003）とLAMA+LABA+ICS群では肺炎合併の頻度がLAMA+LABA群と比べて有意に高かった。I^2統計量は32％と非一貫性は深刻ではないことから、エビデンスの確実性はAとする。

8〉死亡の頻度（重要度9点）（図6）

26〜52週において検討された5編（12,683例）のRCTによるメタ解析を行った[1,3-6]。死亡の頻度はLAMA+LABA+ICS群で15（11〜19）人/1,000人、LAMA+LABA群で22人/1,000人であった。OR 0.66（95% CI 0.50 to 0.87、p=0.003）と死亡の頻度がLAMA+LABA+ICS群ではLAMA+LABA群と比較して有意に低かった。

I^2統計量は0％と非一貫性は認められなかった。また、死亡の発生頻度が1.4〜2.2％と小さく、死亡症例数が少ないが、総観察数が10,000例を超えており、不精確性を認めない。肺炎の増加が明らかであるが死亡の減

CQ06 LAMA+LABAでコントロール不良のCOPDに対して、LAMA+LABAにICSの追加を推奨するか？

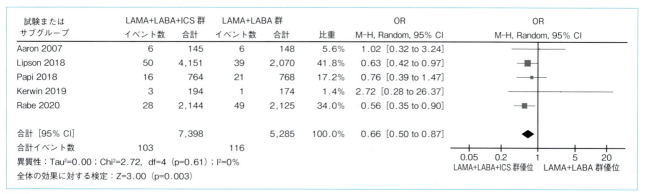

図6 死亡の頻度

少がみられた。研究デザインから喘息患者の混入が除外できず、バイアスリスクでダウングレードとする。エビデンスの確実性はBとする。

9) 日本人サブ解析

3編（445～506例）のRCTによる日本人データによるサブ解析においても[7-9]、LAMA+LABA+ICS群ではLAMA+LABA群と比較して有意な増悪抑制効果（RR 0.56、95％CI 0.38 to 0.85、p=0.006）と、トラフFEV$_1$の改善効果（MD 0.04、95％CI 0.01 to 0.07、p=0.01）が示された。しかし、肺炎の合併に関してはOR 3.38（95％CI 1.58 to 7.22、p=0.002）と全体集団の解析結果よりも高率に肺炎の合併リスクが認められた。GRADEによる評価では、LAMA+LABA+ICS群ではLAMA+LABA群に比べ1,000人当たり440（95％CI 620 to 150）回の増悪が減少することに対し、肺炎合併は86（95％CI 22 to 196）回の増加にとどまることから、全体集団同様、日本人サブ解析結果でも増悪抑制効果は肺炎合併のリスクを上回っていた。

10) 末梢血好酸球数によるサブ解析（記述的解析）

末梢血好酸球増加がICSの効果の予測指標となる可能性があることから[10,11]、4編のRCTにおいて組み入れ時の末梢血好酸球数によるサブ解析が行われた[2-4,6]。末梢血好酸球数高値サブグループ（≧150または300/μL）では、4つの試験によると中等症～重症の増悪抑制効果が強く、KRONOS試験によるとトラフFEV$_1$の改善効果が大きい傾向にあった[2]。

システマティックレビューのまとめ

中等症以上のCOPD患者において、LAMA+LABA+ICSはLAMA+LABAに対して有意に増悪および死亡頻度を減少させ、肺炎の合併頻度を有意に増加させた。今回の解析対象の多くは前年に増悪歴を有し、CAT≧10の症状を有することから、この効果は増悪歴および症状を有する症例を対象とした結果と考えるべきである。以上より、COPDの薬物療法において増悪歴およびCAT≧10の症状を有する場合には、ICS追加による増悪抑制効果は肺炎合併のリスクを上回り、LAMA+LABAへのICS追加投与が推奨され、末梢血好酸球数が高値の患者ほどICS追加の効果が優れることが示された。

今回の解析ではスクリーニング時点で参加者の65～80％（日本国内でのサブ解析では32～40％）がICS治療を受けていたことから、ICSに対する反応性が良好な喘息合併症例が潜在的に含まれていた可能性があることに留意すべきである。

推奨の強さを決定するための評価項目

1) アウトカム全般に関する全体的なエビデンスの強さ：強い

ICSの追加により増悪、死亡が減少する一方、肺炎が増加しており、相反する結果である。各アウトカムレベルのエビデンスの確実性はA～Bである。推奨度決定会議で「A：強い」で合意を得たことも踏まえ、Aと判断する。

第Ⅳ章　Clinical Question

2〉 益と害のバランスは確実か（コスト含まず）：**確実**

LAMA+LABA+ICS 群では LAMA+LABA 群と比べ、1,000 人・年当たり、増悪を 270（95％ CI 360 to 170）回減少し、死亡を 7（95％ CI 3 to 11）人減少させた。一方で、肺炎の合併頻度は 17（95％ CI 5 to 32）回増加した。LAMA+LABA+ICS による肺炎の増加は懸念材料であるが、増悪の減少頻度が著しいこと、死亡は最重要アウトカムであること、MCID に至らないものの SGRQ、TDI、トラフ FEV_1 を有意に改善することを踏まえると、LAMA+LABA+ICS は害よりも益が大きいことは確実であると考える。

3〉 患者の価値観や好みを反映しているか：**反映している**

重大なアウトカムである増悪、肺炎、死亡は多くの患者が避けたいと思うアウトカムである。薬剤吸入のためのデバイスには患者の好みがあるが、LAMA/LABA/ICS 配合薬も普及しつつあり、影響は少ないと考えられる。

4〉 負担の確実さ（あるいは相違）正味の利益がコストや資源に十分に見合っているか：**見合っている**

今回、医療コストに関する検討を行っていないが、LAMA+LABA に対する ICS の追加により薬剤費は増加するが、増悪抑制による費用を低減させるため、全体として医療費が下がることが近年の報告で示されている[12]。

▶ 委員会における討論内容と結果

推奨決定のため、COI を有する委員を除く 52 名で投票を行い、52 名（100％）が ICS 追加の推奨を支持した。そのうち 48 名（92％）が「行うことを弱く推奨する（提案する）」を支持し、同意率が 2/3 以上のため採用が決定した。

なお、本邦では ICS 追加の主な対象となる GOLD group D に属する COPD 患者の割合が全体の 10％程度

と低いこと[13]、また、RCT の事後分析では組入れ時に ICS を使用していない群では、ICS 使用群と比較して、LAMA/LABA/ICS 配合薬の有効性が低下する可能性が指摘されており、ICS 未使用群での検討はいまだ十分にはなされていない点に注意が必要である[14]。組入れ時に ICS を使用していた群では、より QOL が低く、重症の増悪を経験していたことから[14]、QOL が低く、重症の増悪を経験している症例では LAMA+LABA への ICS 追加による効果が期待される。しかし、欧米と比較し、日本人では増悪を経験する症例が少ないことから、本邦において ICS の追加が推奨される症例は比較的限られる点に留意する必要がある。

References

1) Aaron SD, Vandemheen KL, Fergusson D, et al. Tiotropium in combination with placebo, salmeterol, or fluticasone-salmeterol for treatment of chronic obstructive pulmonary disease：a randomized trial. Ann Intern Med. 2007；146：545-55.［Ⅱ］

2) Ferguson GT, Rabe KF, Martinez FJ, et al. Triple therapy with budesonide/glycopyrrolate/formoterol fumarate with co-suspension delivery technology versus dual therapies in chronic obstructive pulmonary disease（KRONOS）：a double-blind, parallel-group, multicentre, phase 3 randomised controlled trial. Lancet Respir Med. 2018；6：747-58.［Ⅱ］

3) Lipson DA, Barnhart F, Brealey N, et al. Once-Daily Single-Inhaler Triple versus Dual Therapy in Patients with COPD. N Engl J Med. 2018；378：1671-80.［Ⅱ］

4) Papi A, Vestbo J, Fabbri L, et al. Extrafine inhaled triple therapy versus dual bronchodilator therapy in chronic obstructive pulmonary disease（TRIBUTE）：a double-blind, parallel group, randomised controlled trial. Lancet. 2018；391：1076-84.［Ⅱ］

5) Kerwin EM, Ferguson GT, Mo M, et al. Bone and ocular safety of budesonide/glycopyrrolate/formoterol fumarate metered dose inhaler in COPD：a 52-week randomized study. Respir Res. 2019；20：167.［Ⅱ］

6) Rabe KF, Martinez FJ, Ferguson GT, et al. Triple Inhaled Therapy at Two Glucocorticoid Doses in Moderate-to-Very-Severe COPD. N Engl J Med. 2020；383：35-48.［Ⅱ］

7) Ichinose M, Fukushima Y, Inoue Y, et al. Efficacy and Safety of Budesonide/Glycopyrrolate/Formoterol Fumarate Metered Dose Inhaler Formulated Using Co-Suspension Delivery Technology in Japanese Patients with COPD：A Subgroup Analysis of the KRONOS Study. Int J Chron Obstruct Pulmon Dis. 2019；14：2979-91.［Ⅱ］

8) Ichinose M, Fukushima Y, Inoue Y, et al. Long-Term Safety

CQ06 LAMA+LABA でコントロール不良の COPD に対して、LAMA+LABA に ICS の追加を推奨するか？

and Efficacy of Budesonide/Glycopyrrolate/Formoterol Fumarate Metered Dose Inhaler Formulated Using Co-Suspension Delivery Technology in Japanese Patients with COPD. Int J Chron Obstruct Pulmon Dis. 2019；14：2993-3002.［Ⅱ］

9) Kato M, Tomii K, Hashimoto K, et al. The IMPACT Study – Single Inhaler Triple Therapy （FF/UMEC/VI） Versus FF/VI And UMEC/VI In Patients With COPD：Efficacy And Safety In A Japanese Population. Int J Chron Obstruct Pulmon Dis. 2019；14：2849-61.［Ⅱ］

10) Bafadhel M, Mckenna S, Terry S, et al. Acute exacerbations of chronic obstructive pulmonary disease：identification of biologic clusters and their biomarkers. Am J Respir Crit Care Med. 2011；184：662-71.［Ⅳb］

11) Christenson SA, Steiling K, Van Den Berge M, et al. Asthma-COPD overlap. Clinical relevance of genomic signatures of type 2 inflammation in chronic obstructive pulmonary disease. Am J Respir Crit Care Med. 2015；191：758-66.［Ⅳa］

12) Ismaila AS, Risebrough N, Schroeder M, et al. Cost-Effectiveness Of Once-Daily Single-Inhaler Triple Therapy In COPD：The IMPACT Trial. Int J Chron Obstruct Pulmon Dis. 2019；14：2681-95.［Ⅲ］

13) Oishi K, Hirano T, Hamada K, et al. Characteristics of 2017 GOLD COPD group A：a multicenter cross-sectional CAP study in Japan. Int J Chron Obstruct Pulmon Dis. 2018；13：3901-7.［Ⅳb］

14) Han MK, Criner GJ, Dransfield MT, et al. The Effect of ICS Withdrawal and Baseline Inhaled Treatment on Exacerbations in the IMPACT Study：A Randomized, Double-blind Multicenter Trial. Am J Respir Crit Care Med. 2020；202：1237-43.［Ⅱ］

第Ⅳ章 Clinical Question

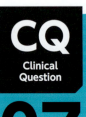

LABDs加療中の安定期COPDに対して、テオフィリンの追加治療を推奨するか？

CQ07の推奨	LABDs吸入加療中の安定期COPDに対して、テオフィリンの追加治療を行うことを弱く推奨する（提案する）。ただし、テオフィリン血中濃度測定によるテオフィリン投与量の調整が必要である
エビデンスの確実性	Ⓒ 弱い

解説文

アウトカム指標

LAMA、LABA または LAMA+LABA 吸入＋テオフィリン併用群と、LAMA、LABA または LAMA+LABA 吸入単独群の2群間比較で、アウトカムとして「呼吸機能の改善」「増悪頻度の低下」「息切れ症状の改善」「HRQOLの改善」「運動耐容能の改善」「薬物関連有害事象の増加」を評価した。

採用論文

RCT 4編を選択した[1-4]。本邦からの報告はなく、平均年齢はおよそ65歳であった。メタ解析にはランダム効果モデルによる Mantel-Haenszel method と Inverse Variance method（Review Manager 5.4）を用いて二値変数は OR、連続変数は MD を効果の指標とした。

結果

1） 呼吸機能の改善（重要度9点）（図1）

2編の RCT によるメタ解析を行った（吸入単独群 319例、吸入＋テオフィリン群 316例）[1,4]。FEV_1 のベースラインからの改善値（mL）は MD 70.10（95% CI －6.17 to 146.37、p＝0.07、I^2＝24%）であり、テオフィリンの追加は吸呼機能を改善しなかった。選択バイアス・症例減少バイアスにつきバイアスリスクがあり、エビデンスの確実性は C とする。

2） 増悪頻度の低下（重要度9点）（図2）

2編の RCT によるメタ解析を施行した（吸入単独群 319例、吸入＋テオフィリン群 316例）[1,4]。延べ増悪回数

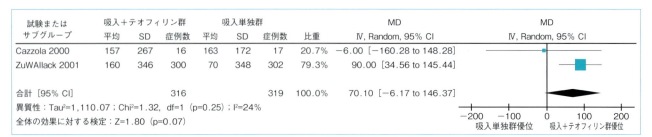

図1 呼吸機能（FEV_1）の改善

CQ07　LABDs加療中の安定期COPDに対して、テオフィリンの追加治療を推奨するか？

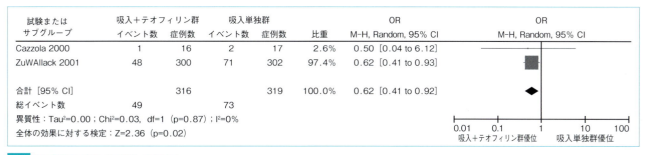

図2　増悪頻度（延べ回数）の低下

図3　息切れ症状（TDI）の改善

の比較はOR 0.62（95% CI 0.41 to 0.92、p=0.02、I^2=0%）であり、テオフィリンの追加は増悪頻度を低下させた。選択バイアス・症例減少バイアスにつきバイアスリスクがあり、症例数が少なく不精確性を認めることから、エビデンスの確実性はCとする。

3 息切れ症状の改善（重要度9点）（図3）

2編のRCTによるメタ解析を施行した（吸入単独群313例、吸入＋テオフィリン群310例）[1,3]。TDIはMD 0.63（95% CI 0.09 to 1.16、p=0.02、I^2=0%）であり、MCID 1.0を超えず、テオフィリンの追加は息切れ症状を改善しなかった。症例減少バイアスにつきバイアスリスクがあり、エビデンスの確実性はBとする。

4 HRQOLの改善（重要度9点）

RCT 4編のうちHRQOLをアウトカムとした論文は1編のみであり、メタ解析は施行していない[1]。ベースラインからのCRQの改善は吸入単独群7.6点（302例、SD記載なし）、吸入＋テオフィリン群12.7点（300例、SD記載なし）であり、MCID 10点を超える差は認められなかった。該当論文がSDを提示していないことを踏まえ、エビデンスの確実性はDとする。

5 運動耐容能の改善（重要度9点）

RCT 4編のうち運動耐容能をアウトカムとした論文は1編のみであり、メタ解析は施行していない[3]。Ventilatory efficiency % predictedの減少（%）はMD 11.14（95% CI 1.62 to 20.66、p=0.02）であり、テオフィリンの追加は運動耐容能を改善した。症例数（計21例）が著しく少なく、不精確性を認めることから、エビデンスの確実性はCとする。

6 薬物関連有害事象の増加（重要度7点）（図4）

3編のRCTによるメタ解析を施行した（吸入単独群341例、吸入＋テオフィリン群345例）[1-3]。OR 2.19（95% CI 1.44 to 3.35、p=0.0003、I^2=0%）であり、テオフィリンの追加は薬物関連有害事象を増加させた。選択バイアス・症例減少バイアスおよび症例数が少なく、不精確性を認めることから、エビデンスの確実性はCとする。

システマティックレビューのまとめ

LABDs吸入加療中の安定期COPDに対し、テオフィリンの追加治療は、呼吸機能を改善せず、増悪頻度を低下させ、薬物関連有害事象を増加させた。息切れ症状は

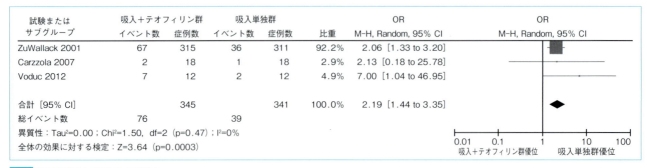

図4 薬物関連有害事象の増加

TDIを増加させるも、MCIDは超えなかった。HRQOL、運動耐容能をアウトカムとしたRCTはそれぞれ1編のみでありメタ解析は施行できなかったが、運動耐容能の改善が報告されている[3]。

今回選択したRCT 4編中3編は、有効血中濃度となるようテオフィリン投与量の調整を行っており、残る1編も血中テオフィリン濃度の測定を施行していた。テオフィリンの追加により主に消化器症状に関する有害事象が増加したが、重篤な有害事象発生率に関してはZuWallackらの報告では対照群の6%、介入群の4%とテオフィリンの追加により増加を認めなかった[1]。

以上のことから、LABDs吸入加療中の安定期COPDに対し、テオフィリンの追加治療を行うことを条件付きで弱く推奨する（エビデンスの確実性はC）。ただし、テオフィリン血中濃度測定によるテオフィリン投与量の調整が必要と考える。

推奨の強さを決定するための評価項目

アウトカム全般に関する全体的なエビデンスの強さ：**弱い**

RCT 4編のうち2編はpilot studyの報告であり症例数が少ないこと、また選択バイアス・症例減少バイアスを認めることからエビデンスの確実性はCと判定した。

2〉 益と害のバランスは確実か（コスト含まず）：**確実**

益として増悪頻度の低下と運動耐容能の改善を認めた（運動耐容能に関してはメタ解析を行わず）。害として薬物関連有害事象の増加を認めたが、テオフィリン投与量の調整により重篤な有害事象の増加は認めておらず、確実とした。

患者の価値観や好みを反映しているか：**不明**

増悪減少と運動耐容能の改善を認めるものの、内服増加の負担がある。また、血中濃度測定のための採血を好まない患者もいると考えられる。

4〉 負担の確実さ（あるいは相違）正味の利益がコストや資源に十分に見合っているか：**見合っている**

テオフィリンは比較的安価であることと、増悪頻度低下による医療費削減効果が期待されることから、正味の利益がコストや資源に十分に見合っている。

委員会における討論内容と結果

学術的COIを有する3名、経済的COIを有する15名、議長1名およびSR統括委員1名を除く50名の委員で投票が行われた。初回投票において38名/50名（76%）が「行うことを弱く推奨する（提案する）」に投票、11名/50名（22%）が「行わないことを弱く推奨する（提案する）」に投票、1名/50名（2%）が「判定不能」に投票した。初回投票において同意が2/3以上になったため、「行うことを弱く推奨する（提案する）」に推奨決定となった。

また、討論において低用量テオフィリン追加治療が話題にあがったため補足する。安定期COPDの吸入療法に低用量のテオフィリンを追加した際の効果を検討した

CQ07　LABDs 加療中の安定期 COPD に対して、テオフィリンの追加治療を推奨するか？

RCT は 4 編であった[5-8]。そのうち 3 編は、ICS への低用量テオフィリン追加治療により抗炎症効果の増強作用を期待したものであった。現在 COPD 患者への ICS 使用は喘息合併例に限られていることから、低用量テオフィリン追加治療を検討した論文は除外し、SR を実施した。

本 SR を目的として 2020 年末に行ったデータベース（PubMed、MEDLINE、Cochrane library）検索により採用した RCT 4 編は、2012 年に発表された論文が最新であった。またこの 4 編では、サルメテロール、ホルモテロール、チオトロピウムへのテオフィリン追加治療効果を検討されており、最近の LAMA、LABA または LAMA/LABA 配合薬との検討を行った論文はみられなかった。

References

1) ZuWallack RL, Mahler DA, Reilly D, et al. Salmeterol plus theophylline combination therapy in the treatment of COPD. Chest. 2001；119：1661-70.［Ⅱ］

2) Cazzola M, Gabriella Matera M. The additive effect of theophylline on a combination of formoterol and tiotropium in stable COPD：a pilot study. Respir Med. 2007；101：957-62.［Ⅱ］

3) Voduc N, Alvarez GG, Amjadi K, et al. Effect of theophylline on exercise capacity in COPD patients treated with combination long-acting bronchodilator therapy：a pilot study. Int J Chron Obstruct Pulmon Dis. 2012；7：245-52.［Ⅱ］

4) Cazzola M, Di Lorenzo G, Di Perna F, et al. Additive effects of salmeterol and fluticasone or theophylline in COPD. Chest. 2000；118：1576-81.［Ⅱ］

5) Xiong XF, Fan LL, Wu HX, et al. Effects of Tiotropium Combined with Theophylline on Stable COPD Patients of Group B, D and its Impact on Small Airway Function：A Randomized Controlled Trial. Adv Ther. 2018；35：2201-13.［Ⅱ］

6) Cosio BG, Shafiek H, Iglesias A, et al. Oral Low-dose Theophylline on Top of Inhaled Fluticasone-Salmeterol Does Not Reduce Exacerbations in Patients With Severe COPD：A Pilot Clinical Trial. Chest. 2016；150：123-30.［Ⅱ］

7) Subramanian, Ragulan, Jindal A, et al. The Study of Efficacy, Tolerability and Safety of Theophylline Given Along with Formoterol Plus Budesonide in COPD. J Clin Diagn Res. 2015；9：OC10-13.［Ⅱ］

8) Devereux G, Cotton S, Fielding S, et al. Low-dose oral theophylline combined with inhaled corticosteroids for people with chronic obstructive pulmonary disease and high risk of exacerbations：a RCT. Health Technol Assess. 2019；23：1-146.［Ⅱ］

第Ⅳ章　Clinical Question

CQ 08 安定期COPDに対して、喀痰調整薬を推奨するか?

CQ08の推奨	安定期COPDに対して、喀痰調整薬を弱く推奨する（提案する）
エビデンスの確実性	Ⓒ 弱い

解説文

アウトカム指標

喀痰調整薬の投与群・非投与群の二群間比較で、アウトカムとして「死亡率の減少」「入院率の減少」「増悪の抑制」「SGRQの改善」「副作用の増加」「FEV_1の改善」を評価した。

二値変数はOR、連続変数はベースラインからの変化値のMDを用いて算出した。

採用論文

英語および非英語のfull articleを対象とし、研究デザインはRCTとして検索を行った。あらゆる喀痰調整薬を対象とし、気道分泌物の産生・分泌を抑制するものと、分泌物のクリアランスを促進するものを含めた。併用薬に関する制限は設けなかった。最終的にRCT 20編を選択した[1-20]。

結果

1） 死亡率の減少（重要度9点）（図1）

9編のRCTによるメタ解析を行った[3,6,7,10,13,15,17,19,20]。死亡率に対するOR 1.02（95% CI 0.50 to 2.08）で両群に差を認めなかった。バイアスリスクと不精確でダウングレードし、エビデンスの確実性はCとする。

2） 入院率の減少（重要度8点）（図2）

5編のRCTによるメタ解析を行った[7,10,12,17,20]。入院率に対するOR 0.62（95% CI 0.41 to 0.94）であり、喀痰調整薬群で有意に入院率の減少を認めた。バイアスリスクと不精確でダウングレードし、エビデンスの確実性はCとする。

3） 増悪の抑制（重要度7点）（図3）

14編のRCTによるメタ解析を行った[1,4-6,9-11,13,15-20]。増悪に対するOR 0.61（95% CI 0.48 to 0.78）であり、喀痰調整薬群で有意に増悪の抑制を認めた。バイアスリスクと非一貫性でダウングレードし、エビデンスの確実性はCとする。

4） SGRQの改善（重要度6点）（図4）

8編のRCTによるメタ解析を行った[6,7,10,16-20]。SGRQ合計スコアで測定したQOLの変化値のMDは－3.76点（－7.07 to －0.45）であり、統計的有意にQOLを改善

CQ08 安定期COPDに対して、喀痰調整薬を推奨するか？

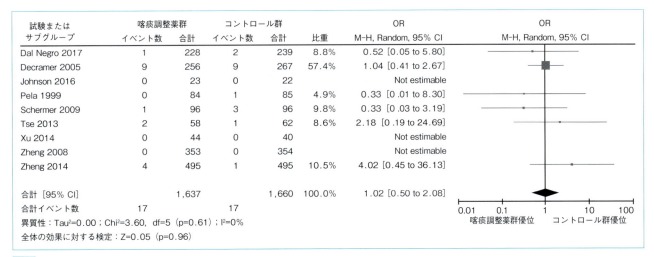

図1 死亡率

図2 入院率

すると考えられた。しかし、MCID（4点）には至らなかった。バイアスリスクと非一貫性でダウングレードし、エビデンスの確実性はCとする。

5）副作用の増加（重要度5点）（図5）

13編のRCTによるメタ解析を行った[1,2,4,6,8,10,12,14,17-20]。副作用に対するOR 0.82（95% CI 0.62-1.09）であり、喀痰調整薬群で副作用の増加は認めなかった。バイアスリスク、不精確、非直接性でダウングレードし、エビデンスの確実性はDとする。

6）FEV_1の改善（重要度4点）（図6）

8編のRCTによるメタ解析を行った[5,7,12,13,15-17,20]。FEV_1変化値のMDは0.01L（-0.11 to 0.13）に留まり、FEV_1を改善しないと判断した。

システマティックレビューのまとめ

喀痰調整薬は、死亡率を減少させず（エビデンスの確実性はC）、入院率を減少させ（エビデンスの確実性はC）、増悪を抑制し（エビデンスの確実性はC）、SGRQを統計的有意に改善させるも臨床的有意には改善せず（エビデンスの確実性はC）、副作用を増加させず（エビデンスの確実性はD）、FEV_1を改善しない（エビデンスの確実性はC）。全体としてのエビデンスの確実性はCである。

評価対象はベースラインのFEV_1や増悪頻度、QOLを問わずに、安定期のCOPD患者一般である。喀痰調整薬は安価で副作用もほとんどみられないため、安定期のCOPD患者一般に推奨しやすい。特に、増悪頻度の高い患者、入院リスクの低い患者には有用性が期待できる。

2019年にCochrane Reviewから慢性気管支炎とCOPD患者を合わせて評価したSRが出版されている

第Ⅳ章　Clinical Question

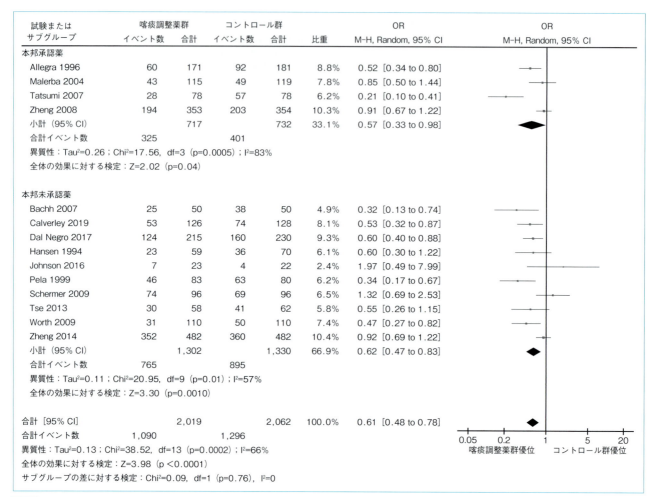

図3 増悪

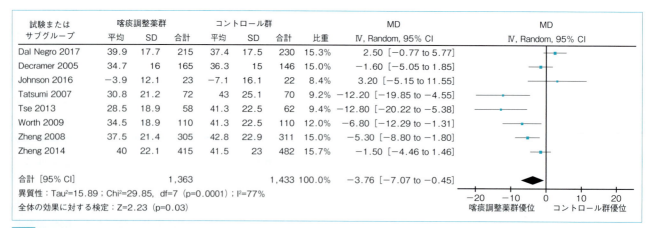

図4 SGRQ のベースラインからの変化

CQ08 安定期COPDに対して、喀痰調整薬を推奨するか？

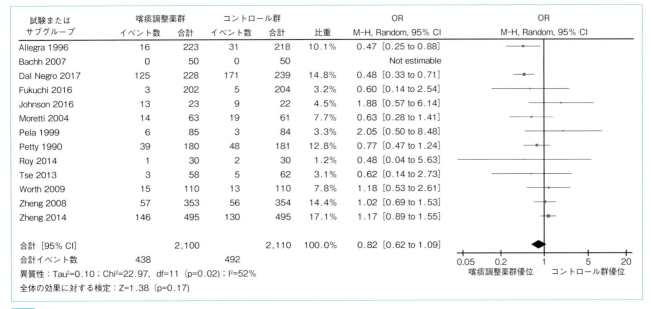

図5 副作用

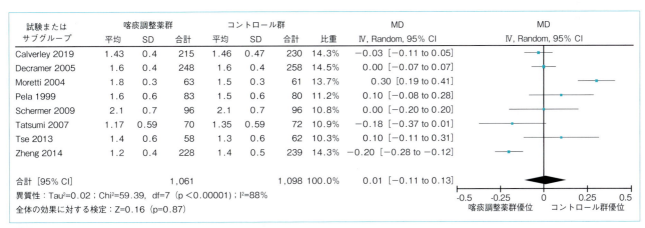

図6 FEV₁のベースラインからの変化

が[21]）、本ガイドラインではCOPD患者に限定したSRを行った。

　本ガイドラインのSRでは、本邦で販売されていない喀痰調整薬を含めた解析を行ったが、本邦で販売されている/されていない喀痰調整薬に限定したサブ解析でも増悪の減少は同程度であるため、本邦で販売されている喀痰調整薬でも同等の効果が期待できると判断した。

推奨の強さを決定するための評価項目

1〉 アウトカム全般に関する全体的なエビデンスの強さ：弱い

　エビデンスはRCTに基づいているが、多くのアウトカムの解析においてバイアスリスク、非一貫性、不精確などエビデンスの質を下げる要因がある。改善のみられた入院、増悪のエビデンスの確実性はCであり、全体的なエビデンスの確実性は弱い（C）と判断される。

第Ⅳ章　Clinical Question

2 〉 益と害のバランスは確実か：**確実**

　増悪・入院という重大なイベントを減少させる一方、副作用の増加は認められなかった。

3 〉 患者の価値観や好みを反映しているか：**反映している**

　一部の患者は内服薬の増加を忌避する可能性があるが、増悪・入院の減少はほとんどの患者の価値観・好みに適うと推測される。

4 〉 負担の確実さ（あるいは相違）正味の利益がコストや資源に十分見合っているか：**見合っている**

　喀痰調整薬は安価で副作用もほとんどみられないため、経済的コストや医学的リスクは低く、資源に十分見合っていると判断される。

◤ 委員会における検討内容と結果

　COI のあるガイドライン委員を除く 52 名で投票を行った。1 名/52 名（2 %）が「行うことを強く推奨する」、49 名/52 名（94 %）が「行うことを弱く推奨する（提案する）」、2 名/52 名（4 %）が「行わないことを弱く推奨する（提案する）」に投票した。

References

1) Bachh AA, Shah NN, Bhargava R, et al. Effect of oral N-acetylcysteine in COPD - a randomised controlled trial. JK Pract. 2007；14：12-6.［Ⅱ］
2) Roy P, Haran A, Srinivas BN, et al. Evaluation of effect of N-acetylcysteine as an adjuvant to mainstay bronchodilator therapy in mild to moderate cases of chronic obstructive pulmonary disease. International Journal of Medical and Applied Sciences. 2014；3：95-105.［Ⅱ］
3) Xu XG, Jiang ZY, Du MJ, et al. Evaluation on effectiveness of salmeterol/fluticasone propionate combined with N-acetylcysteine in treatment of chronic obstructive pulmonary disease.［Chinese］. J Jilin Univ Med Edition. 2014；40：870-4.［Ⅱ］
4) Allegra L, Cordaro CI, Grassi C. Prevention of acute exacerbations of chronic obstructive bronchitis with carbocysteine lysine salt monohydrate：a multicenter, double-blind, placebo-controlled trial. Respiration. 1996；63：174-80.［Ⅱ］
5) Calverley PM, Page C, Dal Negro RW, et al. Effect of Erdosteine on COPD Exacerbations in COPD Patients with Moderate Airflow Limitation. Int J Chron Obstruct Pulmon Dis. 2019；14：2733-44.［Ⅱ］
6) Dal Negro RW, Wedzicha JA, Iversen M, et al. Effect of erdosteine on the rate and duration of COPD exacerbations：the RESTORE study. Eur Respir J. 2017；50.［Ⅱ］
7) Decramer M, Rutten-van Mölken M, Dekhuijzen PN, et al. Effects of N-acetylcysteine on outcomes in chronic obstructive pulmonary disease（Bronchitis Randomized on NAC Cost-Utility Study, BRONCUS）：a randomised placebo-controlled trial. Lancet. 2005；365：1552-60.［Ⅱ］
8) Fukuchi Y, Tatsumi K, Inoue H, et al. Prevention of COPD exacerbation by lysozyme：a double-blind, randomized, placebo-controlled study. Int J Chron Obstruct Pulmon Dis. 2016；11：831-8.［Ⅱ］
9) Hansen NC, Skriver A, Brorsen-Riis L, et al. Orally administered N-acetylcysteine may improve general well-being in patients with mild chronic bronchitis. Respir Med. 1994；88：531-5.［Ⅱ］
10) Johnson K, McEvoy CE, Naqvi S, et al. High-dose oral N-acetylcysteine fails to improve respiratory health status in patients with chronic obstructive pulmonary disease and chronic bronchitis: a randomized, placebo-controlled trial. Int J Chron Obstruct Pulmon Dis. 2016；11：799-807.［Ⅱ］
11) Malerba M, Ponticiello A, Radaeli A, et al. Effect of twelve-months therapy with oral ambroxol in preventing exacerbations in patients with COPD. Double-blind, randomized, multicenter, placebo-controlled study（the AMETHIST Trial）. Pulm Pharmacol Ther. 2004；17：27-34.［Ⅱ］
12) Moretti M, Bottrighi P, Dallari R, et al. The effect of long-term treatment with erdosteine on chronic obstructive pulmonary disease：the EQUALIFE Study. Drugs Exp Clin Res. 2004；30：143-52.［Ⅱ］
13) Pela R, Calcagni AM, Subiaco S, et al. N-acetylcysteine reduces the exacerbation rate in patients with moderate to severe COPD. Respiration. 1999；66：495-500.［Ⅱ］
14) Petty TL. The National Mucolytic Study. Results of a randomized, double-blind, placebo-controlled study of iodinated glycerol in chronic obstructive bronchitis. Chest. 1990；97：75-83.［Ⅱ］
15) Schermer T, Chavannes N, Dekhuijzen R, et al. Fluticasone and N-acetylcysteine in primary care patients with COPD or chronic bronchitis. Respir Med. 2009；103：542-51.［Ⅱ］
16) Tatsumi K, Fukuchi Y. Carbocisteine improves quality of life in patients with chronic obstructive pulmonary disease. J Am Geriatr Soc. 2007；55：1884-6.［Ⅱ］
17) Tse HN, Raiteri L, Wong KY, et al. High-dose N-acetylcysteine in stable COPD：the 1-year, double-blind, randomized,

placebo-controlled HIACE study. Chest. 2013；144：106-18. [Ⅱ]

18）Worth H, Schacher C, Dethlefsen U. Concomitant therapy with Cineole (Eucalyptole) reduces exacerbations in COPD：a placebo-controlled double-blind trial. Respir Res. 2009；10：69. [Ⅱ]

19）Zheng JP, Kang J, Huang SG, et al. Effect of carbocisteine on acute exacerbation of chronic obstructive pulmonary disease (PEACE Study)：a randomised placebo-controlled study. Lancet. 2008；371：2013-8. [Ⅱ]

20）Zheng JP, Wen FQ, Bai CX, et al. Twice daily N-acetylcysteine 600 mg for exacerbations of chronic obstructive pulmonary disease (PANTHEON)：a randomised, double-blind placebo-controlled trial. Lancet Respir Med. 2014；2：187-94. [Ⅱ]

21）Poole P, Sathananthan K, Fortescue R. Mucolytic agents versus placebo for chronic bronchitis or chronic obstructive pulmonary disease. Cochrane Database Syst Rev. 2019；5：Cd001287. [Ⅰ]

第Ⅳ章　Clinical Question

CQ 09 好酸球の増加している安定期COPDに対して、生物学的製剤を推奨するか？

CQ09の推奨	好酸球の増加している安定期COPDに対して、生物学的製剤を行わないことを強く推奨する
エビデンスの確実性	Ⓒ 弱い

解　説　文

アウトカム指標

　2型炎症を標的とした生物学的製剤は、重症喘息の増悪抑制などに有効であるが、好酸球の増加している安定期COPDに対して有効かについて、有効性のアウトカム指標として、「中等度から重度の増悪」「中等度から重度の初回増悪までの期間」「救急受診または入院を要する増悪」「SGRQスコア」「CATスコア」「気管支拡張薬吸入前FEV₁（L）」、「レスキュー吸入薬使用（噴霧/日）」、「夜間覚醒日数の割合」を、安全性のアウトカム指標として、「重篤な有害事象」「死亡」「全有害事象」を評価した。

採用論文

　COPDを対象に施行された、2型炎症を標的とした生物学的製剤の臨床試験を、PubMedとClinicalTrials. govで2021年1月7日に検索した。
　オマリズマブの観察研究が1編あり[1]、reslizumab、tralokinumabの報告はなく、lebrikizumabの第Ⅱ相試験が終了していたが結果報告がなく、ベンラリズマブ2編、メポリズマブ2編、デュピルマブ2編、tezepelumab 1編で被験者の登録を募集中であった。好酸球増多を伴うCOPDとして、ベンラリズマブの臨床試験であるBrightlingらの報告の全例（喀痰中好酸球数≧3％のCOPD）[2]、GALATHEA試験とTERRANOVA試験の層別化集団（末梢血好酸球数≧220/μLのCOPD）[3]、メポリズマブの臨床試験であるDasguptaらの報告の全例（過去2年以内に喀痰中好酸球＞3％のCOPD）[4]、METREO試験の全例とMETREX試験の層別化集団（末梢血好酸球数≧150/μLまたは前年に≧300/μLのCOPD）[5]を抽出した。通常量群（本邦での重症喘息での承認用量のベンラリズマブ30 mgとメポリズマブ100 mg）と高用量群（ベンラリズマブ100 mgとメポリズマブ300 mg）に分けて、抗IL-5抗体療法の有効性のメタ解析を行った。
　作用機序が異なる抗サイトカイン療法をメタ解析した報告[6]、COPD全例と好酸球増多を伴うCOPDを区別せずメタ解析した報告[7]、同効薬剤のメポリズマブとベンラリズマブを統合せずメタ解析した報告[8]があり、参考にした。

結　果

1　オマリズマブの有効性

　オマリズマブを投与されたアレルギー性喘息患者の前向き観察研究（PROSPERO研究）の事後解析で、COPD

CQ09　好酸球の増加している安定期COPDに対して、生物学的製剤を推奨するか？

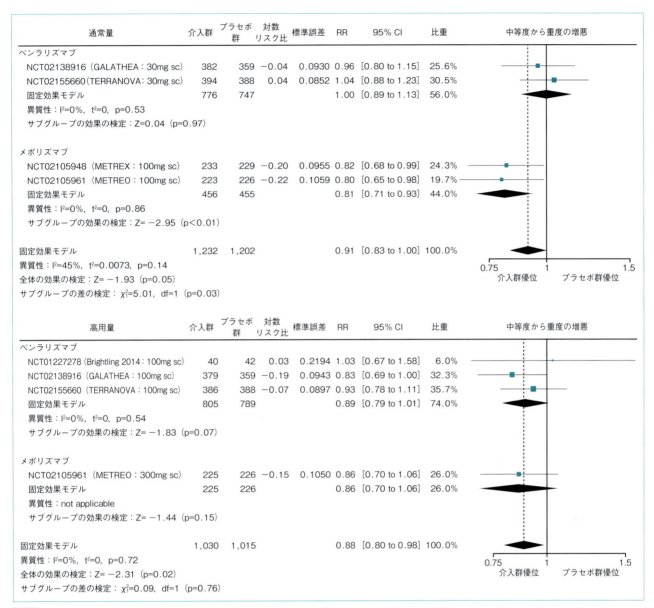

図1　中等度から重度の増悪

の診断歴のない喘息（681例）で、年間増悪回数が平均3.0回から0.8回に減少したのと同様に、COPDの診断歴のある喘息（56例）で平均3.6回から1.1回に減少していた[1]。

2　好酸球増多を伴うCOPDに対する、通常量（本邦における重症喘息での承認用量）のベンラリズマブ30 mgとメポリズマブ100 mgの有効性

通常量では、ベンラリズマブは中等度から重度の増悪を抑制せず、メポリズマブは19％抑制し（RR 0.81、95％ CI 0.71 to 0.93、p＝0.003）、両薬剤のメタ解析では9％抑制する傾向がみられた（RR 0.91、95％ CI 0.83 to 1.00、p＝0.05、エビデンスの確実性はC、図1）。中等度から重度の初回増悪までの期間は、通常量メポリズマブで22％改善した（HR 0.78、95％ CI 0.66 to 0.92、p＝0.003、エビデンスの確実性はB）。両薬剤のメタ解析で、救急受診または入院を要する増悪を抑制せず（エビデンスの確実性はC、図2）、SGRQスコアを改善しなかった（エビデンスの確実性はC）。通常量メポリズマブは、CATスコアを1点改善した（MD −1.02、95％ CI

223

第Ⅳ章　Clinical Question

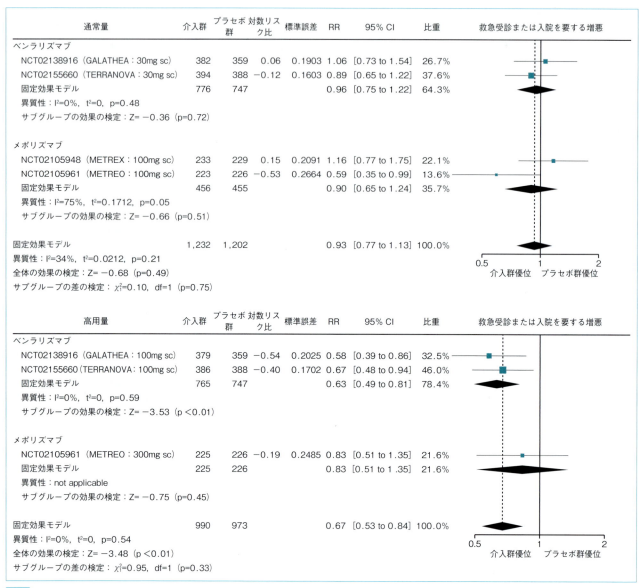

図2 救急受診または入院を要する増悪

−1.88 to −0.16、p=0.02）が、CATスコアのMCIDは2点以上であり[9]、臨床的に有意な改善とはいえず、両薬剤のメタ解析で、CATスコアは改善しなかった（エビデンスの確実性はC）。通常量ベンラリズマブは、気管支拡張薬吸入前FEV₁を改善せず（エビデンスの確実性はC）、レスキュー吸入薬使用回数を0.4噴霧/日減少させた（MD −0.40、95％CI −0.77 to −0.03、p=0.03、エビデンスの確実性はB）が、COPDにおけるレスキュー吸入薬使用回数のMCID[10]には及ばず、臨床的に有意な改善とはいえない。通常量ベンラリズマブは、夜間覚醒日数の割合を6％減少させた（MD −0.06、95％CI −

0.09 to −0.02、p=0.002、エビデンスの確実性はB）。

3） 好酸球増多を伴うCOPDに対する、高用量のベンラリズマブ100 mgとメポリズマブ300 mgの有効性

高用量では、ベンラリズマブまたはメポリズマブは、中等度から重度の増悪を抑制しなかったが、両薬剤のメタ解析では12％抑制した（RR 0.88、95％CI 0.80 to 0.98、p=0.02、エビデンスの確実性はB、図1）。高用量メポリズマブは、中等度から重度の初回増悪までの期

間を23%改善した（HR 0.77、95% CI 0.60 to 0.99、p＝0.04、エビデンスの確実性はC）。高用量ベンラリズマブは、救急受診または入院を要する増悪を37%抑制した（RR 0.63、95% CI 0.49 to 0.81、p＝0.0004）が、高用量メポリズマブは抑制せず、両薬剤のメタ解析では33%抑制した（RR 0.67、95% CI 0.53 to 0.84、p＝0.0005、エビデンスの確実性はB、図2）。両薬剤のメタ解析で、SGRQスコアとCATスコアの改善を認めず、高用量ベンラリズマブは、気管支拡張薬吸入前FEV_1を改善せず、レスキュー吸入薬使用回数を0.49噴霧/日減少させた（MD −0.49、95% CI −0.83 to −0.15、p＝0.005、エビデンスの確実性はB）が、MCID[10]には及ばず臨床的に有意な改善とはいえない。高用量ベンラリズマブは、夜間覚醒日数の割合を減少させる有意傾向がみられた（MD −0.03、95% CI −0.07 to 0.00、p＝0.06、エビデンスの確実性はC）。

4） COPDに対するベンラリズマブまたはメポリズマブ皮下投与の有害事象

重篤な有害事象、死亡、全有害事象の発生のいずれも、通常量および高用量のベンラリズマブまたはメポリズマブとプラセボで同程度であった。

システマティックレビューのまとめ

オマリズマブは、アレルギー性喘息を伴うCOPDの増悪抑制に有効である可能性が示唆された（エビデンスの確実性はD）。

末梢血好酸球増多を伴い、頻回に中等度から重度の増悪例を有し、約3割が現喫煙者で、ほとんどの患者ですでにICSを使用しているCOPDにおいて、ベンラリズマブまたはメポリズマブによる弱い増悪抑制効果がみられた（エビデンスの確実性はC）が、SGRQスコア、CATスコア、気管支拡張薬吸入前FEV_1は改善しなかった。

推奨の強さを決定するための評価項目

1） アウトカム全般に関する全体的なエビデンスの強さ：**弱い**

アウトカム全体のエビデンスの確実性はCと弱い。

2） 益と害のバランスが確実か：**確実ではない**

害はプラセボ投与と同等であったが、有効性が限定的である。

3） 患者の価値観や好みを反映しているか：**反映していない**

費用が非常に高い割に、症状やQOLの改善効果が小さい。

4） 負担の確実さ（あるいは相違）正味の利益がコストや資源に十分に見合っているか：**見合っていない**

費用が非常に高く、保険適用もなく、診療上の利益はない。

委員会における討論内容と結果

メポリズマブ、ベンラリズマブは、COPDに対する保険適用がなく、実臨床でも現在使用されておらず、臨床試験の結果も増悪抑制効果は弱く、薬価も高額であるなどの問題点、さらにはガイドラインのCQとして取り上げるべきか否かも議論された。推奨度決定に関し、学術的COIを有する委員を除くガイドライン委員54名で1回目の投票が行われ、「行うことを弱く推奨する（提案する）」が1名/54名（2%）、「行わないことを弱く推奨する（提案する）」が20名/54名（37%）、「行わないことを強く推奨する」が33名/54名（61%）であった。事前に設定された推奨度の合意基準（2/3以上の合意で推奨度を決定するが、2/3以上の賛同が得られなかった場合には、推奨の方向性が一致している場合においては、弱い推奨とする）に基づき、「行わないことを弱く推奨する

第Ⅳ章　Clinical Question

（提案する）」と判断されたが、再投票することが提案された。再投票では、「行わないことを弱く推奨する（提案する）」が19名/53名（36％）、「行わないことを強く推奨する」が34名/53名（64％）と同様の結果となり、「行わないことを弱く推奨する（提案する）」にて確定となった。しかし、保険適用がなく、非常に高額であり、効果も限定的であることなどを踏まえて、CQとして取り上げた場合は、「行わないことを強く推奨する」として記載することとのコメントが議長よりあった。

References

1) Hanania NA, Chipps BE, Griffin NM, et al. Omalizumab effectiveness in asthma-COPD overlap：Post hoc analysis of PROSPERO. J Allergy Clin Immunol. 2019：143：1629-33.［Ⅳa］

2) Brightling CE, Bleecker ER, Panettieri RA Jr, et al. Benralizumab for chronic obstructive pulmonary disease and sputum eosinophilia：a randomised, double-blind, placebo-controlled, phase 2a study. Lancet Respir Med. 2014：2：891-901.［Ⅱ］

3) Criner GJ, Celli BR, Brightling CE, et al. Benralizumab for the Prevention of COPD Exacerbations. N Engl J Med. 2019：381：1023-34.［Ⅱ］

4) Dasgupta A, Kjarsgaard M, Capaldi D, et al. A pilot randomised clinical trial of mepolizumab in COPD with eosinophilic bronchitis. Eur Respir J. 2017：49：1602486.［Ⅱ］

5) Pavord ID, Chanez P, Criner GJ, et al. Mepolizumab for Eosinophilic Chronic Obstructive Pulmonary Disease. N Engl J Med. 2017：377：1613-29.［Ⅱ］

6) Rogliani P, Matera MG, Puxeddu E, et al. Emerging biological therapies for treating chronic obstructive pulmonary disease：A pairwise and network meta-analysis. Pulm Pharmacol Ther. 2018：50：28-37.［Ⅰ］

7) Lan SH, Lai CC, Chang SP, et al. Efficacy and safety of anti-interleukin-5 therapy in patients with chronic obstructive pulmonary disease：A meta-analysis of randomized, controlled trials. J Microbiol Immunol Infect. 2022：55：26-35.［Ⅰ］

8) Donovan T, Milan SJ, Wang R, et al. Anti-IL-5 therapies for chronic obstructive pulmonary disease. Cochrane Database Syst Rev. 2020：12：CD013432.［Ⅰ］

9) Kon SS, Canavan JL, Jones SE, et al. Minimum clinically important difference for the COPD Assessment Test：a prospective analysis. Lancet Respir Med. 2014：2：195-203.［Ⅳa］

10) Punekar YS, Sharma S, Pahwa A, et al. Rescue medication use as a patient-reported outcome in COPD：a systematic review and regression analysis. Respir Res. 2017：18：86.［Ⅰ］

CQ Clinical Question 10 安定期COPDに対して、禁煙を推奨するか？

CQ10の推奨	安定期COPD患者に対して、禁煙を行うことを強く推奨する
エビデンスの確実性	Ⓓ とても弱い

解　説　文

アウトカム指標

COPD患者を対象とし、「全死亡率」「増悪頻度」「FEV_1の経年変化」をアウトカムとして評価した。

採用論文

データベース検索の結果抽出された1,048論文を対象とし、本CQに合致する論文13編[1-13]を選択し、詳細なデータの入手が困難であった4編[10-13]を除外、9編[1-9]にて評価を行った。

結　果

1〉全死亡率（重要度9点）（図1）

3編[1-3]の観察研究を用いて解析を行った。メタ解析の結果、過去喫煙群（former）は現喫煙群（current）と比較し、全死亡率に有意な差は認めなかった（OR 0.89、95 % CI 0.59 to 1.35、p＝0.59、$I^2=93$ %）。

観察研究のメタ解析、高度の非一貫性（$I^2=93$ %、$p<0.001$）、禁煙介入を直接評価していない非直接性より、エビデンスの確実性はDとした。

試験またはサブグループ	過去喫煙群 イベント数	過去喫煙群 合計	現喫煙群 イベント数	現喫煙群 合計	比重	OR IV, Random, 95% CI
Lou 2014	255	1,105	927	3,803	37.9%	0.93 [0.79 to 1.09]
Bai 2017	40	92	73	112	23.0%	0.41 [0.23 to 0.72]
Josephs 2017	1,283	8,941	640	5,787	39.1%	1.35 [1.22 to 1.49]
合計 [95% CI]		10,138		9,702	100.0%	0.89 [0.59 to 1.35]
合計イベント数：	1,578		1,640			

異質性：$Tau^2=0.11$；$Chi^2=28.54$, df=2 (p＜0.00001)；$I^2=93\%$

全体の効果に対する検定：Z=0.54 (p=0.59)

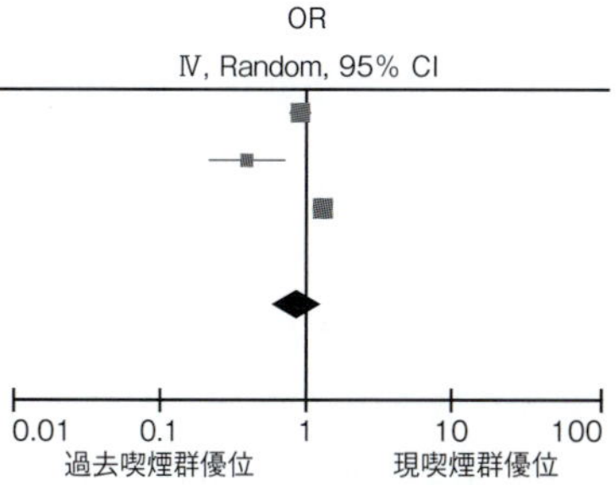

図1 全死亡率

第Ⅳ章　Clinical Question

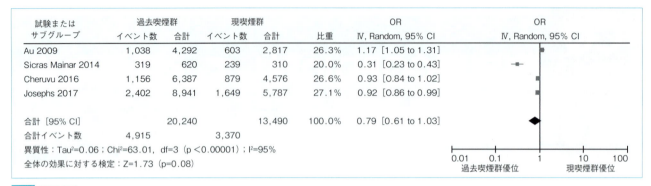

図2 増悪頻度

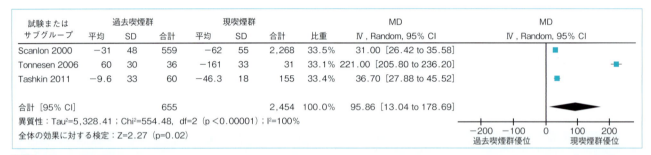

図3 FEV₁の経年変化

2） 増悪頻度（重要度8点）（図2）

4編[2,4-6]の観察研究を用いて解析を行った。メタ解析の結果、過去喫煙群（former）は現喫煙群（current）と比較し、増悪頻度に有意な差を認めなかった（OR 0.79、95% CI 0.61 to 1.03、p＝0.08、I²＝95%）。しかし、今回提示した4編のうち3編[2,4,6]では、両群間で年齢に有意な差を認めた。年齢に有意な差を示した3編[2,4,6]のうち2編[2,4]では、多変量解析の結果、過去喫煙群（former）は現喫煙群（current）と比較し、有意な増悪割合の減少を示した。

観察研究のメタ解析、高度の非一貫性（I²＝95%、p＜0.001）、禁煙介入を直接評価していない非直接性より、エビデンスの確実性はDとした。

3） FEV₁の経年変化（重要度7点）（図3）

COPD患者に対する禁煙介入の効果を評価した3編[7-9]のRCTを用いて解析を行った。メタ解析の結果、現喫煙群（current）は過去喫煙群（former）と比較し、FEV₁の有意な低下を認めた（MD 95.86、95% CI 13.04 to 178.69、p＝0.02、I²＝100%）。

観察研究のメタ解析、高度の非一貫性（I²＝100%、p＜0.001）、禁煙介入を直接評価していない非直接性より、エビデンスの確実性はDとした。

システマティックレビューのまとめ

COPD患者では、現喫煙群と過去喫煙群で、「全死亡率」（エビデンスの確実性はD）、「増悪頻度」（エビデンスの確実性はD）に有意な差は認めなかった。しかし、「増悪頻度」の評価のために採用した4編[2,4-6]のうち3編[2,4,6]では、過去喫煙群は現喫煙群より高齢の集団であった。なお、上述した3編のうち2編[2,4]では、患者背景の調整にて、過去喫煙群で増悪頻度は有意に減少することが示されており、多変量解析の結果を含めた判断が必要と考えられる。また、「FEV₁の経年変化」については、現喫煙群では、過去喫煙群と比較し、有意なFEV₁の減少を認めた（エビデンスの確実性はD）。

全体としてのエビデンスの確実性はDとした。

推奨の強さを決定するための評価項目

1） アウトカム全般に関する全体的なエビデンスの強さ：とても弱い

評価された3つのアウトカムのエビデンスの確実性はいずれもD（とても弱い）である。

2） 益と害のバランスが確実か（コスト含まず）：不明

明らかでない。

3） 患者の価値観や好みを反映しているか：不明

患者の価値観や好みはばらつきが大きいと推測される。

4） 負担の確実さ（あるいは相違）正味の利益がコストや資源に十分に見合っているか：不明

正味の利益がコストや資源に十分に見合うものかどうかは不明確である。

委員会における討論内容と結果

今回のSRでは、現喫煙群と過去喫煙群（禁煙可能であったもの）との比較であり、「禁煙指導」という介入については十分な検討がなされていない点が問題点として指摘された。一方で、COPD患者における禁煙の重要性はすでに周知の事実である。2008年に行われたGodtfredsenらのレビューでも、禁煙は肺機能低下の速度を抑制し、生存率を改善させることが結論づけられており[14]、また、禁煙介入を行った大規模なRCTとして知られるLung Health Study（5,887例を対象）では、禁煙指導により全死亡率の低下[15]およびFEV$_1$低下速度を抑制する[16]ことが報告されている。このような観点より、禁煙はCOPD患者において必須であると結論づけられた。

学術的COIがある委員を除く54名で投票を行い、「強く推奨する」が53名/54名（98％）、「弱く推奨する（提案する）」が残りの1名（2％）であった。同意率が70％以上であった「強く推奨する」に決定した。

References

1) Lou P, Chen P, Zhang P, et al. Effects of smoking, depression, and anxiety on mortality in COPD patients: a prospective study. Respir Care. 2014; 59: 54-61. [Ⅳa]

2) Josephs L, Culliford D, Johnson M, et al. Improved outcomes in ex-smokers with COPD: a UK primary care observational cohort study. Eur Respir J. 2017; 49: 1602114. [Ⅳa]

3) Bai JW, Chen XX, Liu S, et al. Smoking cessation affects the natural history of COPD. Int J Chron Obstruct Pulmon Dis. 2017; 12: 3323-8. [Ⅲ]

4) Au DH, Bryson C, Chien JW, et al. The effects of smoking cessation on the risk of chronic obstructive pulmonary disease exacerbations. J Gen Intern Med. 2009; 24: 457-63. [Ⅳa]

5) Sicras-Mainar A, Rejas-Gutiérrez J, Navarro-Artieda R, et al. The effect of quitting smoking on costs and healthcare utilization in patients with chronic obstructive pulmonary disease: a comparison of current smokers versus ex-smokers in routine clinical practice. Lung. 2014; 192: 505-18. [Ⅳb]

6) Cheruvu VK, Odhiambo LA, Mowls DS, et al. Health-related quality of life in current smokers with COPD: factors associated with current smoking and new insights into sex differences. Int J Chron Obstruct Pulmon Dis. 2016; 11: 2211-9. [Ⅳb]

7) Scanlon PD, Connett JE, Waller LA, et al. Smoking cessation and lung function in mild-to-moderate chronic obstructive pulmonary disease. The Lung Health Study. Am J Respir Crit Care Med. 2000; 161: 381-90. [Ⅱ]

8) Tønnesen P, Mikkelsen K, Bremann L. Nurse-conducted smoking cessation in patients with COPD using nicotine sublingual tablets and behavioral support. Chest. 2006; 130: 334-42. [Ⅱ]

9) Tashkin DP, Rennard S, Taylor Hays J, et al. Lung function and respiratory symptoms in a 1-year randomized smoking cessation trial of varenicline in COPD patients. Respir Med. 2011; 105: 1682-90. [Ⅱ]

10) Makris D, Moschandreas J, Damianaki A, et al. Exacerbations and lung function decline in COPD: new insights in current and ex-smokers. Respir Med. 2007; 101: 1305-12. [Ⅳa]

11) Shavelle RM, Paculdo DR, Kush SJ, et al. Life expectancy and years of life lost in chronic obstructive pulmonary disease: findings from the NHANES III Follow-up Study. Int J Chron Obstruct Pulmon Dis. 2009; 4: 137-48. [Ⅳa]

12) Zhao J, Li M, Chen J, et al. Smoking status and gene susceptibility play important roles in the development of chronic obstructive pulmonary disease and lung function decline: A population-based prospective study. Medicine (Baltimore).

2017 ; 96 : e7283.［IVa］

13) Martínez-González C, Casanova C, de-Torres JP, et al. Changes and Clinical Consequences of Smoking Cessation in Patients With COPD : A Prospective Analysis From the CHAIN Cohort. Chest. 2018 ; 154 : 274-85.［IVa］

14) Godtfredsen NS, Lam TH, Hansel TT, et al. COPD-related morbidity and mortality after smoking cessation : status of the evidence. Eur Respir J. 2008 ; 32 : 844-53.［Ⅰ］

15) Anthonisen NR, Skeans MA, Wise RA, et al. The effects of a smoking cessation intervention on 14.5-year mortality : a randomized clinical trial. Ann Intern Med. 2005 ; 142 : 233-9.［Ⅱ］

16) Anthonisen NR, Connett JE, Kiley JP, et al. Effects of smoking intervention and the use of an inhaled anticholinergic bronchodilator on the rate of decline of FEV_1. The Lung Health Study. JAMA. 1994 ; 272 : 1497-505.［Ⅱ］

CQ11 安定期COPDに対して、肺炎球菌ワクチンを推奨するか？

CQ11の推奨	安定期COPDに対して、肺炎球菌ワクチンを行うことを強く推奨する
エビデンスの確実性	Ⓑ 中程度

解 説 文

アウトカム指標

　安定期COPDを対象に、肺炎球菌ワクチン接種群と対照群（プラセボ接種群または非接種群）の2群間比較で、アウトカムとして、「肺炎」「全死亡」「入院」「増悪」「有害事象」「障害日数（呼吸器病態により障害を被った日数）」「呼吸機能」「費用対効果」「QOL」を評価した。ここでいう肺炎球菌ワクチンには、肺炎球菌莢膜ポリサッカライドワクチン（23価または14価：PPSV23またはPPSV14）と肺炎球菌結合型ワクチン（13価または7価：PCV13またはPCV7）が含まれる。

採用論文

　RCT 9編[1-9]と観察研究1編[10]を選択した。COPDを対象とした論文は限られていることから、RCTについては非英語圏の論文も含めた。COPDにおける肺炎球菌ワクチンの有効性に関するメタ解析は、2017年にCochraneのSRが発表されており[11]、同様の選択様式を行っている。今回選択されたRCTは、すべてPPSVに関するものであり、前述のCochrane SR（2017年）でも選択されている。それ以降のRCTは検索したが、検出されなかった。また、PCVに関するものは観察研究の1編のみであり、後発であるためCOPD対象のRCTが不足している現状が確認された。

　採用されたRCTに対するメタ解析は、Review Manager 5.3を用いて行い、二値変数は分散逆数法によりORまたはRRを効果の指標とした。

結 果

1) 肺炎（重要度9点）（図1）

　6編（PPSV23：5編とPPSV14：1編、計1,372例）のRCTによるメタ解析を行った[1-6]。1回以上の肺炎発症は、ワクチン接種群で7.8%（63例/806例）、コントロール群で14.8%（84例/566例）であった。OR 0.59（95% CI 0.39 to 0.89, p=0.01, I^2=12%）であり、肺炎球菌ワクチン接種による肺炎発症の抑制効果を認めた。解析において、I^2統計量は軽度で非一貫性の問題は小さいが、サンプルサイズ、イベント数などから不精確性を認めた[12]。以上より、**エビデンスの確実性はB**とする。

2) 全死亡（重要度9点）（図2）

　3編（PPSV23：1編とPPSV14：2編、計888例）のRCTによるメタ解析を行った[3,5,7]。全死亡は、ワクチン接種群で17.5%（77例/440例）、コントロール群で18.3

第Ⅳ章 Clinical Question

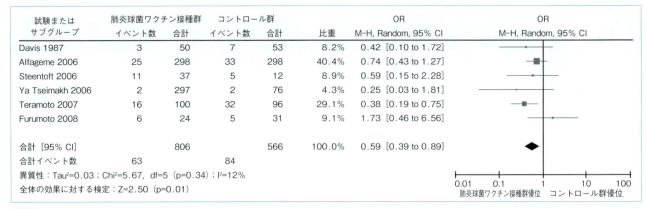

図1 肺炎（PPSV）

図2 全死亡（PPSV）

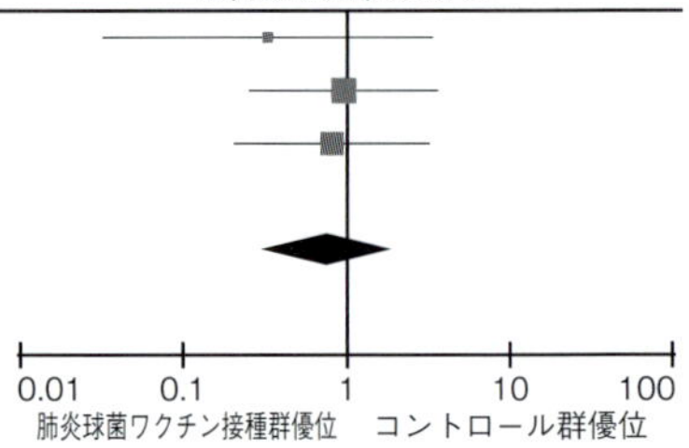

図3 入院（PPSV）

％（82例/448例）であった。RR 0.96（95％ CI 0.73 to 1.28、p＝0.80、I^2＝0％）であり、両群に差を認めなかった。また、胸部疾患による死亡[3,5,7]、肺炎による死亡[3,5]についても解析を行ったが、両群に有意差を認めなかった。解析において、非一貫性はないが、1980年代のPPSV14を用いた研究が2編を占め、非直接性-介入の項目に問題あるが、エビデンス総体のバイアスリスクは問題なしと評価された。一方、サンプルサイズ、イベント数などから不精確性を認めた。以上より、エビデンスの確実性はBとする。

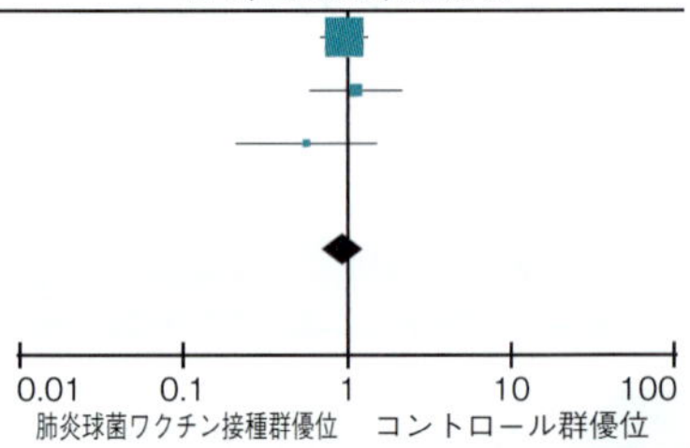

3 入院（重要度9点）（図3）

3編（PPSV23：3編、計391例）のRCTによるメタ解析を行った[6,8,9]。1回以上の全入院は、OR 0.76（95％ CI 0.32 to 1.81、p＝0.53、I^2＝0％）であり、両群に差を認めなかった。解析において、非一貫性はないが、盲検化にバイアスを認める。また、サンプルサイズが小さく不精確性を認めた。以上より、エビデンスの確実性はCとする。

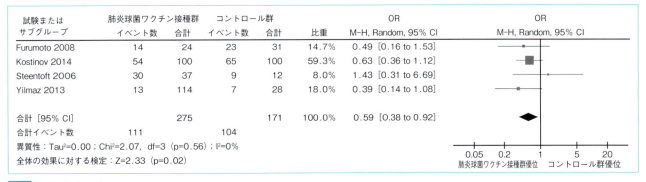

図4 増悪（PPSV）

4） 増悪（重要度 8 点）（図 4）

4編（PPSV23：4編、計 446 例）の RCT によるメタ解析を行った[1,6,8,9]。1 回以上の増悪の発症は、ワクチン接種群で 40.4 %（111 例/275 例）、コントロール群で 60.8 %（104 例/171 例）であった。OR 0.59（95 % CI 0.38 to 0.92, p＝0.02, I^2＝0 %）であり、肺炎球菌ワクチン接種による増悪の抑制効果を認めた。解析において、非一貫性はないが、サンプルサイズ、イベント数などから不精確性を認めた。以上より、エビデンスの確実性は B とする。

5） 有害事象（重要度 6 点）

3編（PPSV23：2編と PPSV14：1編）の RCT で肺炎球菌ワクチンに対する有害事象の記述があるが[3,4,7]、コントロール群に関して記述がなくメタ解析は実施できなかった。Ya Tseimakh らは、ワクチン接種群で局所の発赤と腫脹を 22 % に認め、頭痛と発熱を 5 % に認めたとしているが[4]、対照は非接種群であるため局所所見も全身所見も評価できず、記載もない。他の 2 編では、いずれも肺炎球菌ワクチン接種による有害事象は 1 件も認められなかったと報告している[3,7]。

6） 障害日数（重要度 6 点）

障害日数を評価した RCT は検出されなかった。

7） 呼吸機能（重要度 6 点）

呼吸機能を評価した RCT は検出されなかった。

8） 費用対効果（重要度 6 点）

費用対効果を評価した RCT は検出されなかった。なお、国内での肺炎球菌ワクチンにおける費用対効果（COPD に限らず）は、「23 価肺炎球菌莢膜ポリサッカライドワクチン（肺炎球菌ワクチン）ファクトシート」[13]で検討されている。ワクチン接種なしに比べた場合、ICER［ワクチン接種なしに比べた場合、1 質調整生存年（QALY；完全に健康な状態で 1 人が 1 年生存すること）を追加で獲得するために必要となるワクチン接種に掛かる費用］は、PPSV23 単独接種で 448 万円、PCV13 単独接種で 334 万円であり、いずれも一般的な費用対効果の閾値（500 ～ 600 万円）を下回っている。COPD 患者の多くはこの対象者に含まれることから、費用対効果は高いと期待される。

9） QOL（重要度 6 点）

QOL を評価した適切な RCT は検出されなかった。

システマティックレビューのまとめ

COPD を対象とした RCT はすべて PPSV に関するものであった。COPD 患者において、肺炎球菌ワクチン（PPSV23 または PPSV14）では、非接種群と比べて「死亡」「入院」については差を認めないが、「肺炎」と「増悪」は有意に発症が抑制された（エビデンスの確実性は B）。また、RCT による検証はないが、費用対効果の試算では一定の有益性が示唆される。

PCV は、蛋白結合型として後開発されたワクチンであり、多糖体抗原の PPSV に比してメモリー誘導など免疫

第Ⅳ章　Clinical Question

原性に優れるとされている[14]。特に、65歳以上の高齢者（COPD患者を含む）を対象とした大規模RCTにより、肺炎球菌性市中肺炎と侵襲性肺炎球菌感染症の発症を有意に抑制することが示されており[15]、COPD患者にもその効果が期待される。しかし、COPDを対象としたRCTは今までのところなく、PCV13を用いた前向き観察研究が1編報告されている。この研究では、中等症（% FEV_1 ＜65%）以上のCOPD患者を対象として、COPD増悪、入院、死亡を評価している。その結果、頻回増悪フェノタイプの有無で補正した場合に、入院に関して有意なリスク低下を認めている（OR 0.36、95% CI 0.13 to 0.97、p＝0.044）[10]。しかし、両群の他の背景因子の詳細は不明であり、エビデンスの質は低い。今後の知見の集積が期待される。

一方、PPSV23とPCV7を比較した研究が1編[16]あり、盲検化も適正に行われている。この研究では、肺炎、全入院、増悪について、両ワクチンの間に有意差は認めなかった［各、OR 1.01（95% CI 0.40 to 2.56）、OR 0.91（95% CI 0.47 to 1.74）、OR 1.07（95% CI 0.60 to 1.91）（いずれもPCV7接種群を対象とし、PPSV23接種群を評価したもの）］。

推奨の強さを決定するための評価項目

1〉 アウトカム全般に関する全体的なエビデンスの強さ：**中程度**

特にPPSVに関して、**エビデンスの確実性はB**。

2〉 益と害のバランスは確実か：**確実**

重篤な副作用の報告はほとんどなく、CDCのホームページにおいても very safe かつ effective とされている[17]。

3〉 患者の価値観や好みを反映しているか：**反映している**

国の推奨、マスメディアの発信により一般の認知度も高まっており、肺炎球菌ワクチンの希望者は増加している。

4〉 負担の確実さ（あるいは相違）正味の利益がコストや資源に十分に見合っているか：**見合っている**

費用対効果については、前述のように「肺炎球菌ワクチンファクトシート」で検討されており、高いことが期待される。

委員会における討論内容と結果

COIを有する委員を除く、53名の委員により投票が実施された。その結果、「行うことを強く推奨する」が39名/53名（74%）、「行うことを弱く推奨する（提案する）」が14名/53名（26%）となり、同意率を2/3以上得られたことから、「行うことを強く推奨する」に決定した。

References

1) Furumoto A, Ohkusa Y, Chen M, et al. Additive effect of pneumococcal vaccine and influenza vaccine on acute exacerbation in patients with chronic lung disease. Vaccine. 2008；26：4284-9. ［Ⅱ］

2) Teramoto S, Yamamoto H, Yamaguchi Y, et al. Clinical efficacy of anti-pneumococcal vaccination in elderly patients with COPD. Am J Respir Crit Care Med. 2007；177（Suppl）：A137.

3) Alfageme I, Vazquez R, Reyes N, et al. Clinical efficacy of anti-pneumococcal vaccination in patients with COPD. Thorax. 2006；61：189-95. ［Ⅱ］

4) Ya Tseimakh I, Martynenko I, Paraeva S. Prophylactic efficacy of pneumococcal vaccination for chronic obstructive pulmonary disease（COPD）. Eur Respir J. 2006；28：178s. ［Ⅱ］

5) Davis AL, Aranda CP, Schiffman G, et al. Pneumococcal infection and immunologic response to pneumococcal vaccine in chronic obstructive pulmonary disease. A pilot study. Chest. 1987；92：204-12. ［Ⅱ］

6) Steentoft J, Konradsen HB, Hilskov J, et al. Response to pneumococcal vaccine in chronic obstructive lung disease--the effect of ongoing, systemic steroid treatment. Vaccine. 2006；24：1408-12. ［Ⅱ］

7) Leech JA, Gervais A, Ruben FL. Efficacy of pneumococcal vaccine in severe chronic obstructive pulmonary disease. CMAJ. 1987；136：361-5. ［Ⅱ］

8) Kostinov MP, Ryzhov AA, Magarshak OO, et al.［The clinical aspects of efficiency of the prevention of pneumococcal infec-

tion with vaccines in chronic obstructive pulmonary disease patients living in the West Siberian Region]. Ter Arkh. 2014；86：28-33. ［Ⅲ］

9）Yilmaz D, Uzaslan E, Ege E. Impact of pneumococcal polysaccharide vaccine on acute exacerbation and quality of life in COPD patients. Am J Respir Crit Care Med；2013；187：A2182.

10）Figueira-Gonçalves JM, Bethencourt-Martín N, Pérez-Méndez LI, et al. Impact of 13-valent pneumococal conjugate polysaccharide vaccination in exacerbations rate of COPD patients with moderate to severe obstruction. Rev Esp Quimioter. 2017；30：269-75. ［Ⅳa］

11）Walters JA, Tang JN, Poole P, et al. Pneumococcal vaccines for preventing pneumonia in chronic obstructive pulmonary disease. Cochrane Database Syst Rev. 2017；1：CD001390. ［Ⅰ］

12）GRADE Working Group. システム不精確さ（ランダム誤差）について. http://www.grade-jpn.com/GRADEproHelp/Imprecision.htm（accessed 2021-03-27）［Ⅵ］

13）国立感染症研究所. 23価肺炎球菌莢膜ポリサッカライドワクチン（肺炎球菌ワクチン）ファクトシート. 2018. https://www.mhlw.go.jp/file/05-Shingikai-10601000-Daijinkan-boukouseikagakuka-Kouseikagakuka/0000184910_1.pdf（accessed 2021-03-27）［Ⅴ］

14）Pletz MW, Maus U, Krug N, et al. Pneumococcal vaccines：mechanism of action, impact on epidemiology and adaption of the species. Int J Antimicrob Agents. 2008；32：199-206.［Ⅵ］

15）Bonten MJM, Huijts SM, Bolkenbaas M, et al. Polysaccharide conjugate vaccine against pneumococcal pneumonia in adults. N Engl J Med. 2015；372：1114-25. ［Ⅱ］

16）Dransfield MT, Harnden S, Burton RL, et al. Long-term comparative immunogenicity of protein conjugate and free polysaccharide pneumococcal vaccines in chronic obstructive pulmonary disease. Clin Infect Dis. 2012；55：e35-44. ［Ⅱ］

17）Pneumococcal Vaccine Safety. https://www.cdc.gov/vaccine-safety/vaccines/pneumococcal-vaccine.html（accessed 2021-03-27）［Ⅵ］

第Ⅳ章　Clinical Question

CQ 12　安定期COPDに対して、運動療法を含む呼吸リハビリテーションプログラムを推奨するか?

CQ12の推奨	安定期COPDに対して、運動療法を含む呼吸リハビリテーションプログラムを行うことを強く推奨する
エビデンスの確実性	Ⓐ 強い

解　説　文

アウトカム指標

運動療法を含む呼吸リハビリテーション（pulmonary rehabilitation：PR群）と非PR群（コントロール）の2群間比較で、アウトカムとして、「呼吸困難」「運動耐容能」「HRQOL」「ADL」「身体活動性」「重篤な有害事象」を評価した。

採用論文

RCT 42編を選択した[1]。本CQについては同様のメタ解析がすでに報告されているが[2]、本メタ解析ではCOPDのみを対象としたRCTで、標準的なPRプログラムをPR群で実施している報告に限定した。標準的なPRプログラムとは、①下肢持久力トレーニングを含むこと、②介入期間が4週間から12週間であることを条件とした。メタ解析ではランダム効果モデルによる解析を行い（Review Manager 5.3）、効果指標はMDとした。

結　果

1　呼吸困難の改善（重要度9点）（図1）

MRC スケール、TDI、運動時 Borg スケール、CRQ dyspnea スコアを呼吸困難の指標として解析を行った。MRC スケールに関しては5編（176例）のRCTによるメタ解析を行った[3-7]。MD −0.64（95% CI −0.99 to −0.30、p=0.005、$I^2=68\%$）と、PRによりMRCは有意な改善がみられた。しかし、3編は旧MRCスケールを使用しており[3-5]、非直接性があり、非一貫性も中等度にあるため、エビデンスの確実性は C とする。

TDIに関しては5編（179例）のRCTによる解析を行った[4,7-10]。MD 1.95（95% CI 1.09 to 2.81、p<0.00001、$I^2=65\%$）とPRによりTDIは有意に改善した。文献による効果のばらつきがあり$I^2=65\%$と高値であるが、すべての研究で効果の向きが同一であり、非一貫性のダウングレードを行わない。エビデンスの確実性は A とする。

運動時Borgスケールに関しては、12編（477例）のRCTによるメタ解析を行った[3,4,7,11-19]。MD −0.62（95% CI −1.10 to −0.14、p=0.01、$I^2=54\%$）と、PRによりBorgスケールは有意な改善がみられた。しかし、中等度のばらつきがあるため、エビデンスの確実性は B とした。

CRQ dyspnea スコアに関しては、12編（827例）のRCTによる解析を行った[4,7,13,15,20-27]。MD 0.91（95% CI 0.39 to 1.44、p=0.0007、$I^2=40\%$）とPRによりCRQ dyspneaスコアは有意に改善した。MCID 0.5以上の差

CQ12 安定期COPDに対して、運動療法を含む呼吸リハビリテーションプログラムを推奨するか？

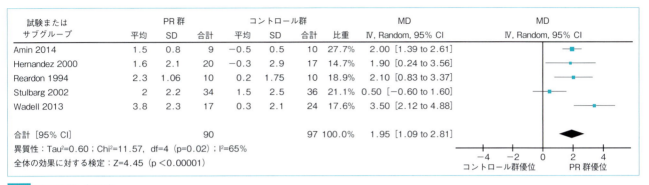

図1 呼吸困難（TDI）
PR：呼吸リハビリテーション群，コントロール：非リハビリテーション群

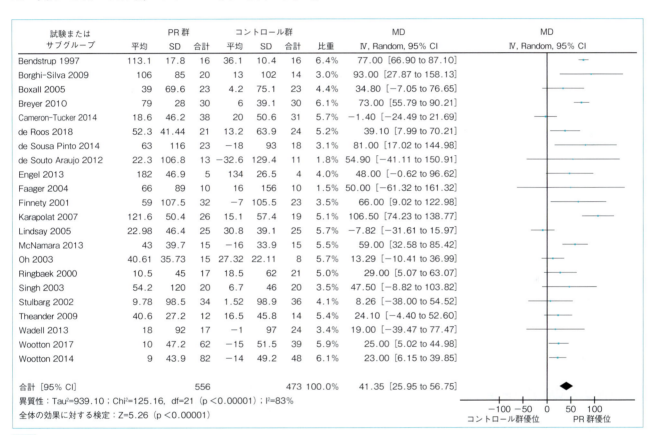

図2 6MWD
PR：呼吸リハビリテーション群，コントロール：非リハビリテーション群

を超えて改善している。非一貫性は中等度で、出版バイアスがあるため、エビデンスの確実性はCとした。

2）運動耐容能の改善（重要度9点）（図2）

運動耐容能の指標として、6MWD、$\dot{V}O_2max$、Peak Load（watt）を指標として解析した。6MWDに関しては、22編（1,029例）のRCTによるメタ解析を行った[3,7,10-12,15,18,21-24,26,28-36]。MD 41.35（95% CI 25.95 to 56.75, p＜0.00001、I^2＝83％）とPRにより6MWDはMCID（26±2m）を超えて有意に改善している。出版バイアスはみられないが、中等度のばらつきがあり、エビデンスの確実性はBとする。

$\dot{V}O_2max$に関しては、8編（298例）のRCTを解析した[4,10,13,16,29,32,37,38]。MD 0.63（95% CI 0.07 to 1.20、p＝0.03、I^2＝89％）とPRは$\dot{V}O_2max$を有意に増加させ

第Ⅳ章 Clinical Question

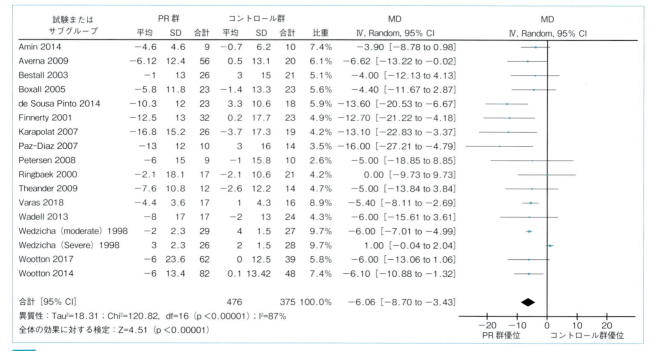

図3 SGRQ
PR：呼吸リハビリテーション群，コントロール：非リハビリテーション群

た。ばらつきは高度で、出版バイアスは文献数が少なく検証できないため、エビデンスの確実性はCとした。

Peak Loadに関しては4編（171例）のRCTを解析した[13,25,38,39]。MD 14.44（95％ CI 6.25 to 22.63、p＝0.0005、I^2＝0％）とPRによりPeak LoadはMCID（4 watt）を超えて有意に改善している。報告数が少なく出版バイアスは検定できないが、非一貫性はないため、エビデンスの確実性はAとする。

3） HRQOLの改善（重要度9点）（図3）

HRQOLの指標としてSGRQスコア、CRQ totalスコアを解析した。SGRQ totalスコアについては、16編（851例）のRCTによるメタ解析を行った[5-8,11,16,18,26,27,31,33,34,36,39-41]。MD −6.06（95％ CI −8.70 to −3.43、p＜0.00001、I^2＝87％）とPRによりSGRQ totalスコアはMCID（4ポイント）を超えて有意に改善している。出版バイアスはみられず、不精確性はないが、高度の非一貫性があるため、エビデンスの確実性はCとする。

CRQ totalスコアについては、10編（820例）のRCTによるメタ解析を行った[4,7,20,21,26-28,40,41]。MD 5.13（95％ CI 2.30 to 7.96、p＝0.0004、I^2＝93％）とPRによりCRQ totalスコアはMCID（0.5ポイント）を超えて有意

に改善している。出版バイアスはみられず、不精確性はないが、高度の非一貫性があるため、エビデンスの確実性はCとする。

4） ADLの改善（重要度9点）

採用したRCTのうちで、ADLをアウトカムとした研究は3編あったが[22,28,31]、いずれも異なるスコアを使用していたため、メタ解析は実施できなかった。いずれの報告でもPRによってADLが有意に改善したと結果を報告しているが、これ以上の解析はできなかった。

5） 身体活動性の改善（重要度9点）

身体活動性をアウトカムに含むRCTは4編あったが[6,21,26,42]、1編は介入後の数値のみの記載で効果量の記載がなかったため解析には使用できなかった[42]。したがって、3編（134例）のRCTによるメタ解析を行った。1日あたりの歩数に関しては、PRの有意な効果がなかった[6,26]。MD 1,553（95％ CI −1,403 to 4,510、p＝0.3、I^2＝90％）。報告数が少なく、症例数も少ないため不精確があり、高度の非一貫性があることからエビデンスの確実性はDとする。中等度の活動量の1日あたりの

時間［Moderate activity time（分/日）］に対しても、PRによる有意な効果がなかった[21,26]。MD 4.66（95％ CI －1.12 to 10.45、p＝0.11、I^2＝40％）とPRによる身体活動性の改善は有意ではなかった。中等度の非一貫性があり、症例数が少なく不精確があり、エビデンスの確実性はCとする。

6）重篤な有害事象（重要度6点）

PRに伴う有害事象について、43編のRCT試験の質的検証を行った。PRに起因する重篤な有害事象を記載した論文はなかった。観察期間中に死亡した患者はPR群1,540例のうち5例（0.32％）、コントロール群1,180例のうち7例（0.59％）であった[11,19,22,28,29,36,40,41,43]。また、観察期間中に増悪がみられた症例は、PR群では1,540例のうち18例（1.17％）で、コントロール群1,180例のうち15例（1.27％）であった[11,19,22,28,29,36,40,41-43]。しかし、いずれもPRとの因果関係を記載しておらず、有害事象をアウトカムとした試験はなく、脱落の詳細な原因を記載していない文献が8編あるため[5,9,14,16,18,24,37,44]、有害事象の発現頻度として解析することはできなかった。エビデンスの確実性はDとする。

システマティックレビューのまとめ

運動訓練を含む標準的なPRプログラムは、呼吸困難、運動耐容能、およびHRQOLを有意に改善していた。特に、主要なアウトカムとなるTDI、6MWD、SGRQについては、MCIDを大きく上回る効果がみられた。身体活動性をアウトカムとした文献は少なかったが、標準的なPRでは身体活動性の有意な改善はなかった。ADLをアウトカムとした文献は4編しかなく、異なったスコアを使用されていたため、メタ解析はできなかった。対象患者の呼吸機能と実施期間にばらつきが多いことが、非一貫性が高くなった原因の1つと考えられる。

推奨の強さを決定するための評価項目

1）アウトカム全般に関する全体的なエビデンスの強さ：強い

これまでの、メタ解析の報告と同様に、主要なアウトカムであるTDI、6MWD、peak load、SGRQにおいて、MCIDを十分に超える効果がみられ、これらのエビデンスの確実性はA〜Cであるため、全体的なエビデンスの確実性は強い（A）と判断した。

2）益と害のバランスは確実か：確実

益は明らかにある。有害事象を詳細に記載した論文が少なかったが、重篤な有害事象の報告はみられなかったため害はほとんどないと考える。

3）患者の価値観や好みを反映しているか：反映している

呼吸困難、呼吸器症状、運動耐容能の低下があるCOPD患者は、症状が改善するリハビリテーションを希望すると思われる。

4）負担の確実さ（あるいは相違）正味の利益がコストや資源に十分に見合っているか：見合っている

リハビリテーションには人的な労力がいるものの、患者が負担する総合的な医療コストは低いため、利益（効果）が確実にあることを考えると、利益が負担を上回っていると考えられる。

委員会における討論内容と結果

経済的COIのない委員55名による投票が行われ、「強く推奨する」が49名/55名（89％）、「弱く推奨する（提案する）」が6名/55名（11％）、「行わないことを推奨する」が0名であった。委員から、「COPD患者全員に実施することが望ましい」という意見があった。

第Ⅳ章 Clinical Question

References

1) Higashimoto Y, Ando M, Sano A, et al. Effect of pulmonary rehabilitation programs including lower limb endurance training on dyspnea in stable COPD : A systematic review and meta-analysis. Respir Investig. 2020 ; 58 : 355-66. [Ⅰ]

2) McCarthy B, Casey D, Devane D, et al. Pulmonary rehabilitation for chronic obstructive pulmonary disease. Cochrane Database Syst Rev. 2015 : CD003793. [Ⅰ]

3) de Souto Araujo ZT, de Miranda Silva Nogueira PA, Cabral EEA, et al. Effectiveness of low-intensity aquatic exercise on COPD : A randomized clinical trial. Respir Med. 2012 ; 106 : 1535-43. [Ⅲ]

4) Hernandez MT, Rubio TM, Ruiz FO, et al. Results of a home-based training program for patients with COPD. Chest. 2000 ; 118 : 106-14. [Ⅱ]

5) Paz-Diaz H, de Oca MM, López JM, et al. Pulmonary rehabilitation improves depression, anxiety, dyspnea and health status in patients with COPD. Am J Phys Med Rehabil. 2007 ; 86 : 30-6. [Ⅱ]

6) Varas AB, Cordoba S , Rodríguez-Andonaegui I, et al. Effectiveness of a community-based exercise training programme to increase physical activity level in patients with chronic obstructive pulmonary disease : A randomized controlled trial. Physiother Res Int. 2018 ; 23 : e1740. [Ⅱ]

7) Wadell K, Webb KA, Preston ME, et al. Impact of pulmonary rehabilitation on the major dimensions of dyspnea in COPD. COPD. 2013 ; 10 : 425-35. [Ⅱ]

8) Amin S, Abrazado M, Quinn M, et al. A controlled study of community-based exercise training in patients with moderate COPD. BMC Pulm Med. 2014 ; 14 : 125. [Ⅱ]

9) Reardon J, Awad E, Normandin E, et al. The effect of comprehensive outpatient pulmonary rehabilitation on dyspnea. Chest. 1994 ; 105 : 1046-52. [Ⅱ]

10) Stulbarg MS, Carrieri-Kohlman V, Demir-Deviren S, et al. Exercise training improves outcomes of a dyspnea self-management program. J Cardiopulm Rehabil. 2002 ; 22 : 109-21. [Ⅱ]

11) Boxall AM, Barclay L, Sayers A, et al. Managing chronic obstructive pulmonary disease in the community. A randomized controlled trial of home-based pulmonary rehabilitation for elderly housebound patients. J Cardiopulm Rehabil. 2005 ; 25 : 378-85. [Ⅱ]

12) Breyer MK, Breyer-Kohansal R, Funk GC, et al. Nordic walking improves daily physical activities in COPD : a randomised controlled trial. Respir Res. 2010 ; 11 : 112. [Ⅱ]

13) Larson JL, Covey MK, Wirtz SE, et al. Cycle ergometer and inspiratory muscle training in chronic obstructive pulmonary disease. Am J Respir Crit Care Med. 1999 ; 160 : 500-7. [Ⅱ]

14) Marrara KT, Marino DM, de Held PA, et al. Different physical therapy interventions on daily physical activities in chronic obstructive pulmonary disease. Respir Med. 2008 ; 102 : 505-11. [Ⅱ]

15) Oh EG. The effects of home-based pulmonary rehabilitation in patients with chronic lung disease. Int J Nurs Stud. 2003 ; 40 : 873-9. [Ⅲ]

16) Petersen AM, Mittendorfer B, Magkos F, et al. Physical activity counteracts increased whole-body protein breakdown in chronic obstructive pulmonary disease patients. Scand J Med Sci Sports. 2008 ; 18 : 557-64. [Ⅱ]

17) Ries AL, Kaplan RM, Limberg TM, et al. Effects of pulmonary rehabilitation on physiologic and psychosocial outcomes in patients with chronic obstructive pulmonary disease. Ann Intern Med. 1995 ; 122 : 823-32. [Ⅱ]

18) Ringbaek TJ, Broendum E, Hemmingsen L、et al. Rehabilitation of patients with chronic obstructive pulmonary disease. Exercise twice a week is not sufficient ! Respir Med. 2000 ; 94 : 150-4. [Ⅱ]

19) Strijbos JH, Postma DS, van Altena R, et al. A comparison between an outpatient hospital-based pulmonary rehabilitation program and a home-care pulmonary rehabilitation program in patients with COPD. A follow-up of 18 months. Chest. 1996 ; 109 : 366-72. [Ⅱ]

20) Casey D, Murphy K, Devane D, et al. The effectiveness of a structured education pulmonary rehabilitation programme for improving the health status of people with moderate and severe chronic obstructive pulmonary disease in primary care : the PRINCE cluster randomised trial. Thorax. 2013 ; 68 : 922-8. [Ⅱ]

21) de Roos P, Lucas C, Strijbos JH, et al. Effectiveness of a combined exercise training and home-based walking programme on physical activity compared with standard medical care in moderate COPD : a randomised controlled trial. Physiotherapy. 2018 ; 104 : 116-21. [Ⅱ]

22) Faager G, Larsen FF. Performance changes for patients with chronic obstructive pulmonary disease on long-term oxygen therapy after physiotherapy. J Rehabil Med. 2004 ; 36 : 153-8. [Ⅱ]

23) Lindsay M, Lee A, Poon P, et al. Does pulmonary rehabilitation give additional benefit over tiotropium therapy in primary care management of chronic obstructive pulmonary disease ? Randomized controlled clinical trial in Hong Kong Chinese. J Clin Pharm Ther. 2005 ; 30 : 567-73. [Ⅱ]

24) Singh V, Khandelwal DC, Khandelwal R, et al. Pulmonary rehabilitation in patients with chronic obstructive pulmonary disease. Indian J Chest Dis Allied Sci. 2003 ; 45 : 13-7. [Ⅱ]

25) Wijkstra PJ, Van Altena R, Kraan J, et al. Quality of life in patients with chronic obstructive pulmonary disease improves after rehabilitation at home. Eur Respir J. 1994 ; 7 : 269-73. [Ⅱ]

26) Wootton SL, Hill K, Alison JA, et al. Effects of ground-based walking training on daily physical activity in people with COPD : A randomised controlled trial. Respir Med. 2017 ;

132：139-45.［Ⅱ］

27）Wootton SL, Ng LW, McKeough ZJ, et al. Ground-based walking training improves quality of life and exercise capacity in COPD. Eur Respir J. 2014；44：885-94.［Ⅱ］

28）Bendstrup KE, Ingemann Jensen J, Holm S, et al. Out-patient rehabilitation improves activities of daily living, quality of life and exercise tolerance in chronic obstructive pulmonary disease. Eur Respir J. 1997；10：2801-6.［Ⅱ］

29）Borghi-Silva A, Arena R, Castello V, et al. Aerobic exercise training improves autonomic nervous control in patients with COPD. Respir Med. 2009；103：1503-10.［Ⅱ］

30）Cameron-Tucker HL, Wood-Baker R, Owen C, et al. Chronic disease self-management and exercise in COPD as pulmonary rehabilitation：a randomized controlled trial. Int J Chron Obstruct Pulmon Dis. 2014；9：513-23.［Ⅱ］

31）de Sousa Pinto JM, Martin-Nogueras AM, Calvo-Arenillas JI, et al. Clinical benefits of home-based pulmonary rehabilitation in patients with chronic obstructive pulmonary disease. J Cardiopulm Rehabil Prev. 2014；34：355-9.［Ⅱ］

32）Emery CF, Schein RL, Hauck ER, et al. Psychological and cognitive outcomes of a randomized trial of exercise among patients with chronic obstructive pulmonary disease. Health Psychol. 1998；17：232-40.［Ⅱ］

33）Finnerty JP, Keeping I, Bullough I, et al. The effectiveness of outpatient pulmonary rehabilitation in chronic lung disease：a randomized controlled trial. Chest. 2001；119：1705-10.［Ⅱ］

34）Karapolat H, Atasever A, Atamaz F, et al. Do the benefits gained using a short-term pulmonary rehabilitation program remain in COPD patients after participation? Lung. 2007；185：221-5.［Ⅱ］

35）McNamara RJ, McKeough ZJ, McKenzie DK, et al. Water-based exercise in COPD with physical comorbidities：a randomised controlled trial. Eur Respir J. 2013；41：1284-91.［Ⅱ］

36）Theander K, Jakobsson P, Jörgensen N, et al. Effects of pulmonary rehabilitation on fatigue, functional status and health perceptions in patients with chronic obstructive pulmonary disease：a randomized controlled trial. Clin Rehabil. 2009；23：125-36.［Ⅱ］

37）Mehri SN, Khoshnevis MA, Zarrehbinan F, et al. Effect of treadmill exercise training on VO2 peak in chronic obstructive pulmonary disease. Tanaffos. 2007；6：18-24.［Ⅱ］

38）Wadell K, Sundelin G, Henriksson-Larsén K, et al. High intensity physical group training in water--an effective training modality for patients with COPD. Respir Med. 2004；98：428-38.［Ⅱ］

39）Averna T, Brunelli S, Delussu AS, et al. Effects of a moderately intensive, 12-week training program on participants over 60 years of with chronic obstructive pulmonary disease. Medicina Dello Sport. 2009；62：299-313.

40）Bestall JC, Paul EA, Garrod R, et al. Longitudinal trends in exercise capacity and health status after pulmonary rehabilitation in patients with COPD. Respir Med. 2003；97：173-80.［Ⅱ］

41）Wedzicha JA, Bestall JC, Garrod R, et al. Randomized controlled trial of pulmonary rehabilitation in severe chronic obstructive pulmonary disease patients, stratified with the MRC dyspnoea scale. Eur Respir J. 1998；12：363-9.［Ⅱ］

42）Faulkner J, Walshaw E, Campbell J, et al. The feasibility of recruiting patients with early COPD to a pilot trial assessing the effects of a physical activity intervention. Prim Care Respir J. 2010；19：124-30.［Ⅱ］

43）Wijkstra PJ, Ten Vergert EM, van Altena R, et al. Long term benefits of rehabilitation at home on quality of life and exercise tolerance in patients with chronic obstructive pulmonary disease. Thorax. 1995；50：824-8.［Ⅲ］

44）Clark CJ, Cochrane L, Mackay E, et al. Low intensity peripheral muscle conditioning improves exercise tolerance and breathlessness in COPD. Eur Respir J. 1996；9：2590-6.［Ⅱ］

第Ⅳ章 Clinical Question

安定期COPDに対して、栄養補給療法を推奨するか?

CQ13の推奨	安定期COPDに対して、栄養補給療法を行うことを弱く推奨する(提案する)
エビデンスの確実性	Ⓓ とても弱い

解　説　文

アウトカム指標

栄養補給療法の施行群・非施行群の二群間比較で、アウトカムとして「SGRQの改善」「6MWDの増加」「ISWT距離の増加」「mMRC息切れスケールの改善」「大腿四頭筋筋力の増加」「FEV_1の改善」「LBMの増加」「体重の増加」をベースライン値からの変化値のMDで評価した。

採用論文

英文のfull articleを対象とし、研究デザインはRCTとして検索を行った。あらゆる経口栄養療法を可としたが、経管栄養は不可とした。両群にリハビリテーションを併用している研究は可としたが、単群にリハビリテーションを併用している研究は不可とした。データベースで検出された872編の論文から18編を選択した[1-18]。

結　果

1 > SGRQの改善(重要度9点)(図1)

9編のRCTによるメタ解析を行った[1,2,4,9,10,12-14,17]。SGRQ totalスコアの変化値のMDは−5.02点(95% CI −9.66 to −0.37)であり、統計的有意にQOLを改善し、MCID(4点)を上回る改善であった。非一貫性、出版バイアス、非直接性でダウングレードし、エビデンスの確実性はDとする。

2 > 6MWDの増加(重要度8点)(図2)

8編のRCTによるメタ解析を行った[3,5,7,10,11,13,16,18]。6MWDの変化値のMDは24.37m(95% CI 5.95 to 42.79)であり、統計的有意に6MWDを改善したが、MCID(30 m)には至らなかった。非一貫性と非直接性でダウングレードし、エビデンスの確実性はCとする。

3 > ISWT距離の増加(重要度8点)(図3)

4編のRCTによるメタ解析を行った[8-10,15]。ISWT距離の変化値のMDは6.79m(95% CI −11.49 to 25.08)であり、有意でなかった。非直接性でダウングレードし、エビデンスの確実性はBとする。

4 > mMRC息切れスケールの改善(重要度7点)(図4)

3編のRCTによるメタ解析を行った[7,10,13]。mMRC息

CQ13 安定期COPDに対して、栄養補給療法を推奨するか？

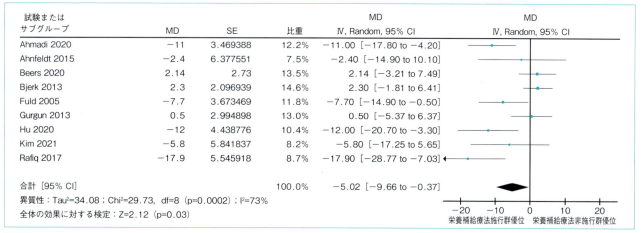

図1 SGRQのベースラインからの変化

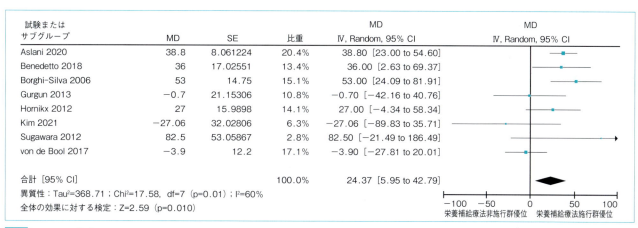

図2 6MWD（m）のベースラインからの変化

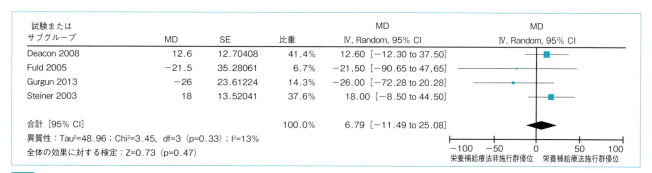

図3 ISWT距離（m）のベースラインからの変化

切れスケールの変化値のMDは0.24点（95％CI －0.27 to 0.75）であり、両群で差異はなかった。非一貫性、不精確、非直接性でダウングレードし、エビデンスの確実性はDとする。

5） 大腿四頭筋筋力の増加（重要度7点）（図5）

5編のRCTによるメタ解析を行った[6,8,11,17,18]。大腿四頭筋力の変化値のMDは0.71NM（95％CI －2.97 to 4.40）であり、両群で差異はなかった。非直接性でダウングレードし、エビデンスの確実性はBとする。

243

第Ⅳ章　Clinical Question

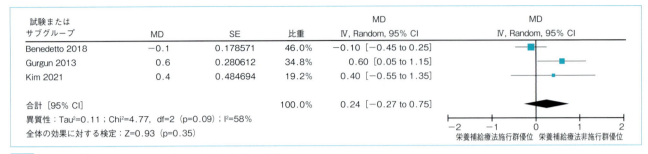

図4 mMRC息切れスケールのベースラインからの変化

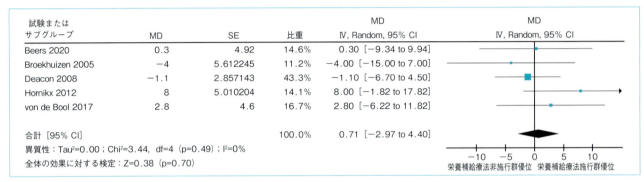

図5 大腿四頭筋筋力（NM）のベースラインからの変化

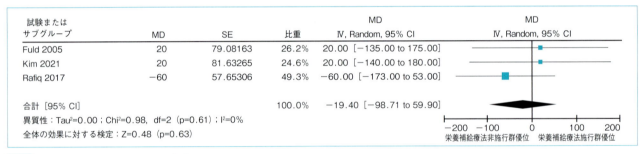

図6 FEV₁のベースラインからの変化

6) FEV₁の改善（重要度7点）（図6）

3編のRCTによるメタ解析を行った[9,13,14]。FEV₁の変化値のMDは－19.40 mL（95％ CI －98.71 to 59.90）であり、両群で差異はなかった。不精確、非直接性でダウングレードし、エビデンスの確実性はCとする。

7) LBMの増加（重要度6点）（図7）

7編のRCTによるメタ解析を行った[1,6-9,15,16]。LBMの変化値のMDは0.79 kg（95％ CI 0.23 to 1.35）であり、栄養補給療法施行群で増加した。非直接性でダウングレードし、エビデンスの確実性はBとする。

8) 体重の増加（重要度5点）（図8）

9編のRCTによるメタ解析を行った[1,6,8-10,15-18]。体重の変化値のMDは0.55 kg（95％ CI 0.19 to 0.92）であり、栄養補給療法施行群で増加した。非直接性でダウングレードし、エビデンスの確実性はBとする。

システマティックレビューのまとめ

栄養補給療法はSGRQを改善し（エビデンスの確実性はD）、6MWDを統計的有意に改善するもMCIDに至らず（エビデンスの確実性はC）、ISWT距離を増加させず（エビデンスの確実性はB）、mMRC息切れスケールを改善せず（エビデンスの確実性はD）、大腿四頭筋筋力を

CQ13 安定期COPDに対して、栄養補給療法を推奨するか？

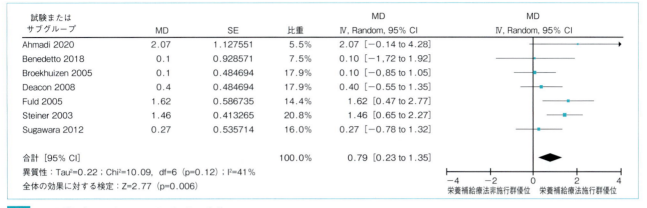

図7 LBM（kg）のベースラインからの変化

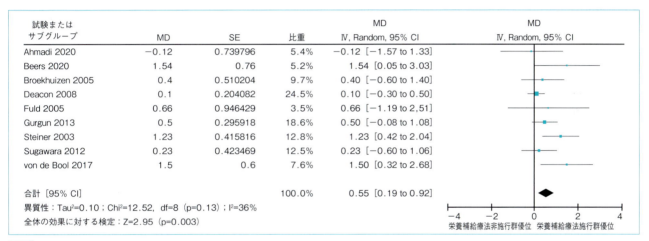

図8 体重（kg）のベースラインからの変化

増加させず（エビデンスの確実性はB）、FEV_1を改善せず（エビデンスの確実性はC）、LBMを増加させ（エビデンスの確実性はB）、体重を増加させた（エビデンスの確実性はB）。

解析対象となった患者は安定期のCOPDである。栄養補給療法は液体タイプの総合栄養剤、ビタミン類、蛋白質製剤、酵素、炭水化物製剤、これらの組み合わせと多岐にわたっていた。また、18編のRCTのうち10編はリハビリテーションを両群に併用していた。そのため、特定の栄養補給療法単独でどの程度の効果があるのかは不明である。

本ガイドラインの解析では、すべてのアウトカムで解析対象としてベースライン値からの変化値を用いた。そのため、介入後の値のみを提示している複数の論文は解析対象から除外された。

推奨の強さを決定するための評価項目

1) アウトカム全般に関する全体的なエビデンスの強さ：**とても弱い**

重大（7～9点）で統計的かつ臨床的有意な改善がみられたアウトカムはSGRQのみであり、SGRQのエビデンスの質から判断した。

2) 益と害のバランスは確実か：**確実**

副作用に関するデータがほとんど得られなかったが、薬理学的な意味での副作用はほとんどないと推測される。本邦のCOPD患者はるいそう傾向にあり、栄養療法による肥満・生活習慣病の悪化の影響はあまり大きな害にならないと考えられる。

第Ⅳ章　Clinical Question

3〉 患者の価値観や好みを反映しているか：反映している

SGRQ で評価された QOL の改善を多くの患者は好むと推測される。

4〉 負担の確実さ（あるいは相違）正味の利益がコストや資源に十分見合っているか：見合っている

栄養補助療法は安価で副作用もほとんどみられないため、経済的コストや医学的リスクは低く、資源に十分見合っていると判断される。

委員会における検討内容と結果

体重の増加は重要な指標である、本邦の COPD 患者はるいそう傾向にあり栄養療法による肥満・生活習慣病の悪化の影響はあまり大きくないと考えられる、との意見があった。

COI のあるガイドライン委員を除く53名で投票を行った。6名/53名（11％）が「行うことを強く推奨する」、46名/53名（87％）が「行うことを弱く推奨する（提案する）」、1名/53名（2％）が「行わないことを弱く推奨する（提案する）」に投票した。

References

1) Ahmadi A, Eftekhari MH, Mazloom Z, et al. Fortified whey beverage for improving muscle mass in chronic obstructive pulmonary disease：a single-blind, randomized clinical trial. Respir Res. 2020；21：216.［Ⅱ］

2) Ahnfeldt-Mollerup P, Hey H, Johansen C, et al. The effect of protein supplementation on quality of life, physical function, and muscle strength in patients with chronic obstructive pulmonary disease. Eur J Phys Rehabil Med. 2015；51：447-56.［Ⅱ］

3) Aslani MR, Matin S, Nemati A, et al. Effects of conjugated linoleic acid supplementation on serum levels of interleukin-6 and sirtuin 1 in COPD patients. Avicenna J Phytomed. 2020；10：305-15.［Ⅱ］

4) Bjerk SM, Edgington BD, Rector TS, et al. Supplemental vitamin D and physical performance in COPD：a pilot randomized trial. Int J Chron Obstruct Pulmon Dis. 2013；8：97-104.［Ⅱ］

5) Borghi-Silva A, Baldissera V, Sampaio LM, et al. L-carnitine as an ergogenic aid for patients with chronic obstructive pulmonary disease submitted to whole-body and respiratory muscle training programs. Braz J Med Biol Res. 2006；39：465-74.［Ⅱ］

6) Broekhuizen R, Wouters EF, Creutzberg EC, et al. Polyunsaturated fatty acids improve exercise capacity in chronic obstructive pulmonary disease. Thorax. 2005；60：376-82.［Ⅱ］

7) De Benedetto F, Pastorelli R, Ferrario M, et al. Supplementation with Qter（®）and Creatine improves functional performance in COPD patients on long term oxygen therapy. Respir Med. 2018；142：86-93.［Ⅱ］

8) Deacon SJ, Vincent EE, Greenhaff PL, et al. Randomized controlled trial of dietary creatine as an adjunct therapy to physical training in chronic obstructive pulmonary disease. Am J Respir Crit Care Med. 2008；178：233-9.［Ⅱ］

9) Fuld JP, Kilduff LP, Neder JA, et al. Creatine supplementation during pulmonary rehabilitation in chronic obstructive pulmonary disease. Thorax. 2005；60：531-7.［Ⅱ］

10) Gurgun A, Deniz S, Argın M, et al. Effects of nutritional supplementation combined with conventional pulmonary rehabilitation in muscle-wasted chronic obstructive pulmonary disease：a prospective, randomized and controlled study. Respirology. 2013；18：495-500.［Ⅱ］

11) Hornikx M, Van Remoortel H, Lehouck A, et al. Vitamin D supplementation during rehabilitation in COPD：a secondary analysis of a randomized trial. Respir Res. 2012；13：84.［Ⅱ］

12) Hu Y, Shi Q, Ying S, et al. Effects of compound Caoshi silkworm granules on stable COPD patients and their relationship with gut microbiota：A randomized controlled trial. Medicine（Baltimore）. 2020；99：e20511.［Ⅱ］

13) Kim JS, Thomashow MA, Yip NH, et al. Randomization to Omega-3 Fatty Acid Supplementation and Endothelial Function in COPD：The COD-Fish Randomized Controlled Trial. Chronic Obstr Pulm Dis. 2021；8：41-53.［Ⅱ］

14) Rafiq R, Prins HJ, Boersma WG, et al. Effects of daily vitamin D supplementation on respiratory muscle strength and physical performance in vitamin D-deficient COPD patients：a pilot trial. Int J Chron Obstruct Pulmon Dis. 2017；12：2583-92.［Ⅱ］

15) Steiner MC, Barton RL, Singh SJ, et al. Nutritional enhancement of exercise performance in chronic obstructive pulmonary disease：a randomised controlled trial. Thorax. 2003；58：745-51.［Ⅱ］

16) Sugawara K, Takahashi H, Kashiwagura T, et al. Effect of anti-inflammatory supplementation with whey peptide and exercise therapy in patients with COPD. Respir Med. 2012；106：1526-34.［Ⅱ］

17) van Beers M, Rutten-van Mölken M, van de Bool C, et al. Clinical outcome and cost-effectiveness of a 1-year nutri-

CQ13 安定期 COPD に対して、栄養補給療法を推奨するか？

tional intervention programme in COPD patients with low muscle mass：The randomized controlled NUTRAIN trial. Clin Nutr. 2020；39：405-13．[Ⅱ]

18）van de Bool C, Rutten EPA, van Helvoort A, et al. A random-ized clinical trial investigating the efficacy of targeted nutri-tion as adjunct to exercise training in COPD. J Cachexia Sarcopenia Muscle. 2017；8：748-58．[Ⅱ]

第Ⅳ章　Clinical Question

低酸素血症を伴う安定期COPDに対して、酸素療法を推奨するか？

CQ14の推奨	低酸素血症を伴う安定期COPDに対して、酸素療法を行うことを弱く推奨する（提案する）
エビデンスの確実性	Ⓒ 弱い

解　説　文

アウトカム指標

　低酸素血症を呈する安定期COPD患者を対象に、酸素療法施行の有無の2群で、酸素療法の有用性について評価した。アウトカムとしては、重要度の高い死亡率（9点）とQOL（7点）を選択した。低酸素血症の重症度の定義を表1に、また酸素療法の定義を表2に示す。メタ解析にはランダム効果モデルによるMantel-Haenszel methodとInverse Variance method（R x64 4.0.4）を用い、二値変数はOR、連続変数はMDを効果の指標とした。

採用論文

　RCT 10編[1-10]を採用した。低酸素血症全般を対象に検討している研究はなく、重度低酸素血症、中等度低酸素血症と低酸素血症の程度で対象を限定して検討されている。また、LTOT/HOT、夜間酸素療法、労作時酸素療法など酸素投与法も限定して、酸素療法の有用性について検討されている。

結　果

1）**重度低酸素血症を有するCOPD患者に対するLTOT/HOTの生命予後（死亡率）（重要度9点）（図1）**

　重度低酸素血症を対象としたRCTは2編（290例）であった[1,2]。LTOT/HOTは、死亡リスクのOR 0.430（95% CI 0.261 to 0.709）と、有意な死亡リスク改善効果を

表1 低酸素血症の重症度の定義

低酸素血症	説明
重度低酸素血症（Severe hypoxemia）	・$PaO_2 \leq 55$ Torr ・$SpO_2 \leq 88\%$
中等度低酸素血症（Moderate hypoxemia）	・$PaO_2 = 56〜60$ Torr ・$SpO_2 = 89〜90\%$
軽度低酸素血症（Mild hypoxemia）	・$PaO_2 = 61〜75$ Torr ・$SpO_2 = 91〜95\%$

表2 酸素療法の定義

酸素療法	説明
LTOT/HOT	慢性低酸素血症患者に対して少なくとも15〜18時間/日、酸素吸入を長期間行う方法
夜間酸素療法（Nocturnal oxygen therapy）	睡眠時のみ酸素吸入を行う治療方法
労作時酸素療法（Ambulatory oxygen therapy）	歩行や入浴など労作時に酸素吸入を行う方法

CQ14 低酸素血症を伴う安定期COPDに対して、酸素療法を推奨するか？

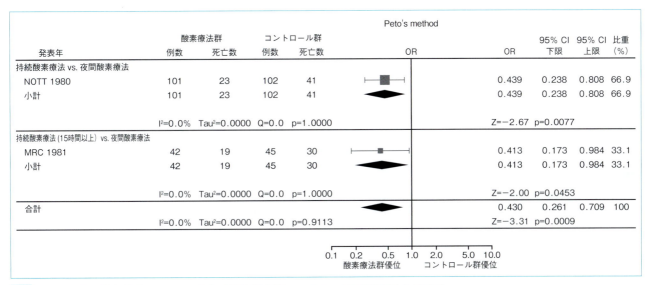

図1 重度低酸素血症を有するCOPD患者の死亡率改善にLTOT/HOTは推奨されるか？
NOTT（1980）対象：重度低酸素血症、浮腫、ヘマトクリット値≧55%、肺性Pのいずれか一つを認める中等度低酸素血症（SpO₂＝89%）。

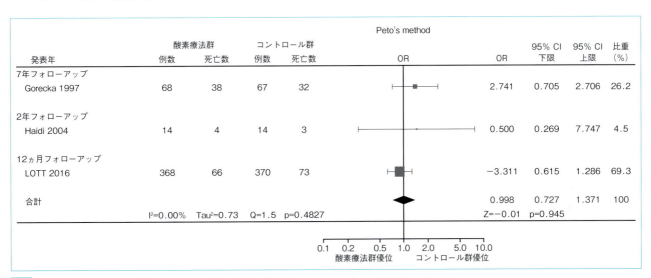

図2 中等度低酸素血症を有するCOPD患者の死亡率改善にLTOT/HOTは推奨されるか？
いずれも対象は中等度低酸素血症のみではなく、軽度低酸素血症も含まれている。
LOTT 2016：労作時低酸素血症(the 6-minute walk test、5分間以上SpO₂≧80%かつ10秒以上の<90%)も含まれている。

認めた。しかし、1編は、LTOT/HOTと夜間酸素療法の間での死亡リスクの検討（2年間）であった。また、対象者も重度低酸素血症のみではなく、多血症・右心不全・右心負荷など低酸素血症状態が持続したことによる二次性変化を来した中等度低酸素血症患者も含まれている。もう1編では、高二酸化炭素血症を有している患者が対象であり、5年間の死亡リスク評価であった。40年以上前の研究であり、酸素療法投与法、酸素療法以外の治療法も進歩しているため、非直接性がある。また、1編のRCTで評価対象の患者数がやや少ない（わずかな不精確）。エビデンスの確実性はBとした。

2) 軽度・中等度の低酸素血症を有するCOPD患者に対するLTOT/HOTの生命予後（死亡率）（重要度9点）（図2）

3編（901例）のRCTによるメタ解析を行った[3-5]。中等度低酸素血症のみを対象としたRCTは認められず、軽度および中等度低酸素血症が対象であった。フォローアップ期間に死亡した数は、酸素療法群で24%、コントロール群で23.9%であり、OR 0.998（95% CI 0.727 to 1.371）と酸素療法はコントロール群に比べ有意な効果はみられなかった。3編のうち1編での総数が多く、そ

第Ⅳ章　Clinical Question

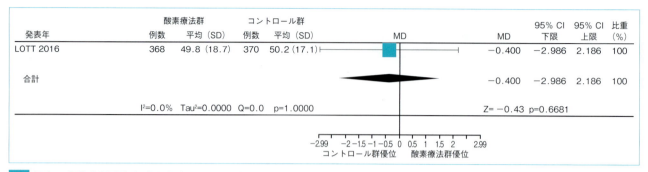

図3 軽度・中等度低酸素血症を有する COPD 患者の HRQOL 改善に LTOT/HOT は推奨されるか？

LOTT 2016：対象は中等度低酸素血症のみではなく、軽度低酸素血症も含まれている。
労作時低酸素血症（the 6-minute walk test、5分間以上 SpO$_2$≧80％かつ10秒以上の＜90％）も含まれている。

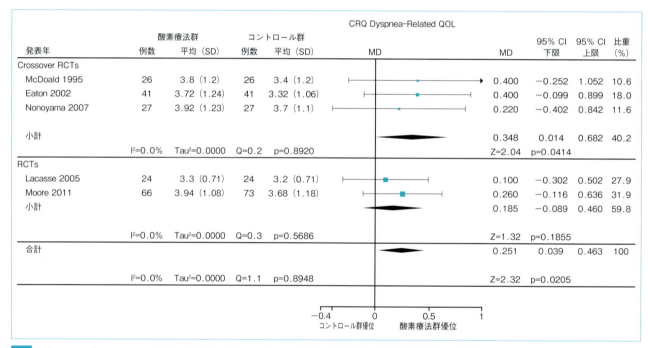

図4 労作時低酸素血症を有する COPD 患者の呼吸困難関連 QOL 改善に労作時酸素投与は推奨されるか？

の結果に左右されてしまうことと、合計イベント数が少ない（不精確）ため、エビデンスの確実性はBとした。

3) 軽度・中等度の低酸素血症を有するCOPD患者に対するLTOT/HOTのHRQOL（重要度7点）（図3）

中等度低酸素血症のみを対象としたRCTは認められなかった。安静時軽度・中等度低酸素血症を有するCOPD患者の酸素療法によるHRQOL改善効果を検討した1編（738例）では、酸素療法群とコントロール群でのMDは-0.400（95％CI -2.986 to 2.186）で有意な

違いは認められなかった[5]。1編のみしか認められず再現性が不明のため、エビデンスの確実性はBとした。

4) 労作時低酸素血症を有するCOPD患者に対する労作時酸素療法の呼吸困難関連QOL（重要度7点）（図4）

Crossover RCT 3編（188例）[6-8]およびRCT 2編（187例）[9,10]の計5編（375例）のRCTによるメタ解析を行った。労作時低酸素血症を有するCOPD患者に対して労作時酸素療法を導入したことで、呼吸困難に関連するHRQOLはMD 0.251（95％CI 0.039 to 0.463）で統計

的有意に改善したが、MCID である 0.5 ポイントの半分に留まった。各編において対象数が少なく不精確であり、質問票による回答であるため評価者のバイアスリスクがあり、また、CRQd を評価するタイミングが違う（非直接性）ことから、エビデンスの確実性は B とした。

システマティックレビューのまとめ

低酸素血症を示す COPD 患者の病状は、低酸素血症の程度や労作性低酸素血症の有無など多様性に富んでおり、個別患者の状態をみて LTOT/HOT の要否を検討すべきである。重度低酸素血症に対する LTOT/HOT は生命予後を大幅に改善する（OR 0.43、エビデンスの確実性 B）。軽度～中程度の低酸素血症に対する LTOT/HOT は生命予後を改善せず（エビデンスの確実性 B）、HRQOL を改善しない（エビデンスの確実性 B）。労作時低酸素血症を有する患者に対する労作時酸素療法による呼吸困難関連 QOL 改善は、統計的有意だが臨床的有意に至らない（エビデンスの確実性 B）。

推奨の強さを決定するための評価項目

1 アウトカム全般に関する全体的なエビデンスの強さ：弱い

RCT 研究のみを検討対象としており、治療介入により害を示すアウトカムはない。重要なアウトカムである死亡率を改善する中程度の確実性のエビデンスがあるが、重度低酸素血症を伴う患者に限定されたデータとなる。CQ 全体のエビデンスの確実性は弱い（C）と判断した。

2 益と害のバランスは確実か：確実

酸素療法導入による弊害は認められない。

3 患者の価値観や好みを反映しているか：反映している

酸素を持ち運ぶ手間や、鼻カニュラの外見を好まない患者もいると思われるが、重度低酸素血症での死亡率改善、労作時低酸素血症での呼吸困難改善効果は、多くの患者の好みに合致すると予測される。

4 負担の確実さ（あるいは相違）正味の利益がコストや資源に十分見合っているか：不明（患者背景による）

重度低酸素血症患者への導入は死亡を半分以下に減少するため、コストや資源に十分見合う。しかし、軽度～中程度低酸素血症患者の場合、労作性低酸素血症があるにしても、導入のメリットは明らかではなく、コストや資源に十分見合うとは断定できない。

委員会における討論内容と結果

委員会では、低酸素血症全般（軽度・中等度・重度）での酸素療法導入とせずに、低酸素血症の重症度別に、酸素療法導入について判断するのがよいのではないかとの意見がみられた。52 名による投票が行われ、初回投票では 19 名（37 %）が「行うことを強く推奨する」に、33 名（63 %）が「行うことを弱く推奨する（提案する）」に投票した。初回投票で同意が 2/3 に達さなかったため、2 度目の投票が行われた。11 名（21 %）が「行うことを強く推奨する」に、41 名（79 %）が「行うことを弱く推奨する（提案する）」に投票した。2 回目の投票で同意が 2/3 以上となったため、「行うことを弱く推奨する（提案する）」に推奨決定となった。

References

1) Nocturnal Oxygen Therapy Trial Group. Continuous or nocturnal oxygen therapy in hypoxemic chronic obstructive lung disease：a clinical trial. Ann Intern Med. 1980；93：391-8.［Ⅱ］

2) Stuart-Harris C, Bishop JM, Clark TJH. Long term domiciliary oxygen therapy in chronic hypoxic cor pulmonale complicating chronic bronchitis and emphysema. Report of the Medical Research Council Working Party. Lancet. 1981；1：681-6.［Ⅱ］

3) Górecka D, Gorzelak K, Sliwiński P, et al. Effect of long-term oxygen therapy on survival in patients with chronic obstructive pulmonary disease with moderate hypoxaemia. Thorax. 1997；52：674-9.［Ⅱ］

4) Haidl P, Clement C, Wiese C, et al. Long-term oxygen therapy stops the natural decline of endurance in COPD patients with reversible hypercapnia. Respiration. 2004；71：342-7.

[Ⅱ]

5) Long-Term Oxygen Treatment Trial Research Group, Albert RK, Au DH, et al. A Randomized Trial of Long-Term Oxygen for COPD with Moderate Desaturation. N Engl J Med. 2016；375：1617-27.［Ⅱ］

6) McDonald CF, Blyth CM, Lazarus MD, et al. Exertional oxygen of limited benefit in patients with chronic obstructive pulmonary disease and mild hypoxemia. Am J Respir Crit Care Med. 1995；152：1616-9.［Ⅱ］

7) Eaton T, Garrett JE, Young P, et al. Ambulatory oxygen improves quality of life of COPD patients：a randomised controlled study. Eur Respir J. 2002；20：306-12.［Ⅱ］

8) Nonoyama ML, Brooks D, Guyatt GH, et al. Effect of oxygen on health quality of life in patients with chronic obstructive pulmonary disease with transient exertional hypoxemia. Am J Respir Crit Care Med. 2007；176：343-9.［Ⅱ］

9) Lacasse Y, Lecours R, Pelletier C, et al. Randomised trial of ambulatory oxygen in oxygen-dependent COPD. Eur Respir J. 2005；25：1032-8.［Ⅱ］

10) Moore RP, Berlowitz DJ, Denehy L, et al. A randomised trial of domiciliary, ambulatory oxygen in patients with COPD and dyspnoea but without resting hypoxaemia. Thorax. 2011；66：32-7.［Ⅱ］

CQ15 高二酸化炭素血症を伴う安定期COPD患者に対するNPPVは有効か？

CQ15の推奨	高二酸化炭素血症を伴う安定期COPD患者に対して、NPPV実施を弱く推奨する（提案する）
エビデンスの確実性	Ⓑ 中程度

解説文

アウトカム指標

慢性期で症状の安定した高二酸化炭素血症を有するCOPD患者を対象に、NPPV使用群と通常ケア群において以下のアウトカムを評価した。「死亡率」「入院回数」「QOL」「息切れスコア」「$PaCO_2$」「PaO_2」「FEV_1」「FVC」「6MWD」「睡眠効率」「有害事象」。

採用論文

2020年に発表されたATSガイドラインは5つのCQを扱い、このなかのCQ1が当班のCQに合致する内容と判断されたため、ここではATSガイドライン[1]を採用した。RCT 16編[2-17]を採択し、フォローアップ期間は3～12ヵ月だった。二値変数はRR、連続変数はMD、95% CIにて評価した。通常ケア群は介入内容のばらつきがあるが、多くは酸素療法にNPPV追加したものを比較していた。2編は夜間のNPPV使用＋運動療法群と運動療法のみ群を比較していた[2,3]。また、1編[4]は通常ケア群において患者全員が酸素療法を使用していたわけではなかった。

結果

1) 死亡率（重要度9点）（図1）[1]

死亡率は13編[2-8,10-12,14-16]で検討されたが、うち5編は期間中に死亡者なしのため、残り8編が解析対象となった。NPPV群の死亡率は18.5%、通常ケア群24.3%、RR 0.86（95% CI 0.58 to 1.27、p＝0.45、I^2＝40%）。通常ケア群にはNPPVを模した介入を加えるなどの盲検化されたものはないため、バイアスリスクがある。また、95% CIが益と効果なしを含むため、エビデンスの確実性はC。

2) 入院回数（重要度8点）（図2）[1]

3編のRCT[4,9,12]にて解析した。観察期間はそれぞれ6、12、24ヵ月と異なるが、この期間中の患者一人当たりの入院回数はNPPV群で減少傾向あり、MD －1.26（95% CI －2.59 to 0.08、p＝0.07、I^2＝73%）。対照群の盲検化がなく、バイアスリスクがある。非一貫性が高いが、点推定値は有益側にある。エビデンスの確実性はC。

第Ⅳ章　Clinical Question

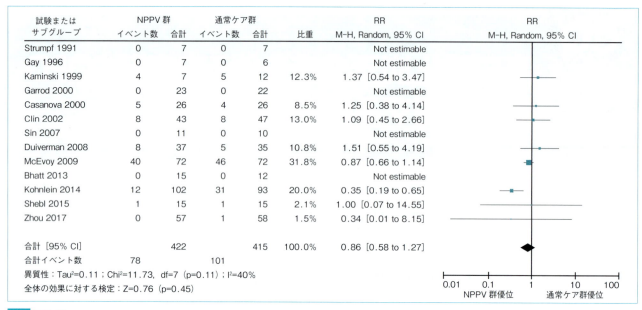

図1　死亡率

（文献1より引用）

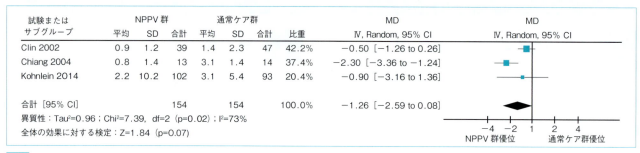

図2　入院

（文献1より引用）

3〉QOL（重要度 8 点）（図 3）[1]

7編のRCT[2-6,13,16]にて解析した。NPPV群は通常ケア群に比べてQOLの改善がなかった。SMD 0.49（95% CI −0.01 to 0.98、p=0.05、I^2=83%）。対照群の盲検化がなく、バイアスリスクがある。非一貫性が非常に大きく、報告ごとに点推定値がばらついていた。エビデンスの確実性はD（ATS原文ではQOL改善とあるが、データを確認し、改善なしと判断した）。

4〉息切れスコア（重要度 7 点）（図 4）[1]

5編のRCT[2,3,6,13,16]にて解析した。NPPV群は通常ケア群に比べて有意に息切れが改善した。SMD −0.51（95% CI −0.95 to −0.06、p=0.02、I^2=54%）。対照群の盲検化がなく、バイアスリスクがある。エビデンスの確実性はB。

5〉$PaCO_2$（重要度 5 点）

12編のRCT[2-7,9-11,13,14,16]にて解析した。NPPV群は通常ケア群に比べて覚醒時の$PaCO_2$を有意に減少した。MD −3.37 mmHg（95% CI −5.75 to −0.99、p=0.005、I^2=94%）。対照群の盲検化がなく、バイアスリスクがある。I^2=94%と非一貫性が非常に高いが、多くの点推定値は有益側にある。エビデンスの確実性はB。

6〉PaO_2（重要度 5 点）

9編のRCT[2-4,6,7,10,13,14,16]にて解析した。NPPV群は通

CQ15 高二酸化炭素血症を伴う安定期COPD患者に対するNPPVは有効か？

図3 QOL

(文献1より引用)

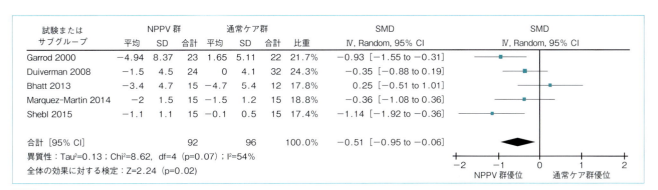

図4 息切れスコア

(文献1より引用)

常ケア群に比べてPaO₂を有意に増加した。MD 3.09mmHg（95％ CI 1.45 to 4.74、p＝0.0002、I²＝52％）。対照群の盲検化がなく、バイアスリスクがある。エビデンスの確実性はB。

7〉FEV₁（重要度5点）

10編のRCT[3-7,10,12-14,16]にて解析した。NPPV群と通常ケア群で有意な差は認めなかった。SMD 0.07（95％ CI −0.14 to 0.27、p＝0.53、I²＝40％）。対照群の盲検化がなく、バイアスリスクがある。CIは広く、有意な益も有害も除外できない。エビデンスの確実性はC。

8〉FVC（重要度5点）

8編のRCT[3,4,6,7,10,12,13,16]にて解析した。NPPV群と通常ケア群で有意な差は認めなかった。SMD 0.10（95％ CI −0.06 to 0.26、p＝0.24、I²＝0％）。対照群の盲検化がなく、バイアスリスクがある。CIは広く、有意な益も

有害も除外できない。エビデンスの確実性はC。

9〉6MWD（重要度6点）（図5）[1]

10編のRCT[3,4,6,9,11-14,16,17]にて解析した。NPPV群は通常ケア群に比べて有意に運動耐容能を改善した。MD 32.03m（95％ CI 10.79 to 53.26、p＝0.003、I²＝50％）であり、MCIDを超える改善を認めた。対照群の盲検化がなく、バイアスリスクがある。エビデンスの確実性はB。

10〉睡眠効率（重要度5点）

3編のRCT[6,12,14]にて解析した。PSGなど客観的評価ではなく睡眠質問票での評価となるが、NPPV群は通常ケア群と比較して睡眠効率が劣る傾向があった。SMD −0.55（95％ CI −1.13 to 0.03、p＝0.06、I²＝47％）。ただし、CIが広く、NPPV群が有益の可能性も否定できない。対照群の盲検化がなく、バイアスリスクがある。

第Ⅳ章　Clinical Question

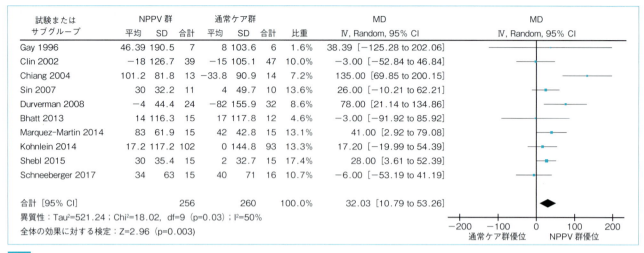

図5　6MWD

（文献1より引用）

エビデンスの確実性はC。

11〉有害事象（重要度7点）

3編のRCT[4,6,7]にて解析を実施した。1編はNPPV使用にて不快感、皮膚損傷を認め、2編はNPPVマスクによる肌の発赤を認めた。全体ではNPPV群は通常ケア群の50倍の有害事象の発生率であった。RR 51.0（95% CI 3.1 to 829.0、p=0.001、$I^2=0$%）。それぞれ軽微な有害事象がほとんどであり、対象とした報告内には気胸や低血圧などの重大な有害事象は認めなかった。対照群の盲検化がなくバイアスリスクがある。エビデンスの確実性はC（ATS原文では通常ケアの10倍の有害事象と記載されているが、誤記と判断し再計算した）。

システマティックレビューのまとめ

高二酸化炭素血症を伴う安定期のCOPD患者において、NPPV使用群は全体に有益性が認められた。息切れ、$PaCO_2$、PaO_2、6MWDを改善し、NPPV使用による軽微な有害事象は増加したが、重篤な有害事象はなかった。エビデンスの確実性はB。

推奨の強さを決定するための評価項目

1〉アウトカム全般に関する全体的なエビデンスの強さ：中程度

息切れ、$PaCO_2$、PaO_2、6MWDが益を示しているが、睡眠効率、有害事象が害を示している。これらのエビデンスの確実性はB〜Cである。もっとも、有害事象は7点の重大アウトカムとして設定されているものの、増加が確認されているのは致命的でなく、発見も容易な皮膚障害のみである。総合的な判断としてエビデンスの確実性はB（中程度）とする。

2〉益と害のバランスが確実か（コスト含まず）：確実

NPPV療法は主にマスクによる軽微な有害事象が発生する可能性が高く、睡眠効率の低下も認める。しかし、重大な有害事象は認めず、呼吸困難や運動耐容能の改善が得られていることから有益性が高いと考える。

3〉患者の価値観や好みを反映しているか：不明

呼吸困難の改善は患者にとっては有益だが、あくまで人工呼吸器という位置づけであり、終末期医療にも使用される治療法であることなどを考慮する必要がある。ま

た、睡眠時の不快感を訴える患者も臨床上しばしば認められる。NPPV に対する患者の価値観や好みは、ばらつきが大きいと推測される。

4 〉 負担の確実さ（あるいは相違）や正味の利益がコストや資源に十分に見合っているか：**不明**

多くの場合、在宅酸素療法も併用するため、患者の自己負担額は高額となりやすい。NPPV 療法についての本邦における費用対効果は、今後検討が必要である。

委員会における討論内容と結果

推奨度決定に関し、学術的COIを有する委員を除くガイドライン委員 50 名で投票を行い、「行うことを弱く推奨する（提案する）」が 48 名/50 名（96 ％）となり、同意率が 2/3 以上のため採用が決定した。

References

1) Macrea M, Oczkowski S, Rochwerg B, et al. Long-Term Noninvasive Ventilation in Chronic Stable Hypercapnic Chronic Obstructive Pulmonary Disease. An Official American Thoracic Society Clinical Practice Guideline. Am J Respir Crit Care Med. 2020；202：e74-e87.［Ⅵ］

2) Garrod R, Mikelsons C, Paul EA, et al. Randomized controlled trial of domiciliary noninvasive positive pressure ventilation and physical training in severe chronic obstructive pulmonary disease. Am J Respir Crit Care Med. 2000；162：1335-41.［Ⅱ］

3) Duiverman ML, Wempe JB, Bladder G, et al. Nocturnal noninvasive ventilation in addition to rehabilitation in hypercapnic patients with COPD. Thorax. 2008；63：1052-7.［Ⅱ］

4) Kohnlein T, Windisch W, Kohler D, et al. Non-invasive positive pressure ventilation for the treatment of severe stable chronic obstructive pulmonary disease：a prospective, multicentre, randomised, controlled clinical trial. Lancet Respir Med. 2014；2：698-705.［Ⅱ］

5) McEvoy RD, Pierce RJ, Hillman D, et al.；Australian trial of non-invasive Ventilation in Chronic Airflow Limitation（AV-CAL）Study Group. Nocturnal non-invasive nasal ventilation in stable hypercapnic COPD：a randomised controlled trial. Thorax. 2009；64：561-6.［Ⅱ］

6) Bhatt SP, Peterson MW, Wilson JS, et al. Noninvasive positive pressure ventilation in subjects with stable COPD：a randomized trial. Int J Chron Obstruct Pulmon Dis. 2013；8：581-9.［Ⅱ］

7) Zhou L, Li X, Guan L, et al. Home noninvasive positive pressure ventilation with built-in software in stable hypercapnic COPD：a short-term prospective, multicenter, randomized, controlled trial. Int J Chron Obstruct Pulmon Dis. 2017；12：1279-86.［Ⅱ］

8) Strumpf DA, Millman RP, Carlisle CC, et al. Nocturnal positive-pressure ventilation via nasal mask in patients with severe chronic obstructive pulmonary disease. Am Rev Respir Dis. 1991；144：1234-9.［Ⅱ］

9) Chiang LL, Liu CY, Ho SC, et al. Efficacy of nocturnal nasal positive pressure ventilation in hypercapnic patients with severe obstructive lung diseases. Chang Gung Med J. 2004；27：98-106.［Ⅱ］

10) Casanova C, Celli BR, Tost L, et al. Long-term controlled trial of nocturnal nasal positive pressure ventilation in patients with severe COPD. Chest. 2000；118：1582-90.［Ⅱ］

11) Sin DD, Wong E, Mayers I, et al. Effects of nocturnal noninvasive mechanical ventilation on heart rate variability of patients with advanced COPD. Chest. 2007；131：156-63.［Ⅱ］

12) Clin E, Sturani C, Rossi A et al. The Italian multicentre study on noninvasive ventilation in chronic obstructive pulmonary disease patients. Eur Respir J. 2002；20：529-38.［Ⅱ］

13) Marquez-Martin E, Ruiz FO, Ramos PC, et al. Randomized trial of non-invasive ventilation combined with exercise training in patients with chronic hypercapnic failure due to chronic obstructive pulmonary disease. Respir Med. 2014；108：1741-51.［Ⅱ］

14) Gay PC, Hubmayr RD, Stroetz RW. Efficacy of nocturnal nasal ventilation in stable, severe chronic obstructive pulmonary disease during a 3-month controlled trial. Mayo Clin Proc. 1996；71：533-42.［Ⅱ］

15) Kaminski D, Sliwinski P, Bielen P, et al. Noninvasive positive pressure ventilation in COPD patients with hypercapnic respiratory failure. Pneumonol Alergol Pol. 1999；67：45-52.［Ⅱ］

16) Shebl RE, Abderaboh MM. Bi-level positive airway pressure ventilation for patients with stable chronic obstructive pulmonary disease. Egypt J Chest Dis Tuberc. 2015；64：395-8.［Ⅱ］

17) Schneeberger T, Stegemann A, Schoenheit-Kenn U, et al. Nocturnal Non Invasive Ventilation As An Adjunct For Pulmonary Rehabilitation In Patients With Very Severe COPD - A Randomized Controlled Trial. Am J Respir Crit Care Med. 2017；195：A2851.［Ⅱ］

各国の COPD ガイドラインの特徴と比較

COPD の診断・管理を目的とした国際的な指標として GOLD report が作成されている[1]。なお、GOLD report 2021 の序文にもあるように、GOLD report は "strategy document" として世界中で用いられているが、いわゆる「世界ガイドライン」であるとは主張していない。

さて、各国の医療背景を鑑み独自の COPD ガイドラインを作成している国も多い[2]。世界には 61 個のガイドラインが存在するとされるが、その内容は各国の経済状況や医療システムにも依存し、差異がある[2]。

現在、英国[3]、スペイン[4]、カナダ[5]、米国[6]、オーストラリアとニュージーランド[7]、ロシア[8]、マレーシア、イタリアやフィンランドなどは英語表記のガイドラインを用い、フランス、ドイツ、オランダや韓国などは本邦と同様に、母国語表記のガイドラインを使用している。キプロスなど自国のガイドラインがない国では、GOLD report に沿うように奨められている[2]。中国からは、COPD に対する漢方治療に関するガイドラインが中国語と英語で発表されている[9]。

英語表記のガイドラインでは、COPD の診断確定には気管支拡張薬吸入後のスパイロメトリーによる評価が奨められているのは共通しており、一般に診断基準には、$FEV_1/FVC < 0.7$ が用いられている[10]。疾患の重症度の評価として、%FEV_1 による重症度分類をもとに、症状や増悪・合併症を加味した COPD 評価の導入が推奨されているガイドラインが多い。例えば、英国では気流制限の重症度分類は GOLD report と同様であり、その疾患の重症度は、低 BMI、呼吸困難感、増悪頻度、入院、運動耐容能、フレイルなどを含め、総合的に評価をすることが推奨されている[3]。スペインでは非増悪フェノタイプ、asthma-COPD overlap フェノタイプ、肺気腫-増悪フェノタイプ、慢性気管支炎-増悪フェノタイプの 4 つのフェノタイプに分類して治療を推奨している[4]。

さらに、ほとんどのガイドラインの管理目標は症状の軽減と増悪の抑制であり、疾患進行の制御と死亡率の減少である。薬物治療においては、症状の緩和には SABA and/or SAMA での対処、症状が持続する際には、LAMA and/or LABA で症状に応じて対処し、ほとんどのガイドラインで気流制限が重症かつ増悪を繰り返す群においては、ICS を加えることが推奨されているが、肺炎などその副作用への注意が喚起されている。

COPD ガイドラインは、エビデンスに基づき定期的に update されることが重要であり、各国の医療情勢に即した適切な COPD 診療が普及することが望まれる。

References

1) Global Initiative for Chronic Obstructive Lung Disease (GOLD). Global Strategy for Prevention, Diagnosis and Management of Chronic Obstructive Pulmonary Disease 2021 Report. 2020. https://goldcopd.org/wp-content/uploads/2020/11/GOLD-REPORT-2021-v1.1-25Nov20_WMV.pdf (accessed 2022-04-22) [Ⅵ]

2) Tabyshova A, Hurst JR, Soriano JB, et al. Gaps in COPD Guidelines of Low- and Middle-Income Countries：A Systematic Scoping Review. Chest. 2021；159：575-84. [Ⅵ]

3) British Thoracic Society. NICE guideline-COPD in over 16s: diagnosis and management. https://www.brit-thoracic.org.uk/quality-improvement/guidelines/copd/ (accessed 2021-12-15) [Ⅵ]

4) Miravitlles M, Soler-Cataluña JJ, Calle M, et al. Spanish Guidelines for Management of Chronic Obstructive Pulmonary Disease (GesEPOC) 2017. Pharmacological Treatment of Stable Phase. Arch Bronconeumol. 2017；53：324-35. [Ⅵ]

5) Bourbeau J, Bhutani M, Hernandez P, et al. Canadian Thoracic Society Clinical Practice Guideline on pharmacotherapy in patients with COPD - 2019 update of evidence. Canadian Journal of Respiratory, Critical Care, and Sleep Medicine. 2019；3：210-32. [Ⅵ]

6) Nici L, Mammen MJ, Charbek E, et al. Pharmacologic Management of Chronic Obstructive Pulmonary Disease. An Official American Thoracic Society Clinical Practice Guideline. Am J Respir Crit Care Med. 2020；201：e56-e69. [Ⅵ]

7) Lung Foundation Australia. COPD. Australian and New Zealand Guidelines for the management of Chronic Obstructive Pulmonary Disease 2020. https://copdx.org.au/wp-content/uploads/2021/02/COPDX-V2.62-June_Oct-2020-PUBLISHED.pdf (accessed 2021-12-15) [Ⅵ]

8) Aisanov Z, Avdeev S, Arkhipov V, et al. Russian guidelines for the management of COPD：algorithm of pharmacologic treatment. Int J Chron Obstruct Pulmon Dis. 2018；13：183-7. [Ⅵ]

9) Li JS. International clinical practice guideline of chinese medicine：Chronic obstructive pulmonary disease. World J Tradit Chin Med. 2020；6：39-50. [Ⅵ]

10) Miravitlles M, Vogelmeier C, Roche N, et al. A review of national guidelines for management of COPD in Europe. Eur Respir J. 2016；47：625-37. [Ⅵ]

身障者援助、法律的側面

身障者援助、法律的側面

　COPD の管理には、医学的な面だけでなく社会的、経済的な面からの支援も重要である。すなわち、医療費、医療機器の維持費、家族の介護負担などによる経済的負担の増大を軽減させる必要がある。利用可能な社会保障としては、身体障害者福祉法、介護保険、医療保険などがある。

身体障害者福祉法

　身体障害者福祉法（身障法）で内部障害として呼吸器機能障害が定められている。

　呼吸器機能障害の程度分類の基本概念は表1に示す如くである。それぞれにほぼ相当する活動能力の制限を表2に表すが、そのなかで、（ア）は非該当、（イ）（ウ）は4級相当、（エ）は3級相当、（オ）は1級相当と概略されている。この基本的概念に相当する機能障害の指標が、予測肺活量1秒率（指数）と動脈血ガスであり、認定にあたってはこれらが客観的評価として重要視されている。表3にその呼吸機能障害等級の目安を示す。

　市町村の福祉事務所あるいは役所の障害福祉課への申請に基づいて指定医が障害程度を認定し、都道府県知事が交付する。認定されると身体障害者手帳（身障者手帳）が給付される。身障法で受けることのできる福祉サービスの内容は自治体によって異なるが、表4に示したようなものがある。内部障害1級は保険医療の自己負担額が全額免除されるが（ただし一部所得制限あり）、3級では都道府県によって異なっている。また、医療保険に適応されるが、介護保険の自己負担金には適応されないため、訪問看護の利用にあたってはその使い分けを考慮する必要がある。その他、ネブライザーなどの給付（貸与）、LTOT/HOT 患者への電気代助成、障害基礎年金、障害厚生年金、障害手当などの給付、税金の免税・減税、NHK 放送受信料の減免、交通費の割引、市町村障害者生活支援事業、身体障害者ホームヘルプサービス事業などを受けることや、公営住宅の優先入居などがある。

介護保険

　介護保険は利用者が市町村に申請し、訪問調査と主治

表1 呼吸器機能障害の程度分類の基本概念

呼吸器の機能障害の程度についての判定は、予測肺活量1秒率（以下「指数」）、動脈血ガスおよび医師の臨床所見によるものとする。指数とは1秒量（最大吸気位から最大努力下呼出の最初の1秒間の呼気量）の予測肺活量（性別、年齢、身長の組み合わせで正常ならば当然あると予測される肺活量の値）に対する百分率である。

（2022年4月現在）

表2 呼吸器機能障害による活動能力の制限

（ア）階段を人並みの速さで上れないが、ゆっくりなら上れる。
（イ）階段をゆっくりでも上れないが、途中休みながらなら上れる。
（ウ）人並みの速さで歩くと息苦しくなるが、ゆっくりなら歩ける。
（エ）ゆっくりでも少し歩くと息切れがする。
（オ）息苦しくて身のまわりのこともできない。

（2022年4月現在）

表3 呼吸器機能障害等級

級数	区　分	解　説
1級	自己の身辺の日常生活活動が極度に制限されるもの	呼吸困難が強いため歩行がほとんどできないもの。呼吸障害のため指数の測定ができないもの。指数が20以下のもの、または動脈血酸素分圧が50 Torr以下のもの。
3級	家庭内での日常生活活動が著しく制限されるもの	指数が20を超え30以下のもの、もしくは動脈血酸素分圧が50 Torrを超え60 Torr以下のもの。またはこれに準ずるもの。
4級	社会での日常生活活動が著しく制限されるもの	指数が30を超え40以下のもの、もしくは動脈血酸素分圧が60 Torrを超え70 Torr以下のもの。またはこれに準ずるもの。

（2022年4月現在）

付録

表4 身体障害者福祉法等による自治体の福祉サービス例

医療	重度心身障害者医療費の助成
	老人保健医療の給付（65歳以上）
	更生（育成）医療の給付
手当・年金等	特別児童扶養手当
	重度心身障害児福祉手当
	特別障害者手当・障害児福祉手当
	障害基礎年金・障害厚生年金
	心身障害者扶養年金
税	所得税・住民税の控除
	自動車税・自動車取得税の減免
割引・減免	鉄道・バス・航空運賃等の割引
	タクシー料金の割引
	有料道路運賃料金の割引
	NTT番号案内料金の減免
	NHK放送受信料の減免
介護	重度心身障害児・者の短期入所
	ホームヘルパーの派遣
生活	ネブライザー等の給付（貸与）
	在宅酸素療法患者に対する電気代助成
	住宅改造費助成
	公営住宅の優先入居
	福祉タクシー利用金助成
	重度障害者入浴サービス
	自動車改造費助成
	自動車運転免許取得費助成

（2022年4月現在）

医意見書をもとに介護認定審査会において審査判定が行われ、非該当、要支援1～2、要介護1～5に分類される。65歳以上では疾患にかかわらず介護が必要な場合に申請ができるが、COPDは介護保険における特定疾病に該当するため、40歳以上65歳未満で申請ができる。介護保険と身体障害者施策とに重複しているサービスについては、介護保険のサービスが優先される。

介護度に応じて、指定介護老人福祉施設、介護老人保健施設、指定介護療養型医療施設への入所や、在宅として、訪問介護、訪問看護、訪問リハビリ、通所リハビリ、通所介護、短期入所療養介護、短期入所生活介護、福祉用具給付・貸与などのサービスを受けることができ、その費用の援助を受けることができる。

介護認定は基本的に疾病の重症度ではなく、あくまでも日常生活での介護の手間を基準に判定されるため、強い呼吸困難がありながらも、時間をかけて休みながらなら介助なしで自分のことができる慢性呼吸器疾患患者では、その判定は軽度の要介護度になる傾向にあり、必要なサービスを得られない場合がある。ケアマネジャーが呼吸器疾患患者を理解することを進めていくことが重要と考えられる。

医療保険

医療保険で行う在宅医療の主な保健サービスは、訪問看護と往診である。医療必要度が高い在宅酸素療法患者においても、訪問看護の利用にあたっては、医療保険より介護保険が優先されるため、改善が求められる。一方、在宅換気補助療法や末期がん、ある特定の疾患が対象となる場合は医療保険が用いられるが、在宅換気補助療法のヘルパーや福祉器具のレンタルなどの介護保険独自のサービスは介護保険が適用となる。

その他

年金制度では、老齢または障害を負ったり遺族になったりした場合の保険事故（受給の権利の発生）に対して必要な年金が支給される。老齢年金は65歳以上で受給可となるが、障害年金は20歳以上で受給可であり、若年で呼吸不全の患者には受給を奨める。また、民間のサービスとして、家事援助者、介護人の派遣などのホームヘルプ事業、福祉機器、介護用品のレンタルなどがある。

健康日本21とCOPD（認知度向上は進んでいるか）

健康日本21における COPDの位置づけ

健康日本21は21世紀の国民健康づくり運動として、2000年4月に当時の厚生省から発表された。具体的には、21世紀における国民の健康増進を総合的に推進し、「健康で生活できる期間（いわゆる健康寿命）の延長」と「生活の質の向上」という2つの基本理念が導く社会の実現を目標として掲げた長期的な計画である[1]。その後、2012年の健康日本21計画終了に伴い、時代の変化に合わせた基本方針の全面的な見直しが行われ、国民一人ひとりの健康目標に社会環境の構築目標を盛り込んだ、健康日本21（第二次）が2013年から新たに施行された[2]。基本方針は、1. 健康寿命の延伸と健康格差の縮小、2. 生活習慣病の発症予防と重症化予防の徹底、3. 社会生活を営むために必要な機能の維持及び向上、4. 健康を支え守るための社会環境の整備、5. 栄養・食生活、身体活動・運動、休養、飲酒、喫煙及び歯・口腔の健康に関する生活習慣及び社会環境の改善である。そして、第2目標で取り上げられた生活習慣病のなかに、がん、循環器疾患、糖尿病と並んでCOPDが加わり、まずは「COPDの認知度向上」を課題として取り組んでいくこととなった。具体的には25％程度であったCOPD認知度を2023年までの10年間で80％までにすることが目標として定められた。

本邦における COPD の認知度

GOLD日本委員会により2009年から毎年、1万人を対象としたWeb調査が行われている。図1にCOPD認知度の年次推移を示す[3]。調査開始当初は17％台で推移していたCOPD認知度が、2011年以降は上昇に転じ、健康日本21（第二次）が発表された2013年に30.5％のピークをむかえ、それ以降は25〜28％で推移している。直近の2020年度調査結果では28.0％と横ばいである。しかし、2021年度における、「肺気腫」、「慢性気管支炎」という病名に対する認知度はそれぞれ61.1％、56.3％であり、「慢性閉塞性肺疾患」という病名の認知

度向上が進まないなかで、本疾患の代替病名が比較的に認知されていることがうかがえる[3]。また、病名「慢性閉塞性肺疾患」に対して「どんな病気か知っている」という問いに対する認知度はこの10年間で5.1％から10.4％へと上昇している。年代別COPD認知度の結果からは、ここ数年の傾向として、60歳以上の高齢者のほうが20〜30歳台の若い世代よりも認知度が低いことがわかる（図2）[3]。

海外における COPD の認知度

海外でもCOPD認知度調査が行われている。世界COPD患者団体連合会（International COPD Coalition）が2014年に世界41ヵ国（発展途上国：15ヵ国、先進国：26ヵ国）のCOPD認知度調査をまとめた結果では、認知度40％を超える国は先進国の31％、発展途上国の0％であり、海外においても本邦と同様にCOPD認知度の低い国は多い（図3）[4]。最近、2004〜2018年の期間におけるGoogle検索エンジンを用いたCOPD認知度調査結果が発表され、世界10大死因のなかで第3位であるCOPDの検索頻度は10位中8位と低く、調査期間中における経年的な検索頻度もほぼ横ばいであり、海外においてもCOPD認知度は依然低いまま推移していると推察する[5]。

COPD 認知度向上へ向けた 取り組みと展望

健康日本21（第二次）施行後の課題として（表1）、1. 産学一体となった「COPD啓発プロジェクト」の普及・啓発活動、2. 医療機関での普及・啓発活動と新規患者の発見、3. 全国の自治体による普及・啓発活動の推進、4. タバコの警告表示を「肺気腫」から「COPD」に修正、5. 健康診断におけるCOPD検診の取り入れ等が挙げられ、これまでにさまざまな事業が展開されてきた[6]。最近の大きな成果としては、2020年4月のたばこ事業法施行規則の一部改正により、長年の目標とされてきたタバコパッケージの注意文言に「COPD」が追記さ

付録

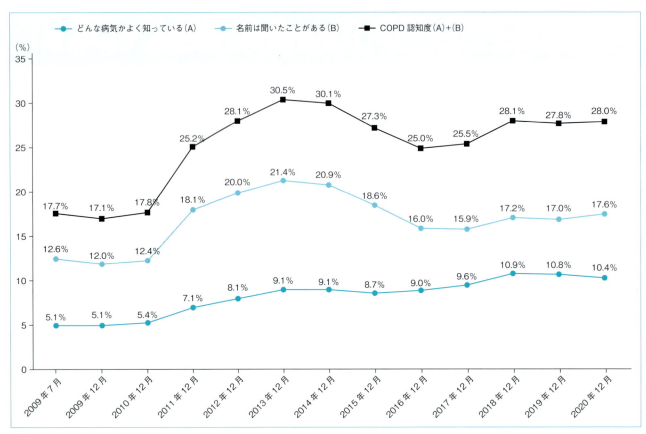

図1 本邦における COPD 認知度の推移
単一回答　各 n＝10,000

(文献3より引用)

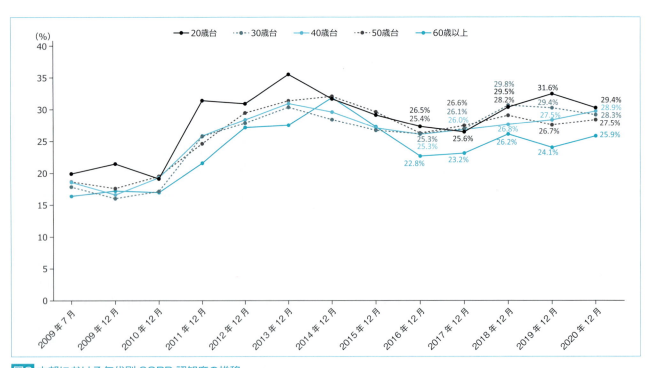

図2 本邦における年代別 COPD 認知度の推移

(文献3より引用)

262

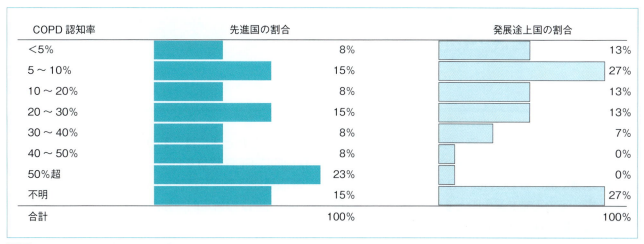

図3 海外におけるCOPDの認知率

(文献4より引用)

表1 COPDの普及・啓発と早期発見のための課題

目標	関与者	手段
1. 認知度の向上	産学一体	新聞、TVCMなどを通じた継続的なCOPD普及・啓発活動
2. 医療機関での普及・啓発 新規患者発見	都道府県医師会等	「日本COPD対策推進会議」(日本医師会、日本呼吸器学会、日本呼吸ケア・リハビリテーション学会、結核予防会)による普及・啓発活動
3. 行政による普及・啓発	全国自治体	全国自治体(47都道府県、1,718市区町村)によるCOPD普及・啓発活動
4. タバコ表示	厚労省、財務省、「議連」	タバコ箱の表示修正*
5. 健康診断	厚労省、日本医師会、全国自治体	全国自治体の特定検診・肺がん検診にCOPD検診の取り入れ

*：2020年4月にタバコパッケージの注意文書に「COPD」が追記された。

(文献6より改変引用)

れたことである。しかし、現状では、目標である2023年までのCOPD認知度80％達成には程遠い状況であり、目標実現のためには官民を挙げたさらなる啓発活動や新規事業の立ち上げが必要と考える。

References

1) 厚生労働省. 健康日本21. https://www.mhlw.go.jp/www1/topics/kenko21_11/top.html (accessed 2022-01-20)
2) 厚生労働省. 健康日本21 (第二次). https://www.mhlw.go.jp/stf/seisakunitsuite/bunya/kenkou_iryou/kenkou/kenkounippon21.html (accessed 2022-01-20)
3) 一般社団法人GOLD日本委員会. 2020年度COPD認知度把握調査結果. http://www.gold-jac.jp/copd_facts_in_japan/copd_degree_of_recognition.html (accessed 2022-01-20)
4) Grouse L, Nonikov D. The global battle to improve patients' health outcomes：COPD awareness, activities, and progress. J Thorac Dis. 2014；6：161-8. [Ⅵ]
5) Boehm A, Pizzini A, Sonnweber T, et al. Assessing global COPD awareness with Google Trends. Eur Respir J. 2019；53：1900351. [Ⅵ]
6) 工藤翔二. COPDの疫学と予防：健康日本21 (第2次)を中心に. 日内会誌. 2015：104：1059-66. [Ⅵ]

付録

新興感染症流行とCOPD

POINTS

- ⦿ COPD 患者は、咳・痰・呼吸困難などの新たな出現や増悪したときには、その症状が軽度であったとしても SARS-CoV-2 感染の可能性を考慮し、積極的に PCR 検査を行う。
- ⦿ 地域における COVID-19 罹患率が高いときには、呼吸機能検査は緊急性・必要性が高い場合を除き、その実施を最小限とする。そのような状況下では COPD の暫定的な診断は、問診票や胸部 X 線・血液検査などを用いた作業診断に基づいて行う。
- ⦿ ICS などを含む吸入・経口 COPD 治療薬の COVID-19 に対する影響はいまだ明確な知見はなく、現段階ではすでに処方されている治療薬はそのまま継続することが望ましい。

本稿は新興感染症を対象としており、近い将来ヒト新型インフルエンザなどの流行も危惧されるが、現段階では SARS-CoV-2 ウイルスによる COVID-19 流行下での COPD 管理について述べる。

COPD 患者における COVID-19 感染に関する疫学的知見

SARS-CoV-2 の気道系への感染には、気道上皮細胞膜表面の ACE2（Angiotensin converting enzyme 2）と TMPRSS2（Transmembrane protease, serine 2）の 2 受容体が必須となる。ACE2 受容体は年齢とともに増加し、男性でより多く、運動や喫煙によっても増加する。したがって、両受容体の発現は、SARS-CoV-2 感染の罹患しやすさや臨床経過に影響を与える[1]。ACE2 受容体の発現は COPD 患者では増加し、ICS により調節を受ける可能性が示唆されている[2]。

しかし、COPD 患者が SARS-CoV-2 に感染しやすいかはいまだ明確な知見はない。罹患率が上がるとする報告は限定的である。COVID-19 流行期には COPD 増悪による入院数は逆に減少したとの報告[3]もあり、COPD 患者自身のより徹底的な感染予防対策が罹患率に影響を与えている可能性も残る。一方、併存症としての COPD 合併は、SARS-CoV-2 感染による入院の独立したリスク因子であり、重症化・死亡のリスク因子である可能性が高い[4]。

一般のコロナウイルス感染は、COPD 増悪の原因となるが、いまだ SARS-CoV や MERS-CoV による増悪の報告はなく、SARS-CoV-2 による COPD 増悪に関しても明確な知見はない。

感染予防対策

COPD 患者も、マスク着用などの標準感染予防策は健常人と同様に行う。一般にサージカルマスクでは安全とされているが、COPD 患者では N95 マスク着用下では 6 分間歩行後の SpO_2 低下や CO_2 貯留との報告[5]があり、注意を要する。また、外出自粛やソーシャルディスタンスをとることは重要だが、それが社会的孤立や活動性低下につながらないように、友人・家族などとの連絡は密にとる。患者は Stay at home よりも Move at home の意識をもち、さまざまなメディアを通じ COVID-19 やその管理に関する情報を収集することが望ましい。

COPD 診療全般についての注意事項

COVID-19 による症状と、COPD 増悪症状は類似することが多く鑑別は難しい。したがって、COPD 患者で呼吸困難などの新たな出現や増悪したときには、その症状が軽度であったとしても SARS-CoV-2 感染の可能性を考慮して、積極的に PCR 検査を行う。通常、COVID-19 の診断的価値の高い胸部 CT は、COPD 患者では陰影がはっきりしないこともあり、要注意である。

新興感染症流行とCOPD

ネブライザーの使用は、ウイルスをエアロゾル化し感染伝播させる可能性があるため、使用しないよう注意喚起されている。発作治療として、pMDI（＋スペーサー）を用いたSABDsの使用が推奨される。

地域におけるCOVID-19罹患率が高いときには、呼吸機能検査は診断のうえで不可欠かつ緊急性の高い場合や術前評価などで必要性が高い場合を除き、その実施を最小限とする。通常の呼吸機能検査ができない場合は、特異性は低く拘束性と閉塞性の換気障害の鑑別も困難であるが、在宅でのピークフロー値測定などで代用も考慮する。

喫煙はCOVID-19の明らかな重症化因子であることから、禁煙指導はより厳密に行うべきである。

COVID-19 流行期における COPD 作業診断

日本呼吸器学会 閉塞性肺疾患学術部会は、COVID-19流行期で多くの医療施設で呼吸機能検査の実施が困難な状況にあることから、呼吸機能検査ができない場合の作業診断の手順を提唱している（**第Ⅲ章-F. COPDの病診連携を参照**）[6,7]。

長期管理について

ICSは *in vitro* ではCOVID-19に対する保護作用を有するとの報告もあるが、その位置づけはいまだ議論が尽くされてはいない。ICSを含む製剤とLAMA+LABA使用群で死亡リスクを比較した観察研究では、ICS群でCOVID-19関連死のリスクが有意に上昇していたが、感度分析の結果ではICSの有害作用よりもベースラインでのCOPD重症度の違いで説明可能と結論づけられている[8]。ICSならびに経口ステロイド薬のCOVID-19患者に対する効果については、今後の知見の集積が待たれるところであるが、現段階ではすでに使用している患者についてはそのまま継続する。その他の気管支拡張薬、マクロライド系抗菌薬なども、同様の理由で現行治療の継続が強く推奨される。

COPD増悪時の全身性ステロイド薬や抗菌薬は、現状COVID-19感染を悪化させるとの知見がないことから、通常のCOPD増悪時の適応と同様に使用する。

非薬物治療としては、インフルエンザや肺炎球菌のワクチンは通常通りに行う。COVID-19の罹患率が高いときには、通常のリハビリテーションの継続は困難となるため、スマートフォンなどを利用しての在宅リハビリテーションなどで活動性を高める努力を行う。

リハビリテーションと 退院後のフォローアップ

COPD患者はCOVID-19に罹患すると、栄養障害や骨格筋萎縮が起こりやすく、これは重症患者でより顕著になる。したがって、入院初期からこれらに対する治療を含めたプログラムを作成する。リハビリテーションはすべての患者に対して入院初期から行う。重症患者については、退院後のプログラムを策定するため、退院時と退院6～8週後に評価をする。

重症患者の約半数は半年後もDLCOの低下が持続するとの報告がある[9]。退院時に胸部X線検査で異常影が残存する症例においては、6ヵ月～1年後に胸部CTや呼吸機能を評価する。

COVID-19 ワクチン

ワクチンの感染予防・重症化阻止に関して良好な成績が示されており、有害事象を危惧するよりも得られるベネフィットが大きいと考えられる[10]。

References

1) Halpin D, Criner G, Papi A, et al. Global Initiative for the Diagnosis, Management, and Prevention of Chronic Obstructive Lung Disease:The 2020 GOLD Science Committee Report on COVID-19 & COPD. Am J Respir Crit Care Med. 2021；203：24-36.［Ⅵ］

2) Maes T, Bracke K, Brusselle GG. COVID-19, asthma, and inhaled corticosteroids：another beneficial effect of inhaled corticosteroids? Am J Respir Crit Care Med. 2020；202：8-10.［Ⅳb］

3) Berghaus TM, Karschnia P, Haberl S, et al. Disproportionate decline in admissions for exacerbated COPD during the COVID-19 pandemic. Respir Med. 2022；191：106120.［Ⅳa］

4) World Health Organization. Smoking and COVID-19：scientific brief. 2020. https://www.who.int/news-room/commentaries/detail/smoking-and-covid-19（accessed 2020-12-20）［Ⅰ］

5) Kyung SY, Kim Y, Hwang H, et al. Risks of N95 face mask use

付録

付録

in subjects with COPD. Respir Care. 2020；65：658-64.［Ⅳb］

6) 日本呼吸器学会 閉塞性肺疾患学術部会. COVID-19流行期日常診療における慢性閉塞性肺疾患（COPD）の作業診断と管理手順. https://www.jrs.or.jp/covid19/file/OLD_20210108_att.pdf（accessed 2022-04-13）［Ⅵ］

7) Shibata Y, Muro S, Yokoyama A, et al. Statement from the Japanese Respiratory Society：Working diagnosis and initial management of COPD during the COVID-19 pandemic. Respir Investig. 2021；59：385-8.［Ⅵ］

8) Schultze A, Walker AJ, MacKenna B, et al. Risk of COVID-19-related death among patients with chronic obstructive pulmonary disease or asthma prescribed inhaled corticosteroids：an observational cohort study using the OpenSAFELY platform. Lancet Respir Med. 2020；8：1106-20.［Ⅳa］

9) Huang C. Huang L, Wang Y, et al. 6-month consequences of COVID-19 in patients discharged from hospital：a cohort study. Lancet. 2021；397：220-32.［Ⅳa］

10) Fan YJ, Chan Kh, Huang IFN. Safety and efficacy of COVID-19 vaccines：A systematic review and meta-analysis of different vaccines as phase 3. Vaccines (Basel). 2021；9：989［Ⅰ］

α₁-アンチトリプシン欠乏症とα₁-アンチトリプシン補充療法

疾患の概要と病態生理

AATDは、血中のAAT[脚注1]の欠乏により肺疾患や肝疾患を生じる常染色体劣性遺伝性疾患である[1]。肺では若年性に肺気腫を生じ、COPDを発症する。気管支拡張症を合併する例もある。肝臓では、小児期に黄疸や肝機能障害を認める場合があり、成人期には肝硬変・肝不全に移行し肝細胞がんを発症することがある。欧米では、COPDの1〜2％はAATDによる。頻度は少ないが、脂肪織炎、肉芽腫性血管炎を合併することがある。AATDは難病法に基づいて疾病番号231番の指定難病（2015年5月）となり、重症度に応じて医療費助成対象疾患となった。

AATは394個のアミノ酸残基からなる糖蛋白質で、主に肝臓で産生されて32 mg/kg/日の速度で循環血中に放出される。血清AAT濃度は通常20〜50 μMであり、気道被覆液中や組織間液中に拡散して分布し、好中球エラスターゼに代表されるセリンプロテアーゼによる組織破壊に対し防御的に働いている。しかし、11 μM以下（＜50 mg/dL）になるとプロテアーゼによる組織破壊を十分防げず肺気腫が進行する（プロテアーゼ・アンチプロテアーゼ不均衡）。

α₁-アンチトリプシン補充療法

海外ではヒトのプール血漿から精製されたAAT製剤を週1回点滴静注（60 mg/kg）する補充療法が行われ、CT画像における気腫病変の進行を遅らせる効果が報告されている[2,3]。ヒトAAT製剤は1987年に米国で承認され、現在までに26ヵ国で市販されている。

本邦では4名の重症AAT患者に対して8週間にわたってAAT製剤を週1回点滴静注（60 mg/kg）し、安全性と薬物動態を検討する臨床試験が実施された［国内第I/II相試験（GTI1401試験）][4]。その結果、欧米人で示されている安全性と薬物動態と同等の結果、すなわち、AAT（60 mg/kg）を週1回点滴静注することにより、肺胞破壊に対し防御的な血清AAT濃度＞11 μM（＞50 mg/dL）を維持できることが明らかになった（図1）[4]。本試験の結果により2021年1月に製造販売承認を取得し、リンスパッド™点滴静注用1,000 mg（海外商品名 Prolastin®-C）として発売されることとなった。

リンスパッド™は、COPDや気流閉塞を伴う肺気腫などの肺疾患を呈し、かつ、重症AATDと診断された患者［血清AAT濃度＜50 mg/dL（ネフェロメトリー法で測定）］に投与する。

通常、成人にはヒトAATとして60 mg/kgを週1回、点滴静注する。リンスパッド™ 1,000mg（凍結乾燥製剤）を添付溶解液20 mLで溶解し、患者の様子を観察

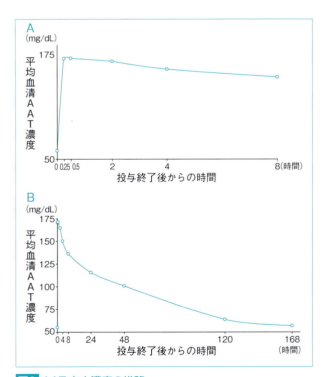

図1 AAT血中濃度の推移

4名の日本人AATD症例にリンスパッド™ 60 mg/kgを週1回点滴静注し、8週目の最終投与後、7日（168時間後）まで10ポイントで血清中AAT濃度を測定した。グラフは4名の平均血清中AAT濃度の推移。Aは投与8時間までのデータの拡大図。Bは7日後（168時間後）までのデータ全体を示している。

脚注1　AATは、現在ではα₁-プロテアーゼインヒビター（α₁-PI）と称される。しかし、本稿では慣用的に使用されている前者の表現を採用した。

付録

しながら約 0.08 mL/kg/分を超えない速度で点滴静注する。最後に、ルート内の AAT すべてが患者に投与されるよう生理食塩液 25 mL に換えて同じ速度で点滴して終了する。体重 60kg の成人では、全体で約 20 分以上を要する。

References

1) Greene CM, Marciniak SJ, Teckman J, et al. α_1-Antitrypsin deficiency. Nat Rev Dis Primers. 2016；2：16051.［Ⅵ］

2) Parr DG, Dirksen A, Piitulainen E, et al. Exploring the optimum approach to the use of CT densitometry in a randomised placebo-controlled study of augmentation therapy in alpha 1-antitrypsin deficiency. Respir Res. 2009；10：75.［Ⅱ］

3) Stockley RA, Parr DG, Piitulainen E, et al. Therapeutic efficacy of α-1 antitrypsin augmentation therapy on the loss of lung tissue：an integrated analysis of 2 randomised clinical trials using computed tomography densitometry. Respir Res. 2010；11：136.［Ⅱ］

4) Seyama K, Nukiwa T, Sato T, et al. Safety and pharmacokinetics of Alpha-1 MP（Prolastin®-C）in Japanese patients with alpha1-antitrypsin（AAT）deficiency. Respir Investig. 2019；57：89-96.［Ⅴ］

索引

A～E

欧　文

A

AAA	81
AaDO$_2$	69
AATD	19, 21, 63, 267
ABC アプローチ	152
ABCD 分類	76
abdominal paradox	150
ACCP	120
ACE2	264
ACh	100, 103
ACO	35, 43, 121, 157,
―診断基準	171
ACP	128, 129
AcT	73
ADL	74, 76, 108, 129, 132, 238
―評価	76
AFFIRM COPD 試験	103
air trapping	20, 26, 28, 31, 62, 63, 155
airflow obstruction	164
ALX	67
AT	71
ATS	8, 118, 194

B

barrel chest	58
BCAA	81, 112, 113
BCAA/AAA 比	81
BI	76
BIA	81
blue bloater	8, 54
BLVR	118, 119
BMC	81
BMI	37, 38, 81, 111, 112, 128, 164
BNP	72, 73, 123, 171
BODE index	120, 164

C

CAL	33
cAMP	100, 103
CAT	56, 57, 58, 74, 75, 76, 97, 104, 171,
CCL-18/PARC	78
CCQ	58
CHRNA3/CHRNA5	21, 22
clade E	21, 22
CLCA1	21, 22
clubbed finger	59
CNLD	8
CO	20, 77
CO$_2$ ナルコーシス	69, 70, 72, 98, 153, 154
coarse crackles	60
COI	XIV
COLD	8

combined assessment	9
COPD	13, 17, 25, 43, 75,
―管理に使用する薬剤（剤型）	101
―啓発プロジェクト	261
―と喘息の鑑別	43, 68
―の管理目標	3, 74, 92, 109
―の診断	2, 50, 56, 65, 258
―の増悪	5, 29, 72, 78, 99, 124, 157, 225
―の定義	1, 9, 10
―の病期分類	2, 53
―の病型	2, 9, 10, 54, 62
―の病診連携	168, 169
―の予後因子	112
―発症感受性遺伝子	
COPD-PS	56, 58, 169,
COPD-Q	56, 58, 59, 169
COVID-19	21, 22
―流行期日常診療における慢性閉塞性肺疾患（COPD）の作業診断と管理手順	52, 169, 170
―ワクチン	171, 265
CPAP	72, 115, 124, 165
CPET	71
CPFE	10, 35, 44, 45, 74, 115, 124,
CPI	45
CRP	35, 76, 78, 149, 151, 152, 153
CRQ	75, 213, 236
CT による気道病変評価の意義	64
CT の撮像方法	64
CTR	62
CYP	22

D

DALY	13
DEP	20
DLCO	44, 45, 64, 65, 67, 74, 119, 171, 265
DPI	101, 105
DXA	81
dynamic hyperinflation	31, 66

E

EBC	77
EBV	119, 120
ECLIPSE 研究	35, 36, 37, 150
EELV	31, 33, 66, 117
EFL	66, 68
EGF	28
EGFR	33, 44
EILV	33
ENERGITO 試験	103
EPAP	155
EPHX	21, 22
EQ-5D	75
ERS	118
ET	73

索引

E〜M

ETHOS 試験 103, 104, 164, 200

F

FAM13A 21, 22
FDA 74
FEF_{25-75} 69
FeNO 43, 76, 77, 121
FEV_1 .... 2, 8, 9, 11, 19, 20, 45, 53, 65, 66, 69, 73, 94, 100, 102, 118, 119, 163, 176
　—/FVC 2, 3, 9, 45, 50, 52, 53, 65, 67, 258
FIM 76
FiO_2 155
FLAME 試験 103, 205
FM 81, 111, 112
f-NSIP 45
FOT 67, 69
fR 71
FRC 45, 66, 69
frequent exacerbator 54
Fres 67
FUT8 21
FVC 45, 65, 255

G

GALATHEA 試験 222
GDF11 21
GERD 35, 37, 52, 124, 150, 157
GINA 43
Goddard の方法 63
GOLD 32, 43, 76, 181
GST 21
GWAS 21

H

HFNC 129, 152, 153, 155
HFpEF 37
HHIP 21, 22
HIV 20
HMV 110, 111, 125, 127, 171
HO-1 21
Hoover 徴候 58
hospital at home 127
HOT 98, 110, 111, 113, 114, 115, 116, 124, 128, 131, 132, 163, 171, 172,
　—の適用基準 114
HRCT 9, 45, 46, 50, 51, 54, 62, 63, 64, 93, 171
HRQOL 75, 106, 110

I

IBW 81, 108
IC 31, 66, 80
　—/TLC 163
ICER 233
ICS 97, 98, 103, 121, 122, 157

ICT 110, 111
ICU 128, 151, 152, 156, 171
IDM 168
IL1RN 22
IL-1 22
IL-4 .... 21, 22
IL-6 .... 22, 35, 36, 77, 78
IL-8 .... 36, 77
IL-13 .... 21, 22
IMPACT 試験 103, 104, 164, 200, 205,
iNOS 36
IPAG 56, 58
IPAP 165
IPAQ 79
IPD 99
IPF 44, 45, 124, 125
IPPV 152, 155, 156
　—の適応基準 156
IRV 33
ISWT 241, 243, 244

J

JRS 9, 53, 169, 170

K

KRONOS 試験 103, 104, 206, 209

L

LAA% 64
LAA 63, 64, 119
LABA 4, 97, 100, 102, 121, 122, 158, 176, 194
　—/ICS 配合薬 98, 101, 103, 164,
　— + SAMA 177, 178
LABDs 97, 98, 100, 157, 212
LAMA 97, 100, 101, 102, 121, 122, 163, 181, 188
　—/LABA 配合薬 97, 100, 101, 102, 164,
　—/LABA/ICS 配合薬 104, 158, 164
　— + SABA 179
LBM 81, 112, 113, 244, 245
LCADL 76
LES 113
LLN 52, 53, 65
LSM 181
LTOT 113, 125, 131, 163, 168
LTRA 121, 122
LVRS 32, 118, 119
　—適応基準 119

M

MCID 75
MD 176, 188, 200, 206, 212, 216, 236, 242, 248, 253
MDI 101, 152
MEP 71
MERS-CoV 264

271

索 引

M〜S

METREO 試験	222
METREX 試験	222
METs	79
MIP	71
MMP	21
mMRC	56, 57, 80
MNA®-SF	81
MRC	36, 113, 236
MRI	65
M 細胞	26

N

NF-κB	36
N95 マスク	264
NETT 試験	118, 119,
nexin	21, 22
NF-κB	36
NHP	75
NICE study	13, 14
NIV	117
NMES	129
NO	77
NO_2	20
NOD	21, 115
NOTT	113
NOx	20
NPPV	117, 118, 152, 153, 154, 155, 156, 253
一導入基準	117
一の適応基準	156
NRS	130
NRT	94, 95
NT-proBNP	51, 72, 73, 151
N-アセチルシステイン	158

O

OIS	195, 197
OPTIMAL 試験	206
OR	176, 181, 188, 200, 206, 212, 216, 227, 231, 248,
OSA	38, 70, 124
overlap syndrome	38

P

$PaCO_2$	69, 70, 115, 117, 153, 154
PAH	73, 74
PAL	176, 177
PaO_2	69, 73, 98, 113, 114, 153
PCR 検査	264
PCV13	99, 157
PDE	100
PEEP	117, 129, 155,
PEmax	71
PImax	71
pink puffer	8, 54
plasminogen activator inhibitor type 1	21, 22

PM	20
$PM_{2.5}$	20
PM_{10}	20
pMDI	105, 152
PPI	124
PPSV23	99, 157, 231
PRISm	52
PRO	74, 75,
PROMS-D 質問票	79, 80
PROSPERO 研究	222
PSG	117, 255
PvO_2	163

Q

QALY	233
QOL	74, 92
一の改善	3, 74, 92
一の低下	35
一評価	74
QWB	119

R

rapid decliner	54
RCT	99, 123, 164, 165
RD	184, 185
REE	81, 112
retrosternal clear space	62
rhonchus	60
ring shadow	62, 64
RR	194, 206, 231, 253
Rrs	67, 68
RSV	20
RTP	81
RV	45, 66
一/TLC	112, 119

S

SABA	4, 97, 100, 101, 122, 152
SABDs	5, 97, 100, 151
saccharomyces cerevisiae cell division cycle 6（CDC6）homolog 蛋白	21
SAMA	4, 97, 100, 101, 176
SARS-CoV	264
SARS-CoV-2	264
SAS	35, 115, 165
SBRT	124
SD	188, 212
SERPINE	21, 22
SF-36	75
SGRQ	75, 79
SGRQ-C	75
SIP	75
SLPI	28
small airway dysfunction	8

索引

S〜X, あ〜え

SMD 194, 254, 255
SMI 81, 101, 105
SOD 22
SP-D 21, 22, 51,
spill-over 35
SPM 20
SpO₂ 5, 69, 113, 153, 154, 248
SR 96, 194, 217
sRAGE 78
SUMMIT 試験 103, 164
SUPPORT 試験 128
SWT 70, 108,

T

tactile fremitus 60
TAPSE 73
TDI スコア 104, 177, 183, 190, 202, 207
tear drop heart 62
TERRANOVA 試験 222
TGF-β 28
TIMP 28, 78
TLC 33, 45, 66
TMPRSS2 264
TNF-α 35, 77
TORCH 試験 103, 104, 164
TPPV 117
tram line 62, 64

U

UPLIFT 試験 164

V

$\dot{V}_A/\dot{Q}$ 不均等分布 31, 67
VAP 156
VATS 125
VC 53, 66
$\dot{V}_{CO_2}$ 71
Vit D 78
$\dot{V}_{O_2}$ 71, 164
$\dot{V}_{O_2}max$ 71, 237
$\dot{V}_{O_2}peak$ 71
vocal fremitus 60
V_T 33
$\dot{V}_{25}$ 8
$\dot{V}_{50}$ 8

W

WA 64
wheeze 60
WHO 13
WL 63

X

Xrs 67, 68

和 文

あ

アクションプラン（行動計画） 110, 131, 157, 172
アクリジニウム 101, 102
アジスロマイシン 105
アセチルシステイン 158
アディポネクチン 37, 78
アポトーシス 29, 36
アミノフィリン 101
　─持続静注 152
アルホルモテロール 194, 197
アンジオテンシン変換酵素阻害薬 122
安静時呼吸困難 151
アンチオキシダント 19, 28
安定期 COPD 管理のアルゴリズム 4, 97
アンブロキソール 101, 158

い

硫黄酸化物 20
息切れ 2, 56, 57, 80, 149,
異常呼吸音 60
一酸化炭素 20, 69, 77
一酸化窒素 77
遺伝素因 19, 21
医療機器業者 131, 132
医療費 17, 113
医療保険 260
医療面接 56
医療連携 168, 173
インスリン抵抗性 36, 37
インダカテロール 101, 102, 158, 188
インフルエンザ 265
　─ウイルス 149
　─菌 124, 149, 153
　─ワクチン 99, 100, 157, 163

う

右心カテーテル検査 51, 72, 73
右心不全 59, 72, 150, 151
ウメクリジニウム 101, 102, 188
　─/ビランテロール 101, 102
　─/ビランテロール/フルチカゾン（フランカルボン酸エステル） 101, 104
運動時の呼吸困難 100
運動耐容能 100, 109, 163
　─の改善 106, 107
　─の低下 3, 66, 70, 93
運動負荷試験 70
運動療法 106, 108, 111, 236

え

エアロゾル 52, 105, 265
栄養管理 111

273

索 引

え～き

栄養障害 35, 36, 81, 111,
栄養状態 163
栄養治療 112
栄養評価 81, 108
栄養評価項目 81
栄養療法 98, 111, 117, 171
疫学 13
エラスターゼ 20, 28,
　―活性 28
エラスチン 21, 28, 29
エリスロマイシン 105
遠位細葉（小葉）型肺気腫 26, 63
炎症関連遺伝子 19, 21
炎症細胞 28, 77
炎症メディエーター 28

お

横隔膜 62
オートファジー 29
オキシダント 19, 20, 28, 29
オピオイド 128, 130
オマリズマブ 222

か

外因性危険因子 19
介護保険 125, 126, 127, 259
外出自粛 264
回復期病棟 125
解剖学的死腔 129
かかりつけ医 125
可逆性 3, 66, 121
　―の気流制限 121, 122
喀痰 50, 76, 152
　―検査 76
　―細菌検査 51
　―症状 10, 25
　―調整薬 97, 98, 101, 105, 216
　―の還元剤 76
　―量 149, 153
ガス希釈法 66
ガス交換障害 31, 69
画像検査 62, 93
画像診断 3, 50, 62, 65, 119
加熱式タバコ 13, 95
過分泌 31, 33
カルシウム活性化クロライドチャネル 1 .... 21, 22
カルボシステイン 101, 158
簡易栄養状態評価表 81
簡易歩数予測式 80
換気血流比不均等 69, 124, 149
換気不均等 31, 68, 117
換気補助療法 117, 153, 155
環境タバコ煙 51
間質性肺炎 51, 125

患者教育 157
患者数 13
肝触知 59
乾性咳 57
間接カロリメトリー 81
感染性増悪 99
管理目標 3, 74, 92
緩和ケア 128, 129

き

奇異性呼吸 150
気管支肺炎 151
気管支拡張薬 50, 65, 66, 97, 100, 101, 152, 163
気管支拡張薬吸入前 FEV₁ 222, 225
気胸 125, 149
危険因子 19, 20
気腫型 2, 10, 54, 62
気腫性病変 2, 10, 25, 44, 54, 62, 63, 118, 163
　―の CT 像 63
　―の定性的、定量的評価法 63
　―優位型 2, 10
喫煙 19, 94, 163
　―感受性 19
　―曝露からの回避 92, 96
　―歴 2, 50
気道可逆性 3, 66, 163
　―検査 51, 66
気道過敏性 20, 121, 163
　―検査 121
気道粘液 31
気道病変 28, 54, 62, 64
　―優位 54
気道壁の計測法 64
急性期 129, 168
　―病院 125, 128
　―病棟 125
急性呼吸不全 151, 155
吸入アドヒアランス 105, 106
吸入指導 105
吸入スペーサー 105
胸郭内気量 66
胸郭の異常 58, 150
胸骨後腔 62
狭心症 35
強制オシレーション法 67
胸部 CT 62, 73, 151
胸部単純 X 線写真 62, 151
虚血性心疾患 123
気流制限 77, 121
気流閉塞 15, 25, 31, 44, 50, 53, 65, 67, 93, 111, 152
　―の可逆性 9, 43
きわめて高度の気流閉塞 53
禁煙 94, 157, 227
　―外来 94

索引

き〜さ

—指導 94
—治療 171
—補助薬 157
緊急時 113, 116
筋蛋白量 81
筋力トレーニング 108

く

空気とらえこみ現象 20, 155
口すぼめ呼吸 58, 131
クラリスロマイシン 105
グリコピロニウム 101, 102
　—/インダカテロール 101, 102
　—/ホルモテロール 101, 102
　—/ホルモテロール/ブデソニド ... 101, 104
クレオラ体 121
グレリン 112

け

ケアマネジャー 125, 126, 127
経口ステロイド薬 36, 122
頸静脈の怒張 59
軽度認知障害 37
軽度の気流閉塞 53
経皮的酸素飽和度 108
経皮二酸化炭素分圧測定 71
血液検査 76, 78
血管内皮細胞 34
健康寿命 92, 109

こ

抗 IgE 抗体 121, 122
抗 IL-5 抗体 98, 122
抗 IL-4Rα 抗体 121, 122
抗 IL-5Rα 抗体 121, 122
広域周波オシレーション法 67
抗菌薬 152, 153,
航空機による旅行 115
口腔内圧 71
高血圧症 123
抗コリン薬 100, 101
黄砂 20
好酸球 43, 78, 222
抗線維化薬 45
好中球 28, 43, 77
　—エラスターゼ 28, 77, 267
行動変容 109, 110
行動療法 37, 112, 157, 171
高度の気流閉塞 53, 152
高二酸化炭素血症 ... 31, 117, 155, 163, 253
高齢者肺炎球菌性肺炎 124
呼気延長 60
呼気ガス 76, 77
　—分析 71

呼吸運動 58
呼吸音の減弱 60
呼吸器感染症 20
呼吸器機能障害 126, 259
　—等級 259
呼吸機能 19, 22, 43, 45, 149
　—検査 65, 264
　—障害 65
　—障害等級 127, 259
　—の改善 103, 212
　—の低下 128
呼吸筋 70
　—ストレッチ 171
　—の筋力トレーニング 171
　—力 70, 71,
　—疲労 33, 117
呼吸困難 33, 51, 56, 113, 117, 118, 129
　—指数 164
　—の軽減 106
　—の改善 156
呼吸性アシドーシス 70, 154, 155
呼吸トレーニング 131
呼吸不全 59, 69, 150
　—の診断基準 69
呼吸補助筋 58
呼吸リハビリテーション 106, 117, 128, 129, 157, 168, 236
　—効果判定 70
　—プログラム 107, 108, 236
骨格筋機能障害 36
骨格筋指数 81
骨粗鬆症 35, 123
コンディショニング 108, 129
コンプライアンス 45

さ

サージカルマスク 264
災害 131, 132
最終末期 128
再増悪 125
在宅 NPPV 118
在宅医療 125
在宅管理 125, 127
在宅サポート 151
在宅リハビリテーション 125, 127
細葉 26
細葉(小葉)中心型肺気腫 26, 63
サブ解析 103, 209
サルコペニア 35, 36, 111, 124, 128
サルブタモール 101
サルメテロール 101, 102,
　—/フルチカゾン(プロピオン酸エステル) 101, 103
酸塩基平衡 69
　—障害 164
酸化ストレス 28

索引

さ〜た

酸素消費量	31, 32
酸素流量	115, 154
酸素療法	113, 153, 154, 155, 248
—の適応	153, 154

し

シクレソニド	101
四肢骨格筋量	81
歯周病関連抗体	78
視診	60
指数	126, 259
市中肺炎	99
疾患管理モデル	168
疾患特異的質問票	75
疾患特異的尺度	74
湿性咳嗽	50, 105
質問票	56, 57, 74, 76, 79, 168
死亡数	14, 15, 16
臭化イプラトロピウム	101
臭化オキシトロピウム	101
集中治療室(ICU)への入院の適応	151
周波数依存性	67, 68
終末期	92, 128, 129
—COPD	128, 129
—医療	129, 256
術後肺炎	124
受動喫煙	19, 94
消化器疾患	37
小児喘息	19, 20
食事指導	112
触診	59
食欲不振	2, 57
除脂肪量	35, 111
徐放性テオフィリン	103
心陰影	72
心音	60
新型タバコ	95
心筋梗塞	35
—死	37
心血管疾患	35, 36, 123
心尖拍動	59
心臓超音波検査	72, 73, 151
身体活動性	79, 109, 163
—の向上	92, 100, 109, 131
—の低下	35
身体障害者手帳	125, 126
身体障害者福祉法	125, 259, 260
身体所見	2, 58, 72
診断基準	50
心電図	72, 151
心不全	123, 149
心房細動	37

す

睡眠呼吸障害	117
睡眠ポリグラフ検査	71
ステロイド	101, 152
スパイロメトリー	50, 65, 67, 169
—正常予測値	53
スマートフォン	265

せ

声音振盪	60
正常予測式	53, 69
静肺コンプライアンス	3
生物学的製剤	98, 222
生命予後	109, 123, 163
—因子	163
—の悪化	71
—の改善	97, 113, 115, 163
生理学的検査	50
咳	31, 56, 149, 264
脊柱起立筋	36, 79, 80
脊椎圧迫骨折	35, 36
セデンタリー行動	79, 80
セルフマネジメント教育	106, 110, 111
セルフマネジメント能力	110, 111
線維化	26, 44, 45
全身性炎症	35
—マーカー	76
全身性ステロイド薬	152
全身併存症	35, 92, 109, 123, 163
喘息	43, 122
—治療ステップ	122
—と COPD のオーバーラップ	43, 98
—の合併	3
—病態合併	76
—病態非合併	97
選択的 β_1 遮断薬	123, 165
喘鳴	57

そ

増悪	149
—期	149, 152
—時の入院適応	151
—の重症度判定	150
—の定義・診断・原因	149
—の予防	157, 168
—抑制	98
—歴	92, 157
—を繰り返す	117, 157
ソーシャルディスタンス	264
速筋線維	36

た

体位ドレナージ	153

索引

た～は

大気汚染	19, 20, 28
―濃度	79
―物質	19, 20
体脂肪量	81
代謝性疾患	37
体重減少	111
体プレチスモグラフ法	66
多因子による複合的評価	163, 164
高畠研究	14, 15
多血症	74, 114, 249
打診	59
タッピング	153
タバコ煙	19, 25, 28, 92
樽状胸郭	2, 58
痰	57
―の色調変化	149
―の膿性化	5, 150

ち

チアノーゼ	58, 150, 151
地域医療	125, 168
―ネットワーク	125
地域包括ケアシステム	173
地域包括ケア病棟	125
チオトロピウム	101, 102
―/オロダテロール	101, 102
遅筋線維	36
窒素酸化物	20, 150
中枢気道	25
―疾患	122
―病変	25
中等症の COPD	32
中等度の気流閉塞	53
聴診	2
貼付薬	102
治療ステップ	121, 122

つ

ツロブテロール	101, 102

て

定義	9, 54
ディコンディショニング	74, 75
低酸素血症	31, 69, 113, 163, 248
定量噴霧式吸入器	101
テオフィリン	98, 100, 103, 212
滴状心	62
デュピルマブ	222
テルブタリン	101
テレメディシン	125, 127
電子タバコ	95

と

統合的評価	9

動的(肺)過膨張	31, 67
糖尿病	35, 37, 124
―発症の危険因子	37
―有病率	37
動脈血ガス分析	69, 72, 150
―装置	116
トータルペイン	128, 129
ドキサプラム	153
トラフ FEV_1	181, 188, 206

な

内因性 PEEP	155
内因性危険因子	20
内視鏡療法	118
長浜研究	14

に

ニコチン依存	19, 94
ニコチンガム	94
ニコチンパッチ	94
日常生活指導	168
日本 COPD 対策推進会議	169
認知行動療法	37
認知症	37

の

脳血管障害	35

は

肺移植	120
肺炎	99, 124, 149
―球菌	99
―球菌ワクチン	99, 100, 157, 231
バイオマーカー	78
バイオマス燃料	20
肺合併症	35, 92, 123, 124, 163
肺過膨張	31, 163
肺がん	44, 120, 124,
肺気腫	10, 26, 45, 54, 63
―病変	45
肺気量分画	33, 44, 66
肺血管	25, 26
―拡張薬	74
―床	31
肺高血圧	34, 45
―症	31, 72, 73, 124, 163,
肺性心	34, 73, 117
肺線維症	44
肺弾性収縮力	25, 26
肺内血管の評価	65
肺年齢	95, 169
肺の炎症	28
―性疾患	9
―反応	28

277

索引

は〜よ

肺胞接着の消失 26, 31
肺胞低換気 31
肺胞領域 26
肺門・胸郭指数 72
肺門血管陰影 72
ばち指 59
発症機序 20
発症率 19
ハフィング 153
パルスオキシメータ 69, 70
パルスオキシメトリー 71, 150, 151
バレニクリン 94
汎細葉(小葉)型肺気腫 26

ひ

非気腫型 2, 10, 54, 62,
非結核性抗酸菌症 105
久山町研究 14
ヒストン脱アセチル化酵素 29
非薬物療法 98, 106, 128, 157
病期分類 2, 53
病型分類 54
病診連携 5, 168
費用対効果 75, 233
ビランテロール/フルチカゾン(フランカルボン酸エステル)
.... 101, 103
頻回の増悪 1, 4, 54, 96, 97, 128, 157
貧血 35, 38

ふ

不安 35, 37
フィブリノーゲン 78
フェノタイプ 54, 112, 157, 234
フェノテロール 101
副雑音 60
ブデソニド 101, 153
フドステイン 101
プライマリケア医 168, 169, 172
フルチカゾン 101, 103, 164
フレイル 35, 36, 128
プレドニゾロン 101
フロー・ボリューム曲線 3, 50, 66
プロカテロール 101
プロテアーゼ・アンチプロテアーゼ不均衡 77, 267
プロテアーゼ抑制物質 22
ブロムヘキシン 101

へ

閉塞性換気障害 51, 65, 67, 100,
閉塞性肺疾患研究会 9
併存症 35, 51, 76, 92, 123, 150, 157,
ベクロメタゾン 101
ヘッジホッグ相互作用蛋白 22
ベンラリズマブ 222

ほ

包括的質問票 75
包括的尺度 74
訪問看護ステーション 125
保険診療 94
　—請求 151
発作性の呼吸困難 122
ポリファーマシー 172
ホルモテロール 101, 102, 188
　—/ブデソニド 101, 103, 104

ま

マクロライド系抗菌薬 105
末梢気道 25, 26
　—障害 8
　—病変 25, 31
　—病変優位型 2, 10
末梢血好酸球増多 98
マラスムス型の蛋白・エネルギー栄養障害 111
マルチスライス CT 65
慢性炎症 25, 44
慢性気管支炎 54, 57
慢性呼吸器疾患 1, 71
慢性呼吸不全 69, 113, 172
慢性心不全 114
慢性の咳 51, 56
慢性の痰 57

む

無呼吸低呼吸指数 114

め

メタ解析 22, 44, 99, 103, 123, 158, 164
メタボリックシンドローム 35, 37
メチルキサンチン 100, 101
メチルプレドニゾロン 101
メポリズマブ 222

も

モメタゾン 101
モラクセラ・カタラーリス 124, 149, 153
問診 56

や

薬物療法 4, 92, 96, 100, 117, 128, 152, 155, 158, 168, 172

ゆ

有効換気量 69, 117
有病率 13, 14

よ

要介護 126, 127, 260
　—認定 126

索引

よ〜わ，数字・ギリシア文字・記号

要支援	127, 260
抑うつ	35, 37, 57
予後	163
—の改善	97, 98, 163, 165,
—が良好	109, 119
—不良	74, 115, 119, 163,
—予測	70, 76
予測 1 秒量	53
予測肺活量 1 秒率	126, 259

り

罹患率	50, 264
離脱症状	94
リモデリング	25
緑内障	97, 102
リラクセーション	108
臨床検査	150
臨床所見	2, 56, 126
リンスパッド ™	267

ろ

労作時呼吸困難	31, 50
労作時低酸素血症	45, 113, 250
ロフルミラスト	158

わ

ワクチン	99
—接種	99, 157, 168, 231

数字・ギリシア文字・記号

1 回換気量	31, 67
2 型炎症	222
5A アプローチ	94
6MWD	102, 113, 119, 176
6MWT	70, 108
6 分間歩行	264
Ⅰ型筋線維	36
Ⅰ型呼吸不全	69
Ⅰ期	2, 53, 163
Ⅱ型筋線維	36
Ⅱ型呼吸不全	153, 155
Ⅱ期	2, 53
Ⅲ期	2, 53, 111
Ⅳ期	2, 53, 111
α_1-アンチトリプシン欠乏症	267,
α_1-アンチトリプシン補充療法	267
β 遮断薬	123, 165
β_2 刺激薬	100, 101, 123
ω 3 系脂肪酸	113
％ AMC	81
％ CSA	73
％ DLCO	44, 45, 65, 67
％ FEV$_1$	2, 53, 65
％ IBW	81
％ TSF	81
％ VC	67
％上腕筋囲	81
％上腕三頭筋部皮下脂肪厚	81
％標準体重	112

COPD（慢性閉塞性肺疾患）診断と治療のためのガイドライン 第6版 2022
定価　本体 4,500 円（税別）

2022 年 6 月20日　　第 6 版第 1 刷発行
2022 年11月20日　　第 6 版第 2 刷発行
2023 年 7 月20日　　第 6 版第 3 刷発行

編　集　日本呼吸器学会 COPD ガイドライン第 6 版作成委員会
発行者　日本呼吸器学会（代表）　平井豊博
発行所　一般社団法人 日本呼吸器学会
　　　　〒113-0033 東京都文京区本郷 3 丁目 28 番 8 号　日内会館 7 階
　　　　TEL：03-5805-3553（代）　FAX：03-5805-3554
　　　　✉ info@jrs.or.jp　URL：https://www.jrs.or.jp/
発売元　株式会社メディカルレビュー社
　　　　〒113-0034 東京都文京区湯島 3-19-11　湯島ファーストビル
　　　　TEL：03-3835-3041（代）　FAX：03-3835-3063
印刷所　広研印刷株式会社

● 本書に掲載された著作物の複写・複製・転載・翻訳・データベースへの取り込み、および送信（送信可能
　化権を含む）・上映・譲渡に関する許諾権は一般社団法人日本呼吸器学会が保有しています。

ISBN978-4-7792-2691-5　C3047　¥4500E
© 日本呼吸器学会/2022/ Printed in Japan